Весь Эркюль Пуаро

Agatha Christie

Весь Эркюль Пуаро

Murder in Three Acts

•

Sad Cypress

•

Hickory, Dickory, Dock

The Novels

Агата Кристи

Весь Эркюль Пуаро

Драма в трех актах

Драма в трех актах
●
Печальный кипарис
●
Хикори-дикори

Романы

Москва
ЦЕНТРПОЛИГРАФ
2000

УДК 820-31
ББК 84(4Вел)
К82

Серия «Весь Эркюль Пуаро»
выпускается с 2000 года

Выпуск 4

*Разработка серийного оформления
художника И.А. Озерова*

Художник Е.М. Ульянова

Кристи Агата

К82   Драма в трех актах: Детективные романы. —
Пер. с англ./Комментарии. — «Весь Эркюль
Пуаро». — М.: ЗАО Изд-во Центрполиграф,
2000. — 601 с.

ISBN 5-227-00697-0 (Вып. 4)
ISBN 5-227-00641-5

«Подозрение», «Уверенность», «Разоблачение» — таковы этапы
«Драмы в трех актах», в основе которой несколько загадочных для
всех, кроме знаменитого сыщика, убийств. В романе «Печальный
кипарис» сыщик снова на высоте — после блестящих логических
умозаключений на основе имеющихся фактов преступник разоблачен.
Название романа «Хикори-дикори», взятое из детской считалки,
отражает таинственную связь жизни и смерти, когда всем знакомые
стишки начинают звучать как предзнаменование, а игра превращается
в реальность.

УДК 820-31
ББК 84(4Вел)

ISBN 5-227-00697-0 (Вып. 4)
ISBN 5-227-00641-5

Драма в трех актах

Роман

Murder in Three Acts

Акт первый
ПОДОЗРЕНИЕ

Глава 1

Мистер Саттерсуэйт, сидя на террасе «Вороньего гнезда», наблюдал, как его владелец, сэр Чарльз Картрайт, взбирается по тропинке со стороны моря. «Воронье гнездо» — бунгало современного типа — простое, белое, солидное здание, было намного больше по размерам, нежели казалось с виду. Название его, видно, объяснялось тем, что бунгало располагалось на скале, высоко над гаванью Лумауза. С одной стороны террасы, защищенной крепкой балюстрадой, скала круто обрывалась в море. «Воронье гнездо» находилось в миле от города. Пешком сюда можно было добраться минут за семь по крутой рыбацкой тропе. По ней-то и поднимался сейчас сэр Чарльз Картрайт.

Это был хорошо сложенный загорелый мужчина средних лет в серых фланелевых брюках и белом свитере. Он шел слегка вразвалочку, и девять человек из десяти наверняка сказали бы: «Моряк в отставке, сразу видно». Однако десятый, более наблюдательный, заколебался бы, почуял некую едва уловимую фальшь. И возможно, перед ним неожиданно возникла бы картина — палуба корабля, но не настоящего, а декорации, на палубе стоит человек, Чарльз Картрайт, ярко освещенный, но не солнцем, а юпитерами, и речь его — речь английского моряка и джентльмена — сильно театрализована.

— Нет, сэр, — говорит Чарльз Картрайт, — боюсь, что не могу ответить на ваш вопрос.

И тут падает тяжелый занавес, вспыхивают огни, оркестр издает бравурные звуки, а девушки с непомерными бантами в волосах кричат: «Браво!» Закончился первый акт «Зова моря» с Чарльзом Картрайтом в роли капитана 3-го ранга Вюнстона.

Глядя вниз на крутую тропинку, мистер Саттерсуэйт улыбался.

Этот маленький, словно высохший человечек, покровитель искусств и сцены, известный сноб, всегда участвовал в самых важных приемах и общественных делах — списки приглашенных неизменно завершались словами «и мистер Саттерсуэйт». К тому же он отличался незаурядным умом и весьма острой наблюдательностью.

Сейчас, многозначительно улыбаясь, он пробормотал, покачивая головой: «Никогда бы не подумал, право же, никогда».

На террасе послышались шаги, и он обернулся. Крупный седой человек, непринужденно подсевший к нему, всем своим обликом, казалось, свидетельствовал, что имеет непосредственное отношение к медицине. На нем так и было написано — «доктор» и «Харлей-стрит». И действительно, сэр Бартоломью Стрендж преуспел в своей профессии. Он был известным специалистом по нервным расстройствам, и недавно его возвели в рыцарское достоинство.

— Так о чем бы вы никогда не подумали, ну-ка скажите? — осведомился он у мистера Саттерсуэйта.

Мистер Саттерсуэйт кивнул в сторону человека, быстро поднимавшегося по тропе.

— Никогда бы не подумал, что сэр Чарльз сможет так долго довольствоваться жизнью в... ссылке.

— Клянусь, я тоже! — засмеялся доктор. — Я знаю Чарльза с детства. Мы оба учились в Оксфорде. Он всегда был куда лучшим актером в жизни, нежели на сцене. Игра — его вторая натура. Но надо отдать ему должное — он любит менять роли. Два года назад, покинув сцену, Чарльз заявил, что стремится к простой деревенской жизни, вдали от света, что хочет отдаться своему старому влечению к морю. Приезжает сюда, строит этот дом. Таким, по его представлению, должен быть простой деревенский коттедж. Три ванные комнаты и всякие там современные приспособления! Подобно вам, Саттерсуэйт, я не думал, что это продлится долго. Я знаю Чарльза — ему нужна публика. Два или три капитана в отставке, несколько старух и приходский священник — не так уж интересно перед ними выступать. Мне казалось, роль «простого парня с его любовью к морю» будет занимать его от силы месяцев шесть. А на смену придет роль либо уставшего от света человека, этакого завсегдатая Монте-Карло, либо владельца поместья в горном краю — ведь Чарльзу свойственно непостоянство.

Доктор умолк, казалось, столь длинная речь утомила его. Глаза же, однако, лучились веселою насмешкой, когда он глядел на идущего вверх человека. Еще пару минут, и он к ним присоединится.

— И все же, — заключил сэр Бартоломью, — похоже, мы ошиблись. Мистера Картрайта все еще привлекает простая жизнь.

— О человеке, который ведет себя как на сцене, порой неправильно судят, — заметил мистер Саттерсуэйт. — Не принимают всерьез его искренность.

— Да, — задумчиво протянул доктор, — это правда.

В этот самый момент Чарльз Картрайт взбежал по ступенькам на террасу, приветственно подняв правую руку.

— «Мирабель» превзошла себя, — сказал он. — Вы зря остались, Саттерсуэйт.

Но тот покачал головой. Он так часто страдал от качки, пересекая Канал[1], что уже не рисковал пускаться в морские путешествия. Утром, наблюдая за «Мирабелью» из окна спальни и видя, как сильный ветер натягивает паруса, мистер Саттерсуэйт благодарил мысленно небеса за то, что остался на суше.

Сэр Чарльз велел принести напитки.

---

[1] Так называют англичане пролив Ла-Манш.

— И вам стоило там побывать, Толли, — сказал он своему другу-доктору. — Разве вы не провели полжизни на Харлей-стрит, рассказывая своим пациентам, как полезна, как целительна для них океанская волна?

— Великое преимущество врача, — иронически улыбнулся сэр Бартоломью, — заключается в том, что он не обязан следовать собственным советам.

Сэр Чарльз рассмеялся. Он все еще, видимо, того не осознавая, играл роль прямодушного моряка. Внешне он был на редкость привлекателен — пропорционально сложен, худощавое лицо его украшала легкая усмешка, а слегка посеребренные виски придавали ему некую утонченность. Он и с виду был прежде всего джентльменом, а уж потом актером.

— Так вы были в одиночестве? — поинтересовался доктор.

— Нет, — сэр Чарльз взял стакан с подноса, который принесла хорошенькая горничная, — у меня был помощник. Точнее, юная Эгг.

Что-то в его голосе, может, едва уловимый оттенок самоуверенности, заставило мистера Саттерсуэйта внимательно взглянуть на него.

— Мисс Литтон Гор? А она разве что-нибудь смыслит в парусном плавании?

Сэр Чарльз рассмеялся как-то принужденно.

— Я себя чувствую при ней совсем неопытным моряком, но и благодаря ей делаю успехи.

У мистера Саттерсуэйта внезапно мелькнула мысль: «Вот оно что... Эгг Литтон Гор... Может, поэтому ему тут еще не наскучило... Девушка весьма привлекательна».

А сэр Чарльз несколько экзальтированно продолжал:

— Море — ему нет в мире ничего равного. Солнце, ветер и море! А также маленькая хижина, куда можно вернуться.

И он с удовольствием обвел взглядом свое жилище, элегантное строение, в котором были три ванные комнаты, горячая и холодная вода во всех спальнях, новейшая система центрального отопления, моднейшие электроприспособления и штат прислуги — горничная, уборщица, шеф-повар и кухарка. Сэр Чарльз, возможно, имел несколько искаженное представление о скромном деревенском образе жизни. Высокая, на редкость уродливая женщина вышла из дома и направилась к ним.

— Доброе утро, мисс Милрей.

— Доброе утро, сэр Чарльз. Доброе утро. — Легкого поклона были удостоены двое остальных. — Посмотрите меню обеда, может, вам захочется что-нибудь изменить.

Сэр Чарльз взял лист бумаги, прочитал вслух:

— Дыня канталупка, борщ, свежая макрель, шотландская куропатка, суфле-сюрприз, канапе Диана... Нет, по-моему, все прекрасно, мисс Милрей. Все приедут поездом, в четыре тридцать...

— Я уже отдала распоряжения Холгейту. Кстати, сэр Чарльз, простите, но мне бы стоило вечером отобедать вместе со всеми.

Сэр Чарльз несколько растерялся.

— Весьма рад, конечно, мисс Милрей, но...

Мисс Милрей спокойно разъяснила:

— Иначе, сэр Чарльз, за столом окажется тринадцать человек... а многие люди так суеверны.

По ее тону, однако, можно было догадаться, что сама она весь остаток жизни охотно бы садилась с господами за обеденный стол тринадцатой без малейших колебаний.

— Я сказала Холгейту, что нужно заехать на машине за леди Мэри и Баббингтонами. Правильно ли я поступила?

— Абсолютно. Именно об этом я и хотел вас попросить.

С легкой улыбкой превосходства мисс Милрей удалилась.

— О, это весьма выдающаяся женщина, — проговорил сэр Чарльз с почтением. — Я часто опасаюсь, не явится ли она, чтобы почистить мне зубы.

— Мисс, судя по всему, — воплощенная добропорядочность, — заметил Стрендж.

— Она служит у меня уже шесть лет, — сказал сэр Чарльз. — Сперва в Лондоне была секретарем, здесь же стала, на мой взгляд, непревзойденной домоправительницей. Все у нее заведено как часы. Но сейчас, к сожалению, намерена меня покинуть.

— Почему?

— Она говорит, — сэр Чарльз как бы в сомнении почесал нос, — она говорит, что у нее есть больная мать. Но мне лично кажется, что такого рода женщина вообще не могла иметь никакой матери. Просто внезапно была рождена динамо-машиной. Нет, тут что-то другое.

— Вполне возможно, — предположил сэр Бартоломью, — что мисс испугалась пересудов.

— Пересудов? — Актер уставился на доктора в недоумении. — Пересудов о чем?

— Дорогой Чарльз, вы же знаете, что означает слово «пересуды».

— Вы полагаете, что возможны пересуды о ней и обо мне? О ней? С таким-то лицом? И в таком возрасте?

— Ей, вероятно, еще нет пятидесяти?

— Думаю, что есть. — Сэр Чарльз задумался. — Но, право же, Толли, вы что, не обратили внимания на ее лицо? Конечно, два глаза, нос и рот имеются в наличии, но разве все это можно назвать лицом? И притом лицом женским! Самый большой любитель скандальных историй не мог бы сделать их героиней женщину с подобным лицом.

— Вы недооцениваете соображений старой девы.

Сэр Чарльз покачал головой.

— Не верю в это. Мисс Милрей отличается омерзительной респектабельностью. Она олицетворение добродетели, притом добросовестна.

Несколько минут сэр Чарльз оставался погруженным в свои мысли. Чтобы отвлечь его, сэр Бартоломью спросил:

— Кто приедет сегодня?

— Начнем с Энджи.

12

— Энджела Сатклиф? Это хорошо.

Мистер Саттерсуэйт оживился, он даже подался вперед, чтобы лучше слышать, какие именно приглашены гости. Энджела Сатклиф была известной актрисой, уже немолодой, но все еще любимой публикой.

— Будут также Дейкры.

Мистер Саттерсуэйт при этом имени сузил глаза, словно бы что-то отметил про себя. Миссис Дейкр представляла модное ателье «Эмброзайн лимитед». В театральных программах отмечалось: «В первом акте на мисс Бленк было платье от «Эмброзайн лимитед», Брук-стрит. Муж этой дамы, капитан Дейкр, был темной лошадкой, если пользоваться его же терминологией заядлого игрока. Он проводил много времени на ипподромах, а некогда даже сам участвовал как наездник в Больших Национальных скачках. Было в его жизни какое-то темное дело, никто не знал точно какое, но слухи об этом ходили упорные. Расследования не было никакого, ничего не вскрылось, но все же, когда упоминалось имя Фредди Дейкра, люди многозначительно покачивали головой.

— Приедет также Энтони Астор, драматург.

— Знаю ее, — сказал мистер Саттерсуэйт, — она написала «Одностороннее движение». Я дважды смотрел этот спектакль, имевший шумный успех.

Ему было приятно показать свою осведомленность в том, что Энтони Астор — женщина.

— Это верно, — сказал сэр Чарльз. — Я забыл ее настоящее имя, кажется, Уиллс. Мы встречались только один раз. Пригласил я ее, чтобы сделать приятное Энджеле. Вот, пожалуй, и все приглашенные.

— А кто из местных?

— Да, еще местные! Будут Баббингтоны; он священник, славный человек, не так уж давит своим саном, а жена его — поистине милая женщина. Обучает меня садоводству. Придут леди Мэри и Эгг. О да, еще один молодой человек по имени Мендерс, журналист или что-то в этом роде. Красивый парень. Вот и все гости.

Мистер Саттерсуэйт, бывший по натуре педантом, принялся подсчитывать:

— Мисс Сатклиф и Дейкры — трое, Энтони Астор четвертая; леди Мэри с дочерью — шестеро, священник с женой — восемь человек, молодой джентльмен будет девятым; вместе же с нами — двенадцать. Или вы, или мисс Милрей плохо посчитали, сэр Чарльз.

— Только не мисс Милрей, — уверенно возразил сэр Чарльз, — эта женщина никогда не ошибается. Дайте подумать. Да, клянусь, вы правы. Я совершенно забыл об одном госте, — он усмехнулся, — ему бы это вовсе не понравилось. Этот малый — самый тщеславный из всех, кого я знаю.

В глазах мистера Саттерсуэйта сверкнула насмешка. Он всегда считал, что самые тщеславные люди — актеры. Не делал он исключения и для сэра Чарльза Картрайта. И его позабавило, что тот увидел соринку в чужом глазу.

— Кто же этот эгоист?

— Странный человечек, хотя и очень знаменитый. Думаю, вы слышали о нем. Это некий Эркюль Пуаро. Он бельгиец.

— А, детектив! — воскликнул мистер Саттерсуэйт. — Мы с ним встречались. Довольно примечательный персонаж.

— Да, это — фигура, — заметил сэр Чарльз.

— Никогда его не видал, — с сожалением произнес сэр Бартоломью, — но слышал о нем многое. Может, большая часть того, что я слышал, просто легенда. Кажется, он недавно ушел в отставку, не так ли? Ну что ж, Чарльз, остается надеяться, что на этом уик-энде не будет преступлений.

— Но почему... вы заговорили об этом? Только потому, что в доме появится детектив? Но ведь это все равно, Толли, что ставить телегу впереди лошади!

— Просто у меня есть такая теория.

— Что за теория, доктор? — заинтересовался мистер Саттерсуэйт.

14

— Просто я убежден, что события приходят к людям, а не люди к событиям. Почему у некоторых людей жизнь захватывающе интересна, а у других скучна? Из-за их окружения? Ничего подобного. Один человек может отправиться на край света, и с ним ничего не случится. Убийство произойдет за неделю до его приезда, землетрясение — спустя день после отъезда, а судно, на котором он чуть было не отправился, потерпит крушение. Другой же человек живет в лондонском районе Белхем и каждый день ездит в Сити, но с ним то и дело что-то случается. Он может быть связан с бандой шантажистов, с красотками или похитителями женщин. Иных людей так и тянет к крушениям — даже если они плывут в лодке по пруду, с ними что-то может случиться. Вот так же и людям типа вашего Эркюля Пуаро нет надобности искать преступления, они приходят к нему сами.

— В таком случае, — сказал мистер Саттерсуэйт серьезно, — мисс Милрей действительно лучше присоединиться к нам, чтобы и за столом не оказалось тринадцать человек. Эта цифра...

— Ну что ж, Толли, — согласился сэр Чарльз, — если вам так хочется, пусть произойдет убийство, но... при одном условии: чтобы жертвой оказался не я.

И все трое, смеясь, направились в дом.

Глава 2

Больше всего в жизни мистера Саттерсуэйта интересовали люди. И особенно прекрасная их половина. Он на удивление глубоко, гораздо глубже других мужчин, разбирался в женщинах. Была какая-то таинственная черточка в его характере, которая помогала ему проникать в психологию женщин. Они охотно поверяли ему свои тайны. Быть может, потому, что не принимали его всерьез. Мистер Саттерсуэйт чувствовал это и порой испытывал чувство горечи. Ему часто казалось, что он всегда остается лишь зрителем в зале и никогда

15

не принимает участия в драме на сцене. Но, по правде говоря, ему вполне подходила роль наблюдателя.

В этот вечер, сидя в большой комнате с выходом на террасу, которую современные декораторы превратили как бы в корабельную каюту люкс, он обратил особое внимание на окраску волос Синтии Дейкр. Совсем новый тон, наверно, прямо из Парижа, необычного и приятного оттенка зеленоватой бронзы. Трудно было сказать, как же выглядит миссис Дейкр на самом деле. Высокая женщина с фигурой, вполне отвечающей современным требованиям. Шея и руки — в меру загорелые, только нельзя было определить, естественный это или искусственный загар. Зеленовато-бронзовые волосы уложены в прическу того нового стиля, какой, конечно же, доступен только клиентам лучшего парикмахера Лондона. Выщипанные брови, подкрашенные ресницы, тонкий грим на лице, нанесенный помадой изгиб рта, не свойственный ее прямым губам, вполне соответствовали вечернему платью из необычной ткани синего цвета со скрытыми искорками.

«Умная женщина, — подумал мистер Саттерсуэйт с одобрением, — любопытно, какова она на самом деле?»

Как раз в это время он услышал ее слова:

— Моя дорогая, это было немыслимо, просто пронизывающе.

Миссис Дейкр вставила в речь модное словцо — «пронизывающе».

Сэр Чарльз энергично встряхивал коктейли, беседуя с Энджелой Сатклиф — высокой седоволосой женщиной с насмешливым ртом и прекрасными глазами.

Дейкр торопливо объяснял Бартоломью Стренджу:

— Каждый знает, что-то не ладится со старым Ледисборном. Вся конюшня знает. — У этого маленького рыжего человечка с лисьим лицом и слегка косящими глазами был резкий, пронзительный голос.

Рядом с мистером Саттерсуэйтом сидела мисс Уиллс, чья пьеса «Одностороннее движение» рекламировалась в Лондоне как одна из самых остроумных и смелых за последние годы. Мисс Уиллс, высокая и худощавая, с невыразительным, скучным голосом, с плохо завитыми светлыми волосами, носила пенсне, платье ее из зеленого шифона выглядело старомодным.

— Я поехала на юг Франции, — говорила мисс Уиллс, — но, право, мне там не понравилось. Совсем неуютно. Но, конечно, для работы всю эту суету увидеть весьма полезно.

Мистер Саттерсуэйт подумал: «Бедняга. Успех увел ее из подходящей для нее атмосферы какого-нибудь пансиона. Вот где бы, видно, ей хотелось находиться». Его удивляло резкое несоответствие созданных произведений с их авторами. Мисс Уиллс! Ну, право же, где в ней интеллектуальность и изысканность, которыми полны пьесы Энтони Астор. Но тут мысль Саттерсуэйта будто споткнулась, он почувствовал на себе проницательный взгляд. Светло-голубые глаза мисс Уиллс за стеклами пенсне светились удивительным умом. Взгляд этих умных глаз смутил его. Создавалось такое впечатление, что знаменитый драматург изучает его, подходит к нему как к возможному герою будущей пьесы.

Сэр Чарльз принялся разливать коктейли.

— Позвольте предложить вам коктейль, — обратился к мисс Уиллс Саттерсуэйт и вскочил.

— Не возражаю, — ответила Энтони Астор с легкой усмешкой.

Открылась дверь, и Темпл объявил о приезде леди Мэри, мисс Литтон Гор, а также миссис и мистера Баббингтон.

Мистер Саттерсуэйт поднес мисс Уиллс коктейль, а потом направился к леди Мэри Литтон Гор. Он питал слабость к титулам. Но не только из снобизма. Ему всегда нравились благородные женщины, а леди Мэри, несомненно, принадлежала к их числу.

Оставшись вдовой с очень малым достатком, она приехала в Лумауз с трехлетней дочкой, сняла маленький коттедж и жила там, пользуясь услугами преданной служанки. Леди Мэри была высокой и худой, она выглядела старше своих пятидесяти лет. Выражение ее лица отличалось мягкостью и застенчивостью. Она обожала свою дочь и тревожилась за ее будущее.

Эрмион Литтон Гор, которую почему-то обычно называли Эгг, очень мало походила на мать. Она была куда более энергичной. По мнению мистера Саттерсуэйта, девушка не отличалась особой красотой, но обладала бесспорной привлекательностью. А причиной такой привлекательности, считал он, являлась бьющая через край жизнерадостность. Эгг казалась самой живой из всех, кто находился в комнате. Завитки волос на шее, открытый взгляд серых глаз, нежный овал лица, заразительный смех — все создавало впечатление бурлящей молодости и неизбывной радости.

Она разговаривала с только что вошедшим Оливером Мендерсом.

— Не понимаю, почему вы вдруг стали считать парусное плавание скучным. Вы же его любили.

— Дорогая Эгг, люди взрослеют. — Молодой джентльмен говорил, растягивая слова и поднимая брови.

«Красивый парень, на вид ему можно дать лет двадцать пять. Правда, его портит немного какая-то прилизанность и еще нечто неуловимое... Может, он иностранец? Да-да, не совсем похож на англичанина», — подумал мистер Саттерсуэйт.

Еще один человек наблюдал за Оливером Мендерсом. Маленького роста мужчина с яйцеобразной головой и усами явно иностранного типа. Мистер Саттерсуэйт поклонился мсье Эркюлю Пуаро и деликатно напомнил о себе. Тот был весьма любезен, но мистеру Саттерсуэйту казалось, что мсье Пуаро демонстративно подчеркивает свое иностранное происхождение. Его лукавые глаза словно бы говорили: «Вы принимаете меня за шута? Хотите, чтобы я разыгрывал для вас комедию? Что ж, пусть будет по-вашему!»

Пастор Лумауза Стефен Баббингтон подошел к леди Мэри и мистеру Саттерсуэйту. Это был человек лет шестидесяти с лишком, с добрыми выцветшими глазами, держался он приветливо и скромно.

Обращаясь к мистеру Саттерсуэйту, он застенчиво проговорил:

— Нам очень повезло, что сэр Чарльз живет среди нас. Он необыкновенно мил и щедр. Весьма приятный сосед. Уверен, что леди Мэри думает так же.

Леди Мэри улыбнулась:

— Да, и мне он нравится. Успех не испортил Чарльза. Во многих отношениях он все еще ребенок.

В тот миг, когда мистер Саттерсуэйт подумал, каким неизбывным материнским чувством обладают женщины, подошла горничная с подносом.

— Ты можешь выпить коктейль, мама, — сказала Эгг, подбежав к ним со стаканом в руке. — Но только один.

— Спасибо, дорогая, — кротко ответила леди Мэри.

— Думаю, что и мне жена позволит выпить бокал. — Мистер Баббингтон тихо, по-пасторски сдержанно рассмеялся.

Мистер Саттерсуэйт поглядел на миссис Баббингтон, которая серьезно обсуждала с сэром Чарльзом проблему удобрений.

«У жены пастора прекрасные глаза», — подумал он. Миссис Баббингтон была крупной, небрежно одетой женщиной. Она казалась очень энергичной и, по-видимому, не склонной к мелочности. Как о милой женщине отзывался о ней Чарльз Картрайт.

— Скажите, кто эта молодая женщина в зеленом? — поинтересовалась леди Мэри у Саттерсуэйта.

— Она драматург, знаменитая Энтони Астор...

— И это Энтони Астор! Такая... анемичная молодая особа! — Леди Мэри спохватилась. — О, как нехорошо с моей стороны! Но для меня это неожиданность. Она непохожа... Я хочу сказать, что она напоминает не очень опытную воспитательницу малышей.

Характеристика, выданная мисс Уиллс, была настолько точной, что мистер Саттерсуэйт рассмеялся. Мистер Баббингтон, близоруко щурясь, глотнул из стакана с коктейлем и тут же закашлялся. «Этот человек не привык к коктейлям, — с усмешкой подумал мистер Саттерсуэйт, — наверное, они ему кажутся символом современности, но он их не очень-то любит». С легкой гримасой мистер Баббингтон решительно сделал новый глоток и вдруг схватился за горло.

— О Боже! — Он зашатался. Лицо его исказилось.

— Смотрите, смотрите, — раздался звонкий голос Эгг, привлекший внимание всех, — мистеру Баббингтону плохо.

Сэр Бартоломью Стрендж поспешно поддержал пастора, а затем подвел его к кушетке. Все столпились вокруг, желая помочь, но не зная как.

Спустя две минуты Стрендж выпрямился и покачал головой. Понимая, что скрывать уже нечего, доктор резко сказал:

— Очень сожалею, но он мертв.

Глава 3

— Зайдите на минутку, Саттерсуэйт, — позвал сэр Чарльз, высунув голову из-за двери.

Прошло полтора часа. Леди Мэри увезла плачущую миссис Баббингтон домой. Мисс Милрей взяла на себя телефонные звонки. Прибыл местный врач. Все наскоро пообедали и, по общему согласию, разошлись по своим комнатам. Мистер Саттерсуэйт также собирался уйти, но в это время сэр Чарльз позвал его из «корабельной» комнаты, где случилось несчастье.

Мистер Саттерсуэйт отправился на зов не без содрогания. В его возрасте уже тяжело сталкиваться со смертью. Может, вскоре и он тоже... Но зачем об этом думать!

В комнате находился и Бартоломью Стрендж. Он одобрительно кивнул, увидев мистера Саттерсуэйта:

— Да, конечно, мистер Саттерсуэйт подходит. Он знает жизнь.

Слегка озадаченный, мистер Саттерсуэйт сел в кресло рядом с доктором. Сэр Чарльз расхаживал нервно по комнате. Он позабыл о походке моряка.

— Чарльзу это не нравится, — резко проговорил сэр Бартоломью. — Я имею в виду смерть бедняги Баббингтона.

Мистер Саттерсуэйт подумал, что мысль высказана неудачно. Кому может «понравиться» то, что случилось. Но он понимал, что Стрендж подразумевал нечто другое.

— Случилась беда, очень большая беда, — сказал мистер Саттерсуэйт и снова содрогнулся.

— Хм, да... Это было мучительно, — заключил доктор с профессиональным спокойствием.

Картрайт перестал шагать.

— Вы когда-нибудь раньше наблюдали подобную смерть, Толли?

— Нет, — задумчиво ответил сэр Бартоломью, но тут же добавил: — Мне вообще не так уж часто доводилось сталкиваться со смертью. Специалисту по нервным заболеваниям выгоднее лечить, а не убивать своих пациентов. Он поддерживает в них жизнь и получает определенный доход. Не сомневаюсь, что Макдугласу приходилось видеть гораздо больше болезней со смертельным исходом, чем мне.

Макдуглас, которого вызвала мисс Милрей, был главным врачом в Лумаузе.

— Но Макдуглас не видел, как умирал этот человек. Он застал священника уже мертвым. По его словам, это похоже на апоплексический удар. Действительно, Баббингтон в свои преклонные годы не отличался хорошим здоровьем. И все-таки подобное заключение меня не удовлетворяет, — решительно заявил сэр Чарльз.

— Наверно, и самого Макдугласа тоже, — проворчал доктор. — Но врач обязан что-то сказать. «Удар» — подходящее слово, ничего не значит, но удовлетворяет профессионалов. К тому же Баббингтон был стар и, вполне возможно, страдал какой-то скрытой болезнью.

— Разве данный случай типичен для удара, или как его там назвать?

— Если бы вы изучали медицину, — сказал сэр Бартоломью, — то знали бы, что едва ли вообще существует типичный случай.

— А что, собственно говоря, предполагаете вы, сэр Чарльз? — спросил мистер Саттерсуэйт.

Картрайт не ответил. Он сделал какой-то неопределенный жест. Стрендж усмехнулся:

— Чарльз сам не знает. Просто ему свойственно драматизировать события.

Сэр Чарльз взглянул на него с упреком. Лицо его было мрачным, задумчивым.

Какое-то неуловимое сравнение пришло на ум мистеру Саттерсуэйту. И вдруг он вспомнил: глава секретной службы Аристид Дюваль пытается раскрыть запутанную историю с подземными проводами. Несомненно, сэр Чарльз играет новую роль, он даже стал невольно прихрамывать, шагая по комнате. Аристид Дюваль из спектакля «Хромой человек».

Сэр Бартоломью попытался четко сформулировать подозрения сэра Чарльза:

— Итак, вы сомневаетесь... Тогда что же — убийство? Но кто может пожелать смерти безобидному старому священнику? Немыслимо. Самоубийство? Вот тут уже есть о чем поразмыслить. Может быть, существовала причина, из-за которой Баббингтон решил покончить с собой.

— Какая причина?

Сэр Бартоломью слегка покачал головой:

— Можем ли мы разгадать тайны человеческой психологии? Ну, предположим, Баббингтону сказали, что у него неизлечимая болезнь. Отсюда возникает и мотив. Он решил избавить свою жену от муки наблюдать за его долгими страданиями. Это, конечно, только предположения. Никто пока не дает нам повода думать, что Баббингтон задумал покончить с собой.

— А вот мне почему-то мысль о самоубийстве не пришла в голову, — начал сэр Чарльз.

Бартоломью Стрендж снова усмехнулся:

— Чарльз, вам нужна сенсация! Ну, например, такая — новый, совершенно неопределимый яд в коктейлях.

Выразительная гримаса появилась на лице сэра Чарльза.

— Нет, это меньше всего мне подходит. Не забудьте, Толли, что коктейли смешивал я сам.

— Внезапный приступ мании убийства, а! Надеюсь, рецидива не будет, иначе мы все умрем еще до наступления утра.

— Ну вас к дьяволу с вашими шутками, — рассердился сэр Чарльз, — однако...

— Я не шучу, — сказал врач, и голос его изменился. Стал серьезным и сочувственным. — Я не шучу по поводу смерти бедняги Баббингтона. Я лишь высмеиваю твои предположения, Чарльз, потому что... ну, потому что не хочу допустить, чтобы вы бездумно причинили вред.

— Вред? — спросил сэр Чарльз.

— Мистер Саттерсуэйт, ну хоть вы-то понимаете, что я имею в виду?

— Думаю, что да, — ответил тот.

— Разве вы не отдаете себе отчет в том, Чарльз, — продолжал сэр Бартоломью, — что ваши неосновательные предположения могут оказаться для кого-то губительными? Слухи распространяются мгновенно. Даже туманный намек на злонамеренность может вызвать сомнения у миссис Баббингтон. Я уже бывал свидетелем подобных случаев. Внезапная смерть, праздная болтовня бездельников, слухи распространяются. Они все ширятся, и никто не в силах положить им конец. А сколь многим причиняют они боль! Чарльз, вы лишь подстегиваете свое живое воображение, направляя его на весьма спорный путь.

Выражение нерешительности возникло на лице актера.

— Я об этом не подумал, — растерянно признался он.

— Вы удивительно добрый малый, Чарльз, но порой даете слишком большую волю своему воображению. Ну неужели вы всерьез думаете, что кому-нибудь придет в голову убить абсолютно безвредного старика?

— Нет, пожалуй, — ответил сэр Чарльз, — это нелепо, как вы говорите. Но тут не просто разыгравшееся воображение. Я действительно почувствовал что-то неладное.

23

— Могу ли я высказать свои соображения? — вмешался мистер Саттерсуэйт. — Мистер Баббингтон почувствовал недомогание сразу же после того, как он отпил коктейль. При этом я заметил гримасу легкого отвращения на его лице. Тогда я еще подумал, что для него неприятен вкус напитка. Но все-таки догадка сэра Бартоломью, видимо, правильна, возможно, по какой-то причине мистер Баббингтон действительно решил покончить с собой. Эта мысль кажется более реальной, тогда как предположение об убийстве выглядит совершенной нелепостью. Не исключено, хотя и маловероятно, что мистер Баббингтон незаметно для нас что-то всыпал в стакан. Сейчас я вижу, что в этой комнате ничего не тронуто. Стаканы остались на своих местах. Вот стакан мистера Баббингтона — в этом нет сомнения, ведь я стоял рядом с ним. Пусть сэр Бартоломью возьмет стакан для анализа; это следует сделать незаметно, чтобы не вызвать никаких толков.

Сэр Бартоломью встал и взял стакан.

— Правильно, — сказал он, — я сделаю это ради вас, Чарльз, хотя готов поспорить на десять фунтов против одного, что там ничего не окажется, кроме джина и вермута.

— Так и быть, — согласился сэр Чарльз, а затем добавил с невеселой улыбкой: — Знаете, Толли, отчасти вы несете вину за взлеты моей фантазии.

— Я?

— Да, вы дали моему воображению толчок еще утром, когда сказали, что Эркюль Пуаро принадлежит к своего рода буревестникам — куда бы он ни отправлялся, преступления следуют за ним. И вот не успел он появиться здесь, как последовала... внезапная смерть. Естественно, мне сразу же подумалось об убийстве.

— Мне кажется, надо... — начал мистер Саттерсуэйт и нерешительно умолк.

— Да-да, — подхватил сэр Чарльз, — и я так считаю... Как, по-вашему, Толли, не посоветоваться ли нам с мсье Пуаро? Позволяет ли этикет?

— Могу отвечать лишь за врачебный этикет, но будь я проклят, если хоть чуточку разбираюсь в этикете сыскном.

— Нельзя просить профессионального певца, чтобы он спел, — пробормотал мистер Саттерсуэйт. — А вот можно ли просить профессионального детектива, чтобы он приступил к делу? Да, вопрос весьма щепетильный.

— Нам бы только узнать его мнение, — сказал сэр Чарльз.

Раздался легкий стук в дверь, и показалась голова Эркюля Пуаро, на лице его было написано смущение, словно бы он извинялся за вторжение.

— Войдите, пожалуйста! — вскричал сэр Чарльз. — Мы только что говорили о вас.

— Может быть, я помешал?

— Вовсе нет. Хотите выпить?

— Нет, благодарю. Я редко пью виски. Разве только глоток сиропа...

Усадив гостя в кресло, актер сразу же приступил к делу:

— Не буду скрывать, мы только что говорили и о вас, и о том, что здесь произошло. Не кажется ли вам, что здесь не все ладно?

Брови мсье Пуаро поползли вверх.

— Уточните, что вы имеете в виду?

Бартоломью Стрендж поспешил разъяснить:

— Моему другу пришла в голову мысль, что старина Баббингтон убит.

— А вы лично так не думаете, да?

— Нам хотелось бы знать ваше мнение.

Пуаро задумчиво проговорил:

— Конечно, старик занемог внезапно... поистине внезапно.

— Вот именно, — подхватил мистер Саттерсуэйт и тут же изложил версию о самоубийстве, упомянув и о своем предположении провести анализ коктейля в стакане священника.

Пуаро одобрительно кивнул:

— Анализ в любом случае не помешает. Мне, знатоку человеческой натуры, тоже кажется невероятным, чтобы кто-то захотел разделаться с таким милым и безобидным старым джентльменом. И однако, еще меньше мне верится в самоубийство. Но... подождем результата анализа — он так или иначе подскажет вывод.

— А каким, по-вашему, будет этот результат?

Пуаро пожал плечами.

— Могу лишь предположить. Вы хотите, чтобы я это сделал?

— Да.

— Так вот, я предполагаю, что там обнаружат только остатки отличного сухого мартини. — Он наклонился к сэру Чарльзу. — Отравить человека коктейлем — одним из многих на подносе — технически весьма трудно. А если бы этот милый старый священник захотел покончить с собой, то вряд ли он сделал бы это здесь. Ведь это говорило бы о полном отсутствии уважения к другим, а мистер Баббингтон произвел на меня впечатление очень деликатного человека. — Пуаро помолчал и заключил: — Вот мое мнение, раз вы им интересуетесь.

Сэр Чарльз глубоко вздохнул. Он открыл одно из окон и выглянул наружу.

— Ветер изменил направление, — сказал он.

Снова вышел на сцену моряк, а детектив секретной службы исчез. Но наблюдательному мистеру Саттерсуэйту показалось, что сэру Чарльзу не очень хотелось расставаться с ролью сыщика.

Глава 4

— Так что же вы обо всем этом думаете, мистер Саттерсуэйт?

Мистер Саттерсуэйт стал с надеждой оглядываться, но нет, они были на рыбацкой пристани одни, и Литтон Гор прочно «осадила» его. Эти современные девушки ужасающе активны, да к тому же еще и безжалостны.

— Это сэр Чарльз вбил вам в голову мысль, что...

— Вовсе нет, она уже там была. С самого начала. Все случилось так внезапно.

— Баббингтон был стар и слаб здоровьем...

Эгг резко прервала его:

— Ерунда. У него был неврит и начинался ревматический артрит, но это не причина для смерти. У священника никогда не было приступов. Он был из тех, кто похож на скрипящую калитку, и мог прожить до девяноста лет. Каково ваше мнение о расследовании?

— Оно в общем-то прошло... э-э... нормально.

— А показания доктора Макдугласа? Не правда ли, страшно техничны — детальное описание органов и тому подобное. Но не показалось ли вам, что он прятался за этим словесным потоком? Все, что он говорил, вело к выводу, что нет оснований считать смерть насильственной. Но однако, он не утверждал того, что смерть произошла по естественным причинам.

— Не слишком ли вы педантичны, моя дорогая?

— Но, право же, так оно и есть; Макдуглас был озадачен, но, не имея данных для выводов, предпочел спрятаться за щитом медицинской терминологии из предосторожности. А что думает сэр Бартоломью Стрендж?

Мистер Саттерсуэйт повторил некоторые высказывания доктора.

— Все отверг как вздор, не так ли? — сказала Эгг задумчиво. — Он, конечно, осторожный человек, наверно, таким и должен быть доктор с Харлей-стрит.

— В стакане оказались только джин и вермут, — напомнил мистер Саттерсуэйт.

— Это, видно, все решает. А между тем то, что произошло после расследования, заставило меня призадуматься...

— Он что-нибудь вам сказал? — спросил Саттерсуэйт, не в силах скрыть интереса.

— Не мне, а Оливеру... Оливер Мендерс был тогда на обеде, но вы, наверно, его не помните.

— Я прекрасно помню молодого джентльмена. Вы с ним, кажется, очень дружны?

— Так было раньше, теперь же мы в основном ссоримся. Оливер вошел в дело своего дяди в Сити и стал... ну, как бы это выразиться, зазнаваться, что ли. Все время твердит, что выйдет из дела и станет журналистом — он довольно хорошо пишет. Но думаю, это всего лишь разговоры. Оливер жаждет стать богатым. Думаю, стремиться к богатству — это так скверно, мистер Саттерсуэйт!

Его тронула ее молодость, чистая, запальчивая ребячливость.

— Моя дорогая, — сказал он мягко, — на свете много вещей, из-за которых люди ведут себя скверно.

— Бесспорно, большинство людей — свиньи, — весело согласилась Эгг. — Вот почему мне поистине не хватает старого Баббингтона. Просто прелестный был человек. Он готовил меня к конфирмации. Баббингтон был настоящим христианином — не совал свой нос повсюду, никого не осуждал, никогда не обращался плохо с людьми. Баббингтоны — чудесные люди... к тому же Робин...

— Кто это?

— Их сын. Он был в Индии, и его убили. Я... пожалуй... увлекалась Робином.

Эгг прищурилась и стала смотреть на море. Затем она вернулась мыслями к настоящему и мистеру Саттерсуэйту.

— Так что, видите ли, я принимаю всю историю близко к сердцу, тем более что все это чертовски странно! Вы должны признать, что странно.

— Но вы сами сказали, что у Баббингтонов не могло быть врагов.

— Вот потому и странно. Невозможно найти мотив.

— Фантастика! Ведь ничего же не было в коктейле.

— Возможно, кто-нибудь всадил в него шприц.

— Содержащий яд для стрел южноамериканских индейцев, — предположил мистер Саттерсуэйт не без насмешки.

Эгг улыбнулась:

28

— Вот именно. Старое, испытанное средство, не оставляющее следа. О, вы все, конечно, смотрите на меня свысока. Но когда-нибудь, возможно, вы увидите, что мы правы.

— Кто это — мы?

— Сэр Чарльз и я. — Она слегка покраснела.

Умудренный жизненным опытом, мистер Саттерсуэйт подумал, что юных девушек всегда влечет к мужчинам средних лет с интересным прошлым. Эгг, как видно, не была исключением.

— Почему сэр Чарльз так и не женился? — вдруг спросила она.

— Как вам сказать. — Саттерсуэйт не спешил с ответом, ибо прежде всего прибег бы к слову «осторожность», но понимал, что такое слово оказалось бы неприемлемым для Эгг Литтон Гор.

У сэра Чарльза было много романов с женщинами, актрисами и прочими, но ему всегда удавалось избегнуть женитьбы. Эгг же явно хотела получить более романтическое объяснение.

— Та девушка, что умерла от туберкулеза, актриса, что ли, имя ее начиналось на «Р», разве она не была его большой любовью?

Мистер Саттерсуэйт вспомнил, о ком идет речь. По слухам, была какая-то связь между этой женщиной и Чарльзом Картрайтом, но мистеру Саттерсуэйту и в голову бы не пришло, что сэр Чарльз остался верным ее памяти.

— У него, наверно, было много романов, — настаивала Эгг.

— Хм... возможно. — Саттерсуэйту явно мешало старомодное воспитание.

— Мне нравится, когда у мужчин многочисленные связи, — сказала Эгг, — это доказывает, что они без странностей.

Новый удар по викторианскому образу мыслей мистера Саттерсуэйта; он не знал, что и ответить. Однако Эгг не обратила внимания на его замешательство. Она продолжала размышлять вслух:

— Знаете ли, сэр Чарльз на самом деле умнее, чем людям кажется. Он, конечно, много позирует, играет, но за всем этим чувствуется ум. Он гораздо лучше управляет парусным судном, чем рассказывает об этом. Может показаться, что он позирует, но это не так. И в данном случае тоже. Вы полагаете, что он бьет на эффект, хочет сыграть роль великого детектива? Лично я думаю, он сыграл бы ее хорошо.

— Возможно, — согласился мистер Саттерсуэйт.

Интонация его голоса довольно ясно выдавала его чувства. Эгг поняла это и высказалась определеннее:

— По-вашему, «Смерть священника» — не детективный роман? Хотя, скорее всего, историю следовало бы назвать «Прискорбный случай» или «Званый обед». Чисто несчастный случай. А что думает мсье Пуаро? Он-то должен знать.

— Мсье Пуаро посоветовал провести анализ коктейля, но заранее предвидел, что все будет в порядке.

— Ну что ж, — заметила Эгг, — он стареет. Пустой номер. — При этих словах мистер Саттерсуэйт вздрогнул. А Эгг продолжала, не осознав своей жестокости: — Приглашаю вас к себе на чай. Вы так нравитесь моей маме, она сама мне сказала об этом.

Слегка польщенный, мистер Саттерсуэйт согласился.

Из дома Эгг позвонила сэру Чарльзу и объяснила отсутствие его гостя.

Мистер Саттерсуэйт сидел в крохотной гостиной с хорошо отполированной старой мебелью, обитой выцветшим ситцем. Комната была выдержана в викторианском стиле, комната настоящей леди, на взгляд мистера Саттерсуэйта, и она ему сразу понравилась.

Беседа с леди Мэри не отличалась живостью, но была приятной. Они говорили о сэре Чарльзе. Хорошо ли знает его мистер Саттерсуэйт? На что мистер Саттерсуэйт ответил, что недостаточно близко знаком с ним. Несколько лет назад у него был финансовый интерес к одной из пьес, где играл сэр Чарльз. С той поры у них дружеские отношения.

— Мистер Картрайт весьма привлекателен, — сказала леди Мэри, улыбаясь. — Тут я согласна с Эгг. Вы, наверно, уже заметили, как Эгг стремится создать себе кумира?

Мистер Саттерсуэйт подумал, не беспокоит ли это леди Мэри как мать. Но не было оснований так полагать.

— Эгг очень мало бывает в свете, — сказала леди, вздыхая. — Ведь мы стеснены в средствах. Одна из моих кузин вывозила ее в город, но потом дочь почти не отлучалась отсюда. Молодежь, по-моему, должна видеть много людей и мест, особенно людей. Иначе... словом, быть постоянно только с родными порой опасно.

Мистер Саттерсуэйт согласился, думая о сэре Чарльзе и парусном спорте, но не это имела в виду леди Мэри, что тут же подтвердилось.

— Приезд сэра Чарльза был полезен для Эгг — расширился круг ее знакомств. Ведь у нас мало мужчин, особенно молодых. Я всегда боялась, что Эгг может выйти замуж за первого встречного только потому, что больше никого не увидит.

Мистер Саттерсуэйт сразу понял.

— Вы имеете в виду молодого Оливера Мендерса?

Лэди Мэри искренне удивилась и покраснела.

— О, мистер Саттерсуэйт, как вы догадались? Я действительно думала о нем. Они с Эгг одно время встречались довольно часто. Быть может, я старомодна, но мне не нравятся некоторые его идеи.

— Юности часто свойственны крайности, — философски заметил мистер Саттерсуэйт.

— Я была так напугана. Конечно, он из подходящего круга, я знаю все о нем и его дяде, очень богатом человеке. Но не в этом суть. Может, я поступаю глупо, но... — Она покачала головой, не зная, как дальше высказаться.

— И все же, леди Мэри, вы бы не хотели, чтобы ваша дочь вышла за мужчину, который вдвое старше ее.

Ее ответ удивил его.

— А может, так безопаснее. Во всяком случае, есть какая-то уверенность. В таком возрасте все безумства и грехи остаются позади, им уже не будет возврата...

Ответить мистер Саттерсуэйт не успел. К ним присоединилась Эгг.

— Тебя долго не было, дорогая, — сказала мать.

— Я говорила с сэром Чарльзом. Бедняжка остался совсем один со своей славой. — Она с упреком обратилась к мистеру Саттерсуэйту: — Почему вы не сказали, что гости разъехались?

— Вчера уехали все, кроме сэра Бартоломью Стренджа. Он остался до завтра, но его неожиданно вызвали телеграммой из Лондона сегодня утром. Кто-то из его пациентов в критическом состоянии.

— Жаль, — сказала Эгг. — Мне хотелось понаблюдать за приглашенными. Может, я бы нашла ключ.

— Ключ к чему, дорогая?

— Мистер Саттерсуэйт знает. Ну, неважно. Оливер все еще здесь. Мы его привлечем. У него хватает сообразительности, когда он того хочет.

Возвратившись в «Воронье гнездо», мистер Саттерсуэйт застал хозяина дома на террасе, выходящей на море.

— Привет, Саттерсуэйт. Были на чае у Литтон Гор?

— Да. Вы не обиделись?

— Нисколько. Эгг позвонила. Удивительная девушка.

— Привлекательная, — улыбнулся мистер Саттерсуэйт.

— Да, пожалуй, — согласился сэр Чарльз. — Он встал и сделал несколько нерешительных шагов. — Все бы отдал, — вдруг сказал он с горечью, — чтобы никогда не приезжать в это проклятое место.

Глава 5

Мистер Саттерсуэйт подумал: «Малый здорово влип».

И даже испытал жалость к нему. В пятьдесят два года Чарльз Картрайт — веселый, жизнерадостный пожиратель сердец — влюбился. И сам понимал, что обречен на разочарование. Молодость тянется к молодости.

«Девушки не так-то просто раскрывают сердца, — размышлял мистер Саттерсуэйт. — Эгг слишком демонстрирует свои чувства к сэру Чарльзу. Она не стала бы этого делать, если бы их испытывала всерьез. Другое дело — молодой Мендерс». Мистер Саттерсуэйт всегда отличался большой проницательностью.

И все-таки он, вероятно, недооценивал одного фактора (потому что сам не отдавал себе в нем отчета) — сильного влияния, какое порой оказывает возраст на молодых. Будучи человеком преклонных лет, он никак не мог представить, что Эгг предпочтет мужчину средних лет молодому джентльмену. Юность всегда казалась ему самым магическим даром.

Он еще больше уверовал в свою правоту, когда Эгг позвонила после обеда и спросила разрешения привести Оливера «на консультацию».

Оливер оказался красивым юношей с большими темными глазами и грацией в движениях. Он, видно, явился, будучи не в силах сопротивляться энергичности Эгг, но держался при этом с каким-то ленивым скепсисом.

— Не можете ли вы ее обуздать, сэр? — обратился он к сэру Чарльзу Картрайту. — Только здоровая сельская жизнь может породить такую энергию... Знаете ли, Эгг, ваша живость просто невыносима, а склонность к сенсациям и тому подобной чепухе говорит о затянувшемся детстве.

— Вы скептик, Мендерс? — улыбнулся сэр Чарльз.

— Да, пожалуй, сэр. Нелепо предполагать в этом старом милом мямле насильника.

— Возможно, вы правы, — согласился сэр Чарльз.

Мистер Саттерсуэйт взглянул с удивлением. Какую роль сейчас играет Чарльз Картрайт? И в помине нет бывшего моряка, нет и международного детектива. Какая-то новая, незнакомая роль.

И поразился, когда понял, что это была за роль. Сэр Чарльз играл вторую скрипку. Вторую скрипку рядом с Оливером Мендерсом.

Сэр Чарльз сел в тени, наблюдая за Эгг и Оливером, когда они пререкались — Эгг с горячностью, а Оливер апатично.

Картрайт выглядел старее, чем обычно, — пожилым и усталым. Эгг не раз обращалась к нему горячо и доверчиво, но он не откликался.

Молодые люди ушли в одиннадцать часов. Сэр Чарльз вышел с ними на террасу и предложил посветить фонарем, пока гости будут спускаться по каменной тропе. Но в этом не было необходимости. Светила полная луна. Юноша с девушкой удалились вместе, и голоса их доносились все слабее.

Светила луна или нет, мистер Саттерсуэйт не хотел простуды. Он вернулся в дом. Сэр Чарльз задержался на террасе, чтобы полюбоваться дивным лунным сиянием. Затем и он зашел в комнату, закрыл за собой стеклянную дверь и направился к столику, чтобы налить себе виски и содовой.

— Саттерсуэйт, — сказал он глухо, — завтра я уезжаю отсюда.

— Что? — вскричал пораженный мистер Саттерсуэйт.

Лицо Чарльза Картрайта выразило одновременно меланхолию и удовлетворение от произведенного им эффекта.

— Только это мне и остается, — произнес он, делая ударение на каждом слове. — Я продам усадьбу. Никто не узнает, что она для меня значила, — продолжал он упавшим голосом.

Кажется, ему надоела роль второй скрипки, которую он вынужден был играть весь вечер, и он брал реванш. Подобные сцены самопожертвования он так часто разыгрывал в различных спектаклях — отказывался от чужой жены или от любимой девушки. С дерзким легкомыслием сэр Чарльз продолжал:

— Смело идти на потери — единственный путь. Молодость принадлежит молодости. Они созданы друг для друга, эти двое. Я же исчезну.

— Куда? — спросил мистер Саттерсуэйт.

С беззаботным жестом актер ответил:

— Куда-нибудь. Какая разница? — И добавил уже иным голосом: — Наверно, подамся в Монте-Карло. — Но, почувствовав, что сфальшивил, вновь вернулся к горестному тону. — В своем внутреннем мире человек одинок. Я всегда был одинок душой.

Это была явно коронная фраза. Сэр Чарльз поклонился мистеру Саттерсуэйту и покинул комнату.

Мистер Саттерсуэйт встал и решил вслед за хозяином отправиться спать. «Но о сердце пустыни и речи быть не может», — подумал он с усмешкой.

На следующее утро сэр Чарльз извинился перед мистером Саттерсуэйтом за то, что собирается оставить его одного — Картрайт уезжал в город.

— Вы полагали побыть здесь до завтра, вы собираетесь к Хабертонам в Тависток. Машина вас туда доставит. А я, придя к решению, не должен оглядываться, нет, не должен.

Сэр Чарльз горячо пожал руку мистеру Саттерсуэйту и оставил его на попечение безупречной мисс Милрей.

Мисс Милрей оставалась на высоте в любой ситуации. Она не выразила ни удивления, ни каких-либо эмоций по поводу неожиданного решения сэра Чарльза. Ни внезапные смерти, ни внезапные изменения планов не могли взволновать мисс Милрей. Она принимала как должное любые обстоятельства и готова была эффективно действовать в соответствии с ними. Она позвонила агентам по сдаче домов, послала телеграммы за границу и деловито печатала на машинке. Мистер Саттерсуэйт решил сбежать с этого удручающего спектакля и отправиться погулять на набережную. Он бесцельно шел вперед, но вдруг кто-то схватил его за руку, рядом стояла взволнованная девушка.

— Что все это значит? — резко спросила Эгг.

— Что именно? — осторожно проговорил мистер Саттерсуэйт.

— Все говорят о том, что сэр Чарльз уезжает, что он намерен продать «Воронье гнездо».

— Это правда, он уже уехал.

— О! — Эгг отпустила его руку. Она вдруг стала похожа на дитя, которое жестоко обидели.

Мистер Саттерсуэйт не знал, что сказать.

— Куда он уехал?

— На юг Франции.

— О! — простонала побледневшая Эгг.

И мистер Саттерсуэйт понял, что тут явно было нечто большее, чем просто поклонение кумиру. Жалея ее, он стал перебирать в уме разные утешительные слова, но девушка заговорила снова, загнав его в очередной тупик.

— Какая из этих проклятых женщин тут замешана? — свирепо спросила Эгг.

Мистер Саттерсуэйт уставился на нее с открытым от удивления ртом. Эгг снова схватила его за руку и стала сильно трясти ее.

— Вы должны знать! — вскричала она. — Какая из них? Та седая или другая?

— Моя дорогая, я не понимаю, о чем вы говорите.

— Вы понимаете! Вы обязаны сказать! Конечно же, тут замешана женщина. Я ему нравилась. Но одна из этих двух женщин увидела это тогда, вечером, и решила увезти его от меня. Ненавижу женщин. Противные кошки. Вы обратили внимание на ее одежду, той, что с зелеными волосами? Я скрипела зубами от зависти. Женщина, позволяющая себе такие наряды, — богата, это несомненно. Она, правда, стара и уродлива, как смертный грех, но что с этого? Всякая рядом с ней кажется безвкусной дурой. Это она? Или та, другая, с седыми волосами? Она с юмором — это видно, он называл ее Энджи. Так кто же — нарядно одетая или Энджи?

— Моя дорогая, вы забили свою голову самыми невообразимыми мыслями. Он... э... Чарльз Картрайт нисколько не интересуется ни одной из этих женщин.

— Я вам не верю. Во всяком случае, они интересуются им.

— Нет, нет, вы ошибаетесь. Все это воображение. Уверяю вас, вы совсем неправильно рассуждаете.

— **Так почему же он решил уехать?**

36

Мистер Саттерсуэйт откашлялся.

— Думаю, он счел, что так будет лучше.

— Вы считаете, из-за меня?

— Возможно...

— Так, значит, он решил от меня отмахнуться! Наверно, слишком откровенно себя вела. Мужчины ненавидят, когда за ними бегают, не так ли? Значит, мама была права. Вы не можете себе представить, как она мила, когда говорит о мужчинах. Всегда в третьем лице, так вежливо, по-викториански: «Мужчина не любит, когда за ним бегают», «девушка должна заставить бегать мужчину». Как вам нравится такое милое выражение? Ведь его можно понять и в обратном смысле. Чарльз так и поступил — бежал. Он сбежал от меня. Испугался. И, черт побери, я не могу последовать за ним. Стоит мне так поступить, как он отправится в пустыню Африки или еще куда-нибудь.

— Эрмион, вы всерьез относитесь к сэру Чарльзу? — спросил мистер Саттерсуэйт.

Девушка нетерпеливо взглянула на него.

— Ну конечно.

— А как же Оливер Мендерс?

Эгг отвергла Оливера Мендерса одним нетерпеливым жестом. Она продолжала развивать собственные мысли:

— Как вы думаете, могу я написать ему? Ничего отпугивающего. Просто девичью болтовню. Так, знаете ли, успокоить его, чтобы он преодолел страх. — Она нахмурилась. — Какая же я была дура. Мама в такой ситуации поступила бы умнее. Женщины викторианского времени знали, как браться за дело. Краснели бы и отступали. А я все делала наоборот. Я думала, его нужно поощрять. Казалось, ему нужно как-то помочь. Скажите, — она резко повернулась к мистеру Саттерсуэйту, — видел ли он прошлой ночью, как я нарочно поцеловалась с Оливером?

— Не знаю. Когда же это было?

— При лунном свете. Когда мы спускались по тропке. Я думала, сэр Чарльз все еще смотрит с террасы.

И вообразила, что если он увидит меня и Оливера, то испытает что-то вроде толчка. Потому что я ему нравилась. Могу побожиться.

— Не слишком ли жестоко вы поступаете с Оливером?

Эгг решительно покачала головой:

— Нисколько. Оливер считает, что оказывает честь девушке, если ее целует. А я... хотела лишь подстегнуть Чарльза. В последнее время он держался по-другому — более сдержанно.

— Дорогое дитя, — сказал мистер Саттерсуэйт, — не думаю, что вы понимаете, почему сэр Чарльз так внезапно уехал. Он думал, что вам дорог Оливер. Он уехал, чтобы избавить себя от еще большей муки.

Эгг повернулась, схватила мистера Саттерсуэйта за плечи и уставилась на него.

— Это правда. Ну, тогда... Идиот! Простофиля! О!

Она отпустила мистера Саттерсуэйта и пошла рядом с ним нервной, какой-то подпрыгивающей походкой.

— Он вернется, — сказала она вдруг убежденно, — обязательно вернется. Если же нет...

— Что тогда?!

Эгг нервно рассмеялась:

— Я заставлю его. Вот увидите.

Акт второй

УВЕРЕННОСТЬ

Глава 6

Мистер Саттерсуэйт приехал на денек в Монте-Карло. В сентябре его больше всего тянуло на Ривьеру.

Мистер Саттерсуэйт сидел в саду, радуясь солнцу, и читал «Дейли мейл» двухдневной давности.

Внезапно его привлек заголовок: «СМЕРТЬ СЭРА БАРТОЛОМЬЮ СТРЕНДЖА». Он тут же прочитал заметку.

«Мы с прискорбием извещаем о смерти сэра Бартоломью Стренджа, известного специалиста по нервным заболеваниям. Сэр Бартоломью принимал группу друзей в своем доме в Йоркшире. Сэр Бартоломью выглядел совершенно здоровым и бодрым. Он болтал с друзьями, держа в руках стакан с портвейном. Не успел доктор сделать несколько глотков, как случился приступ. Сэр Бартоломью рухнул замертво еще до того, как ему успели оказать медицинскую помощь. Смерть сэра Бартоломью встречена с глубокой скорбью... Он был...»

Далее шло описание жизни и трудов сэра Стренджа.

Газета выпала из рук мистера Саттерсуэйта. Он был крайне расстроен. Перед ним предстал доктор, каким он его видел в последний раз, — здоровый, веселый. И вот он мертв.

«Не успел сделать и нескольких глотков».

Портвейн, а не коктейль, но в остальном удивительно похоже на смерть в «Вороньем гнезде». Мистер Сат-

терсуэйт снова увидел искаженное лицо старого священника.

«Предположим, что все же...»

Он поднял голову и увидел, что к нему по траве идет
сэр Чарльз.

— Саттерсуэйт, как это чудесно! — воскликнул радостно Картрайт. — Вы именно тот человек, которого мне хотелось видеть. Вы уже прочитали о бедняге
Толли?

— Да, только что.

Сэр Чарльз опустился на стул рядом. На нем был
безупречного покроя костюм яхтсмена. Уже не серые
фланелевые брюки и старые свитеры носил сэр Чарльз,
подобно бывалым морякам. Теперь он являл собой точное подобие яхтсмена с юга Франции.

— Послушайте, Саттерсуэйт, Толли был здоров как
бык. Никогда не болел. Может, я полный осел, но разве это вам не напоминает...

— О том случае в Лумаузе? Да, напоминает. Но, возможно, мы ошибаемся. Сходство только поверхност-
ное. Ведь неожиданные кончины происходят постоянно и от разных причин.

Сэр Чарльз нетерпеливо перебил:

— Я только что получил письмо от Эгг Литтон Гор.

Мистер Саттерсуэйт постарался скрыть улыбку.

— Это первое письмо от нее?

— Нет, вскоре после того, как я приехал сюда, она
мне написала, сообщала всякие новости. Я не ответил... Черт возьми, Саттерсуэйт, я не посмел ответить.
Девушке, конечно, невдомек, но мне не хочется оказаться в дураках.

Мистер Саттерсуэйт снова не смог скрыть улыбки.

— А что же в сегодняшнем письме? — спросил он.

— Она обращается за помощью.

— За помощью? — недоуменно поднял брови мистер Саттерсуэйт.

— Видите ли, она была там — в том доме, когда это
случилось.

— Эгг была у сэра Бартоломью?

— Да.

— И что же она говорит о случившемся?

Сэр Чарльз достал из кармана письмо. Слегка поколебавшись, он вручил его мистеру Саттерсуэйту.

— Лучше прочтите сами.

Мистер Саттерсуэйт развернул листок с живым любопытством.

«Дорогой сэр Чарльз! Не знаю, когда письмо дойдет до вас. Надеюсь, скоро. Вы, конечно, уже узнали из газет о смерти сэра Бартоломью Стренджа. Так вот. Он умер точно так же, как мистер Баббингтон. Это не может быть совпадением, не может, не может... Я напугана до смерти. И не знаю, что мне делать. Быть может, вам стоит вернуться домой и что-нибудь предпринять? Возможно, я ставлю вопрос несколько необдуманно, но у вас и раньше были подозрения, а теперь — убит ваш друг, и, я думаю, вы, и только вы можете разобраться в случившемся. Вы это сделаете, я уверена. Чувствую всем сердцем.

И еще — я опасаюсь за судьбу одного человека. Он, конечно, совершенно непричастен к этому делу, но обстоятельства складываются как-то странно. О, я не могу объяснить этого в письме. Вся надежда — на ваше возвращение. Вы сможете раскрыть правду, я это знаю.

Спешу приветствовать вас, *Эгг*».

— Ну как? — нетерпеливо спросил сэр Чарльз. — Несколько бессвязно, видимо, она писала в спешке.

Мистер Саттерсуэйт задумчиво складывал письмо, обдумывая ответ. Он был согласен, что письмо сумбурно, но он не верил, будто писалось оно в спешке. Напротив, ему показалось, что все в нем тщательно рассчитано. Каждая строка взывала к тщеславию сэра Чарльза, к его рыцарским чувствам, к спортивному инстинкту, наконец.

— О каком это «одном человеке» идет речь? — спросил он осторожно сэра Чарльза.

— Наверное, о Мендерсе, — ответил тот поспешно.

— Значит, и Мендерс был там?

— Очевидно. Но странно... Толли виделся с ним только раз, в моем доме. И трудно представить, почему Оливер Мендерс оказался в числе приглашенных.

— Часто ли доктор устраивал светские приемы?

— Три или четыре раза в год.

— А он много проводил времени в Йоркшире?

— У него там санаторий или больница, не знаю точно. Он купил аббатство Мелфорт, старинное место, реставрировал его и построил на этой территории санаторий.

— Понятно. — Мистер Саттерсуэйт помолчал с минуту, а затем поинтересовался: — Кто же еще входил в состав гостей?

Сэр Чарльз предположил, что это можно узнать из какой-нибудь светской хроники, и они решили просмотреть газеты.

— Вот то, что нам нужно, — сказал сэр Чарльз. И прочел вслух: — «Сэр Бартоломью устраивает свой очередной прием. Среди гостей — лорд и леди Иден, леди Мэри Литтон Гор, сэр Джоселин и леди Кэмбелл, капитан и миссис Дейкры и мисс Энджела Сатклиф, известная актриса».

Сэр Чарльз и мистер Саттерсуэйт многозначительно посмотрели друг на друга.

— Дейкры и Энджела Сатклиф, — сказал Картрайт, — но ничего не сказано об Оливере Мендерсе.

— Давай посмотрим сегодняшний номер «Континентал дейли мейл», — предложил мистер Саттерсуэйт. — Может, там что-нибудь есть.

Сэр Чарльз стал просматривать газету и вдруг вскрикнул:

— Послушайте, Саттерсуэйт: «Смерть сэра Бартоломью Стренджа. Сегодня во время расследования обстоятельств кончины сэра Бартоломью Стренджа было установлено, что смерть явилась следствием отравления никотином; нет никаких данных, проливающих свет на то, кто и как воспользовался ядом». — Картрайт нахмурился. — Отравление никотином. Звучит довольно странно — совсем не то средство, от которого мгновенно погибают. Не понимаю...

— Что вы намерены делать, Чарльз?

— Делать! Закажу спальное место на вечерний «Голубой экспресс».

— Ну что ж, я с вами, — решительно заявил мистер Саттерсуэйт.

Сэр Чарльз взглянул на него с удивлением.

— Все это, пожалуй, по моей части, — скромно заметил мистер Саттерсуэйт. — Дело в том, что у меня есть... небольшой опыт. Кроме того, я хорошо знаком с главным констеблем тех мест, полковником Джонсоном. Это может принести пользу.

— Вы молодец! — вскричал сэр Чарльз.

А мистер Саттерсуэйт с улыбкой подумал: «Девушка добилась своего. Ведь она пообещала вернуть его любой ценой. Любопытно, что же в ее письме по-настоящему искренне?»

Сэр Чарльз отправился заказывать билеты, а мистер Саттерсуэйт медленно прогуливался по парку. Его мысли все еще занимала Эгг Литтон Гор. Восхищали ее находчивость и активность, и он готов был простить ей ту энергию и напористость, с которой девушка действовала в сердечных делах.

Несмотря на то что мистер Саттерсуэйт глубоко погрузился в размышления, он вдруг замер при виде головы необыкновенной формы. Что-то знакомое было в ней.

Владелец обращающей на себя внимание головы сидел на скамейке и задумчиво глядел вдаль. Это был маленький человечек, и усы его явно не соответствовали росту.

Человечек повернул голову, и мистер Саттерсуэйт узнал его.

— Мсье Пуаро, какой приятный сюрприз! — воскликнул он обрадованно.

— Очень рад, мсье. — Пуаро встал и церемонно поклонился.

Они обменялись рукопожатием, и мистер Саттерсуэйт, усевшись рядом, сказал:

— Похоже, что все собрались в Монте-Карло. Полчаса назад я встретил сэра Чарльза, а теперь вас.

— Как, и сэр Чарльз здесь? — удивился Эркюль Пуаро.

— Да, он, видно, все дни проводит на яхте. Кстати, известно ли вам, что мистер Картрайт отказался от дома в Лумаузе?

— Впервые слышу и, признаться, удивлен.

— Сэр Чарльз слишком много сил отдал своей профессии. У него был какой-то срыв, и ему пришлось уйти со сцены. Но Картрайт не принадлежит к тем людям, которые могут долго жить вдали от света.

— Тут я с вами полностью согласен. А удивлен по другой причине. Мне казалось, что у сэра Чарльза была особая причина остаться в Лумаузе — весьма очаровательная. Разве я не прав? Маленькая барышня, которая так смешно себя называет «яйцом»[1].

В его глазах светились лукавые огоньки.

— Значит, вы заметили, мсье Пуаро!

— Конечно заметил. Мое сердце весьма сочувствует тем, кто любит, думаю — ваше тоже. К тому же молодость всегда так трогательна. — Он вздохнул.

— И все-таки он уехал, вернее... бежал.

— Бежал от мадемуазель Эгг? Но ведь абсолютно всем ясно, что она его обожает.

— Ах, вам непонятен наш англосаксонский комплекс, — проговорил, вздохнув, мистер Саттерсуэйт.

А мсье Пуаро несколько наивно предположил:

— Конечно, это неплохой расчет — бежать от женщины, чтобы она тут же последовала за вами. Несомненно, сэру Чарльзу, мужчине с большим опытом, это известно.

Мистеру Саттерсуэйту стало смешно.

— Не думаю, что все обстояло именно так, — заметил он. — Но, скажите, что вы тут делаете? Решили провести на Ривьере отпуск?

— Теперь у меня все время отпуск. Я добился успеха. Богат. Ушел в отставку, путешествую, чтобы повидать мир.

---

[1] По-английски эгг — яйцо.

— Прекрасно.

— Не правда ли? И вот я развлекаюсь, — сказал Эркюль Пуаро по-французски, и выражение его лица было несколько странным.

Перехватив проницательный взгляд Саттерсуэйта, мсье Пуаро усмехнулся:

— Да, да, вы все точно подмечаете, и догадка ваша верна.

Немного помолчав, он задумчиво продолжал:

— Видите ли, в молодости я был беден. Нужно было собственными силами выбиваться в люди. Пришлось пойти служить в полицию. Работал я много и добросовестно. Медленно завоевывал положение. Наконец, создал себе имя. И вот постепенно моя репутация приобрела международный характер. Некоторые обстоятельства вынудили меня уйти в отставку. Потом вспыхнула война. Я был ранен. Печальным и измученным беженцем прибыл в Англию. Меня приютила милая леди. Она умерла — неестественной смертью, ее убили. И тогда я заставил поработать свои мозги, маленькие серые клеточки. Нашел убийцу. И понял, что силы мои не иссякли, а окрепли, как никогда. Тогда-то и началась моя вторая карьера — частного сыщика в Англии. Мне удалось раскрыть много удивительных и сложных загадок. Ах, мсье, вот когда я жил! Проникать в психологию человека — это чудесно. Мое богатство росло. «Придет день, — сказал я себе, — и у меня будет столько денег, сколько мне нужно. Тогда я осуществлю свои мечты».

Он положил руку на колено мистера Саттерсуэйта и невесело улыбнулся:

— Ах, мой друг, остерегайтесь этого дня, когда ваши мечты становятся явью. Вы меня понимаете?

— Понимаю, — ответил мистер Саттерсуэйт, — вам невесело.

Пуаро кивнул:

— Вот именно.

Мистер Саттерсуэйт пытливо и в то же время както нерешительно посмотрел на старого сыщика. У него был такой вид, словно он колебался — стоит или не стоит открыться.

Наконец, решившись, он медленно развернул газету, которую все еще держал в руке.

— Вы уже прочли это, мсье Пуаро?

Маленький бельгиец взял газету. Пока он читал, мистер Саттерсуэйт внимательно наблюдал за ним. Лицо Эркюля Пуаро оставалось бесстрастным, но англичанину показалось, что сыщик весь напружинился, точно терьер, почуявший крысу.

Эркюль Пуаро дважды перечитал заметку, затем сложил газету и вернул ее мистеру Саттерсуэйту.

— Это интересно, — сказал он.

— Не правда ли, похоже на то, что сэр Чарльз Картрайт был прав, а мы ошибались?

— Да, — ответил Пуаро. — Похоже, что мы ошибались, признаю, мой друг. Я не допускал тогда мысли, что этот безобидный старый священник мог быть убит. Хотя не исключено, что вторая смерть — просто совпадение. Эти самые совпадения бывают сплошь и рядом, да еще такие удивительные. Вы бы не поверили, с какими мне, Эркюлю Пуаро, приходилось сталкиваться. — Он помолчал, затем продолжал: — Возможно, интуиция сэра Чарльза не обманула его. Он артист — человек тонкий и впечатлительный, и скорее чувствует, чем рассуждает. Кстати, где же сейчас сэр Чарльз?

Мистер Саттерсуэйт улыбнулся:

— Могу вам сказать. Он пошел заказывать билеты. Сегодня вечером мы с ним возвращаемся в Англию.

— О! — многозначительно воскликнул Эркюль Пуаро. Его глаза — блестящие, проницательные, казалось, говорили: «Он, видно, все же решился сыграть эту роль — роль сыщика-любителя! А может, есть тут и другая причина?»

Мистер Саттерсуэйт тактично промолчал, и тогда Пуаро уже вслух заключил:

— Понятно. Блестящие глаза мадемуазель играют здесь не последнюю роль. Верно?

— Эгг написала ему, она просит вернуться, — решился выдать чужую тайну мистер Саттерсуэйт.

— Но я не совсем понимаю... — начал было Пуаро, но мистер Саттерсуэйт прервал его:

— Вам непонятна современная молодая англичанка? Ну, это неудивительно. Я и сам не всегда их понимаю. Девушка, подобная мисс Литтон Гор...

Но тут Пуаро перебил своего собеседника:

— Пардон, вы меня не поняли. Я не встречал в своей жизни девушек, подобных мисс Литтон Гор. Но решительные и энергичные особы существовали всегда.

Мистер Саттерсуэйт был слегка раздосадован. Ему казалось, что он один понимает Эгг. Что мог знать о молодых англичанках этот нелепый иностранец!

А Пуаро задумчиво проговорил:

— Знание человеческой натуры может быть весьма опасным.

— Полезным, — поправил его мистер Саттерсуэйт.

— Возможно. Все зависит от точки зрения.

— Ну что ж. — Мистер Саттерсуэйт нерешительно поднялся. Он был немного разочарован — рыба на его наживу не попалась. И он вдруг подумал, что его собственное знание человеческой натуры — не без изъяна. Он откланялся. — Желаю вам приятного отдыха. Надеюсь, что, когда вы снова окажетесь в Лондоне, вы навестите меня. — И протянул Пуаро визитную карточку.

— Вы очень любезны, мистер Саттерсуэйт.

Мистер Саттерсуэйт удалился. Пуаро проводил его долгим взглядом, а затем вновь обратил свой взор на голубую гладь Средиземного моря. Так он просидел минут десять. Затем встал и неторопливо направился в сторону железнодорожной конторы.

Глава 7

Сэр Чарльз и мистер Саттерсуэйт сидели в кабинете полковника Джонсона. Главный констебль был крупным краснощеким мужчиной с казарменным голосом.

Полковник приветствовал мистера Саттерсуэйта с явным удовольствием и, несомненно, был счастлив познакомиться со знаменитым Чарльзом Картрайтом.

— Моя жена большая театралка. Она одна из ваших, как это говорят американцы, — болельщиц. Я сам люблю хорошие пьесы, так сказать, порядочные вещи.

Сэр Чарльз с присущей ему непринужденностью поддерживал беседу. Наконец он выбрал удобный момент и упомянул о цели своего посещения. Полковник Джонсон с готовностью выложил все, что знал:

— Вы говорите, доктор — ваш друг? Он был весьма популярен в наших местах. Его санаторий очень хвалят, да и сам сэр Бартоломью, несомненно, являлся незаурядным человеком, не говоря о его профессиональной репутации. Добрый, щедрый, всеми уважаемый — разве можно было предположить, что его убьют. То есть я хочу сказать — ничто не указывает на самоубийство, а несчастный случай исключается.

— Мы с Саттерсуэйтом только что прибыли из-за границы, — сказал сэр Чарльз. — Нам известны обрывочные сведения, почерпнутые из газет.

— И вы, естественно, хотите все узнать. Ну что ж, я вам точно опишу состояние дела. На мой взгляд, необходимо срочно разыскать дворецкого. Он появился здесь недавно. Служил у сэра Бартоломью всего две недели, сразу же после преступления исчез, испарился. Что выглядит подозрительно, не так ли?

— И вы не знаете, куда он девался?

Кирпичное лицо полковника Джонсона еще больше побагровело.

— Вы считаете это нашим промахом? Этого малого успели расспросить, как и всех других. Он отвечал вполне удовлетворительно, без признаков паники, дал адрес лондонского агентства, которое его рекомендовало. А после допроса сразу исчез. Мы осмотрели весь дом — ничего подозрительного не обнаружено. Не можем пока найти его следов.

— Чертовски глупо с его стороны, — задумчиво сказал сэр Чарльз. — Ведь он понял, что его не подозревают. А сбежав, привлек к себе внимание.

— Вот именно. Причем сбежал без всякой надежды скрыться. Повсюду разослано описание его внешности. Его поимка — вопрос нескольких дней.

— Его поведение странно, — сказал сэр Чарльз. — И непонятно.

— Ну, причина ясна — потерял хладнокровие, — со знанием дела заметил полковник.

— Если уж человек хладнокровно совершил убийство, то какое-то расследование не должно, казалось бы, так его напугать.

— Бывает, бывает. Я знаю преступников. Большинство из них — трусы. Как только дворецкий вообразил, что его подозревают, он тут же в панике сбежал.

— А вы проверили сведения, которые он дал о себе?

— Естественно, сэр Чарльз. Это наша обычная работа. Лондонское агентство подтвердило данные. У него была отличная рекомендация, написанная его бывшим хозяином сэром Горацием Бэрдом. Но, правда, сам сэр Гораций находится сейчас в Западной Африке.

— Значит, возможна подделка?

— Вот именно. — Полковник Джонсон посмотрел на сэра Чарльза с видом учителя, довольного успехами ученика. — Мы, конечно, послали телеграмму сэру Горацию, но может пройти немало времени, пока поступит ответ. Бэрд участвует в сафари.

— Когда этот малый исчез?

— Наутро после смерти. На обеде присутствовал врач, сэр Джоселин Кэмбелл, кажется, специалист по ядам. Вместе с Дэвисом, местным врачом, они пришли к единому заключению и немедленно вызвали наших людей. В тот же вечер мы всех опросили. Эллис, дворецкий, ушел на ночь в свою комнату, а наутро его уже не было. Постель осталась нетронутой.

— Сбежал под покровом темноты...

— Очевидно. Одна из приглашенных — мисс Сатклиф, актриса — вы ее, возможно, знаете, подала мысль, что дворецкий мог покинуть дом через потайной ход. Похоже на фантазии Эдгара Уоллеса, но в доме действительно есть нечто подобное. Сэр Бартоломью не без гордости показывал этот ход мисс Сатклиф. Кончается он среди каменных развалин в полумиле отсюда.

— Конечно, такое объяснение возможно, — согласился сэр Чарльз. — Только знал ли о существовании подземного хода дворецкий?

— В том-то и дело. Но моя жена утверждает, что слуги все знают. Пожалуй, она права.

— Ядом был никотин, как я понял, — заметил мистер Саттерсуэйт.

— Да. Необычное средство, я бы сказал. Довольно редкое. Думаю, для заядлого курильщика, каким являлся доктор, оно было опасным.

— Как же воспользовались ядом?

— Мы не знаем, — признался полковник Джонсон. — Это и есть загвоздка в деле. Согласно медицинскому заключению, яд оказался в организме за несколько минут до смерти.

— На приеме пили портвейн, не так ли?

— Точно. Но в портвейне яда не оказалось. Анализу подверглись остатки не только в стакане Бартоломью, но и всех остальных. Не было обнаружено ничего подозрительного. И ел он то же, что все остальные. Повар служил у него пятнадцать лет. Словом, исключено, чтобы яд попал через пищу. И тем не менее никотин оказался в организме. Странная история.

Сэр Чарльз возбужденно сказал мистеру Саттерсуэйту:

— Точно такая же, как и в прошлый раз.

Полковник посмотрел на него с удивлением.

Картрайт объяснил:

— В моем доме в Корнуолле тоже был смертельный случай.

Полковник Джонсон живо сказал:

— Я слышал об этом от молодой леди — мисс Литтон Гор.

— Да, она там была.

— Девушка выдвинула свою гипотезу. Но, знаете ли, сэр Чарльз, в этой гипотезе много пробелов. Она не объясняет, например, бегства дворецкого. А ваш слуга не сбежал, случайно?

— Там была только горничная.

— Может, то был переодетый мужчина?

Вспомнив о миловидной и женственной Темпл, сэр Чарльз улыбнулся.

Полковник Джонсон также улыбнулся, извиняясь за необоснованное подозрение.

— Просто мелькнула мысль, — сказал он. — Нет, не думаю, что можно положиться на гипотезу мисс Литтон Гор. В том случае, как я понял, умер старый священник. Кто мог быть заинтересован в смерти старого священника?

— Вот это и выглядит загадочно, — сказал сэр Чарльз.

— Думаю, что тут простое совпадение. Подозревать можно только дворецкого. Весьма вероятно, это обыкновенный преступник. К сожалению, мы не могли обнаружить отпечатков его пальцев. Специалист по этому делу обследовал спальню и буфет дворецкого, но ничего не обнаружил.

— А какой мотив мог быть у дворецкого?

— И это, конечно, одна из трудных проблем, — признал полковник Джонсон. — Возможно, он намеревался совершить ограбление.

Сэр Чарльз и мистер Саттерсуэйт вежливо отмолчались. Полковник же и сам чувствовал, что его предположение лишено правдоподобия.

— Здесь можно только гадать. Но когда мы посадим Джона Эллиса в комнату с решетками и выясним его личность, тогда уж мотив станет ясным как день.

— Полагаю, вы просмотрели бумаги сэра Бартоломью?

— Естественно, сэр Чарльз. Мы отнеслись к его документам со всем вниманием. Могу познакомить вас со старшим инспектором Кросфилдом, который этим занимался. На инспектора можно положиться. Я подсказал ему, а он сразу согласился, что преступление может быть как-то связано с профессией сэра Бартоломью. Врачи хранят много профессиональных тайн. Бумаги сэра Бартоломью были аккуратно разложены и подшиты. Мисс Линдон, его секретарь, просматривала их вместе с Кросфилдом.

— И в них ничего не обнаружено?

— Ничего подозрительного, сэр Чарльз.

— Что-нибудь исчезло из дома — серебро, драгоценности?

— Ничего такого.

— А кто именно находился в доме?

— У меня есть список... Постойте, где же он? А... наверное, у Кросфилда. Вы с ним должны встретиться. Кстати, я его жду с минуты на минуту с докладом... Ну, вот и он...

Старший инспектор Кросфилд оказался солидным человеком с несколько замедленной речью. Он отдал честь старшему офицеру, и тот его представил обоим посетителям.

Не исключено, что, будь мистер Саттерсуэйт один, ему не удалось бы разговорить Кросфилда. Тот не жаловал джентльменов из Лондона, любителей, имеющих свои «идеи». Но сэр Чарльз — дело другое. Старший инспектор Кросфилд относился с почтением, с каким-то детским восторгом к звездам сцены. Он дважды видел сэра Чарльза в нашумевших спектаклях и сейчас пришел в волнение от того, что видит этого героя рампы перед собой.

— Мы с женой видели вас в Лондоне, сэр. Пьеса называлась «Дилемма лорда Эйнтри». Я сидел в партере, театр был переполнен, за билетами пришлось выстоять два часа. Но жену ничего не остановило бы. «Я должна увидеть сэра Чарльза Картрайта в этой пьесе», — говорила она. Это было в театре «Пэлл Мэлл».

— Как вы знаете, — сказал сэр Чарльз, — я ушел со сцены. Переутомился, и два года назад у меня произошел... срыв. Но в этом театре все еще меня помнят. — Он вынул карточку и написал на ней несколько слов. — Предъявите в кассе, когда снова поедете с миссис Кросфилд в Лондон, вам будут обеспечены лучшие места.

— Это так мило с вашей стороны, сэр Чарльз, так мило. Моя жена совсем растрогается, когда я ей об этом скажу.

Старший инспектор Кросфилд был готов к любым откровениям, и сэр Чарльз принялся за расспросы.

— Это странное дело, сэр. Мне еще никогда, за все годы службы, не приходилось сталкиваться с никотиновым ядом. Доктору Дэвису тоже.

— Мне казалось, что такая болезнь возникает после чрезмерного курения, — предположил Картрайт.

— По правде говоря, мне тоже, сэр. Но доктор говорит, что чистый алкалоид — жидкость без запаха, достаточно нескольких капель, чтобы убить человека мгновенно.

— Жуткое средство, — нахмурился сэр Чарльз.

— Вот именно, сэр. Но в то же время никотином, оказывается, широко пользуются. Растворы употребляют, например, для поливки роз. Экстракт никотина можно получить из обыкновенного табака.

— Розы-розы, — задумчиво проговорил сэр Чарльз, — где я об этом слышал... — Он нахмурился, потом, словно бы не вспомнив, покачал головой.

— Есть что-нибудь новенькое в отчете? — спросил полковник Джонсон.

— Ничего определенного, сэр. Нам сообщили, что Эллиса видели в Дархеме, Ипсуиче, Белхеме и в десятке других мест. Но все это надо проверить.

Кросфилд обратился к посетителям:

— Стоит только разослать описание нужного человека, как его тут же обнаруживают в разных концах Англии.

— А как он был описан? — спросил сэр Чарльз.

Джонсон взял бумагу и прочел:

— «Джон Эллис, среднего роста, слегка хромает, седые волосы, маленькие бакенбарды, темные глаза, хриплый голос, одного зуба не хватает в верхней челюсти — это видно, когда он улыбается. Никаких особых примет нет».

— Весьма неопределенно, — сказал сэр Чарльз, — исключите бакенбарды и зуб — первые уже сбриты, а положиться на улыбку нельзя.

— Беда в том, — сказал Кросфилд, — что люди ничего не замечают. Я с трудом добился от служанок в аббатстве даже этого расплывчатого описания.

— А вы, старший инспектор, уверены, что Эллис виновен? — неожиданно спросил сэр Чарльз.

— Но ведь дворецкий по какой-то причине сбежал? От этого никуда не денешься.

— Так вот он, камень преткновения, — задумчиво проговорил сэр Чарльз.

Мистер Саттерсуэйт поинтересовался бумагами Бартоломью Стренджа.

— Ничего подозрительного не смог обнаружить, сэр. Все оказалось абсолютно ясным и открытым, — ответил старший инспектор.

— Совершенно точно, — вставил Джонсон, — я сам просмотрел бумаги. Не было ничего хоть в малой степени неясного.

— Мне однажды довелось видеть секретаря Толли, — сказал сэр Чарльз. — Деловая девушка, но несколько простовата.

— Это верно, сэр. На меня она произвела такое же впечатление — весьма деловая. Кстати, мы просмотрели дневник сэра Бартоломью. Скорее, это можно назвать записной книжкой. Она у меня.

— О! Позвольте взглянуть. — Сэр Чарльз нетерпеливо протянул руку.

Старший инспектор вручил ему небольшую зеленую книжицу, уже несколько потертую.

Мистер Саттерсуэйт смотрел через плечо сэра Чарльза, пока тот перелистывал странички. На них были только карандашные пометки.

«Распродажа у старого Летома... Там всегда неплохой портвейн. Нужно пойти».

«Надо сказать Л., чтобы достала новые покрытия для столов».

«Чувствую себя уставшим. Скоро уйду на покой».

«Надо отругать этого чертовски глупого садовника. Почему он не сажает тюльпаны потеснее?»

И последняя запись, произведенная за день до трагедии.

«Меня беспокоит М. Не нравятся некоторые признаки...

Надо сказать Л., что пружины в софе разладились».

— «Л.» — это мисс Линдон, — пояснил старший инспектор.

— А «М.»?

— Не знаем. Возможно, один из пациентов.

Сэр Чарльз попросил список тех, кто присутствовал в аббатстве в ночь, когда совершилось преступление. В нем числились:

Марта Леки, кухарка.

Беатриса Черч, старшая уборщица.

Дорис Кокер, младшая уборщица.

Виктория Болл, горничная.

Вайолет Бессингтон, помощница кухарки.

Все перечисленные подолгу служили у покойного и были на хорошем счету.

Гледис Линдон, тридцати трех лет. Три года была секретарем сэра Бартоломью Стренджа; ничего не могла сообщить о возможном мотиве убийства.

Гости: лорд и леди Иден, сэр Джоселин и леди Кэмбелл, мисс Энджела Сатклиф, капитан и миссис Дейкры, леди Мэри и мисс Эрмион Литтон Гор, мисс Мюриел Уиллс, мистер Оливер Мендерс».

— Газеты не сообщали о мисс Уиллс, — заметил сэр Чарльз. — Да и молодой Мендерс тоже не был упомянут.

— Он там оказался случайно, сэр, — сказал Кросфилд. — Молодой джентльмен врезался на своем мотоцикле в стену рядом с воротами аббатства, расшибся.

И сэр Бартоломью, который, как я понял, был знаком с молодым человеком, предложил Мендерсу остаться на ночь.

— Довольно неосторожный, со стороны доктора, поступок, — заметил с усмешкой Чарльз.

— Именно так, сэр, — сказал старший инспектор. — Мне даже кажется, что молодой человек в тот вечер что-то задумал. Иначе — как объяснить то обстоятельство, что, будучи трезвым, он врезался в стену дома. Причем дома, соседнего с аббатством.

— Ну что ж, большое спасибо, старший инспектор, — поблагодарил его Картрайт. — Вы не возражаете, полковник Джонсон, если мы посетим и осмотрим аббатство?

— Конечно нет, дорогой сэр. Но боюсь, вы не узнаете больше того, что я вам рассказал.

— Там кто-нибудь остался?

— Только слуги, сэр. Гости разъехались сразу же после допроса, а мисс Линдон вернулась на Харлей-стрит.

— Может, нам стоит повидаться также с доктором Дэвисом? — предложил мистер Саттерсуэйт.

— Хорошая мысль, — согласился сэр Чарльз.

Они взяли адрес доктора и, тепло поблагодарив полковника Джонсона за милый прием, удалились.

Глава 8

Когда они оказались на улице, сэр Чарльз обратился к другу:

— Что вы об этом скажете, Саттерсуэйт?

— А вы? — вопросом на вопрос ответил мистер Саттерсуэйт. Он не спешил высказывать свое суждение.

Сэр Чарльз ждал этого вопроса, он заговорил с жаром:

— Они ошибаются, Саттерсуэйт, во всем ошибаются. Придумали с ходу версию с дворецким. Джон Эллис смылся — значит, он убийца. Не так это, совсем не так. Нельзя сбрасывать со счетов ту смерть, что случилась в моем доме.

— Вы все-таки считаете, что между ними есть связь?

Мистер Саттерсуэйт задал вопрос, но чувствовалось, что сам он уже ответил на него утвердительно.

— Между ними должна быть связь. Все на это указывает. Есть некто — присутствовавший в обоих случаях.

— Да, но все не так просто, как это можно подумать. Понимаете ли вы, Картрайт, что почти все, кто был на вашем обеде, были и здесь!

Сэр Чарльз кивнул:

— Конечно, я отметил это, но какой вывод напрашивается?

— Не совсем улавливаю, Картрайт.

— Рассудите-ка. Совпадение ли то обстоятельство, что люди, бывшие свидетелями первой смерти, стали свидетелями второй? Случайность? Ни в коем случае. Тут был явный расчет — план Толли.

— Пожалуй, это возможно, — заметил мистер Саттерсуэйт.

— Тут нет сомнений. Вы не знали Толли так хорошо, как я. Этот человек предпочитал все держать в секрете, причем был очень терпеливым. За все годы, что с ним знаком, не знаю случая, чтобы Толли высказывал поспешное суждение или мнение. Посудите сами — в моем доме убит Баббингтон, именно убит, не будем больше смягчать факты. Толли деликатно высмеивает мои подозрения и в то же время вынашивает собственные. Он их не высказывает, это ему не присуще, но спокойно, скрыто анализирует и делает выводы. Я не знаю, к чему он пришел. Не думаю, чтобы Толли подозревал кого-то конкретно, но справедливо полагал, что в преступлении виновен один из тех, кто присутствовал у меня на обеде. И он решил провести своего рода испытание, чтобы обнаружить преступника.

— Но у доктора были другие гости — Идены, Кэмбеллы.

— Маскировка. Чтобы замысел не так бросался в глаза.

— В чем же состоял его план, по-вашему?

Сэр Чарльз пожал плечами — несколько театрально, на иностранный манер. Он снова стал Аристидом Дювалем, главным представителем секретной службы. Даже вновь прихрамывал на левую ногу.

— Как знать? Я не волшебник. Но план, несомненно, существовал. Он не удался потому, что убийца оказался умнее, чем Толли предполагал. Он нанес удар первым.

— Он?

— Или она. К яду прибегают не только мужчины, но и женщины, причем даже чаще.

Мистер Саттерсуэйт молчал, и сэр Чарльз нетерпеливо спросил:

— Вы что, не согласны со мной? Или думаете как все? «Виновен дворецкий. Это его рук дело».

— А что вы скажете о дворецком?

— Я о нем не думал. На мой взгляд, он тут ни при чем. Могу высказать свое предположение.

— Какое же?

— Ну, положим, полиция права — Эллис профессиональный преступник, действующий, скажем, в банде грабителей. Эллис получает должность с помощью поддельной рекомендации. Потом Толли убивают. Каково положение Эллиса? Хозяин убит, а в доме находится человек, отпечатки пальцев которого хранятся в Скотленд-Ярде, он известен полиции. Естественно, он решает смыться.

— А потайной ход?

— Да черт с ним, с этим ходом. Он ускользнул в то время, когда кто-то из тупоголовых полицейских, наблюдавших за домом, стал клевать носом.

— Это, конечно, выглядит более правдоподобно.

— Ну так что, Саттерсуэйт, каково ваше мнение?

— Оно не отличается от вашего. Версия о дворецком мне кажется совсем нелепой. Я считаю, что сэр Бартоломью и бедняга Баббингтон убиты одним и тем же лицом.

— Кем-то из гостей?

— Да.

Они помолчали с минуту, затем мистер Саттерсуэйт как бы между прочим спросил:

— Кем из них, по-вашему?

— Видит Бог, Саттерсуэйт, мне нечего сказать!

— Конечно, конечно, — мягко согласился тот, — но, может, у вас мелькнула догадка.

— Ну так вот, ее нет, этой догадки. — Сэр Чарльз немного помолчал, а потом добавил: — Знаете ли, Саттерсуэйт, чем больше я думаю, тем меньше мне кажется, что кто-нибудь из гостей мог сделать такое.

— Наверное, ваша версия правильна, — усмехнулся мистер Саттерсуэйт, — относительно того, что Бартоломью пригласил к себе именно подозреваемых. Но надо учесть и некоторые исключения. К примеру, там не было вас, меня и миссис Баббингтон. Молодого Мендерса следует также исключить.

— Мендерса?

— Конечно, его прибытие было случайным. Мендерса никто не приглашал. Значит, он остается вне группы подозреваемых.

— И драматург Энтони Астор также.

— Нет, нет, она была в числе гостей — мисс Мюриел Уиллс.

— Ах да! Она там была. Я совсем забыл, что ее настоящее имя Уиллс.

Актер нахмурился, и мистер Саттерсуэйт догадался почему. Он умел неплохо читать чужие мысли. Когда Картрайт заговорил, мистер Саттерсуэйт похвалил себя за прозорливость.

— Знаете ли, Саттерсуэйт, вы правы. Не думаю, что он пригласил только явно подозреваемых людей, ведь там были также леди Мэри и Эгг. Нет, он, видно, хотел поговорить, как бы воссоздать ту первую сцену. Доктор кого-то подозревал, но ему нужны были свидетели, которые стали очевидцами происходящего... Он что-то затевал...

— Что-нибудь в этом роде, — согласился мистер Саттерсуэйт. — Но пока у нас только обобщения, ничего конкретного. Итак, дамы Литтон Гор, вы, я, миссис Баббингтон и Оливер Мендерс исключаются. Кто же остается? Энджела Сатклиф?

— Энджи? Да они с Толли были дружны многие годы.

— Тогда поговорим о Дейкрах. По сути, Картрайт, вы подозреваете их?!

Сэр Чарльз ошарашенно посмотрел на него. Мистер Саттерсуэйт торжествовал, что и на этот раз угадал ход мыслей актера.

— Наверно, так оно и есть, — медленно проговорил Картрайт. — Вернее, я не подозреваю, а просто считаю, что их можно заподозрить скорее, чем других. Во-первых, я их не очень хорошо знаю. И в то же время никогда в жизни не смогу представить, почему Фредди Дейкру, проводящему все свое время на скачках, или Синтии, которая создает баснословно дорогую одежду для женщин, вдруг понадобилось расправиться с милым старым священником.

Сэр Чарльз покачал головой, но вдруг глаза его загорелись.

— Я снова забыл об этой женщине, Уиллс. Что же в ней есть такого, из-за чего постоянно о ней забываешь? Самая невзрачная личность, какую я когда-либо встречал.

Мистер Саттерсуэйт улыбнулся.

— А кажется, мисс Уиллс только и занята тем, что все подмечает, все берет на заметку. За ее очками скрывается пара острых глаз. Даю слово, мисс Уиллс заметила в этом деле такие детали, которые прошли мимо внимания других.

— Вы так думаете? — с сомнением произнес сэр Чарльз.

— Сейчас в первую очередь мы должны подумать о ленче, — заметил Саттерсуэйт. — А уж потом отправимся в аббатство и посмотрим, что можно обнаружить на месте.

— Похоже, вы приняли все близко к сердцу, — слегка усмехнувшись, заметил сэр Чарльз.

— Для меня не впервой расследовать преступление, — важно ответил мистер Саттерсуэйт. — Однажды, когда у меня сломалась машина и я поселился в пустой гостинице...

— Помню, — прервал его сэр Чарльз своим высоким, хорошо поставленным актерским голосом, — когда я путешествовал в 1921 году...

Последнее слово осталось за ним...

Глава 9

Все казалось удивительно мирным на территории и в здании аббатства Мелфорт, когда оба они явились туда в послеполуденное время этого солнечного сентябрьского дня.

Часть зданий аббатства была построена в пятнадцатом веке, к ним пристроили новое крыло. Санатория отсюда не было видно, его построили на отдельной территории.

Сэра Чарльза и мистера Саттерсуэйта встретила миссис Леки, кухарка, дородная женщина в подобающем случаю черном платье. Глаза женщины покраснели от слез, но горе не отразилось на ее говорливости. Сэра Чарльза она знала и главным образом обращалась к нему:

— Я уверена, что вы, сэр, поймете, что значит для меня смерть хозяина. Полицейские так и шныряют и всюду суют свой нос. Вы не поверите, они рылись даже в мусорных ящиках. И вопросы, бесконечные вопросы! О, как это я дожила до такого дня! Доктор был благороднейшим джентльменом, мы так радовались, когда он получил титул сэра Бартоломью, мы с Беатрисой все хорошо помним, хотя она здесь служила на два года меньше меня. И вдруг этот малый из полиции, уж его-то я не могу назвать джентльменом, хоть он и старший инспектор или что-то в этом роде.

Миссис Леки передохнула и наконец сделала попытку выбраться из словесного лабиринта, в котором она **чуть было не застряла.**

— Вопросы, которые он так и выстреливал, касались всех служанок в доме — а все они, без исключения, хорошие девушки, хотя Дорис и не встает по утрам тогда, когда положено, а Вики склонна дерзить, но от молодых нельзя ждать воспитанности, матери об этом теперь не заботятся. Но все они хорошие девушки, и никакой полицейский инспектор не заставит меня говорить иначе. «Да, — сказала я ему, — не думайте, что я стану вам наговаривать на моих девушек. Все они порядочные и не имеют никакого касательства к убийству, даже стыдно подумать такое». — Она чуть помолчала и продолжала: — Другое дело — мистер Эллис. Я ничего о нем не знаю и не могу за него поручиться, ведь его пригласили из Лондона лишь на время, пока мистер Бэйкер был в отпуске.

— Бэйкер? — переспросил мистер Саттерсуэйт.

— Последние семь лет он был дворецким сэра Бартоломью. Большую часть времени он находился в Лондоне, на Харлей-стрит. Вы помните его, сэр? — Она обратилась к сэру Чарльзу, и тот кивнул. — Сэр Бартоломью обычно привозил его сюда, когда приглашал гостей. Но, по словам сэра Бартоломью, Бэйкеру нездоровилось, и доктор предоставил ему два месяца отпуска. Доктор даже заплатил за пребывание Бэйкера на море близ Брайтона — наш доктор был настоящим джентльменом. Мистер же Эллис замещал заболевшего дворецкого. Судя по тому, что мистер Эллис говорил о себе, он служил в самых лучших домах и он, конечно, вел себя по-джентльменски. Я обо всем этом рассказала старшему инспектору.

— Вы за ним не заметили ничего особенного? — спросил с надеждой в голосе сэр Чарльз.

— Пожалуй, нелепо говорить вам это, сэр, но могу ответить, если вы меня поймете, — и да и нет.

Сэр Чарльз подбадривал ее взглядом, и миссис Леки продолжала:

— Не могу точно объяснить, сэр, но было что-то...

«Всегда так бывает после случившегося, — невесело подумал мистер Саттерсуэйт. — Как бы ни презирала миссис Леки полицию, она против нее не устояла. Раз Эллиса считают преступником, значит, миссис Леки тоже что-то приметила».

— Во-первых, он держался надменно. О, вполне вежливо, по-джентльменски, ведь я говорила, что он служил в лучших домах. Но он был скрытен, много времени проводил в своей комнате. Не знаю, как описать, но я уверена... было что-то...

— Может, вы заподозрили, что на самом деле он не дворецкий? — спросил мистер Саттерсуэйт.

— Он достаточно хорошо справлялся с обязанностями, хорошо знал представителей света.

— К примеру? — осторожно спросил сэр Чарльз.

Но миссис Леки повела себя уклончиво. Она не собиралась пересказывать пересуды слуг. Это не соответствовало ее представлению о порядочности.

Чтобы вывести ее из замешательства, мистер Саттерсуэйт спросил:

— Не можете ли вы описать внешность Эллиса?

Миссис Леки просияла.

— Да, конечно, сэр. Он выглядел весьма респектабельно — бакенбарды и седые волосы, немного прихрамывал, Эллис начинал полнеть, и это его беспокоило. У него слегка тряслись руки, но не подумайте, что по той самой причине. Он был воздержан на выпивку. Что-то у Эллиса неладно было с глазами. Яркий свет вызывал у него обильные слезы. В нашем обществе Эллис носил очки, но не при исполнении своих обязанностей.

— Особых примет не заметили? — спросил сэр Чарльз. — Шрамов? Сломанных пальцев? Родинок?

— Нет, сэр, ничего такого.

— Насколько детективные истории превосходят жизнь, — вздохнул сэр Чарльз. — В книгах всегда найдешь особые приметы.

— У него, говорят, не хватало одного зуба, — заметил мистер Саттерсуэйт.

— Кажется, сэр. Но сама я этого не заметила.

— Как Эллис вел себя в тот вечер, когда произошла трагедия?

— Право, не могу сказать, сэр. Я была очень занята на кухне. Не хватало времени, чтобы заметить, что творится вокруг.

— Вполне понятно.

— Когда мы узнали, что хозяин умер, мы точно громом были поражены. Я не переставала плакать. Беатриса тоже. Молодые, конечно, возбуждены, но очень расстроены. Мистер Эллис, естественно, не так расстраивался, как мы, ведь он был здесь чужим, но вел себя очень деликатно, настаивал на том, чтобы мы с Беатрисой выпили портвейна для успокоения. Подумать только, что он — именно тот негодяй... — Миссис Леки не могла найти слов, глаза ее сверкали негодованием.

— И в ту же ночь он исчез?

— Да, сэр, удалился в свою комнату, как и мы все, а наутро его там не оказалось. Конечно, полиция сразу же его заподозрила.

— Да, да, очень глупо с его стороны. А как, по-вашему, он покинул дом?

— Понятия не имею. Похоже, полиция всю· ночь следила за домом, но его никто не заметил. Но, согласитесь, полицейские такие же люди, как все...

— Я слышал, будто есть какой-то потайной ход? — осторожно спросил сэр Чарльз.

Миссис Леки фыркнула:

— Это полицейские так говорят.

— А на самом деле?

— Я что-то слышала об этом, — согласилась кухарка.

— Вы знаете, где·находится вход в него?

— Нет, сэр. Потайные ходы, может, дело и хорошее, только слугам не следует знать о них. У девушек могут появиться всякие мысли. К примеру, они захотят ускользнуть таким путем. Мои девочки пользуются только черным ходом, так что мы всегда все знаем.

— Прекрасно, миссис Леки. Вы мудрая женщина.

Миссис Леки пришла в восторг от одобрения сэра Чарльза.

— Имеем ли мы право, — продолжал он, — задать несколько вопросов другим слугам?

— Конечно, сэр, но они не смогут сказать вам больше, чем я.

— О, я знаю. Но я не имею намерения расспрашивать их об Эллисе, мне больше хотелось бы узнать, как вел себя в тот вечер сэр Бартоломью. Ведь он был моим другом.

— Знаю, сэр, и все понимаю. Можно обратиться к Беатрисе и к Дорис — она, кстати, подавала к столу.

— Да, я хотел бы повидать Дорис.

Однако миссис Леки поступила по-своему. Первой привела старшую уборщицу Беатрису Черч. Это была высокая худощавая женщина с решительно сжатым ртом.

После нескольких малозначащих вопросов сэр Чарльз завел разговор о поведении на званом обеде. Был ли кто-нибудь страшно расстроен? Что говорили, что делали приглашенные?

Беатриса оживилась. Было такое впечатление, что она вспоминает о роковом вечере не без удовольствия.

— Мисс Сатклиф ужасно страдала. Очень добросердечная леди, она и раньше здесь гостила. Я хотела принести ей глоток бренди или крепкого чая, чтобы она успокоилась. Но мисс все отвергла. Правда, приняла таблетку аспирина, наутро она спала, как дитя, когда я принесла ей чаю.

— А миссис Дейкр?

— Не думаю, чтобы эту леди могло сильно расстроить что бы то ни было. — Судя по тону Беатрисы, Синтия Дейкр ей не нравилась. — Она торопилась поскорее уехать. Сказала, что может пострадать ее дело. Она в Лондоне знаменитая портниха, говорил мистер Эллис. — В представлении Беатрисы портниха, хоть и знаменитая, — это «ремесло», а на «ремесло» она смотрела свысока.

— Ну а муж ее?

Беатриса фыркнула:

— С помощью бренди успокаивал или, наоборот, расстраивал свои нервы.

— Что вы скажете о леди Мэри Литтон Гор?

— Очень милая леди, — сказала Беатриса более мягким тоном. — Моя двоюродная бабушка служила у ее отца в замке. Может, она и бедна, только сразу видно, какая это высокородная особа, и всегда такая деликатная, никого не беспокоит и разговаривает приветливо. Ее дочь тоже милая леди. Они не так уж были близко знакомы с сэром Бартоломью, но очень горевали.

— А мисс Уиллс?

Беатриса снова ожесточилась.

— Никто не мог бы сказать, сэр, что об этом думала мисс Уиллс, не сомневаюсь.

— Что вы думаете о ней? — спросил сэр Чарльз. — Скажите, Беатриса, не стесняйтесь.

Неожиданная улыбка смягчила жесткое, словно деревянное, лицо Беатрисы. В поведении сэра Чарльза было что-то привлекательно мальчишеское. И она не устояла против обаяния, которое в свое время так сильно действовало на публику.

— Право же, сэр, не знаю, что вы хотите от меня услышать.

— Просто хочется знать, какие мысли и чувства вызывала у вас мисс Уиллс.

— Она не была, конечно... — Беатриса колебалась.

— Продолжайте, Беатриса.

— Она не была из того же круга, что остальные, сэр. Она не виновата, я знаю. Только она поступала так, как не могла бы поступить настоящая леди. Она подглядывала. Надеюсь, вы меня понимаете, сэр, подглядывала и рыскала повсюду.

Сэр Чарльз попытался выяснить, в чем это выражалось. Но Беатриса не смогла привести ни одного примера. Она лишь твердила, что мисс Уиллс лезла не в свои дела.

Мистер Саттерсуэйт понял, что допытываться бесполезно, и сменил вопрос:

— Молодой Мендерс прибыл неожиданно, не так ли?

— Да, сэр, его мотоцикл врезался в стену перед самой сторожкой у ворот аббатства. По его словам, ему просто повезло, что это произошло именно там. Его оставили на ночь. Дом, конечно, был заполнен, но мисс Линдон распорядилась устроить Мендерсу постель в маленьком кабинете.

— Видимо, все очень удивились, когда его увидели?

— О да, сэр, естественно.

Когда Беатрису расспрашивали об Эллисе, она отвечала без всякой уклончивости. Она его мало видела, но никак не может понять, почему дворецкий затаил такую злобу на хозяина. Никто не может понять.

— А как себя вел он, я имею в виду доктора? Ожидал ли он с нетерпением приема гостей? Казалось ли, что он что-то задумал?

— Он был очень весел, сэр. Сам себе улыбался, словно задумал какую-то шутку. Я даже слышала, как он шутил с мистером Эллисом — никогда себе такого доктор не позволял с мистером Бэйкером. Сэр Бартоломью обращался со слугами строго, правда, всегда вежливо.

— Что же такого веселого он сказал Эллису? — заинтересовался мистер Саттерсуэйт.

— Сейчас уже точно не помню. Мистер Эллис пришел сообщить, что звонили по телефону по просьбе какой-то миссис, а сэр Бартоломью спросил его, точно ли он записал ее имя. Мистер Эллис ответил, что абсолютно точно, он уверен в этом, — ответил почтительно, конечно. А доктор рассмеялся и сказал: «Вы славный малый, Эллис, первоклассный дворецкий... А вы как думаете, Беатриса?» Я была удивлена, сэр, что хозяин ко мне обратился с вопросом. Это было на него не похоже. Я не знала, что ответить.

— А Эллис?

— Эллис посмотрел на доктора вроде бы неодобрительно, сэр. Словно для него подобное обращение было непривычным. Весь как-то напрягся.

— А что сообщили доктору по телефону? — спросил сэр Чарльз.

— Звонили из санатория, сообщили, что пациентка прибыла и хорошо перенесла дорогу.

— Помните ли вы ее имя?

— Какое-то странное имя, сэр. Что-то вроде миссис де Рашбриджер, — неуверенно произнесла Беатриса.

— Да, конечно, — мягко сказал сэр Чарльз, — такое имя, да еще услышанное по телефону, нелегко правильно повторить. Ну что ж, большое спасибо, Беатриса. Можем ли мы повидать сейчас Дорис?

Когда Беатриса ушла, сэр Чарльз и мистер Саттерсуэйт переглянулись, как бы обмениваясь впечатлениями.

— Мисс Уиллс подглядывала и рыскала, капитан Дейкр напился, миссис Дейкр не проявила эмоций. Что из этого можно извлечь? На редкость мало, — разочарованно произнес сэр Чарльз.

— Да, очень мало, — согласился мистер Саттерсуэйт.

— Возможно, Дорис оправдает наши надежды.

Дорис оказалась скромной темноглазой женщиной лет тридцати. Она весьма охотно отвечала на вопросы.

Лично она не считала, что мистер Эллис может быть заподозрен. Он выглядел настоящим джентльменом. Полиция решила, что он обыкновенный жулик, но Дорис считает, что это не так.

— Вы вполне убеждены, что Эллис был обыкновенным порядочным дворецким? — спросил сэр Чарльз.

— Про Эллиса не скажешь — обыкновенный, сэр. Он не походил ни на одного из тех дворецких, с кем мне доводилось работать раньше. Эллис совсем иначе выполнял свою работу.

— Значит, вы не верите, что он отравил вашего хозяина?

— Не знаю, сэр, как он бы мог это сделать. Я вместе с ним прислуживала за столом, я бы заметила, если бы он попытался отравить пищу.

— А напиток?

— Эллис подавал вино, сэр. Сперва шерри, одновременно с супом, потом белое рейнское и кларет. Но что он мог сделать, сэр? Ведь если бы в вине был яд, то отравились бы все, кто пил вино. Это же относится и к портвейну. Все джентльмены пили портвейн, некоторые леди тоже.

— Стаканы были унесены на подносе?

— Да, сэр, я держала поднос, а мистер Эллис ставил на них стаканы, потом я отнесла поднос в буфетную, там они находились и тогда, когда полицейские пришли их осмотреть. Стаканы от портвейна все еще оставались на столе. Полиция ничего в них не обнаружила.

— Вы совершенно уверены, что доктор за обедом ел и пил только то, что было подано всем?

— Я этого не видела, сэр, но уверена, что да.

— И ни один из гостей ничего не давал ему?

— О нет, сэр.

— Знаете ли вы, Дорис, что-нибудь о потайном ходе?

— Один из садовников говорил, будто он выходит в лесу, у каких-то старых развалин.

— А Эллис ничего не говорил о потайном ходе?

— О нет, сэр, уверена, что он ничего о нем не знал.

— Кто же, по вашему мнению, убил хозяина, Дорис?

— Не знаю, сэр. Не могу поверить, что кто-нибудь это сделал. Чувствую, что речь может идти только о несчастном случае.

— Благодарю вас, Дорис.

— Если бы не смерть Баббингтона, — сказал сэр Чарльз, когда служанка покинула комнату, — мы могли бы принять ее за преступницу. Хорошенькая женщина. И она подавала за столом... Нет, не то. Баббингтон был убит. К тому же Толли никогда не замечал хорошеньких девушек. Он не из таких.

— Но ему было пятьдесят пять лет, — задумчиво сказал Саттерсуэйт.

— Почему вы это говорите?

— В таком возрасте мужчина легко теряет голову из-за девушки, если даже с ним такого раньше не случалось.

— Полноте, Саттерсуэйт, ведь и мне уже скоро будет... пятьдесят пять.

— Я знаю, — сказал Саттерсуэйт.

И сэр Чарльз не смог выдержать его слегка насмешливого взгляда. Он заметно смутился.

Глава 10

— А что, если нам осмотреть комнату Эллиса? — спросил мистер Саттерсуэйт после того, как полностью насладился видом зардевшегося сэра Чарльза.

Актер обрадовался перемене темы:

— Превосходно, превосходно. Именно это я и хотел предложить.

— Полиция, конечно, все там обыскала.

— Полиция... — Аристид Дюваль сделал пренебрежительный жест. — Эти полицейские — тупицы, — сказал сэр Чарльз с презрением. — Что они искали в комнате Эллиса? Доказательства его виновности. А мы будем искать доказательства его невиновности. Совсем другое дело.

— Вы абсолютно уверены в невиновности Эллиса?

— Если вы правы насчет Баббингтона, он должен быть невиновен.

На первый взгляд комната Эллиса не обещала никаких открытий. Белье в ящиках и одежда в шкафах находились в полном порядке. Все было хорошего покроя, на всем стояли метки известных портных. Тщательно почищенная обувь стояла с колодками.

Мистер Саттерсуэйт поднял один ботинок и пробормотал:

— Девятый — именно девятый, — но поскольку в деле ничего не говорилось об оставленных следах, это казалось бессмысленным.

Ясно было, что Эллис ушел в форме дворецкого, так как она отсутствовала, и мистер Саттерсуэйт обратил внимание сэра Чарльза на этот примечательный факт.

— Любой здравомыслящий человек сменил бы ее на обыкновенный костюм. Да, странно. Как это ни абсурдно, но похоже, что он вовсе не уходил. Чепуха какая-то.

Они продолжали поиски. Ни писем, ни бумаг, если не считать вырезки из газеты о лечении мозолей и заметки о предстоящей свадьбе дочки герцога.

На столе находились небольшое пресс-папье и бутылочка с чернилами, ручки не было. Сэр Чарльз стал рассматривать пресс-папье в зеркале, но безрезультатно. На промокательной бумажке, которой, видно, много пользовались, была неразборчивая мешанина, а чернила казались старыми.

— Он либо не писал писем здесь, либо не пользовался промокашкой, — сделал вывод мистер Саттерсуэйт. — Это старое пресс-папье. Ах, вот, — с некоторым удовлетворением он указал на едва различимые в мешанине буквы: «Л. Бэйкер». — Эллис, пожалуй, вовсе им не пользовался.

— Разве это не странно? — спросил сэр Чарльз. — Человек обычно пишет письма.

— Не пишет, если он преступник.

— Возможно, вы правы. Что-то есть подозрительное в том, что он так неожиданно смылся. Мы лишь утверждаем, что не он убил Толли.

Они тщательно осмотрели пол, подняли ковер, посмотрели под кровать. Ничего не нашли, если не считать чернильного пятна у камина. Комната разочаровывала отсутствием каких-либо улик.

Они вышли из нее несколько обескураженными. Их рвение, рвение частных детективов, несколько поутихло. Наверно, оба подумали об одном и том же — что в книгах все складывается куда удачнее.

Беседа с остальными слугами также ничего не дала. Наконец они покинули дом.

— Ну как, Саттерсуэйт? — спросил сэр Чарльз, когда они шли через парк к машине мистера Саттерсуэйта. — Вам что-нибудь бросилось в глаза, хоть что-нибудь?

Мистер Саттерсуэйт размышлял. Он не спешил с ответом, особенно когда считал, что обязательно что-то должно было привлечь внимание. Не хотелось признать, что они попусту тратили время. Но, как ни крути, информация оказалась весьма скудной,

Как только что суммировал сэр Чарльз, мисс Уиллс подсматривала и рыскала; мисс Сатклиф очень расстроилась, миссис Дейкр оставалась спокойна, а капитан Дейкр напился. Совсем не густо, разве что выходку Фредди Дейкра можно отнести к желанию заглушить чувство вины. Однако же мистеру Саттерсуэйту хорошо было известно, что Фредди Дейкр частенько напивался.

— Ну так как? — нетерпеливо переспросил сэр Чарльз.

— Ничего стоящего, — неохотно признался мистер Саттерсуэйт, — если не считать того, что Эллис, очевидно, страдал от мозолей, судя по найденной нами вырезке.

Сэр Чарльз криво усмехнулся.

— Разумный вывод, только куда он может нас привести?

Мистер Саттерсуэйт признал, что никуда.

— Но вот еще что, — сказал он вдруг и умолк.

— Ну? Продолжайте же. Любая догадка может нам помочь.

— Мне показалось несколько странным поведение сэра Бартоломью, когда он поддразнивал дворецкого, — помните, что говорила горничная. Это как-то на него не похоже.

— Действительно, не похоже, — подтвердил сэр Чарльз. — Я знал Толли, поверьте, лучше, чем вы, и могу сказать, что он вовсе не был склонен к шуткам. Он никогда не позволил бы себе такого, да еще с дворецким... разве что был в тот момент не вполне нормальным. Вы правы, Саттерсуэйт, здесь что-то есть. И куда же это нас ведет?

Мистер Саттерсуэйт хотел было начать рассуждать, но понял, что вопрос сэра Чарльза носил чисто риторический характер. Картрайт не столько стремился выслушать мнение мистера Саттерсуэйта, сколько высказывался сам.

— Помните, Саттерсуэйт, когда произошел этот инцидент с шуткой? Сразу после того, как Эллис пришел передать ему телефонное сообщение, а не было ли именно это сообщение причиной внезапной и необычной веселости Толли. Помните, я спросил у горничной, о чем шла речь.

Мистер Саттерсуэйт кивнул.

— Доктору сообщили, что некая миссис де Рашбриджер прибыла в санаторий, — сказал он, чтобы показать, что тоже обратил внимание на это обстоятельство. — Но подобное, по-моему, известие не может вызвать приступа веселья?

— Конечно нет. Но если мы правильно рассуждаем, сообщение это может иметь и иной смысл.

— Возможно, — с сомнением проговорил мистер Саттерсуэйт.

— Наша задача — узнать, что же крылось на самом деле за этим невинным сообщением, — сказал сэр Чарльз. — Мне пришло на ум, не является ли это известие своего рода шифром. Звучит безобидно, естественно, а на самом деле скрывает важную информацию! Если Толли пытался наводить какие-то справки в связи со смертью Баббингтона, то, возможно, телефонный звонок имеет к этому прямое отношение. Возможно, он даже нанял частного сыщика и у них была определенная договоренность. Допустим, сыщик этой дежурной фразой сообщал, что подозрения, касающиеся определенного лица, подтвердились. Этим можно объяснить веселость Толли и вопрос, заданный им Эллису, — уверен ли тот в правильности имени. Ведь сам-то он прекрасно знал, что в действительности такой пациентки нет.

— Вы считаете, что миссис де Рашбриджер лицо несуществующее?

— Я просто думаю, что нам надо это выяснить.

— Каким образом?

— Можем зайти к сестре-хозяйке санатория сейчас и поинтересоваться.

— Ей это может показаться странным.

Сэр Чарльз рассмеялся:

— Положитесь на меня.

Они повернули в сторону санатория. Мистер Саттерсуэйт спросил:

— А что скажете вы, Картрайт? Не произвело ли что-либо на вас странного впечатления? Я имею в виду наше посещение дома.

Сэр Чарльз задумчиво ответил:

— Да, что-то такое было. Только не могу, черт побери, припомнить, что именно.

Мистер Саттерсуэйт с удивлением взглянул на актера, и тот нахмурился.

— Ну, как мне вам объяснить? Нечто показалось мне подозрительным, но в тот момент у меня не было времени поразмыслить. Я решил заняться этим позже...

— И сейчас не можете вспомнить?

— Нет. Помню только, что в тот момент я сказал себе: «Это странно».

— Когда вы расспрашивали служанок? Какую из них?

— Говорю же, что не могу вспомнить. Может, потом само всплывет в памяти.

Показался санаторий — большое современное здание, отделенное от парка оградой. Они прошли через ворота, позвонили в парадную дверь и сказали, что хотели бы видеть сестру-хозяйку.

Пришла женщина средних лет с умным лицом и деловыми манерами. Ей явно было известно, что сэр Чарльз — друг покойного сэра Бартоломью Стренджа.

Сэр Чарльз объяснил, что он только что вернулся из-за границы и просто потрясен смертью друга и возникшими страшными подозрениями. Сестра-хозяйка выслушала его растроганно и сказала, что понимает сэра Чарльза, как никто другой. Она тоже потрясена смертью сэра Бартоломью, сделавшего такую блестящую врачебную карьеру. Сэр Чарльз выказал живое участие и искренне обеспокоился тем, что же станет с санаторием. Кто возьмет на себя всю работу? Сестра-хозяйка с сомнением покачала головой, заметив, правда, что у сэра Бартоломью были двое партнеров, оба способные врачи; один из них даже жил в санатории.

— Бартоломью очень гордился своим санаторием, я знаю, — сказал сэр Чарльз.

— Да, лечение здесь было весьма успешным.

— Нервные расстройства главным образом, не так ли?

— Да.

— Кстати, я повстречал в Монте-Карло одного человека, родственница которого должна была сюда приехать. Позабыл ее имя, очень странное — что-то вроде Рашбриджер.

— Вы имеете в виду миссис де Рашбриджер?

— Точно. Она сейчас здесь?

— О да! Но боюсь, вы не сможете повидаться с ней. У нее очень строгий режим отдыха. — Сестра-хозяйка улыбнулась с некоторым лукавством. — Никаких писем, никаких могущих взволновать посетителей.

— Разве она так плоха?

— Довольно сильный нервный срыв — провалы в памяти, крайнее нервное истощение. Но мы ее со временем поставим на ноги. — Сестра улыбнулась.

— Послушайте, не о ней ли мне говорил сэр Бартоломью? Она, кажется, не только его пациентка, но и друг?

— Не думаю, сэр Чарльз. По крайней мере, доктор никогда об этом не упоминал. Она недавно приехала из Вест-Индии. Должна вам сказать, было даже смешно, право. Обслуживающему персоналу нелегко было запомнить такое трудное имя. Горничная пришла и сказала: «Приехала миссис Вест-Индия», видно, Рашбриджер для нее прозвучало как Вест-Индия; но тут скорее совпадение, ибо она только что приехала из Вест-Индии.

— Да, пожалуй, это забавно. Муж ее тоже здесь?

— Он еще там, в Вест-Индии.

— Понятно. Наверно, я ее путаю с кем-то другим. Доктор интересовался этим случаем?

— Потеря памяти — явление довольно частое, но такие случаи всегда интересуют медика — они все разные, знаете ли.

— Все это мне кажется странным... Ну что ж, благодарю вас, сестра. Я был рад побеседовать с вами. Мне известно, как высоко вас ценил Толли. Он часто о вас говорил, — солгал сэр Чарльз.

— О, я так рада слышать это. — Сестра-хозяйка покраснела от радости. — Такой великолепный человек! И вдруг убийство! Уже известны мотивы?

Сэр Чарльз печально покачал головой, и они, попрощавшись, направились по дороге к тому месту, где их ждала машина.

Как бы в отместку за то, что ему пришлось молчать во время беседы сэра Чарльза с сестрой-хозяйкой, мистер Саттерсуэйт проявил живой интерес к тому, как именно произошел несчастный случай с Оливером Мендерсом. После санатория самозваные детективы отправились разыскивать привратника. Им оказался человек средних лет, весьма туповатый с виду.

Да, это случилось у того места, где разрушена стена. Молодой человек ехал на мотоцикле. Сам он не видел, как это случилось, но услышал шум и вышел посмотреть. Молодой человек, видно, не ушибся. Просто уныло смотрел на свой мотоцикл — он разбился вдребезги. Спросил, как называется это место, а когда услышал, что оно принадлежит сэру Бартоломью, воскликнул: «Вот так удача!» — и пошел к дому. С виду очень тихий молодой человек, только усталый. Каким образом у него случилась авария, сторож объяснить не мог, но предположил — видно, что-то испортилось, как порой бывает.

— Странный несчастный случай, — раздумчиво сказал мистер Саттерсуэйт.

Он оглядел широкую прямую дорогу. Ни поворотов, ни опасных перекрестков — ничто не могло заставить мотоциклиста внезапно врезаться в десятифутовую стену. Да, странная авария.

— Странно, очень странно, — проговорил сэр Чарльз и тоже с озадаченным видом стал осматривать место происшествия.

Они молча сели в машину.

Мистер Саттерсуэйт углубился в свои мысли. Миссис де Рашбриджер... Она существует реально, следовательно, гипотеза Картрайта неверна — это не было закодированным сообщением. Но возможно, именно с этой женщиной что-то связано. Не была ли она свидетельницей? А может, просто представляла интересный профессиональный случай для сэра Бартоломью Стренджа, что и вызвало его необычайное приподнятое настроение? Интересно, привлекательная ли она женщина? Влюбленность в пятьдесят пять лет, как уже не раз замечал мистер Саттерсуэйт, может в корне изменить характер мужчины.

Его раздумья неожиданно прервал сэр Чарльз:

— Саттерсуэйт, вы не возражаете, если мы повернем обратно?

Не дожидаясь ответа, он отдал приказ шоферу. Спустя минуту они уже мчались в обратную сторону.

— В чем дело? — Мистер Саттерсуэйт ничего не понимал.

— Я только сейчас вспомнил, — ответил сэр Чарльз, — что именно показалось странным. То было чернильное пятно на полу в комнате дворецкого.

Глава 11

Мистер Саттерсуэйт с удивлением уставился на своего друга.

— Чернильное пятно? Что вы имеете в виду, Картрайт?

— Вы помните, мы его заметили?

— Да, помню, там было чернильное пятно.

— А где точно оно находилось?

— Не могу сказать.

— Оно находится близ плинтуса у камина.

— Да, верно. Теперь вспоминаю.

— Как, по-вашему, появилось это пятно, Саттерсуэйт?

Мистер Саттерсуэйт задумался.

— Пятно небольшое, — наконец сказал он, — не такое, как если бы пролилась бутылочка чернил. Я бы скорее подумал, что человек уронил там свою самописку («пусть он знает, что я замечаю не меньше, чем он», — подумал Саттерсуэйт). Значит, у этого малого была самописка. Но вот пользовался ли он ею, — нет никаких доказательств.

— Они имеются, Саттерсуэйт. Есть чернильное пятно.

— Но Эллис мог и не писать, — огрызнулся тот, — он просто мог уронить ручку.

— Однако пятна не было бы, если бы не снимался колпачок.

— Пожалуй, вы правы, только не вижу в этом ничего странного.

— Может, ничего и нет, — сказал сэр Чарльз, — но для того, чтобы сказать с уверенностью, я должен вернуться и еще раз посмотреть.

Они подъехали к воротам и спустя несколько минут прошли в дом. Сэру Чарльзу пришлось сказать слугам, что он оставил в комнате дворецкого свой карандаш.

— А сейчас, — сказал он, закрывая за собой дверь в комнату Эллиса, — посмотрим, полный ли я дурак или что-то есть в моей идее.

По мнению мистера Саттерсуэйта, первое предположение больше подходило для актера, но он был слишком вежлив, чтобы произнести это вслух. Он сел на кровать и стал наблюдать.

— Вот это пятно, — сказал сэр Чарльз, указав на него ногой. — Рядом с плинтусом, а письменный стол, между прочим, стоит у противоположной стены. При каких же обстоятельствах человек мог уронить ручку именно здесь?

— Уронить ручку можно где угодно, — заметил мистер Саттерсуэйт.

— Можно, конечно, швырнуть ее через всю комнату, — согласился сэр Чарльз, — но обычно так с самопиской не поступают. Правда, самописки чертовски раздражают. Засыхают и не пишут как раз в тот момент, когда они вам больше всего нужны. Возможно, в этом все дело. Эллис потерял терпение, сказал «к черту ее» — и швырнул через всю комнату.

— Думаю, можно найти много объяснений, — осторожно высказался мистер Саттерсуэйт. — Допустим, он просто положил ручку на камин, а она упала и покатилась.

Сэр Чарльз провел эксперимент с карандашом, положив его на угол камина. Карандаш упал на пол на расстоянии примерно фута от пятна и покатился обратно к камину.

— Для чего вы это проделываете? — спросил мистер Саттерсуэйт.

— Пытаюсь найти объяснение.

Со своего места на кровати мистер Саттерсуэйт наблюдал весьма забавное представление.

Сэр Чарльз пытался уронить карандаш так, чтобы он упал рядом с пятном. И тут выяснилось — чтобы карандаш оказался на нужном месте, необходимо встать вплотную к стене.

— Это невозможно, — произнес сэр Чарльз. Он задумчиво рассматривал стену, пятно и маленький газовый камин. — Может, Эллис сжигал бумаги, — размышлял он вслух. — Но в газовом камине бумаги не жгут.

Внезапно сэр Чарльз замолчал, а через минуту мистер Саттерсуэйт в полной мере оценил профессию сэра Чарльза.

Чарльз Картрайт превратился в Эллиса, дворецкого. Тот сидел у письменного стола. Лицо его было настороженным, глаза нетерпеливо перебегали с предмета на предмет. Вдруг он весь напрягся — словно что-то услышал. Мистер Саттерсуэйт догадался, что именно — шаги в коридоре. Нервы его были напряжены, он придал этим шагам особое значение. Схватив листок, на котором только что писал, левой рукой, а в правой держа самописку, Чарльз-Эллис ринулся к камину. Повернув голову к двери, он в тревожном ожидании прислушивался к шорохам на лестнице. Словно решившись, Эллис стал засовывать бумаги за газовый камин, самописка мешала ему, и он нетерпеливо отшвырнул ее. Ручка упала точно на чернильное пятно.

— Браво! — вскричал Саттерсуэйт, начиная понимать суть происходящего.

Представление было настолько профессиональным, что у него создалось впечатление — так и только так мог действовать Эллис.

— Ну, как? — воскликнул сэр Чарльз, вновь становясь самим собой. — Эллис услышал, что по лестнице поднимаются полицейские или те, кого он принял за них, в руках у него было компрометирующее письмо. Куда же он мог это спрятать? При обыске комнаты полицейские перероют все. Оторвать доску от пола — нет времени. И тогда он решает: камин — единственное удобное место.

— Нам остается только посмотреть, не спрятана ли за камином действительно какая-нибудь бумага, — предложил мистер Саттерсуэйт.

— Но возможно, тревога оказалась ложной и Эллис успел забрать письмо. Но будем надеяться на лучшее.

Сняв пиджак и засучив рукава рубашки, сэр Чарльз лег на пол и заглянул в зазор под газовым камином.

— Там что-то есть, — сообщил он шепотом, — нечто белое. Вот только как это достать? Сейчас бы очень пригодилась заколка от женской шляпы.

— Женщины сейчас не употребляют заколок, — сказал мистер Саттерсуэйт удрученно. — Может, пригодится перочинный нож?

Нож, однако, оказался непригодным.

Тогда мистер Саттерсуэйт вышел и взял у прислуги спицу для вязания. Хотя Беатрисе ужасно хотелось знать, зачем она мужчинам понадобилась, стремление сохранить декорум не позволило ей задавать вопросы.

Спица подошла, и сэр Чарльз вытащил н...сколько мятых листков писчей бумаги.

С возрастающим волнением оба стали разглаживать бумагу.

То были явно черновики письма, исписанные мелким, аккуратным почерком клерка. Первый черновик начинался так:

«Сим удостоверяется, что пишущий эти строки не хочет быть причиной неприятностей и, возможно, ошибся в том, что видел нынче вечером, но...»

Тот, кто написал это, был явно неудовлетворен, прервал фразу и начал сызнова, на новом листке...

«Джон Эллис, дворецкий, с почтением сообщает, что он был бы рад короткой беседе относительно произошедшей вечером трагедии, прежде чем обратиться в полицию с определенной информацией, которой он располагает...»

Запись вновь обрывается, и делается новая попытка:

«Джон Эллис, дворецкий, располагает определенными фактами относительно смерти доктора. Он еще не сообщил эти факты полиции...»

В следующем черновике запись ведется не от третьего лица.

«Мне крайне нужны деньги. Тысяча много бы значила для меня. Я бы мог сообщить полиции кое-что важное, но опасаюсь неприятностей...»

Последний же черновик был уже совершенно откровенен:

«Я знаю, как умер доктор. Я ничего не сказал полиции. Пока. Если вы назначите мне встречу...»

Это письмо обрывалось иначе — последние слова представляли уже малопонятные каракули и были замараны кляксами. В этот момент Эллис услышал чьи-то шаги. Он скомкал бумаги и ринулся к камину.

Мистер Саттерсуэйт глубоко вздохнул.

— Поздравляю вас, Картрайт. Ваше чутье удивительно. Хорошая работа. Теперь уточним, к чему это нас привело. — Он помолчал с минуту. — Эллис, как мы и предполагали, — негодяй. Он не преступник, но ему известно, кто убил, и он собирался шантажировать его или ее.

— Его или ее, — прервал сэр Чарльз. — Досадно, что мы не знаем точно. Почему этот малый не начал своих излияний с обращения «сэр» или «мадам»? У Эллиса явно артистические наклонности, он немало потрудился над своим письмом шантажиста. Если бы только он дал нам ключ — маленький намек на то, кому письмо адресовано.

— Неважно, — сказал мистер Саттерсуэйт, — мы делаем успехи. Помните, вы говорили, что нам нужно найти в комнате Эллиса доказательство его невиновности. Эти письма свидетельствуют, что он невиновен — в убийстве, конечно. Это сделал тот, кто убил Баббингтона. Думаю, даже полиция будет вынуждена согласиться с нашим выводом.

— Вы хотите рассказать все это полиции? — В голосе сэра Чарльза слышалось недовольство.

— Мы не можем поступить иначе. А разве вы думаете не так?

— Как сказать. — Сэр Чарльз сел на кровать. Нахмурился в раздумье. — Не знаю, как лучше выразиться. В настоящий момент нам известно то, чего никто не знает. Полиция ищет Эллиса. Они там считают, что он убийца. Значит, настоящий убийца чувствует себя в безопасности. Он (или она) будет вести себя, конечно, осторожно, увереннее, что ли. Может, тут-то и кроется шанс для нас? Я имею в виду шанс найти связь между Баббингтоном и одним из этих людей. Ведь они не знают, что кто-то связывает смерть доктора со смертью Баббингтона.

— Понимаю, — кивнул мистер Саттерсуэйт, — и согласен с вами. Тут есть шанс. Но все же, на мой взгляд, мы не можем им воспользоваться. Гражданский долг требует, чтобы мы сообщили полиции о сделанном открытии. Мы не имеем права скрывать это.

Сэр Чарльз посмотрел на друга с насмешкой.

— Вы просто образец хорошего гражданина, Саттерсуэйт. А вот я — нет. Без зазрения совести я бы умолчал о находке. На день, на два... Нет? Ну что ж, сдаюсь. Будем столпами закона и порядка.

— Видите ли, — пустился в объяснения мистер Саттерсуэйт, — Джонсон — мой друг и вел себя очень порядочно, осведомив нас о всех действиях полиции. Не так ли?

— О, вы правы, — вздохнул сэр Чарльз, — совершенно правы. Только вот никто, кроме меня, и не подумал заглянуть под газовый камин. Такая мысль не пришла в голову ни одному из этих тупых полицейских. Но... будь все по-вашему, Саттерсуэйт, а где сейчас может находиться Эллис, как вы думаете?

— Полагаю, он получил то, что хотел. Ему заплатили, чтобы он исчез, и он исчез весьма успешно.

— Да, наверно, так и есть, — согласился сэр Чарльз. Его охватила дрожь. — Мне не нравится эта комната, Саттерсуэйт. Уйдемте отсюда.

Глава 12

Сэр Чарльз и мистер Саттерсуэйт вернулись в Лондон на следующий вечер.

Беседу с полковником Джонсоном следовало провести с большим тактом. Старшему инспектору Кросфилду могло не понравиться, что простым «джентльменам» удалось найти больше, чем ему и его помощникам. Ему было трудно защитить честь мундира.

Но он старался не показать виду, как сильно это обстоятельство его задело.

— Весьма похвально, сэр. — Старший инспектор обращался в основном к Картрайту. — Признаюсь, мне и в голову не пришло бы заглянуть под газовый камин. По правде говоря, не могу понять, что заставило это сделать вас?

Оба друга не стали подробно рассказывать, как размышления по поводу чернильного пятна привели к такой находке. «Просто мы рыскали повсюду», — объяснил сэр Чарльз.

— Как бы то ни было, но вы туда заглянули, — продолжал старший инспектор, — и были награждены. Кстати, находка ваша не так уж и удивила меня. Видите ли, логично сделать вывод, что если Эллис не убийца, то его исчезновение следует как-то объяснить, и у меня все время было на уме, что тут может идти речь о шантаже.

Что бы ни говорил старший инспектор, но их находка привела к определенному результату. Полковник Джонсон решил связаться с полицией Лумауза — необходимо было расследовать обстоятельства смерти Стефена Баббингтона.

— Если выяснится, что и священник умер от отравления никотином, тогда даже Кросфилд будет вынужден признать связь между обеими смертями, — сказал сэр Чарльз, когда возвращались в Лондон.

Он все еще был раздражен тем, что пришлось сообщить о его находке полиции.

Мистер Саттерсуэйт успокаивал его, подчеркивая, что эта информация не будет оглашена или передана в печать. Так обещал полковник.

— У преступника не возникнет опасений, поиски Эллиса продолжатся.

Сэр Чарльз согласился, что это резонно.

Картрайт сказал Саттерсуэйту, что хочет связаться с Эгг Литтон Гор. На ее письме стоял обратный адрес — Белгрейв-сквер. Он надеялся, что она находится еще там. Мистер Саттерсуэйт одобрил его намерение, ему самому хотелось повидать Эгг. Они договорились, что сразу по прибытии в Лондон сэр Чарльз ей позвонит.

Эгг действительно оказалась в городе. Вместе с матерью они остановились у родственников и собирались вернуться в Лумауз не раньше чем через неделю. Эгг охотно согласилась пообедать вместе с обоими друзьями.

— Пожалуй, ее неудобно приглашать сюда, — сказал сэр Чарльз, оглядывая свою роскошную квартиру. — Ее матери это может не понравиться. Конечно, в доме, кроме нас, есть еще мисс Милрей, но мне не хотелось бы сажать ее за один стол с Эгг. Мисс Милрей так безупречна, что я испытываю при ней комплекс неполноценности.

Мистер Саттерсуэйт любезно предложил для встречи свой дом. Но в конце концов они решили пообедать у «Беркли». Потом, если Эгг захочет, они смогут поехать в другое место.

Мистер Саттерсуэйт сразу отметил, что девушка осунулась. Глаза ее словно расширились и лихорадочно блестели, а выражение лица было еще более решительным. Бледность его подчеркивали темные круги под глазами. Но очарование ее не уменьшалось, оставалась неизменной и ее детская пылкость. Она тут же заявила сэру Чарльзу:

— Я знала, что вы приедете. — И в ее тоне можно было прочесть: «Теперь, когда вы приехали, все будет хорошо».

Мистер Саттерсуэйт подумал: «Она не была уверена, что он приедет. Она мучилась неизвестностью. Просто до смерти терзалась. Понимает ли он это? Актеры обычно достаточно тщеславны. Разве он не знает, что девочка по уши влюблена в него?»

Создалась, на его взгляд, странная ситуация. Тот факт, что сэр Чарльз безумно влюблен в девушку, совершенно очевиден. Она также влюблена в него. А звеном между ними, за которое они отчаянно ухватились, было преступление. Самое ужасное — двойное преступление.

Разговор за обедом не клеился. Сэр Чарльз вяло рассказывал о своем пребывании за границей, Эгг — о Лумаузе. Мистер Саттерсуэйт старался поддержать то одного, то другую, как только разговор сникал.

После обеда они отправились в дом мистера Саттерсуэйта. Он находился на набережной Челси. В этом большом доме было много прекрасных произведений искусства — картины, скульптуры, китайский фарфор, а также старинная мебель. Атмосфера в доме располагала к добродушию и взаимопониманию.

Эгг Литтон Гор ничего этого не замечала. Она сбросила свое вечернее манто на стул и сказала:

— Наконец-то. Теперь выкладывайте все начистоту.

Она с живым интересом слушала рассказ сэра Чарльза об их пребывании в Йоркшире и буквально затаила дыхание, когда он описывал, как были обнаружены письма.

— Что произошло затем, мы можем лишь предполагать, — закончил сэр Чарльз. — Очевидно, Эллису заплатили, чтобы он держал язык за зубами, и облегчили побег.

Но Эгг покачала головой:

— О нет! Это не так! Как вы не понимаете? Эллис мертв.

Мужчины были поражены, но Эгг настойчиво повторила:

— Конечно мертв. Вот почему никто не может найти его следов. Он слишком много знал, и за это его убили. Это третье убийство.

Хотя оба друга и не предполагали такой возможности, теперь вынуждены признать, что это не так уж невероятно.

— Но послушайте, дорогая девочка, — стал горячиться сэр Чарльз. — Легко утверждать, что Эллис мертв. А где же в таком случае тело? Нужно учесть, что дворецкий был довольно плотным человеком.

— Этого я не знаю, — покачала головой Эгг, — мало ли где, мест много.

— Едва ли, — пробормотал мистер Саттерсуэйт, — едва ли.

— Много, — повторила Эгг. — Надо подумать. — Она помолчала. — Чердаки, масса чердаков, куда никто не заглядывает, тело может быть в ящике на чердаке.

— Маловероятно, — сказал сэр Чарльз, — хотя возможно. Правда, тело нелегко обнаружить до тех пор, пока...

Эгг поняла, что имеет в виду сэр Чарльз. Она и не думала изображать из себя кисейную барышню.

— Пока труп не начнет разлагаться... Но ведь зловоние могут отнести и на счет дохлой крысы.

— Если только наша догадка верна, то можно с уверенностью утверждать, что убийца мужчина. Женщина не смогла бы проволочь тело по всему дому и затащить на чердак. Это занятие и мужчине-то далеко не любому по плечу.

— А может быть... ведь существует потайной ход. Так сказала мисс Сатклиф, а сэр Бартоломью обещал показать его мне. Убийца мог дать Эллису деньги, повести его потайным ходом и там убить. Такое сделать могла и женщина. Скажем, ударила сзади кинжалом.

Сэр Чарльз с сомнением покачал головой, но уже не оспаривал гипотезы Эгг.

Мистер Саттерсуэйт был убежден, что подозрение это возникло у него сразу же, как только они обнаружили письма Эллиса. Он вспомнил, как сэр Чарльз вздрогнул, — видно, и ему тогда пришла в голову мысль, что Эллис мертв.

Мистер Саттерсуэйт подумал: «Если так, то мы имеем дело с опасным человеком, очень опасным». И внезапно ощутил, как мурашки поползли по его спине. Человек, убивший троих, не поколеблется убить четвертого.

Они, несомненно, в опасности все трое — сэр Чарльз, Эгг и он сам. Если они слишком много узнают...

Его отвлек голос сэра Чарльза:

— Я кое-что не понял в вашем письме, Эгг. Вы говорили о грозящей кому-то опасности. Полиция подозревает кого-то из ваших знакомых? Кого?

Мистеру Саттерсуэйту показалось, что Эгг слегка смутилась. «Ага, — подумал он, — посмотрим, как вам, юная леди, удастся выкрутиться».

— Это было глупо с моей стороны, — сказала Эгг, — я заблуждалась. Мне показалось, что неожиданное появление Оливера в доме доктора могли счесть намеренным.

Сэр Чарльз довольно легко согласился с таким объяснением:

— Да, понимаю.

А мистер Саттерсуэйт не удержался и спросил:

— А предлог действительно намеренный?

Эгг повернулась к нему:

— Что вы имеете в виду?

— Авария была какой-то странной. Я подумал, что если Оливер совершил ее обдуманно, то вы знаете об этом.

Эгг покачала головой:

— Не знаю. Никогда об этом не думала. Но зачем Оливеру понадобилось выдумывать аварию?

— У него могли быть свои причины, — сказал сэр Чарльз. — Вполне естественно.

Он понимающе улыбнулся, и Эгг залилась румянцем.

— О нет, нет!

Сэр Чарльз казался печальнее и старше, когда снова заговорил:

— Но если ваш молодой друг Мендерс вне опасности, то при чем тут я?

Эгг быстро схватила его за руку:

— Ах, не уезжайте! Вы не должны сдаваться. Надо узнать правду! Никто, кроме вас, не сможет этого добиться. Только вы! Сделайте же это!

Она говорила с таким жаром, что казалось — вокруг нее возникают вихри.

— Вы так в меня верите? — в некотором замешательстве спросил сэр Чарльз. Он был тронут.

— Да, да! Мы добьемся правды. Я буду помогать вам!

— И Саттерсуэйт — тоже.

— Конечно, — сказала Эгг безучастно.

Мистер Саттерсуэйт спрятал улыбку. Независимо от того, рассчитывает Эгг на его помощь или нет, он не намерен оставаться в стороне. Он обожал тайны, любил наблюдать проявления человеческой натуры в разных ситуациях, питал слабость к влюбленным — все три наклонности могли быть удовлетворены в данном случае.

После заявления Эгг сэр Чарльз преобразился. Он взял власть в свои руки, стал режиссером спектакля, голос его теперь был полон значительности.

— Прежде всего нужно уточнить ситуацию: считаем ли мы, что Баббингтона и Бартоломью Стренджа убил один и тот же человек?

— Несомненно, — подтвердила Эгг.

— Да, — согласился мистер Саттерсуэйт.

— Считаем ли мы, что второе убийство — прямое следствие первого, то есть что сэра Бартоломью убили, дабы помешать ему разоблачить убийцу?

— Да, — сказали Эгг и мистер Саттерсуэйт в один голос.

— Тогда мы должны расследовать обстоятельства первого убийства, а не второго.

Эгг кивнула.

— Мне кажется, если мы не выясним мотива, по которому совершено первое убийство, мы не сможем найти преступника. Установить же мотив чрезвычайно трудно. Баббингтон был безобидным, милым старым джентльменом, у которого не могло быть врагов. И все-таки его убили — значит, была какая-то причина. Мы должны ее узнать.

Он помолчал, а потом сказал своим обычным голосом, словно бы забыв о тоне режиссера:

— Давайте рассуждать, что может быть причиной для столь тяжкого преступления. Во-первых, полагаю, выгода.

— Месть, — подсказала Эгг.

— Мания, одержимость мыслью об убийстве, — предложил мистер Саттерсуэйт. — Едва ли в данном случае может идти речь об убийстве на любовной почве. Но возможен еще и страх.

Чарльз Картрайт кивнул. Он что-то записывал на клочке бумаги.

— Пожалуй, перечислено все. Итак: выгода. Что можно было выгодать в результате смерти Баббингтона? Могла ли идти речь о наследстве?

— Это маловероятно, — сказала Эгг.

— И я так думаю, но следует уточнить. У миссис Баббингтон, — предложил мистер Саттерсуэйт.

— Другой мотив — месть. Может, Баббингтон кому-то навредил, скажем, в молодости? Не женился ли он на девушке, которую хотел взять в жены другой мужчина? Надо и это выяснить.

Эгг и мистер Саттерсуэйт кивнули.

— Далее — мания убийства. Оба — Баббингтон и Толли были убиты сумасшедшим. Не думаю, что эта версия имеет под собой почву. Даже сумасшедший следует какой-то логике, совершая преступления. К примеру, он считает себя божественным орудием для убийства врачей или священников, но не тех и других вместе. Думаю, нужно отмести теорию о мании. Остается страх.

— Откровенно говоря, такая версия мне кажется наиболее вероятной, — сказала Эгг. — Баббингтон располагал компрометирующими сведениями. Убийца убрал священника, чтобы избежать разоблачения.

— Но о ком, о ком и что мог знать Баббингтон? — недоуменно пожал плечами Саттерсуэйт.

— Быть может, — сказал сэр Чарльз, — он и сам не подозревал, сколь опасными сведениями располагает?

— Верно, — сказала Эгг, — допустим, совершено убийство в Лондоне и Баббингтон встречает убийцу на Паддингтонском вокзале, а тот собирается строить свое алиби на том факте, что находился в это время в Лидсе. Баббингтон, следовательно, сам того не подозревая, может выдать преступника.

— Именно это я имел в виду. Конечно, могли быть и другие ситуации. Баббингтону представили человека, которого он знал под другим именем.

— Дело может также касаться рождения или смерти, — предположил мистер Саттерсуэйт.

— Возможностей много, — сказала Эгг, нахмурившись. — Однако нам нужно ставить вопрос конкретнее. Речь может идти лишь о тех, кто присутствовал на обоих званых обедах. Составим список.

Она взяла у сэра Чарльза бумагу и карандаш.

— Дейкры были в обоих домах. Потом женщина, похожая на вялую капусту, — как ее зовут? Мисс Сатклиф?!

90

— Энджелу можете не считать, — сказал сэр Чарльз, — я знаю ее много лет.

Эгг недовольно нахмурилась:

— Мы не должны исключать людей только потому, что хорошо знаем их. Подход может быть только деловым. К тому же я ничего не знаю об Энджеле Сатклиф. Ее можно считать виновной, как и любого другого, и даже, на мой взгляд, с большим основанием. У всех актрис, как правило, бурное прошлое. Я думаю, именно она вызывает подозрения.

Она взглянула с вызовом на сэра Чарльза, и в его глазах появились ответные искры.

— В таком случае мы не должны исключать Оливера Мендерса.

— Нет! — вскричала пылко Эгг. — Как можно подумать такое об Оливере!

— Он присутствовал в обоих случаях, а кроме того, его появление у доктора выглядит подозрительно.

— Очень хорошо, — сказала Эгг. Она помолчала и решительно добавила: — В таком случае я включу в список себя и маму. Итак, получается семь подозреваемых.

— Не думаю...

— Мы все будем делать честно или... — Глаза Эгг сверкали гневом.

Чтобы разрядить атмосферу, мистер Саттерсуэйт предложил что-нибудь выпить. Он вызвал звонком слугу.

Сэр Чарльз отошел в дальний угол и сделал вид, что любуется скульптурным портретом негра. Эгг взяла под руку мистера Саттерсуэйта.

— Как глупо, что я вспылила, — прошептала она. — Глупо, но почему нужно исключать эту женщину? Почему он выгораживает ее? О Боже, почему я так дьявольски ревнива!

Мистер Саттерсуэйт улыбнулся и похлопал ее по руке:

— Ревность не приводит ни к чему хорошему, дорогая. Если вы ревнуете, не показывайте этого. Кстати, вы действительно считали, что подозрение может пасть на молодого Мендерса?

Эгг усмехнулась — добродушно, по-детски:

— Конечно нет. Я так написала, чтобы не напугать его. — Она кивнула на сэра Чарльза, который все еще мрачно глядел на скульптуру негра. — Не хотела, знаете ли, чтобы он решил, что я преследую его. Но вот он вдруг подумал, что я действительно неравнодушна к Оливеру, и снова стал в позу: «Благословляю вас, дети». А я совсем не хочу этого.

— Наберитесь терпения, — посоветовал мистер Саттерсуэйт. — Все в конце концов устроится, как надо.

— У меня нет терпения, — сказала Эгг. — Я хочу получить все немедленно или даже быстрее.

Мистер Саттерсуэйт рассмеялся и подозвал сэра Чарльза.

Потягивая свои напитки, они наметили план кампании. Сэр Чарльз должен вернуться в «Воронье гнездо», которое еще не продано. Эгг с матерью отправятся в коттедж «Роза» несколько раньше, чем предполагали. Миссис Баббингтон все еще жила в Лумаузе. Они получат от нее необходимую информацию, а потом решат, как действовать дальше.

— Мы своего добьемся, — сказала Эгг, — я знаю, что добьемся.

Девушка наклонилась к сэру Чарльзу — глаза ее сияли. Она протянула свой бокал, чтобы чокнуться с ним:

— Выпейте за наш успех!

Медленно, очень медленно, не отрывая взгляда от ее глаз, он поднес свой бокал к губам.

— За успех, — сказал он проникновенно, — и за будущее.

Акт третий

РАЗОБЛАЧЕНИЕ

Глава 13

Миссис Баббингтон перебралась в небольшой рыбацкий коттедж недалеко от гавани. Она ожидала сестру, которая должна была приехать из Японии через шесть месяцев. До возвращения сестры миссис не строила никаких планов на будущее. Она была настолько потрясена внезапной потерей, что не смогла уехать из Лумауза. Стефен Баббингтон прожил там семнадцать лет. Это были семнадцать счастливых и мирных лет, несмотря на пережитое горе — смерть сына Робина. Трое остальных сыновей находились в разных местах: Эдвард — на Цейлоне, Ллойд — в Южной Африке, а Стефен служил третьим офицером на «Англии». Они писали часто и с нежностью, но ни один из них не мог предоставить приюта матери или составить ей компанию.

Маргарет Баббингтон была очень одинокой. Но она не оставляла себе времени для раздумий. Она продолжала активную деятельность в церковном приходе — новый викарий не был женат, а остальное время проводила на крохотном участке земли перед коттеджем. Цветы составляли часть ее жизни.

Однажды, когда она трудилась в послеполуденное время, звякнул засов калитки. Подняв голову, она увидела сэра Чарльза Картрайта и Эгг Литтон Гор.

Приход Эгг не удивил Маргарет. Она знала, что дочь с матерью должны скоро вернуться. Но визит сэра

Чарльза был неожидан. Прошел слух, что он навсегда покинул эти места. Местная газета перепечатывала из столичной прессы сообщения о его пребывании на юге Франции. У входа в «Воронье гнездо» висело объявление: «ПРОДАЕТСЯ». Никто не ожидал возвращения сэра Чарльза. Но он вернулся.

Миссис Баббингтон откинула прядь растрепавшихся волос с мокрого лба и виновато посмотрела на свои руки, запачканные землей.

— Не могу пожать вам руки, — смущенно сказала она. — Надо бы, конечно, работать в саду в перчатках. Но я всегда их снимаю... Гораздо лучше все ощущать голыми руками.

Она повела их в дом. Крохотная гостиная была уютно декорирована ситцем, фотографиями и хризантемами в вазах.

— Ваш приход, сэр Чарльз, большой сюрприз для меня. Я полагала, что вы навсегда покинули «Воронье гнездо».

— Я и сам так думал, — признался актер. — Но порой судьба оказывается сильнее нас.

Миссис Баббингтон не ответила. Она повернулась к Эгг, но девушка предупредила ее слова:

— Миссис Баббингтон, это не просто визит. Сэр Чарльз и я должны сообщить нечто важное. Только... я боюсь вас взволновать.

Миссис Баббингтон перевела взгляд на сэра Чарльза. Лицо ее посерело и осунулось.

— Прежде всего, — начал сэр Чарльз, — я хочу спросить, приходило ли вам извещение из министерства внутренних дел?

Миссис Баббингтон опустила голову, и сэр Чарльз поспешно проговорил:

— Понимаю. Но возможно, это облегчит наш разговор.

— Вы потому и пришли, что узнали о приказе об эксгумации?

— Да, хотя и понимаем, какое это испытание для вас.

Ее тронуло сочувствие, звучавшее в его голосе.

— Не так уж решительно я и возражаю, как вам кажется. Для некоторых даже сама мысль об этом мучительна. Я же считаю, что не прах имеет значение. Мой дорогой муж пребывает в ином мире, в краях, где никто не может нарушить его покой. Нет, дело не в этом. Мучительно для меня другое — предположение, что Стефен умер неестественной смертью. Это кажется невозможным, совершенно невозможным.

— И я... и мы так думали сначала.

— Что это значит — «сначала», сэр Чарльз?

— Подозрение, миссис Баббингтон, у меня возникло еще в тот вечер, когда умер ваш муж. Но, как и вам, подобный факт показался мне настолько невозможным...

— И у меня возникла такая мысль, — сказала Эгг.

— И у вас также? — Миссис Баббингтон посмотрела на нее с изумлением. — Вы тоже подумали, что кто-то мог убить Стефена?

В ее голосе с такой силой прозвучало недоверие, что посетители не знали, как им поступать в дальнейшем. Наконец сэр Чарльз решился заговорить:

— Как вы знаете, миссис Баббингтон, я уехал за границу. Я был на юге Франции, когда прочел в газете, что мой друг Бартоломью Стрендж умер... почти при таких же обстоятельствах. И почти тут же получил письмо от мисс Литтон Гор.

Эгг кивнула:

— И я, видите ли, присутствовала при второй смерти. Все было точно так же, миссис Баббингтон.

Миссис Баббингтон медленно покачала головой:

— Ничего не могу понять. Стефен! Сэр Бартоломью — милый и умный доктор! Кому понадобились их жизни! Тут какая-то ошибка.

— Доказано, что сэр Бартоломью был отравлен. Помните об этом, — сказал сэр Чарльз.

— Так поступить мог только сумасшедший.

Сэр Чарльз продолжал:

— Миссис Баббингтон, я хочу докопаться до истины. И чувствую, что времени терять нельзя. Как только весть об эксгумации распространится, преступник предпримет новые шаги. А теперь скажите, было ли известно вам или ему что-нибудь об использовании чистого никотина?

— Я всегда пользуюсь раствором никотина для опрыскивания роз. Я не знала, что это отрава.

— Я прочел вчера кое-что на этот счет и полагаю, что в обоих случаях был использован чистый алкалоид. Случаи отравления никотином очень необычны.

Миссис Баббингтон покачала головой:

— Мне, право, ничего не известно об отравлении никотином, разве только то, что от него могут пострадать заядлые курильщики.

— Ваш муж курил?

— Да.

— Теперь скажите, миссис Баббингтон. Вас крайне поразила мысль об убийстве. Значит, вам неизвестно, были ли у него враги?

— Я уверена, что у Стефена врагов не было. Все его любили. Люди порой пытались нажимать на него. — Она страдальчески улыбнулась. — Видите ли, он чурался всяких новшеств. Но все же — его любили. Стефена нельзя было не любить, сэр Чарльз.

— Я полагаю, миссис Баббингтон, у вашего мужа не было больших денег, не так ли?

— Стефен почти ничего не оставил. Он не умел копить. Он слишком много раздавал. Я даже ругала его за это.

— Не был ли он чьим-то наследником?

— О нет! У Стефена не было богатых родственников. Сестра его замужем за священником в Нортумберленде, но они очень бедны, а все его дяди и тети умерли.

— Значит, никто не мог получить выгоду от смерти мистера Баббингтона?

— Конечно нет.

— Давайте на минуту вернемся к вопросу о врагах. Не хотелось бы выглядеть любителем мелодрам, — сэр Чарльз смущенно откашлялся, — но... когда он сделал вам предложение, не было ли при этом разочарованного поклонника?

Едва уловимый огонек промелькнул в глазах миссис Баббингтон.

— Стефен был помощником моего отца, приходского священника. Это первый молодой человек, которого я встретила, когда вернулась домой после окончания школы. Мы сразу влюбились друг в друга. У нас с ним очень простая любовная история, сэр Чарльз.

Миссис Баббингтон говорила с удивительным достоинством, и сэр Чарльз посмотрел на нее с уважением.

Эгг решила взять инициативу в свои руки.

— Как вы думаете, миссис Баббингтон, ваш муж ранее встречался с кем-нибудь из гостей, находившихся в тот вечер в доме сэра Чарльза?

Миссис Баббингтон ответила с некоторым замешательством:

— Там были вы и ваша мать, дорогая, и еще молодой Мендерс.

— А другие?

— Мы оба видели мисс Энджелу Сатклиф в лондонском спектакле пять лет назад. Стефен и я были взволнованы тем, что нам предстоит встретиться со звездой сцены. Раньше нам не доводилось встречаться с актрисами, даже с актерами, пока сэр Чарльз не переехал сюда на жительство. И это тоже было для нас великой радостью. Едва ли сэр Чарльз знает, каким прекрасным событием стало для нас его пребывание здесь. Словно наши жизни одухотворились.

— Виделись ли вы прежде с капитаном и миссис Дейкр?

— Это маленький мужчина и женщина в великолепном платье?!

— Да!

— Нет. И с той, другой, что пишет пьесы, тоже. Я тогда еще подумала о ней, что она выглядит как-то не к месту.

— Вы уверены, что никого из них раньше не видели?

— Про себя могу сказать с точностью и с уверенностью поручиться за Стефена. Мы всегда все делали вместе.

— И мистер Баббингтон ничего, совсем ничего не говорил вам, — настаивала Эгг, — о тех людях, с которыми вам предстояло встретиться?

— Ничего такого... если не считать того, что он ожидал интересного вечера. А когда мы пришли, у нас просто не оказалось времени, чтобы обменяться... — Ее лицо внезапно исказилось.

Сэр Чарльз быстро вмешался:

— Простите, что мы причиняем вам страдание своими вопросами. Но вы должны понять, мы чувствуем — за тем, что произошло, скрывается злой умысел. Должна же быть какая-то причина такого бессмысленного убийства.

— Не знаю, не представляю, какая могла быть причина! — горестно воскликнула миссис Баббингтон.

Они помолчали с минуту, потом сэр Чарльз сказал:

— Можете ли вы коротко рассказать биографию вашего мужа, его послужной список?

Миссис Баббингтон довольно четко излагала даты и события, а сэр Чарльз торопливо записывал:

«Стефен Баббингтон родился в Айлингтоне, Дивон, в 1868 году. Получил образование в школе Сейнт-Пол и в Оксфорде. Посвящен в дьяконы и получил назначение в приход Хокстона в 1891 году. Посвящен в священники в 1892-м. Был помощником преподобного Вернона Лорримера в Элисингтоне, Сэррей, в 1894—1899 годах. Женился на Маргарет Лорример в 1899-м и получил приход в Сейнт-Мэри, Джиллинг. В 1916 году переведен в приход Сейнт-Петроч, Лумауз».

— Тут есть над чем поразмыслить, — сказал сэр Чарльз. — Прежде всего следует обратить внимание на период, когда мистер Баббингтон был викарием в Сейнт-Мэри, Джиллинг. Предыдущий период жизни едва ли мог заинтересовать кого-либо из тех, кто был в моем доме в тот вечер.

Миссис Баббингтон вздрогнула.

— Вы действительно думаете, что кто-то из них?

— Не знаю... — ответил сэр Чарльз. — Бартоломью Стрендж что-то видел или о чем-то догадался, его постигла такая же смерть, а пятеро...

— Семеро, — перебила его Эгг.

— Пятеро этих людей тоже присутствовали при этом. Кто-то из них, бесспорно, виновен.

— Но почему? — вскричала миссис Баббингтон. — Из-за чего могли убить Стефена?

— Это мы и должны установить, — сказал сэр Чарльз.

Глава 14

Мистер Саттерсуэйт приехал в «Воронье гнездо» вместе с сэром Чарльзом. В то время, когда тот вместе с Эгг Литтон Гор наносил визит миссис Баббингтон, мистер Саттерсуэйт отправился к леди Мэри на чай.

Мистер Саттерсуэйт прихлебывал китайский чай из чашки дрезденского фарфора, поедал микроскопические сандвичи и болтал.

Во время его последнего визита они установили, что у них много общих друзей и знакомых. Сейчас они начали беседу с той же темы, но постепенно стали затрагивать более интимные вопросы. Мистер Саттерсуэйт, будучи доброжелательным человеком, умел выслушивать жалобы других, никогда не высказывая своих. Леди Мэри посчитала возможным говорить с ним о том, как ее беспокоит будущее дочери. Она уже считала его добрым другом.

— Эгг такая своевольная, — сказала леди Мэри, — если уж она что-то задумала, то отдается этому всей душой. Знаете ли, мистер Саттерсуэйт, мне не нравится, что она с головой ушла в эту злополучную историю. Боюсь, что Эгг посмеялась бы надо мной, но мне кажется, что так вести себя не пристало настоящей леди.

Говоря это, она покраснела. Ее карие глаза, излучающие теплоту, глядели на мистера Саттерсуэйта доверчиво.

— Я вас понимаю, — сказал он. — Признаюсь, мне и самому это не очень нравится. Знаю, тут имеют значение старомодные предрассудки, но ничего не поделаешь. И все же нам не следует ожидать от юных леди, что они будут оставаться дома за шитьем, содрогаясь уже при одной только мысли о существовании в их просвещенный век преступлений.

— Я не хочу думать об убийстве, — сказала леди Мэри. — Никогда, никогда не предполагала, что буду замешана во что-либо подобное. Это ужасно. — Ее охватила дрожь. — Бедный сэр Бартоломью.

— Разве вы его хорошо знали? — осмелился спросить мистер Саттерсуэйт.

— Я встречалась с ним всего два раза. Впервые год назад, когда он приехал погостить к сэру Чарльзу на уик-энд, а во второй раз — в тот ужасный вечер, когда умер мистер Баббингтон. Я была, право, очень удивлена, когда получила приглашение на обед от доктора Бартоломью. И согласилась потому, что хотела доставить удовольствие Эгг. У бедняжки совсем мало развлечений, и потом... она выглядела такой подавленной, словно ее уже ничто не интересовало. Я думала, что этот прием ее развлечет.

Мистер Саттерсуэйт кивнул.

— Расскажите мне что-нибудь о молодом Оливере Мендерсе, — попросил он. — Меня заинтересовал этот молодой человек.

— Я думаю, он умен, — сказала леди Мэри. — Ему, конечно, приходилось нелегко.

Она покраснела, но потом, в ответ на вопросительный взгляд мистера Саттерсуэйта, продолжала:

— Видите ли, его отец не был женат на его матери.

— Вот что! Не знал этого.

— Здесь всем это известно, иначе я бы не стала говорить. Старая миссис Мендерс, бабушка Оливера, живет в Данбойне, в большом доме при дороге в Плимут. Ее муж был адвокатом. Сын стал служить в одной из городских фирм и очень преуспел. Он был довольно богатым человеком, когда связался с хорошенькой девушкой. Его я весьма порицаю. Жена не захотела дать развода. В конце концов, после громкого скандала, они вместе уехали. Мать Оливера умерла вскоре после его рождения. Мальчика взял на свое попечение дядя в Лондоне, у него не было собственных детей. Оливер находился то у них, то у бабушки. Он всегда приезжал сюда на летние каникулы. — Леди Мэри помолчала, потом продолжила: — Мне всегда было жаль его. И сейчас тоже. Мне кажется, он только напускает на себя такой самодовольный вид.

— Меня бы это не удивило, — сказал мистер Саттерсуэйт. — Так очень часто бывает. Когда я встречаю человека, который с виду высокомерен и грубоват, я всегда знаю, что за этим кроется чувство собственной неполноценности.

— Это непонятно.

— Комплекс неполноценности нечто весьма своеобразное. В основе многих преступлений лежит желание утвердить себя как личность.

— Мне это кажется странным, — прошептала леди Мэри.

Она словно увяла. Мистер Саттерсуэйт смотрел на нее с сочувствием. Ему нравилась ее грациозная фигура с покатыми плечами, мягкое выражение карих глаз, отсутствие косметики на лице. Саттерсуэйт подумал: «В молодости она, наверное, была красавицей. Не той, что бросается в глаза, не розой, а скромной фиалкой».

Его мысли вернулись к безмятежным дням собственной юности. Он вспомнил некоторые события тех дней.

И невольно стал рассказывать леди Мэри о своей любви — единственной в его жизни. Незамысловатая любовная история, по современным понятиям, но дорогая сердцу мистера Саттерсуэйта.

Он рассказал ей, как была хороша та девушка и как они вместе ходили в Кью, чтобы увидеть дикие гиацинты. В тот самый день он хотел сделать ей предложение. Саттерсуэйт вообразил, что она отвечает взаимностью на его чувства. А потом, когда они любовались дикими гиацинтами, девушка призналась, что любит другого. И он не стал выдавать своих чувств, согласившись на роль преданного друга.

Эта романтическая история, наверное, была не очень впечатляющей, но звучала уместно в скромной гостиной леди Мэри, украшенной ситцем и тонким фарфором.

Леди Мэри, как бы решив ответить откровенностью на откровенность, поведала о своей семейной жизни, не очень счастливой.

— Я была такой глупенькой девушкой — все девушки глупенькие, мистер Саттерсуэйт. Они так уверены в себе, так убеждены, что все знают лучше других. Часто пишут и говорят о женском чутье. Я не верю, что оно вообще существует. Пожалуй, ничто не может предостеречь девушек против мужчин определенного типа. Родители их предостерегают, но это ничего не дает — им не верят. Неприятно так говорить, но девушку влечет именно к тому мужчине, о котором идет дурная слава. Ей сразу же приходит в голову, что ее любовь исправит его.

Мистер Саттерсуэйт понимающе кивнул.

— Сперва так мало знаешь. А когда приходит опыт, бывает слишком поздно. — Она вздохнула. — Я сама виновата. Родители не хотели, чтобы я выходила замуж за Рональда. Он был из хорошей семьи, но имел плохую репутацию. Отец так прямо и сказал мне, что он нехороший человек. Я же посчитала, что ради меня Рональд начнет новую жизнь. — Она помолчала, вспоминая прошлое. — Рональд казался обворожительным мужчиной. Но мой отец был абсолютно прав. Вскоре я в этом убедилась. Наверное, так выражаться старомодно, но он действительно разбил мое сердце. Я все время пребывала в страхе — что еще меня ждет.

Мистер Саттерсуэйт всегда с живым интересом относился к жизни других людей, всем своим видом он выражал деликатное сочувствие.

— Наверное, это звучит очень безнравственно, мистер Саттерсуэйт, но я испытала облегчение, когда он заболел пневмонией и умер. Не подумайте, что я им не дорожила, я любила его до последней минуты, но у меня больше не оставалось иллюзий насчет него. И у меня была Эгг. — Голос ее смягчился. — Такая забавная девчушка. Настоящая толстушка, все пыталась стоять крепко, но падала, словно яйцо. Отсюда и произошло такое нелепое прозвище. Она снова помолчала. — Некоторые книги, которые я читала в последние годы, меня успокоили — книги по психологии. В них говорится, что во многих отношениях люди не могут помочь себе сами. Что-то вроде заскока. Мальчиком Рональд крал деньги в школе, деньги, в которых не нуждался. Я понимаю сейчас, что он ничего не мог с собой поделать. Он родился с заскоком.

Леди Мэри застенчиво вытерла глаза маленьким платочком.

— Меня заставляли думать иначе, — сказала она, как бы извиняясь. — Меня учили, что каждый должен знать разницу между добром и злом. Но я все же не всегда так думаю.

— Человеческий разум — великая тайна, — мягко сказал мистер Саттерсуэйт. — Мы ощупью движемся к его пониманию. Даже спокойным натурам частенько не хватает того, что я бы назвал силой торможения. Например, вы подумали: «Я его ненавижу и хочу, чтобы он умер». Но вот вы пытаетесь высказать эту мысль... и некие тормоза включились автоматически. Но бывают люди одержимые, какая-то мысль приходит к ним прочно, они не в силах от нее избавиться. И в конце концов...

— Боюсь, — сказала леди Мэри, — для меня это слишком сложно. Вы имели в виду, что нашей молодежи не хватает сдержанности?

— Нет, нет, я так не думаю. Когда меньше сдержанности, на мой взгляд, это хорошо, полезно. Полагаю, вы думали сейчас о мисс... Эгг?

— Называйте ее просто Эгг, — сказала леди Мэри с улыбкой.

— Благодарю вас. «Мисс» звучит как-то неуместно.

— Эгг очень импульсивна и когда забивает себе голову чем-либо, ничто ее не остановит. Мне противна даже мысль о вмешательстве ее в это дело, но она меня не слушает.

Встревоженный тон леди Мэри вызвал улыбку у мистера Саттерсуэйта. Он подумал: «Интересно, понимает ли она, что увлеченность Эгг раскрытием преступления не что иное, как новый вариант старой игры — погоня женщины за мужчиной. Нет-нет, леди Мэри, наверное, пришла бы в ужас от подобной мысли».

— Эгг утверждает, что мистер Баббингтон тоже был отравлен. Вы думаете, это правда, мистер Саттерсуэйт? Или вы считаете, что Эгг просто делает поспешные выводы?

— Мы все узнаем точно после эксгумации.

— Значит, состоится эксгумация? — Дрожь пробрала леди Мэри. — Какое ужасное испытание для миссис Баббингтон! Не представляю себе ничего более ужасного...

— Вы довольно близко знакомы с Баббингтонами, леди Мэри, не правда ли?

— Да, они очень близкие наши друзья... то есть были ими.

— Не знаете ли вы кого-нибудь, кто мог завидовать викарию? Он никогда не говорил о таком человеке?

— Нет.

— А сами Баббингтоны жили дружно?

— Они были прекрасной супружеской парой, находили счастье друг в друге и своих детях. Они были бедны, конечно, а мистер Баббингтон страдал от ревматического артрита. Но этим ограничивались горести их жизни.

— В каких отношениях с викарием был Оливер Мендерс?

— Как вам сказать... — Леди Мэри колебалась. — Они не очень ладили. Баббингтоны жалели Оливера, и он часто посещал их дом по праздникам, чтобы поиграть с их сыновьями; правда, не думаю, чтобы между ними была большая дружба. Оливер в общем-то не пользовался популярностью. Он слишком хвастал своими деньгами и всеми своими развлечениями в Лондоне. Мальчики не очень любят хвастунов и себялюбцев.

— А позднее, когда Оливер стал взрослым?

— Не думаю, чтобы он часто встречался с этой семьей. Да, был случай в моем доме, когда Оливер довольно грубо обошелся с мистером Баббингтоном. Примерно два года назад.

— А что случилось?

— Оливер позволил себе несдержанные выпады против христианства. Мистер Баббингтон вел себя с ним терпеливо и вежливо. Но, видно, это разозлило Оливера, и он сказал: «Все вы, верующие, смотрите на меня свысока потому, что мои родители не были женаты. Вы, наверное, называете меня — дитя греха. Ну так вот, я восхищаюсь людьми, которые имеют смелость придерживаться собственных убеждений и плюют на то, что думают лицемеры и проповедники». Мистер Баббингтон ничего не ответил, но Оливер продолжал: «Вы на это не ответите. Именно духовенство и предрассудки ввергли мир в его нынешний хаос. Мне бы хотелось смести с лица земли все церкви». Мистер Баббингтон с мягкой улыбкой продолжил: «А заодно и священнослужителей?» Оливер понял, что его не воспринимают всерьез, и тогда он крикнул: «Ненавижу церковь и церковников. Нужно избавиться от всего этого племени ханжей». А мистер Баббингтон, все так же улыбаясь — у него была чудесная улыбка, — спокойно сказал: «Мой мальчик, если вы и уничтожите все церкви, вам все-таки придется считаться с Богом».

— Мне не нравится молодой Мендерс, а вам, леди Мэри?

— Мне его жаль, — сочувственно ответила она.

— Но вы не хотели бы, чтобы он женился на Эгг?

— О нет.

— Но почему же?

— Потому... потому, что он недобрый. И еще...

— Да?

— Что-то в нем есть такое, чего я не понимаю. Холод какой-то.

Мистер Саттерсуэйт задумчиво поглядел на нее, а затем спросил:

— Что думал о нем сэр Бартоломью Стрендж? Говорил ли он об этом когда-либо?

— Помню, он сказал, что к молодому Мендерсу было бы интересно присмотреться. По словам доктора, Оливер напоминал ему пациента, которого он лечит в своем санатории. Я тогда удивилась и заметила, что юноша выглядит вполне здоровым и бодрым. «Да, со здоровьем у него все в порядке, но действует он безрассудно», — отвечал доктор. — Помолчав, она добавила: — А он, мне кажется, был очень умным врачом.

— Его коллеги, я думаю, высоко ценили его.

— Мне он нравился, — сказала леди Мэри.

— Говорил ли он вам что-нибудь о смерти Баббингтона?

— Нет.

— Не показалось ли вам, что доктор что-то замышлял в тот вечер?

— Он был в прекрасном настроении, вел себя так, будто его что-то забавляет, может, он придумал какую-то шутку. Во всяком случае, за обедом он сказал, что готовит для меня сюрприз.

— Он именно так сказал?

Возвращаясь домой, мистер Саттерсуэйт размышлял над этими словами.

Что за сюрприз готовил сэр Бартоломью своим гостям?

Мог ли тот сюрприз, доведись доктору осуществить свой план, позабавить гостей?

Не скрывалось ли за этим веселым настроением сдержанное, но неодолимое стремление достичь какой-то цели? Сможет ли это кто-нибудь узнать?

Глава 15

— Скажите откровенно, — спросил сэр Чарльз, — удалось ли нам продвинуться вперед?

То был почти военный совет. Сэр Чарльз, мистер Саттерсуэйт и Эгг Литтон Гор сидели в гостиной, похожей на кают-компанию. Огонь пылал в камине, а снаружи завывал штормовой ветер.

Мистер Саттерсуэйт и Эгг ответили на вопрос одновременно.

— Нет, — сказал мистер Саттерсуэйт.

— Да, — сказала Эгг.

Мистер Чарльз ждал объяснений. Саттерсуэйт галантным жестом предложил леди высказаться первой.

Эгг минуту или две собиралась с мыслями и наконец заявила:

— Мы продвинулись вперед потому, что ничего не обнаружили. Звучит нелепо, но это так. У нас было много предположений, но теперь мы точно знаем, что некоторые из них следует отбросить.

— Прогресс путем исключения, — заметил сэр Чарльз.

— Вот именно.

— Мысль о выгоде, — сказал, откашливаясь, мистер Саттерсуэйт, — теперь нужно решительно отвергнуть. Ясно, что нет такого человека, который, выражаясь языком детективов, мог бы «выгадать на смерти Стефена Баббингтона». Во-первых, Баббингтон по натуре слыл человеком миролюбивым, а во-вторых, не такой уж он был значительной личностью, чтобы иметь врагов. Итак, осталось последнее, довольно шаткое предположение. Страх. Смерть Стефена Баббингтона кому-то обеспечивала безопасность.

— Все это звучит довольно убедительно, — сказала Эгг.

Мистер Саттерсуэйт принял вид довольного собой, но скромного человека. Сэр Чарльз был слегка раздражен, комплименты в чужой адрес как-то умаляли его роль.

— Но что же мы собираемся делать дальше, я имею в виду — как будем действовать? — спросила Эгг. — Собираемся ли устраивать слежку или что-нибудь в этом роде? Будем ли менять внешность, чтобы их выследить?

— Мое дорогое дитя, — сказал сэр Чарльз, — я всегда противился тому, чтобы играть бородатых стариков, не намерен делать это и теперь.

— Тогда как же... — неуверенно начала Эгг. Но ее прервали. Открылась дверь, и Темпл доложила:

— Мистер Эркюль Пуаро.

«Частные детективы» замерли от неожиданности.

Мистер Пуаро вошел с сияющим лицом и приветствовал всех троих так, словно только что с ними расстался.

— Будет ли мне разрешено присутствовать на этом совещании? — В его глазах сверкнул лукавый огонек. — Прав я или нет? Ведь это совещание?

— Дорогой друг, мы бесконечно рады видеть вас, — сказал сэр Чарльз, оправившись от изумления. Он тепло пожал руку гостю и усадил его в кресло. — Откуда вы явились столь неожиданно?

— Я посетил дом моего нового друга, мистера Саттерсуэйта в Лондоне. Там мне сказали, что он уехал в Корнуолл. Можно ли сомневаться, куда и зачем он отправился? Я сажусь в первый же поезд, и вот я здесь.

— Так, — сказала Эгг, — но зачем вы приехали? Я имею в виду, — продолжала она, покраснев от сознания, насколько невежливо звучат ее слова, — была ли у вас на то особая причина?

— Я приехал, — ответил Эркюль Пуаро, — чтобы признать свою ошибку. — Он повернулся с улыбкой к сэру Чарльзу. — Мсье, именно в этой комнате вы высказали свои подозрения. А я, предполагая в вас склонность к драматизму, подумал тогда: «Он великий актер, ему нужна драма в любых обстоятельствах». Действительно, казалось немыслимым, чтобы безобидный старый джентльмен умер смертью неестественной. Даже сейчас я не понимаю, по каким мотивам его убили. Все выглядит абсурдно, фантастически. Но вот за этой смертью последовала другая, причем при сходных обстоятельствах, которые не припишешь совпадению. Нет, должна быть связь между обоими случаями. И вот, сэр Чарльз, я приехал, чтобы просить у вас прощения. Я, Эркюль Пуаро, признаю свою ошибку и прошу принять меня в вашу группу.

Сэр Чарльз как-то нервно откашлялся. Он явно испытывал некоторое замешательство.

— Это чрезвычайно красивый поступок, мсье Пуаро. Право, не знаю, можно ли отнимать у вас так много времени... Я...

Я растерянно замолчал, спрашивая совета у мистера Саттерсуэйта.

— Очень мило с вашей стороны, — начал было мистер Саттерсуэйт, но мсье Пуаро перебил:

— Нет, нет, дело не в воспитанности. Дело в том, что во мне заговорил мой профессиональный дух. Я должен исправить свою ошибку. Но, конечно, если мое появление неуместно, если вы считаете, что я навязываюсь...

Мужчины ответили одновременно:

— Да нет же, нет.

Пуаро взглянул на девушку:

— А как считает мадемуазель?

Эгг молчала, и трое мужчин поняли: мадемуазель не хочет помощи мсье Пуаро.

И мистер Саттерсуэйт догадался — почему. Разыгрывался личный спектакль с участием Чарльза Картрайта и Эгг Литтон Гор. Мистера Саттерсуэйта допустили из терпимости, давая ему понять, что его роль незначительна. Но с Эркюлем Пуаро дело обстояло иначе. Его роль станет ведущей, а сэру Чарльзу придется уступить место профессиональному сыщику. Все планы Эгг рушатся.

Он наблюдал за девушкой с сочувствием, понимая ее затруднительное положение, понимая, что Эгг борется за свое счастье.

Но что же ей оставалось сказать? Разве может Эгг выдать свои мысли, разве может крикнуть этому несообразительному иностранцу: «Уезжайте! Ваш приезд все испортит. Я не хочу видеть вас здесь».

И Эгг Литтон Гор сказала то, что полагалось сказать:

— Конечно, — она натянуто улыбнулась, — мы будем рады, если вы останетесь.

Глава 16

— Прекрасно, — сказал с деловым видом Пуаро, — значит, мы — коллеги. Посвятите меня в ситуацию.

Мистер Саттерсуэйт рассказывал о том, что они предприняли после возвращения в Англию, а Пуаро внимательно слушал. Мистер Саттерсуэйт был хорошим рассказчиком. Он умел воссоздать атмосферу, красочно обрисовать ситуацию. Его описание аббатства, слуг, главного констебля вызвало восхищение. Пуаро высказал горячее одобрение сэру Чарльзу, когда узнал, каким образом тот обнаружил неоконченные письма под газовым камином.

— Ах, это же великолепно! — воскликнул сыщик по-французски. — Дедукция, воссоздание обстановки — великолепно! Вы, сэр Чарльз, могли бы стать великим детективом, а не великим актером.

Сэр Чарльз выслушивал похвалы с подобающей скромностью.

— Ваша наблюдательность также удивительна, — обратился Пуаро к мистеру Саттерсуэйту, — как здорово вы подметили неожиданную фамильярность доктора с дворецким.

— А что вы думаете о версии, связанной с миссис Рашбриджер? — нетерпеливо спросил сэр Чарльз.

— Это поистине идея. Она таит в себе несколько возможностей, не так ли?

Никто не мог с уверенностью сказать, что это за несколько возможностей, но не признаваться же в этом! И все согласно закивали.

Потом стал рассказывать сэр Чарльз. Он описал визит к миссис Баббингтон и в конце заключил:

— Вы в курсе всего.

Несколько минут Пуаро молчал. Все трое нетерпеливо за ним наблюдали.

Наконец он сказал:

— Можете ли вы вспомнить, мадемуазель, какого типа стакан с портвейном стоял тогда перед сэром Бартоломью?

Эгг с досадой покачала головой, но сэр Чарльз вмешался:

— Я могу ответить.

Он встал, направился к буфету и вынул оттуда несколько тяжелых хрустальных бокалов для шерри.

— Те бокалы чуть другие по форме — более округлые, какие обычно употребляются для портвейна. Сэр Бартоломью купил их на распродаже у старого Леммерсфилда. Он, правда, приобрел целый набор бокалов, но для доктора их было многовато, и часть Толли уступил мне. Они хороши, не правда ли?

Пуаро взял бокал и принялся его рассматривать.

— Да, — сказал он, — прекрасный образец. Я и полагал, что было использовано нечто в этом роде.

— Почему вы так полагали? — вскричала Эгг.

Пуаро лишь улыбнулся в ответ.

— Да, — продолжал он, — смерть сэра Бартоломью Стренджа можно легко объяснить, но смерть Стефена Баббингтона — более трудный случай. Ах, если бы только все было наоборот!

— Как это понять? — спросил мистер Саттерсуэйт.

Пуаро повернулся к нему.

— Подумайте, мой друг. Сэр Бартоломью — прославленный врач. Много причин может привести к смерти прославленного врача. Врач обладает определенной властью. Представьте себе пациента на грани безумия. Слово врача — и он исчезнет из привычного для него мира. Или у врача возникают подозрения относительно внезапной смерти его пациента. О, да мы можем найти много мотивов для смерти врача... —

Пуаро помолчал. — Куда проще объяснялось бы случившееся, если бы первым умер сэр Бартоломью. Тогда можно было бы предположить, что Баббингтон что-то знал о происшествии. — Он вздохнул и продолжал: — Надо принимать дело таким, как оно есть. Одну мыслишку я хотел бы высказать. Представьте, что смерть Стефена Баббингтона случайна, что яд и в первом случае намечался для сэра Бартоломью Стренджа, но по ошибке был убит другой.

— Это интересная мысль, — сказал сэр Чарльз. — Но она не подходит. Баббингтон вошел в комнату примерно за четыре минуты до того, как ему стало плохо. За это время он выпил только коктейль, а в этом коктейле ничего не было...

Пуаро прервал его:

— Но представьте, что коктейль все-таки содержал яд. Могло ли быть так, что предназначался он сэру Бартоломью, а по ошибке его подали Баббингтону?

Сэр Чарльз покачал головой:

— Тот, кто знал Толли, не стал бы добавлять яд в коктейль.

— Почему?

— Потому что Бартоломью никогда не пил коктейлей.

Это вызвало у Пуаро досаду.

— Ну что за странное дело. Все не так, все бессмысленно.

— К тому же, — продолжал сэр Чарльз, — как можно было по ошибке заменить один бокал другим. Темпл разносила бокалы на подносе, и каждый мог взять любой из них.

— Верно, — пробормотал Пуаро. — Коктейль нельзя навязать, как, скажем, карту. А что она собой представляет, ваша Темпл? Это та горничная, которая меня встретила сегодня?

— Да. Она служила у меня три или четыре года — славная, спокойная девушка. Не знаю, откуда она появилась. Наверное, мисс Милрей все известно.

— Мисс Милрей — это ваш секретарь? Высокая женщина, чем-то похожая на гренадера?

— Очень похожа на гренадера, — согла... лся сэр Чарльз.

— Мне доводилось обедать у вас неоднократно, но до этого вечера я ее ни разу не встречал.

— Она обычно не обедает с нами. Но тут возник вопрос о тринадцати за столом... — И сэр Чарльз объяснил ситуацию, а Пуаро слушал с большим вниманием.

— Понимаю, значит, она сама захотела присутствовать.

Он погрузился в размышления, а потом сказал:

— Могу ли я поговорить с вашей горничной — этой Темпл?

— Бесспорно, дорогой друг. — Он нажал звонок.

Вошла мисс Темпл. Держалась она спокойно и по-деловому.

— Вы меня вызывали, сэр?

— Мсье Пуаро хочет задать вам несколько вопросов, — сказал сэр Чарльз.

Темпл с высоты своего роста устремила взгляд на Пуаро.

— Мы говорили о том вечере, когда здесь скончался мистер Баббингтон, — начал Пуаро, — помните ли вы тот вечер?

— О да, сэр.

— Мне хочется знать точно, как подавались коктейли. Это вы их смешивали?

— Нет, сэр Чарльз всегда делает это сам. Я принесла бутылки — вермут, джин и все другое.

— Куда вы их поставили?

— Вон там, на столе, сэр. — И она показала на стол у стены. — Поднос с бокалами стоял здесь, сэр. Сэр разлил коктейль по бокалам. Затем я взяла поднос и стала обносить гостей.

— Все ли коктейли были на вашем подносе?

— Один из них сэр Чарльз поднес мисс Литтон Гор, с которой он разговаривал в тот момент, а потом взял бокал себе. Мистер Саттерсуэйт подошел и взял бокал для одной леди, мисс Уиллс, кажется.

— Совершенно верно, — подтвердил мистер Саттерсуэйт.

— Всех остальных обнесла я, сэр. И все взяли по бокалу, за исключением сэра Бартоломью.

— Будьте любезны, Темпл, помогите нам восстановить всю картину. Я помню, что находился здесь, мисс Сатклиф — там.

Благодаря своей наблюдательности, мистер Саттерсуэйт хорошо помнил, кто где находился в комнате. Затем Темпл пошла по своему кругу. Они установили, что сперва она подошла к миссис Дейкр, потом к мисс Сатклиф, от нее направилась к Пуаро, а уж затем к мистеру Баббингтону, леди Мэри и мистеру Саттерсуэйту, которые сидели рядом.

Все соответствовало наблюдениям мистера Саттерсуэйта.

Наконец Темпл отпустили.

— Ну и ну, — вскричал Пуаро, — ничего не понимаю! Темпл последней разносила коктейли, но она не могла что-либо с ними сделать, ибо коктейль нельзя навязать.

— Каждый инстинктивно берет тот, который стоит поближе к нему, — сказал сэр Чарльз.

— Значит, можно сперва поднести тому, кто избран жертвой, но даже и при этом нет уверенности, что он возьмет роковой бокал. Нет, нельзя полагаться на случай. Скажите, мистер Саттерсуэйт, Стефен Баббингтон поставил свой бокал обратно или продолжал держать его в руке?

— Он поставил его на этот стол.

— Кто-нибудь подходил после того к столу?

— Нет. Я находился ближе всех к нему, но уверяю вас, что ничего не предпринял бы даже в том случае, если бы мог сделать это неприметно. — Мистер Саттерсуэйт ответил довольно резко, и Пуаро поспешил принести извинения:

— Нет, нет, я вовсе не обвиняю — что за мысль! Я просто стремлюсь к абсолютной уверенности в фактах. Анализ показал, что ничего подозрительного в коктейле не было. Но теперь, независимо от анализа, создается впечатление, что в напиток ничего и не могло быть подмешано. Две проверки, а результат один и тот же. Но мистер Баббингтон ничего другого не ел и не пил, и если бы он был отравлен чистым никотином, то смерть наступила бы очень быстро. Вы понимаете, к чему это нас приводит?

— Ни к чему, черт побери, — сказал сэр Чарльз.

— Я бы не стал так утверждать, нет, не стал бы. Это нас приводит к чудовищной мысли, которая, я надеюсь, не может оказаться правдой. Нет, конечно нет, смерть сэра Бартоломью это доказывает, и все же...

Он нахмурился, глубоко задумавшись. Остальные с любопытством наблюдали за ним. Он поднял голову:

— Вы понимаете меня, не правда ли? Миссис Баббингтон не была в аббатстве, значит, она вне подозрений.

— Но никому не приходило в голову ее подозревать.

Пуаро улыбнулся снисходительно.

— Разве? Любопытно. Мне эта мысль пришла в голову мгновенно, тут же. Если бедный джентльмен не отравлен коктейлем, значит, его отравили всего за несколько минут до того, как он вошел в дом. Каким путем? И кто мог это сделать? Только жена. Кто может иметь мотив, о котором и додуматься-то невозможно? Опять же она.

— Но они были так преданы друг другу! — с возмущением воскликнула Эгг. — Вы ничего не понимаете?

Пуаро мягко ответил:

— Я рассматриваю факты беспристрастно, без предвзятого мнения. И позвольте сказать вам, мадемуазель, по своему опыту я знаю пять случаев, когда жен убивали преданные мужья, и двадцать два, когда мужей убивали преданные жены.

— Я думаю, вы просто ужасный человек, — сказала Эгг. — Я знаю, что Баббингтоны не такие. Это... это чудовищно!

— Чудовищно убийство, мадемуазель, — сказал Пуаро, и голос его внезапно прозвучал сурово. Потом, смягчив тон, он продолжал: — Но, рассматривая факт, я согласен, что миссис Баббингтон не сделала этого. Она ведь не была в аббатстве Мелфорт. Нет, как уже говорил сэр Чарльз, виновным может быть лишь тот, кто присутствовал на обоих званых обедах. Кто-то из семи человек, занесенных в ваш список.

— И как же вы посоветуете нам поступить? — спросил мистер Саттерсуэйт.

— Думаю, вы уже наметили свой план, — предположил Пуаро.

Сэр Чарльз откашлялся и сказал:

— Единственно возможный путь — метод исключения. Каждого человека из этого списка нужно взять на подозрение, пока не будет доказана его невиновность. Мы должны убедить себя, что существует связь между этим лицом и Стефеном Баббингтоном, нам понадобится вся наша изобретательность, чтобы обнаружить эту связь. Если таковой нет, переходим к следующему лицу.

— Это хороший психологический прием, — одобрил Пуаро. — А что предлагаете вы, мистер Саттерсуэйт?

— Мы рады бы услышать ваш совет, мсье Пуаро. Может, вы сами...

Пуаро остановил его жестом:

— Мой друг, не ждите от меня каких-либо действий... Всю свою жизнь я придерживался убеждения, что любую проблему лучше всего решать головой. Позвольте мне оставить за собой, так сказать, роль наблюдателя. Продолжайте ваше расследование, которым так умело руководит сэр Чарльз. Время от времени вам, возможно, потребуется мнение консультанта, назовем это так. Так вот — я консультант. — Он улыбнулся Эгг. — Вы находите это решение разумным, мадемуазель?

— Превосходным, — ответила Эгг. — Я уверена, что ваш опыт будет очень полезным для нас. — Она посмотрела на часы и воскликнула: — О, мне пора домой, мама будет волноваться!

— Я отвезу вас, — предложил сэр Чарльз.

Глава 17

— Итак, вы убедились, что рыбка клюнула, — сказал Эркюль Пуаро.

Мистер Саттерсуэйт, смотревший на дверь, за которой только что скрылись влюбленные, резко повернулся к Пуаро. Бельгиец улыбался чуть насмешливо.

— Да, да, не отрицайте. Вы намеренно показали мне наживку в тот день в Монте-Карло. Разве не так? Вы показали мне сообщение в газете в надежде, что оно вызовет у меня интерес.

— Верно, — признался мистер Саттерсуэйт. — Но я думал, что потерпел неудачу.

— Нет. Вы мудрый знаток человеческой натуры, мой друг. Я страдал от скуки. Мне нечего было делать. Вы явились в подходящий психологический момент. Кстати, преступление также частенько зависит от психологического момента. Преступление и психология идут рука об руку. Но вернемся к нашим баранам. Это преступление весьма интригует, меня оно полностью ставит в тупик.

— Какое преступление — первое или второе?

— Существует только одно. То, что вы называете первым и вторым убийством, — лишь две половинки одного преступления. Вторая половина ясна — и мотив, и примененное средство...

Мистер Саттерсуэйт прервал его:

— Но ведь ни в вине, ни в пище, поданных для всех за обедом у доктора, не было найдено никакой отравы.

— Нет, нет, это не совсем так. Невозможно объяснить, почему кому-либо понадобилось отравить Стефена Баббингтона. Сэр Чарльз при желании мог отравить любого из своих гостей, но не кого-то конкретного. Темпл могла что-то бросить в последний бокал на подносе, но мистеру Баббингтону достался не последний бокал. Убийство мистера Баббингтона мне кажется таким необъяснимым, что я все еще считаю — не исключена естественная смерть. Но это мы скоро узнаем точно. Второй же случай — совсем иной. Любой из гостей, дворецкий или горничная могли отравить Бартоломью Стренджа. Без всякого затруднения.

— Не понимаю... — начал было мистер Саттерсуэйт.

Пуаро продолжал:

— Я это докажу вам как-нибудь путем небольшого эксперимента. А сейчас перейдем к другому и более важному вопросу. Он имеет решающее значение, и вы поймете это, не сомневаюсь. С вашим добрым сердцем и деликатностью вы считаете, что я не должен портить настроение тому, кто играет.

— Вы думаете... — вновь попытался высказаться мистер Саттерсуэйт, и Пуаро вновь остановил его жестом.

— Думаю... сэру Чарльзу надлежит играть роль звезды! Он к тому привык. Тем более что кое-кто ждет от него такой роли. Не поэтому ли мадемуазель не нравится мое вмешательство?

— Вы, как у нас говорится, «все хватаете на лету», мсье Пуаро.

— Ну что вы, это так бросается в глаза! У меня очень чувствительная натура; я хочу присутствовать при развитии любовной истории, но не мешать ей. Я и вы, мой друг, должны объединенно действовать во имя чести и славы Чарльза Картрайта, не так ли? Когда дело будет закончено...

— Если... — мягко поправил мистер Саттерсуэйт.

— Когда! Я не позволю себе потерпеть неудачу.

— Значит ли это, что в вашей практике никогда не было неудач?! — недоверчиво спросил мистер Саттерсуэйт.

— Короткое время я был не в состоянии, как вы говорите, «схватить все на лету». Я доходил до истины не так быстро, как следовало бы.

— Но все же никогда не терпели неудачи?

Настойчивость мистера Саттерсуэйта объяснялась самым обыкновенным любопытством.

— Был один случай, — признался после минутного молчания Эркюль Пуаро. — Давным-давно, в Бельгии. Но не стоит вспоминать.

Поскольку любопытство мистера Саттерсуэйта было удовлетворено, он поспешил переменить тему:

— Итак... вы говорили, что когда дело будет закончено...

— Сэру Чарльзу будет представлена возможность довести его до конца. Это существенно. Я же буду лишь седьмой спицей в колеснице. — Он развел руками. — Мне не нужны ни честь, ни слава. Мне уже досталась вся слава, какая мне нужна.

— Я хотел бы знать, — сказал мистер Саттерсуэйт с мягкой усмешкой, — мне просто очень интересно, что же все-таки вы надеетесь извлечь из этого дела? Или для вас важен сам процесс?

Пуаро покачал головой:

— Нет, нет, вовсе не это. Конечно, подобно охотничьей собаке, я иду по следу и возбуждаюсь, и раз уж я пошел по следу, меня невозможно от него оторвать. Все это так. Но есть нечто большее. Не знаю, как выразить это... пожалуй, страстное стремление добиться истины.

За словами Пуаро последовало молчание. Затем сыщик взял листок, куда были занесены семь имен, и зачитал вслух:

— «Миссис Дейкр, капитан Дейкр, мисс Уиллс, мисс Сатклиф, леди Мэри Литтон Гор, мисс Литтон Гор, Оливер Мендерс». Да, есть о чем подумать.

— Что вам здесь кажется странным?

— Порядок, в котором записаны имена.

— На мой взгляд, это не имеет никакого значения. Мы просто записали имена по мере обсуждения тех, кто присутствовал на двух званых обедах.

— Вот именно. Список возглавляет миссис Дейкр. Из этого я делаю вывод, что о ней как о возможной преступнице подумали в первую очередь.

— Не в первую очередь, — сказал мистер Саттерсуэйт, — а, скажем так, — не в последнюю.

— Это можно выразить еще точнее — вы бы предпочли, чтобы именно она оказалась лицом, совершившим преступление.

Мистер Саттерсуэйт хотел что-то импульсивно возразить, но, встретив испытующий взгляд блестящих зеленых глаз Пуаро, передумал говорить то, что хотел.

— Не знаю... Пожалуй, вы правы, мсье Пуаро. Подсознательно мы склонялись именно к этому.

— В связи с этим хочется задать вам вопрос, мистер Саттерсуэйт.

— Прошу вас, прошу, — благодушно ответил тот.

— Насколько я понял, сэр Чарльз и мисс Литтон Гор посетили миссис Баббингтон вдвоем?

— Да.

— Почему вы их не сопровождали?

— Чтобы не получилась целая толпа.

— А может, и потому, что вас больше тянуло в другое место? Вы захотели, как говорят, поджарить другую рыбку. Куда же вы отправились, мистер Саттерсуэйт?

— Я пил чай у леди Мэри Литтон Гор, — сухо ответил тот.

— И о чем же вы говорили?

— Она была так доверчива, что посвятила меня в некоторые неприятные моменты своей замужней жизни, — неохотно признался мистер Саттерсуэйт и коротко изложил рассказ леди Мэри.

Пуаро сочувственно кивал.

— Так похоже на реальную жизнь — романтически настроенная девушка выходит замуж за дурного человека и никого не хочет слушать. И это все, о чем вы говорили? А не шла ли у вас речь и о мистере Оливере Мендерсе?

— Да, мы о нем говорили.

— И что же вы о нем узнали?

Мистеру Саттерсуэйту ничего не оставалось, как повторить все, что ему поведала леди Мэри.

— Но почему вы решили, что мы говорили о Мендерсе? — не удержался мистер Саттерсуэйт от вопроса.

— Потому что вы только ради этого туда и шли... О да, не протестуйте. Вы надеетесь, что преступление совершила миссис Дейкр или что виновен капитан Дейкр, а подозреваете все-таки молодого Мендерса. — Пуаро снова решительно прервал протесты мистера Саттерсуэйта: — Да, да. У вас скрытная натура. Свои тайные мысли вы не выдаете. Я вас понимаю. Сам такой.

— Я вовсе не подозреваю — это абсурдно. Просто я хотел узнать побольше об этом молодом человеке, — запинаясь, проговорил мистер Саттерсуэйт.

— Я о том и говорю. Инстинктивно вы остановили свой выбор на нем. Меня тоже интересует Мендерс. Я заинтересовался им еще в тот вечер, когда мы были приглашены сюда на обед, потому что я увидел...

— Что вы увидели? — нетерпеливо перебил мистер Саттерсуэйт.

— Я увидел, что тут два человека, а может и больше, надевают на себя иную личину. Один из них сэр Чарльз, — Пуаро улыбнулся, — он играл роль морского офицера, разве я не прав? Это вполне естественно. Великий актер не перестает играть только потому, что уже покинул сцену. Но и Мендерс вел себя как актер. Он играл роль скучающего и томного молодого человека, а на самом деле был очень энергичен и бодр. Вот почему я обратил на него внимание.

— Как вы догадались, что я размышлял о нем?

— По многим маленьким приметам. Вас заинтересовала авария, приведшая его в ту ночь в аббатство Мелфорт. Вы не пошли вместе с сэром Чарльзом и миссис Литтон Гор к миссис Баббингтон. Почему? А потому, что хотели что-то выяснить для себя, незаметно для других. Вы пошли к леди Мэри, чтобы разузнать о ком-то. О ком же? Могла идти речь только о местном жителе Оливере Мендерсе. И наконец, что самое характерное, вы поставили его на последнем месте в списке. Кто, по вашим словам, менее всего заслуживает подозрения — леди Мэри и мадемуазель Эгг? Но вы ставите Мендерса после них, потому что именно он — ваша темная лошадка, и вы хотите сохранить ее для себя.

— Бог мой, — сказал мистер Саттерсуэйт, — неужели я действительно такой человек, каким вы меня сейчас обрисовали?

— Именно. У вас острая наблюдательность и точное суждение, и вы хотите сохранить для себя свои выводы. Вы вовсе не выносите их на показ всему миру.

— Я думаю... — Но мистеру Саттерсуэйту не дал договорить на этот раз сэр Чарльз.

Актер вошел в комнату пружинящим, бодрым шагом.

— Итак, — сказал сэр Чарльз, — давайте составим наш план действий... Где список, Саттерсуэйт? Благодарю... Теперь, мсье Пуаро, будьте добры дать совет специалиста. Как нам надо распределить предварительную работу?

— А как вы сами предлагаете?

— Ну что ж, мы можем распределить этих людей. Первая — миссис Дейкр. Эгг хотела бы взять ее на себя. Далее идет Дейкр. Я знаком с некоторыми из его друзей по скачкам. Надеюсь, что смогу что-нибудь выудить таким путем. Затем идет Энджела Сатклиф.

— Наверное, и здесь нужны вы, Картрайт, — сказал мистер Саттерсуэйт. — Вы ведь ее хорошо знаете, не так ли?

— Вот поэтому-то лучше кому-нибудь другому заняться ею, — усмехнулся актер. — Во-первых, меня обвинят в том, что я действую недостаточно решительно, а во-вторых, видите ли, она — мой друг. Вам ясно?

— Абсолютно, абсолютно, — сказал Пуаро по-французски. — Ваша деликатность вполне естественна и понятна. Наш милый мистер Саттерсуэйт в таком случае заменит вас.

— Леди Мэри и Эгг — они не в счет, конечно. А что вы скажете о молодом Мендерсе? Его присутствие в тот вечер, когда умер Толли, было случайным; но все же, думаю, мы должны включить и его.

— Верно. Ну что ж, раз Мендерс остается за Саттерсуэйтом, я возьму на себя мисс Уиллс.

— Превосходно, — одобрил Пуаро. — Да, вот еще что... Ваш друг, сэр Бартоломью, не пил коктейлей, но пил портвейн?

— Он его особенно любил.

— Странно, что доктор не почувствовал привкуса. У чистого никотина весьма неприятный привкус.

— Вам следует помнить, — сказал Чарльз, — что в портвейне, очевидно, не было никотина. Ведь остатки в бокале были подвергнуты анализу.

— Ах да, глупо с моей стороны. Но как бы ни воспользовались никотином, он очень неприятен на вкус.

— Не знаю, какое это может иметь значение, — пожал плечами сэр Чарльз. — Прошлой весной Толли сильно простудился, получил осложнения, что плохо повлияло на его обоняние и вкус.

— Вот как, — сказал Пуаро в раздумье. — Тогда все упрощается.

Сэр Чарльз подошел к окну.

— Все еще дует штормовой ветер. Я пошлю за вашими вещами, мсье Пуаро. Гостиница «Роза и корона», возможно, привлекательна для увлеченных художников, но думаю, вы предпочтете чистоту и удобную постель.

— Вы чрезвычайно любезны, сэр Чарльз.

— Что вы! Сейчас же все организую. — И он вышел, чтобы отдать распоряжение.

Пуаро посмотрел на Саттерсуэйта:

— Могу ли я дать вам совет?

— Слушаю.

Пуаро наклонился к своему новому другу и тихо сказал:

— Спросите у Мендерса, для чего он подстроил аварию. Скажите, что полиция подозревает его в убийстве, посмотрите на реакцию.

— Вы думаете...

— Я пока ничего не думаю, но в дневнике доктора было написано: «Меня беспокоит М.». Возможно, речь идет о Мендерсе. Не исключено также, что запись не имеет никакого отношения к делу.

— Посмотрим, — сказал мистер Саттерсуэйт.

Глава 18

Ателье «Эмброзайн лимитед» выглядело очень опрятно. Почти белые стены, светлый шерстяной ковер, драпировки светлые. Тут и там поблескивал хром, а на одной из стен красовался гигантский геометрический рисунок из двух цветов — ярко-голубого и лимонно-желтого. Интерьер оформил Сидней Стенфорд, самый модный декоратор того времени.

Эгг Литтон Гор сидела в кресле современной формы, слегка напоминающей кресло дантиста, и присматривалась к изящным молодым женщинам с красивыми скучающими лицами, которые, извиваясь, точно змеи, дефилировали перед ней. Эгг испытывала сейчас лишь одно желание — показать, что для нее ничего не стоит заплатить пятьдесят или шестьдесят фунтов за платье.

Миссис Дейкр, как всегда, поражала своим немыслимым великолепием и, как про себя отметила Эгг, была в своем репертуаре.

— А это вам нравится? Эти узлы на плечах довольно забавны, не правда ли? А какая великолепная линия талии. Хотя я бы не польстилась на этот свинцово-красный цвет, я бы предпочла новый цвет, эспаньол, он более привлекателен — похож на горчицу с добавкой красного перца. А как вы находите винный оттенок? Немного абсурден, не так ли? Пронизывающий и нелепый. Ныне одежда просто не может выглядеть серьезной.

— Очень трудно решить, — сказала Эгг. — Видите ли, — она заговорила доверительно, — раньше я никогда не могла себе позволить покупать настоящую одежду. Мы всегда были так ужасно бедны. Я помню, с какой чудесной простотой вы были одеты на том обеде, в «Вороньем гнезде». И я подумала: «Теперь, когда у меня есть деньги, я пойду к миссис Дейкр и попрошу ее совета». Я так восхищалась вами в тот вечер.

— Дорогая, как это очаровательно с вашей стороны. Я просто обожаю одевать юных девушек. Так важно, чтобы девушка не казалась недопеченной, надеюсь, вы меня понимаете.

«Ну, в тебе-то уж нет ничего недопеченного», — подумала Эгг.

— У вас такая ярко выраженная внешность, — продолжала миссис Дейкр, — вы не должны носить ничего ординарного. Ваша одежда должна быть простой и пронизывающей и слегка возвышающей. Вы понимаете? Вы хотите приобрести несколько вещей?

— Я подумывала о четырех вечерних платьях, парочке дневных, об одном или двух спортивных костюмах — примерно так.

Медовый голос миссис Дейкр стал еще слаще. К счастью, она не знала, что на банковском счету Эгг значилось точно пятнадцать фунтов и двенадцать шиллингов, причем их должно было хватить до декабря.

Еще больше манекенщиц стало дефилировать перед Эгг. В интервалах между обсуждениями нарядов Эгг удалось поговорить и о другом.

— Вы, очевидно, с той поры уже больше не приезжали в «Воронье гнездо»? — поинтересовалась она.

— Нет, моя дорогая, я не могла после случившегося. А кроме того, я всегда считала Корнуолл ужасным прибежищем художников. Я их просто не выношу. И фигуры всегда такой нелепой формы.

— То, что случилось, всех потрясло, не правда ли? Старый мистер Баббингтон был таким чудесным человеком.

— Истым представителем своего времени, я считаю, — ответила миссис Дейкр.

— Вы его встречали раньше?

— Этого милого старичка? Право, не помню.

— Он что-то такое упоминал, — сказала Эгг. — Только речь шла не о Корнуолле. Мне кажется, то место называется Джиллинг.

— Разве? — Глаза миссис Дейкр ничего не выражали. — Нет, Марсель, мне нужна другая модель — Дженни, а за ней — синяя Пату.

— Как ужасно, — сказала Эгг, — что сэра Бартоломью отравили.

— Дорогая, нет слов, чтобы выразить, как это было пронзительно. Но мне после случившегося выпала большая удача. Самые разные женщины стали заказывать у меня платья. И все из-за сенсации... Вот эта

125

«Модель Пату» вам подойдет как нельзя лучше. Посмотрите на эти бесполезные и нелепые оборочки — благодаря им вещь выглядит восхитительно. Молодо и задорно... Да, смерть бедного сэра Бартоломью словно была ниспослана мне Богом. Ведь могло показаться, что это я его убила. Я даже одно время делала вид, что это так. Любопытные приходили и таращили на меня глаза. Пронзительное чувство. А потом, знаете ли...

Но ее прервал приход монументальной американки, явно важной клиентки.

Пока американка просматривала свой заказ, который предполагал внушительную сумму, Эгг беспрепятственно ушла, сказав молодой женщине, сменившей миссис Дейкр, что она должна подумать, прежде чем сделать окончательный выбор.

Выйдя на Братон-стрит, Эгг посмотрела на часы — без двадцати час. У нее еще оставалось немного времени, чтобы выполнить свой второй план.

Девушка прошлась до Беркли-сквер, затем медленно вернулась обратно. В час дня она уткнула нос в витрину с произведениями китайского искусства.

Мисс Дорис Симс быстро шла по Братон-стрит, затем повернула в сторону Беркли-сквер. И тут вдруг услышала, как ее окликнули.

— Простите, — сказала Эгг, — не могу ли я на минутку задержать вас?

Девушка с удивлением обернулась.

— Вы ведь одна из манекенщиц «Эмброзайн», не так ли? Я утром обратила на вас внимание. Поверите ли, но, право, я еще никогда не встречала такой прекрасной фигуры.

Дорис Симс слегка смутилась:

— Это очень мило с вашей стороны, мадам.

— А еще вы кажетесь страшно доброй, — сказала Эгг, — вот почему мне хочется попросить вас об одолжении. Вы позволите пригласить вас на ленч в «Беркли» или в «Ритце»?

После минутного колебания Дорис Симс согласилась. Она была любопытна и любила вкусно поесть.

После того как они сели за стол и заказали ленч, Эгг пустилась в объяснения:

— Надеюсь, вы никому не станете рассказывать. Дело в том, что мне по работе приходится описывать разные женские профессии. Хотелось бы услышать от вас все, что касается швейного дела.

У Дорис был слегка разочарованный вид, но она довольно любезно обрисовала без прикрас свою работу — сколько часов она занята, каковы расценки, удобства и неудобства, связанные с ее делом. Эгг заносила подробности в записную книжечку.

— Так мило с вашей стороны, — сказала она, — я очень плохо в этом разбираюсь. Все мне ново. Видите ли, я бедна, и такая незначительная журналистская работа имеет для меня большое значение. — Потом она доверительно сообщила: — Довольно нахально было с моей стороны зайти в «Эмброзайн» и сделать вид, будто я хочу накупить множество ваших моделей. В действительности же я могу до Рождества потратить всего несколько фунтов своих денег. Миссис Дейкр пришла бы, видно, в ярость, узнав об этом.

Дорис захихикала:

— Уж это точно.

— А хорошо ли я справилась с ролью? — спросила Эгг. — Можно ли было решить, что у меня куча денег?

— Вы действовали великолепно, мисс Литтон Гор. Мадам считает, что вы приобретете довольно много вещей.

— Боюсь, она будет разочарована.

Дорис расхохоталась. Она получала удовольствие от ленча, и ей нравилась Эгг. Она подумала: «Хоть эта молодая леди и из высшего общества, но держится так естественно».

Как только был установлен дружеский контакт, Эгг без труда вызвала Дорис на откровенность.

— Никто из нас ее не любит, мисс Литтон Гор. Точно. Она, конечно, умна, у нее редкая деловая хватка.

Вовсе не такая, как у некоторых леди из общества, которые терпят банкротство, потому что их друзья приобретают одежду, но не платят. Миссис Дейкр тверда как сталь. Правда, она довольно справедлива и вкус у нее настоящий. Она знает, что к чему, и хорошо понимает, кому какой стиль подходит.

— Она, наверное, зарабатывает много денег.

По странному выражению глаз Дорис можно было понять, что она что-то знает.

— Мне не подобает болтать или сплетничать.

— Конечно нет, — сказала Эгг. — Продолжайте.

— Но мне кажется, что фирма в долгах. К мадам заходил один джентльмен, и речь, видно, шла о чем-то серьезном. Быть может, миссис Дейкр взяла в долг, чтобы поддержать дело, в надежде, что торговля оживится; похоже, она глубоко завязла. Право, мисс Литтон Гор, порой она выглядит ужасно. Будто впадает в отчаяние. Не знаю, какой бы у нее был вид без косметики. Не думаю, что она спит по ночам.

— А что собой представляет ее муж?

— Какой-то чудак. Никудышный человек, по-моему. Мы его не так уж часто видим. Никто из девчонок не соглашается со мной, но мне кажется, она все еще им очень дорожит. Конечно, приходится слышать много грязных толков.

— А именно? — спросила Эгг.

— Не люблю их повторять. Никогда не была из таковских.

— Конечно нет. Итак, вы говорили...

— Так вот, девочки много судачили о молодом парне, очень богатом и очень изнеженном. Не то чтобы сумасброд, но, одним словом, — ни то ни се. Мадам его обхаживала изо всех сил. Он мог бы поправить положение вещей. Но вдруг этого парня внезапно отправили в морское путешествие.

— Кто отправил — врач?

— Да, доктор с Харлей-стрит. Мне кажется, тот самый врач, который был отравлен в Йоркшире.

— Сэр Бартоломью Стрендж?

— Да, так его звали. Мадам была у него на приеме, и девчонки между собой болтали, так, для смеха, что мадам, наверное, с ним справилась, из мести, знаете ли! Конечно, мы просто болтали.

— Естественно, — сказала Эгг, — я все понимаю. Но, знаете ли, на мой взгляд, миссис Дейкр вполне может оказаться преступницей — такая суровая и безжалостная.

— Еще какая суровая, да и нрав у нее злой. Когда на нее находит, никто из нас не осмеливается и близко подойти к ней. Говорят, муж ее боится. И неудивительно.

— Упоминала ли она когда-нибудь имя Баббингтона или местечко Джиллинг?

— Право, не помню такого. — Дорис посмотрела на часы и воскликнула: — О Боже, надо спешить! Я опаздываю.

— До свидания и спасибо за то, что пошли со мной.

— Мне было так приятно, право же. До свидания, мисс Литтон Гор, надеюсь, ваша статья будет пользоваться большим успехом. Постараюсь ее прочитать.

«Напрасны будут твои старания, девуля», — подумала Эгг и попросила принести ей счет.

Потом, перечеркнув заметку для предполагаемой статьи, она написала в своем блокнотике:

«Синтия Дейкр. Похоже, испытывает финансовые затруднения. Ей приписывается «злой нрав». Богатого молодого человека, с которым, как считают, у нее был роман, отправили в морское путешествие по предписанию сэра Бартоломью Стренджа. Никак не реагировала на упоминание о Джиллинге и предположение о том, что Баббингтон был с ней знаком».

«Не так уж много, — подумала Эгг. — Возможно, и есть мотив для убийства сэра Бартоломью, но весьма слабый. Мсье Пуаро, быть может, и в состоянии сделать какой-нибудь вывод. Лично я не могу».

Глава 19

Но Эгг еще не выполнила свою программу. Она направилась к дому, где жили Дейкры. В этом новом здании квартиры стоили чрезвычайно дорого. Швейцары были одеты в такую великолепную форму, что казались иностранными генералами.

Эгг не вошла в здание. Она прогуливалась взад и вперед по противоположной стороне улицы. Спустя примерно час она посчитала, что покрыла расстояние в несколько миль. Было половина шестого.

Наконец к дому подъехало такси, из него вышел капитан Дейкр. Эгг подождала три минуты, потом пересекла мостовую и вошла в дом. Она нажала звонок квартиры номер 3. Дверь открыл сам Дейкр. Он еще не успел снять пальто.

— Как поживаете? — сказала Эгг. — Надеюсь, вы меня помните? Мы встречались в Корнуолле, а затем в Йоркшире.

— Конечно, конечно. И в обоих случаях были свидетелями смертей. Войдите, мисс Литтон Гор.

— Я хотела бы видеть вашу жену. Она дома?

— Она на Братон-стрит, в своем ателье.

— Знаю. Я была там сегодня. Я думала, что миссис Дейкр уже вернулась, и надеялась, что она не будет против моего визита. Боюсь только показаться чересчур навязчивой.

Эгг умолкла в ожидании ответа.

Фредди Дейкр подумал: «Привлекательная девчонка. Просто чертовски хороша». А вслух сказал:

— Синтия вернется только после шести. Я приехал прямо из Ньюбери. День был паршивый, и я уехал рано. Давайте поедем в клуб и выпьем по коктейлю.

Эгг согласилась, хотя не сомневалась, что Дейкр уже принял всю посильную для него дозу алкоголя.

Сидя в полумраке в подвальном помещении клуба и потягивая мартини, Эгг сказала:

— Как приятно. Я еще никогда не бывала здесь.

Фредди Дейкр снисходительно усмехнулся. Ему нравились молодые и хорошенькие девушки.

— Ну и неприятное же было времечко, — сказал он, — я имею в виду там, в Йоркшире. Хотя и довольно забавно, что отравили врача. Вы должны меня понять — ведь чаще бывает наоборот. Именно врач отравляет других людей.

Он громко расхохотался, довольный своей шуткой, заказал еще один розовый джин.

— Вы довольно умно это подметили, — согласилась Эгг.

— Я только пошутил, конечно, — ответил Фредди Дейкр.

— А ведь правда же странно, что там, где мы с вами встречаемся, происходит смертельный случай? — спросила Эгг.

— Чертовски неприятно, — кивнул Дейкр. — Отвратительное чувство, когда при тебе умирают люди.

— Вы ведь раньше были знакомы с мистером Баббингтоном, не так ли? Еще в Джиллинге.

— Не знаю такого места. Нет, я раньше и в глаза не видел старикашку. Смешно просто, что он отправился на тот свет точно так же, как старина Стрендж. Довольно странно. Может, и его тоже прикончили?

— А вы как думаете?

Дейкр покачал головой.

— Не может того быть, — сказал он решительно. — Священников не убивают. С врачами дело другое.

— Да, — сказала Эгг, — наверное, с врачами дело другое.

— Конечно. Тут все ясно. Врачи чертовски вмешиваются не в свои дела. — Он слегка наклонился вперед. — Ну просто не дают покоя. Понимаете?

— Нет, — ответила Эгг.

— Они распоряжаются чужими жизнями. Им дана слишком большая власть. Такого нельзя допускать.

— Я не совсем вас понимаю.

— Запирают парня, вот что я имею в виду, создают ему адские условия. Прячут от него снадобье, как бы он ни просил, ни умолял. Им наплевать, какую тот испытывает муку. Я знаю, что говорю.

Лицо его болезненно искривилось.

— Настоящий ад, говорю вам — ад! А они это называют лечением! Утверждают, что поступают как должно. Свиньи!

— Разве сэр Бартоломью Стрендж... — Эгг осторожно подбирала слова.

Но Дейкр перехватил их.

— Сэр Бартоломью Стрендж! Сэр Бартоломью обманщик. Хотел бы я узнать, что там делается, в его драгоценном санатории! Нервные болезни. Они так говорят. Вы попадаете туда и уже не можете вырваться. А они утверждают, что вы пришли по доброй воле. Добрая воля! Только потому, что они вас хватают тогда, когда вам чудятся всякие ужасы.

Он весь дрожал. Потом сник с открытым ртом.

— Я совсем разбит, — сказал он, извиняясь. — Совсем расклеился. — Он подозвал официанта, стал настаивать, чтобы Эгг еще выпила, и, когда она отказалась, заказал себе еще порцию. — Теперь лучше, — сказал он, осушив бокал. — Снова овладел собой. Паршиво, когда сдают нервы. Не следует злить Синтию. Она запретила мне говорить. — Он кивнул головой раз, другой. — Нельзя все это рассказывать полиции. Там могут подумать, что я прикончил старину Стренджа. А? Вы же понимаете, не так ли, что кто-то сделал это? Кто-то из нас его убил. Страшная мысль. Кто же из нас — вот в чем вопрос.

— Может, вы знаете — кто? — спросила Эгг.

— Зачем вы говорите такое? Почему я должен знать? — Он посмотрел на нее зло и подозрительно. — Я ничего не знаю, говорю вам. Я вовсе не собирался пойти к нему на лечение. Что бы там ни говорила Синтия, не собирался. Он что-то задумал, они оба что-то задумали. Но они не смогли меня одурачить. — Он выпрямился. — Я сильный мужчина, мисс Литтон Гор.

— Я уверена в этом, — сказала Эгг. — Скажите; известно ли вам что-нибудь о миссис де Рашбриджер, которая сейчас находится в санатории?

— Рашбриджер? Стрендж что-то говорил о ней. Что же? Не могу вспомнить. Ничего не могу вспомнить. — Он вздохнул, покачал головой. — Память исчезает, вот что. И у меня враги — много врагов. Они сейчас, возможно, шпионят за мной.

Он с тревогой осмотрелся. Потом через стол наклонился к Эгг:

— Что делала в тот день в моей комнате эта женщина?

— Какая женщина?

— Та, что с лицом кролика, что пишет пьесы. Наутро после... после того, как он умер. Я как раз вернулся с завтрака. Она вышла из моей комнаты и, дойдя до конца коридора, повернула в жилые помещения слуг. Странно, а? Зачем она ходила в мою комнату? И вообще, почему она все высматривала? Что ей надо? — Он доверительно склонился к Эгг. — Как вы думаете, правда то, что говорит Синтия?

— А что говорит миссис Дейкр?

— Говорит, что мне это показалось. — Он неуверенно рассмеялся. — Мне часто всякое мерещится. Розовые мыши, змеи — все в таком роде. Но видеть женщину — дело другое. Я ее действительно видел. Она не простая штучка — эта женщина. Глаза у нее отвратительные. Просверливают насквозь.

Дейкр откинулся на мягкую спинку кресла, казалось, он вот-вот заснет.

Эгг поднялась:

— Мне нужно уходить. Большое спасибо, капитан Дейкр.

— Не благодарите. Я был рад. Очень рад. — Голос его стал угасать.

«Мне лучше уйти, пока он совсем не потерял сознание», — подумала Эгг.

Она вышла из прокуренного клуба и вдохнула прохладу вечернего воздуха.

Беатриса, уборщица, сказала, что мисс Уиллс подглядывала и повсюду рыскала. Теперь о ней рассказал Фредди Дейкр. Что же искала мисс Уиллс?

Что она нашла? Может ли быть, что она что-то знала?

А что кроется в этой довольно запутанной истории относительно сэра Бартоломью Стренджа? Действительно ли Фредди Дейкр втайне боялся и ненавидел его?

«Странно будет, — подумала Эгг, — если все же окажется, что он не был убит».

Но тут у нее захватило дух, когда она увидела в нескольких футах от себя на газетном стенде крупный заголовок: «Эксгумация в Корнише. Результат».

Она быстро протянула пенни и схватила газету. В ту же минуту она столкнулась с другой женщиной, делавшей то же самое, — Эгг узнала в ней секретаря сэра Чарльза, деятельную мисс Милрей.

Стоя рядом, они стали читать нужную заметку. Да, вот она.

«Результат эксгумации в Корнише. — Слова прыгали перед глазами Эгг. — Анализ органов... Никотин...»

— Значит, он был убит, — заключила Эгг.

— Боже мой, — воскликнула мисс Милрей, — это ужасно, ужасно!

Ее непреклонное лицо исказило волнение. Эгг посмотрела на нее с удивлением. Ей всегда казалось, что в мисс Милрей нет ничего человеческого.

— Я очень расстроена, — объяснила мисс Милрей. — Видите ли, я знала его всю жизнь.

— Мистера Баббингтона?

— Да. Моя мать живет в Джиллинге, где он служил викарием. Естественно, я очень расстроилась.

— О, конечно.

— И теперь я не знаю, что мне делать, — сказала секретарь сэра Чарльза. — Она слегка покраснела под удивленным взглядом Эгг. — Я хотела бы написать миссис Баббингтон, — быстро сказала она. — Только это, кажется, довольно... Право же, не знаю, что мне делать.

Но это объяснение не совсем удовлетворило Эгг.

Глава 20

— Вы пришли как друг или как сыщик? Я должна это знать.

Мисс Сатклиф смотрела на него с насмешкой. Она сидела на стуле с прямой спинкой, ее седые волосы были красиво уложены, ноги скрещены, и мистер Саттерсуэйт с восхищением смотрел на эти ноги совершенной формы.

— Разве ваш вопрос справедлив, мой дорогой. Хочу знать, вы здесь ради моих прекрасных глаз, как очаровательно выражаются французы, или же вы, противный человек, явились только для того, чтобы выспросить кое-что об убийстве?

— Можно ли сомневаться, что первое предположение правильно? — спросил мистер Саттерсуэйт с легким поклоном.

— Можно, и я это делаю, — решительно ответила актриса. — Вы принадлежите к тем людям, которые выглядят мягкими, деликатными, а на самом деле обладают железной волей.

— Нет, нет.

— Да, да. Я только не могу решить — считать оскорблением или комплиментом тот факт, что в тебе подозревают убийцу. В общем-то, думаю, это комплимент.

На лице ее появилась обворожительная улыбка.

«Восхитительное создание», — подумал мистер Саттерсуэйт. А вслух сказал:

— Признаюсь, милая леди, что смерть сэра Бартоломью Стренджа меня очень заинтересовала. Вы, наверное, знаете, что я и раньше пытался по-любительски расследовать такие случаи.

Он умолк, возможно, в надежде, что мисс Сатклиф продемонстрирует осведомленность о его деятельности. Однако она спросила:

— Скажите, есть ли смысл в том, что говорила та девушка?

— Какая девушка и что она говорила?

— Та, что так увлечена Чарльзом... Девица Литтон Гор... Что за негодяй, этот Чарльз, он своего добьется! Она считает, что этот милый старик в Корнуолле был тоже убит.

— А что думаете вы?

— Все повторилось точно. Она умная девушка... Скажите, у Чарльза это серьезно?

— Полагаю, что ваше мнение на этот счет более ценно, нежели мое, — сказал мистер Саттерсуэйт.

— Ну до чего же вы скрытны! — воскликнула мисс Сатклиф. — А я, — она вздохнула, — страшно неблагоразумна... И довольно хорошо знаю Чарльза. Вообще хорошо знаю мужчин. По всем признакам, он хочет устроить свою жизнь. Что-то в нем появилось этакое добродетельное. Как скучны мужчины, когда они решают остепениться! Они теряют все свое очарование.

— Меня всегда удивляло, почему сэр Чарльз не женится, — заметил мистер Саттерсуэйт.

— Мой дорогой, он не из тех, кто женится. Чарльз был очень привлекательным мужчиной. — Она вздохнула. Слабый огонек вспыхнул в ее глазах, когда она посмотрела на мистера Саттерсуэйта. — Мы когда-то были с ним... зачем отрицать то, что всем известно? И мы по-прежнему лучшие друзья. Наверное, по этой причине дитя Литтон Гор смотрит на меня с такой яростью. Она подозревает, что я все еще питаю нежные чувства к Чарльзу. Так ли это? Возможно, и так. Но в любом случае я еще не стала писать мемуаров, расписывая в деталях свои любовные связи, как поступает большинство моих друзей. Девочке они бы не понравились. Литтон Гор была бы шокирована. Современных девушек так легко шокировать. А вот мать ее вовсе не была бы шокирована. Это немыслимо для милых женщин средневикторианской эпохи. Они говорят мало, но думают...

Мистер Саттерсуэйт подтвердил:

— Вы правы, считая, что Эгг Литтон Гор вам не доверяет.

Мисс Сатклиф нахмурилась.

— Я тоже не уверена, что не ревную ее слегка... Мы, женщины, такие кошки! — Она засмеялась. — Почему Чарльз сам не пришел, чтобы допросить меня по этому делу? Наверное, из деликатности. Видно, он считает меня виновной... А я виновна? Как вы думаете? — Она встала и протянула руку вперед. — «Все ароматы Аравии не омоют этой маленькой руки...» Нет, я не леди Макбет. Мое амплуа — комедия.

— Похоже, что и мотива у вас нет, — сказал мистер Саттерсуэйт.

— Верно. Мне нравился Бартоломью Стрендж. Мы с ним дружили. У меня не было основания желать его конца. И оттого, что мы были друзьями... Скажите, могу ли я хоть чем-то помочь?

— Полагаю, мисс Сатклиф, вы не видели и не слышали ничего такого, что могло бы иметь отношение к преступлению.

— Ничего, кроме того, что я уже сообщила полиции. Все гости едва успели собраться. Он умер в первые же минуты.

— А дворецкий?

— Я его и не приметила.

— Не показалось ли вам поведение кого-нибудь из гостей странным?

— Нет. Правда, этот юноша — как его имя? — Мендерс, появился довольно неожиданно.

— Удивился ли его прибытию сэр Бартоломью?

— Да, пожалуй. Он сказал мне, как раз перед обедом, что случай странный. «Новый метод разбивать ворота» — так выразился доктор. «Только разбита была стена, а не ворота», — добавил он.

— Сэр Бартоломью был в хорошем настроении?

— Очень хорошем.

— А что это за потайной ход, о котором вы сообщили полиции?

— Мне кажется, войти в него можно из библиотеки. Сэр Бартоломью обещал мне показать его, но бедняги уже нет.

— Как возник разговор на эту тему?

— Мы обсуждали его недавнюю покупку — старинный письменный стол из орехового дерева. Я спросила, нет ли в нем потайного ящика, и сказала, что обожаю потайные ящики — они моя страсть. А он ответил, что о потайном ящике он ничего не знает, но зато в доме есть потайной ход.

— Сэр Бартоломью упоминал о своей пациентке — миссис де Рашбриджер?

— Нет.

— Знакомо ли вам такое место — Джиллинг?

— Джиллинг? Нет, не припомню. А в чем дело?

— Вы ведь знали раньше мистера Баббингтона, не так ли?

— Кто он такой — мистер Баббингтон?

— Человек, который умер или был убит в «Вороньем гнезде».

— А... священник. Я забыла его имя. Нет, я никогда с ним не встречалась раньше. Кто вам сказал, что я его знала?

— Тот, кто это знал, — смело ответил Саттерсуэйт. Мисс Сатклиф это позабавило.

— Милый старикашка, неужели кто-то подумал, что у меня была с ним любовная связь? Я должна снять с памяти о бедняге такое подозрение. Я его не видела ни разу в жизни.

Мистеру Саттерсуэйту пришлось удовлетвориться таким ответом.

Глава 21

Дом номер пять на Аппер-Каскарт-роуд в Тутинге казался неподходящим жильем для автора сатирических пьес. В комнате, куда провели сэра Чарльза, обои на стенах имели довольно тусклый цвет овсянки, занавеси были из розового бархата; комнату украшало множество фотографий и фарфоровых собачек; повсюду стояли разные столики и бронзовые фигурки.

Мисс Уиллс вошла так бесшумно, что сэр Чарльз, рассматривавший до нелепости длинную куклу Пьеро, лежащую на софе, ее не услышал. Когда она сказала своим тонким голосом: «Как поживаете, сэр Чарльз? Весьма рада вас видеть», — он вздрогнул и резко повернулся.

Мягкое парусиновое платье нелепо висело на ее угловатой фигуре, чулки слегка морщились, лакированные домашние туфли имели очень высокие каблуки.

Сэр Чарльз пожал ей руку, взял предложенную сигарету и сел на софу рядом с куклой Пьеро. Мисс Уиллс устроилась напротив. Свет из окна падал на ее пенсне, и стекла слегка поблескивали.

— Подумать только, что вы меня нашли, — сказала мисс Уиллс. — Моя мать будет так взволнована. Она просто обожает театр, особенно романтические спектакли. Она часто вспоминает пьесу, в которой вы играли принца.

— Как чудесно, — сказал сэр Чарльз. — Вы не представляете, как приятно, когда тебя помнят. Память публики коротка. — Он вздохнул.

— Мама будет потрясена встречей с вами, — продолжала мисс Уиллс. — Вчера приходила мисс Сатклиф. Так что вы будете вторым сюрпризом.

— Энджела здесь?

— Да. Видите ли, она будет играть в моей новой пьесе «Собачка смеялась».

— Да, я читал об этом. Довольно интригующее название.

— Рада, что вы так считаете. Оно нравится и мисс Сатклиф. Вся пьеса построена наподобие детских стишков, много болтовни и чуши, всяких надувательств и мелких скандалов. Все это, конечно, вокруг роли мисс Сатклиф — все танцуют под ее дудку, таков замысел.

— Неплохо, — сказал сэр Чарльз. — Мир сегодня тоже похож на бестолковые детские стишки. А собачка смеялась над всем этим, да? — И внезапно подумал: «Эта женщина и есть та самая собачка. Она наблюдает и смеется».

Сэр Чарльз посмотрел на мисс Уиллс и встретил умный взгляд светло-голубых глаз.

«У этой женщины, — решил сэр Чарльз, — злой юмор». А вслух сказал:

— Интересно, догадаетесь ли вы, что меня сюда привело?

— Ну, я не думаю, — лукаво ответила мисс Уиллс, — что желание видеть меня, бедняжку.

Сэр Чарльз отметил про себя разницу между высказанным и написанным словом. На бумаге мисс Уиллс была остроумной и циничной, а в беседах — лукавой.

— По сути, эту мысль подал мистер Саттерсуэйт, — сказал сэр Чарльз. — Он вообразил, что является знатоком нравов.

— Он очень хорошо разбирается в людях, — ответила мисс Уиллс. — Я бы сказала, что это его хобби.

— И он убежден, что если что-нибудь и стоило внимания в ту ночь в аббатстве Мелфорт, то вы, несомненно, заметили это.

— Должна признать, я была очень заинтересована, — протянула мисс Уиллс. — Видите ли, я никогда ранее не видела так близко убийство. Писатель все должен брать на заметку, не правда ли?

— Это известная аксиома.

— Вот почему я старалась как можно больше замечать.

Таким оказалось толкование мисс Уиллс того, что Беатриса охарактеризовала — «подсматривала и рыскала повсюду».

— И что же вы заметили?

— Ничего особенного. Иначе я бы все сообщила полиции, — добавила она добродетельным тоном.

— Но какие-то мелочи все-таки привлекли вас?

— Я всегда подмечаю мелочи. Ничего не могу с собой поделать. Такая у меня смешная особенность. — Она усмехнулась.

— Так что же вы подметили?

— О, ничего такого, о чем стоило бы говорить. Просто мелкие проявления человеческих характеров.

Люди мне кажутся такими интересными. Такими типичными...

— Типичными для кого?

— Для самих себя. Ох, не могу объяснить. Я всегда так глупа в высказываниях. — Она снова усмехнулась.

— Значит, вы ничего конкретного не обнаружили, мисс Уиллс?

— Нет, не совсем так. Я кое-что, конечно, должна была сообщить полиции, но как-то забыла об этом.

— О чем именно?

— О дворецком. На левой кисти у него было что-то вроде земляничного родимого пятна. Я заметила, когда он подавал мне овощи. Полагаю, что такие наблюдения могут оказаться полезными.

— Я бы сказал, весьма полезными. Полиция изо всех сил стремится выследить этого Эллиса. Право, мисс Уиллс, вы замечательная женщина. Никто из слуг или гостей не упоминал ни о каком родимом пятне.

— Большинство людей не так уж хорошо пользуется своими глазами, — сказала мисс Уиллс.

— В каком точно месте было пятно? Какого оно размера?

— Если вы мне покажете свою кисть... — Сэр Чарльз протянул руку. — Благодарю вас. Вот здесь оно было. — Мисс Уиллс показала пальцем. — Размером примерно с шестипенсовик, а форма похожа на Австралию.

— Спасибо, все ясно, — сказал сэр Чарльз, опустив руки.

— Вы считаете, что я должна написать об этом в полицию?

— Бесспорно. Может, так они скорее нападут на след. Черт возьми, — продолжал сэр Чарльз с досадой, — в детективах негодяи всегда имеют опознавательные знаки. Как плохо, что в жизни такое не наблюдается.

— В детективах обычно существуют шрамы, — задумчиво сказала мисс Уиллс.

— И родинки тоже, — добавил сэр Чарльз. Он, как мальчишка, радовался. — Плохо то, что о большинстве людей нельзя сказать ничего определенного. Просто не за что зацепиться.

Мисс Уиллс посмотрела на него с недоумением.

— К примеру, старый Баббингтон, — продолжал сэр Чарльз. — Он был на редкость обыкновенной личностью. Его очень трудно описать.

— У него весьма примечательные руки, — сказала мисс Уиллс. — Я называю такие руки руками ученого. Немного искривленные артритом, но с утонченными пальцами и красивыми ногтями.

— Вы, вероятно, знали его раньше и успели изучить? Помнится, он говорил об этом.

Мисс Уиллс решительно покачала головой.

— Речь шла не обо мне. Вы с кем-то меня путаете, или же спутал он. Я его никогда раньше не встречала.

— Возможно, я ошибся. Я думал... в Джиллинге...

Он внимательно смотрел на нее, но лицо мисс Уиллс оставалось совершенно спокойным.

— Нет, — сказала она.

— Вам никогда не приходило в голову, мисс Уиллс, что его тоже убили?

— Я знаю, что вы и мисс Литтон Гор так думаете, или, вернее, так думаете вы.

— А что думаете вы?

— Что-то не похоже, чтобы его убили.

Несколько озадаченный явным отсутствием интереса у мисс Уиллс к этому вопросу, сэр Чарльз пошел по другому пути.

— Говорил ли когда-нибудь сэр Бартоломью о некой миссис де Рашбриджер?

— Нет, не помню.

— Она пациентка его санатория. Страдает от нервного расстройства и потери памяти.

— Бартоломью упоминал случаи потери памяти, — согласилась мисс Уиллс. — По словам доктора, человека можно загипнотизировать и таким путем восстановить его память.

— Он так говорил? Может ли это иметь отношение к происшедшему?

Мисс Уиллс молчала, и сэр Чарльз нахмурился.

— Вам больше нечего мне сказать? Что-нибудь еще о гостях?

Ему показалось, что мисс Уиллс ответила не сразу, а после небольшой паузы:

— Нет.

— О миссис Дейкр? Или капитане Дейкре? Или мисс Сатклиф? Может, о мистере Мендерсе?

Произнося каждое из имен, он внимательно следил за ней. В какое-то мгновение ему показалось, что пенсне дрогнуло, но он не был уверен, что это так.

— Боюсь, мне нечего вам сказать, сэр Чарльз.

— Ну что ж. — Он встал. — Саттерсуэйт будет разочарован.

— Мне очень жаль, — натянуто ответила мисс Уиллс.

— Мне тоже жаль, что я вас побеспокоил. Наверное, вы были заняты работой.

— Да, я писала.

— Новую пьесу?

— Да. По правде говоря, я задумала вывести некоторые характеры из числа гостей, побывавших в аббатстве Мелфорт.

— А как насчет опорочивания?

— Тут все в порядке, сэр Чарльз. Я убедилась, что люди никогда не узнают себя. — Она усмехнулась.

— Значит, вы считаете, что у нас преувеличенное представление о собственной персоне и мы не узнаем себя, если только наши портреты не написаны достаточно грубо? — сказал сэр Чарльз. — Мисс Уиллс, вы жестокая женщина.

Мисс Уиллс рассмеялась:

— Вам не следует бояться, сэр Чарльз, женщины обычно не жестоки с мужчинами, если только речь не идет о каком-то особенном мужчине. Они жестоки по отношению к другим женщинам.

— Значит, вы вонзаете свой аналитический нож в какую-нибудь несчастную женщину. Какую же? Хотя могу угадать. Синтию не любят представительницы ее пола.

Мисс Уиллс ничего не ответила. Она продолжала иронически улыбаться.

— Вы пишете свои сочинения или диктуете?

— Пишу и посылаю в перепечатку.

— Вам бы следовало иметь секретаря.

— Возможно. У вас все еще работает эта ловкая мисс... мисс Милрей, не так ли?

— Да, она все еще со мной. Она уезжала на время в деревню, чтобы присмотреть за матерью, но уже вернулась. Весьма деятельная женщина.

— Несомненно. Пожалуй, слегка импульсивна.

— Импульсивна? Мисс Милрей? — Сэр Чарльз покачал головой. — Мисс Милрей — настоящий робот. До свидания, мисс Уиллс. Простите за беспокойство и не забудьте сообщить полиции об этом... как бишь его...

— Родимом пятне на правой кисти дворецкого? Нет, не забуду.

— Ну что ж, до свидания... Постойте. Почему на правой кисти? Вы говорили раньше о левой руке.

— Разве? Как глупо с моей стороны.

— Так на какой же?

Мисс Уиллс нахмурилась и полузакрыла глаза.

— Дайте-ка подумать. Я сидела так... а он... Не затруднит ли вас, сэр Чарльз, подать мне тот медный поднос так, как если бы он был с овощами? С левой стороны.

Сэр Чарльз подал ужасающий на вид старый медный поднос, как ему велели.

— Капусту, мадам?

— Благодарю вас, — сказала мисс Уиллс. — Теперь я совершенно уверена — то была левая кисть, как я и сказала вначале. Как глупо с моей стороны.

— Нет, нет, — ответил сэр Чарльз. — Всегда легко спутать правую с левой.

И он в третий раз попрощался.

Закрывая дверь, он оглянулся. Мисс Уиллс стояла там, где он ее оставил. Она глядела на огонь, и губы ее расплылись в удовлетворенной лукавой усмешке.

Сэр Чарльз был озадачен. «Эта женщина что-то знает, — подумал он. — Готов поклясться, что знает. Но не говорит... Так что же, черт побери, ей известно?»

Глава 22

В конторе «Спейс и Росс» мистер Саттерсуэйт спросил о мистере Оливере Мендерсе и вручил свою карточку. Его провели в небольшую комнату, где за письменным столом сидел Оливер.

Молодой человек встал и подал руку:

— Очень мило, сэр, что вы решили заглянуть ко мне.

А в тоне слышалось: «Я вынужден так сказать, но на самом деле что за скука».

Однако от мистера Саттерсуэйта не так легко было отделаться. Он сел, задумчиво высморкался и, глядя поверх носового платка, спросил:

— Читали утренние новости?

— О новой финансовой ситуации? Ну что ж, доллар...

— Не о долларах. О смерти, о результате эксгумации в Лумаузе. Баббингтон был отравлен. Никотин.

— Ах это! Да, я видел. Наша неугомонная Эгг довольна. Она все время утверждала, что он убит.

— А вас это не интересует?

— Мои наклонности не столь грубы. Как бы то ни было, убийство, — он пожал плечами, — так жестоко и неартистично.

— Не всегда неартистично, — заметил мистер Саттерсуэйт.

— Что ж, возможно.

— Все зависит от того, кто совершил убийство, не так ли? Вы, к примеру, совершили бы убийство в весьма артистичной манере.

— Мило, что вы так считаете, — протянул нехотя Оливер.

— Откровенно говоря, дорогой мальчик, я не очень-то поверил в подстроенную вами аварию. Думаю, что и полиция тоже.

Наступило молчание. Потом на пол свалилась ручка. Оливер сказал:

— Простите, я не совсем вас понимаю.

— Речь идет о довольно неартистичном спектакле, который вы устроили в аббатстве Мелфорт. Хотелось бы знать, зачем он вам понадобился.

Снова последовало молчание. Затем Оливер спросил:

— Вы говорите — полиция подозревает?

Мистер Саттерсуэйт кивнул.

— Итак, ваше появление в аббатстве кажется несколько подозрительным. Не правда ли? — спросил он мягко. — Но может, у вас есть убедительное объяснение?

— У меня есть объяснение, — ответил Оливер. — Только не знаю, убедительно оно или нет.

— Позвольте мне судить.

Оливер помолчал, точно собираясь с мыслями.

— Я появился именно так, как мне предложил это сделать сэр Бартоломью.

— Что? — воскликнул удивленно мистер Саттерсуэйт.

— Несколько странно, не так ли? Но это правда. Я получил от него письмо с предложением подстроить аварию, а затем попросить гостеприимства. Еще в письме было сказано, что доктор объяснит свои соображения при встрече.

— И он объяснил?

— Нет. Я прибыл как раз перед обедом. Сэр Бартоломью был не один. А в конце обеда он... умер.

На лице Оливера не осталось и признаков томности. Его темные глаза устремились на мистера Саттерсуэйта. Он внимательно наблюдал, какую реакцию вызывают его слова.

— Вы сохранили это письмо?

— Нет, я его порвал.

— Жаль, — сухо сказал мистер Саттерсуэйт. — И вы ничего не сказали полиции?

— Нет. Потому что все выглядело... ну, скажем, фантастически.

— Поистине фантастично.

Мистер Саттерсуэйт покачал головой. Неужели сэр Бартоломью написал такое письмо? Совсем на него непохоже. В этой истории было что-то от мелодрамы, что совсем не соответствовало здравому смыслу врача.

Саттерсуэйт взглянул на Оливера. Тот продолжал внимательно наблюдать за ним.

— Сэр Бартоломью никак не объяснял столь странное приглашение?

— Никак.

— Весьма необычная история.

Оливер молчал.

— И вы все же выполнили эту просьбу?

Выражение лица Оливера вновь приобрело томность.

— Да, ведь нечто необыкновенное всегда привлекает уставшую от житейской скуки душу. У меня это вызвало любопытство, не скрою.

— А что еще было? — спросил мистер Саттерсуэйт.

— Как понимать это «что еще», сэр?

Мистер Саттерсуэйт не мог бы четко объяснить, что именно он подразумевал. Но ему казалось, что он близок к разгадке.

— Не произошло ли еще чего-то такого, что говорит против вас?

Пауза, затем молодой человек пожал плечами:

— Пожалуй, я могу сказать... так как едва ли эта женщина станет держать язык за зубами.

Вопрос был в глазах мистера Саттерсуэйта.

— Наутро после убийства во время беседы с Энтони Астор я вынул бумажник. Из него что-то выпало. Энтони подняла листок и протянула мне.

— Что это было?

— К несчастью, она взглянула на него прежде, чем мне отдать. То была вырезка из газеты по поводу никотина — ну, какой это смертельный яд и тому подобное.

— Почему у вас появился интерес к этому вопросу?

— Меня никогда это не интересовало. Возможно, я и положил когда-нибудь вырезку в свой бумажник, но не могу припомнить, чтобы я такое делал. Выглядит нелепо, а?

Мистер Саттерсуэйт подумал: «Малоубедительно».

— Полагаю, — продолжал Оливер Мендерс, — она уже сообщила это полиции.

Мистер Саттерсуэйт покачал головой.

— Едва ли. Астор принадлежит к тем женщинам, которые предпочитают... держать все при себе. Она коллекционирует сведения. Оливер Мендерс внезапно наклонился вперед. — Я невиновен, сэр, абсолютно невиновен.

— Я ведь не говорил, что вы виновны, — мягко ответил мистер Саттерсуэйт.

— Но кто-то сделал это. И пустил полицию по моему следу.

Мистер Саттерсуэйт покачал головой:

— Нет, нет.

— Тогда зачем же вы сюда пришли?

— Отчасти в результате моих... расследований на месте, — слегка напыщенно ответил мистер Саттерсуэйт, — а отчасти по предложению друга.

— Какого друга?

— Эркюля Пуаро.

— Того человека! — воскликнул Оливер. — Разве он вернулся в Англию?

— Да.

— Зачем он вернулся?

Мистер Саттерсуэйт встал.

— А зачем собака выходит на охоту?

И, довольный своей отповедью, покинул комнату.

Глава 23

Утопая в удобном кресле в своих несколько кричаще отделанных апартаментах в отеле «Ритц», Эркюль Пуаро слушал.

Эгг устроилась на ручке кресла, сэр Чарльз стоял у камина, мистер Саттерсуэйт сел несколько поодаль и наблюдал за всей группой.

— Неудача по всем линиям, — сказала Эгг.

Пуаро слегка покачал головой:

— Нет, нет, вы преувеличиваете. Вы собрали информацию, дающую пищу размышлениям.

— Мисс Уиллс что-то знает, — сказал сэр Чарльз, — готов поклясться, что знает.

— И у капитана Дейкра тоже совесть нечиста. Миссис Дейкр отчаянно нуждается в деньгах, а сэр Бартоломью, судя по всему, помешал ей завладеть какой-то суммой.

— А что вы думаете об истории с молодым Мендерсом? — спросил мистер Саттерсуэйт.

— Она мне кажется нелепой и совсем нехарактерной для покойного сэра Бартоломью Стренджа, — заявил бельгиец.

— Вы считаете это ложью? — резко спросил сэр Чарльз.

— Ложь бывает разных видов, — ответил Эркюль Пуаро. — Он помолчал минуты две, затем уточнил: — Так, значит, мисс Уиллс написала пьесу для мисс Сатклиф?

— Да, первое представление состоится в следующую среду.

— Вот что! — Он снова замолчал.

Эгг спросила:

— Скажите, что же нам теперь делать?

Он улыбнулся ей:

— Остается только одно — думать.

— Думать?! — вскричала Эгг. Голос ее звучал возмущенно.

— Вот именно — думать, — с сияющей улыбкой отвечал Пуаро. — Мыслью можно разрешить все проблемы.

— Разве нам нечего делать?

— Вам нужны только действия, мадемуазель, а? Бесспорно, кое-что можно сделать еще. К примеру, в этом

Джиллинге, где много лет прожил мистер Баббингтон, можно навести справки. Вы говорили, что там живет мать мисс Милрей и что она калека. О! Калеки все видят, все слышат и ничего не забывают. Расспросите ее. Это может что-нибудь дать.

— Так, значит, вы ничего не собираетесь делать? — продолжала упорствовать Эгг.

Пуаро подмигнул:

— Вы настаиваете, чтобы я тоже был активным? Ну что ж, будет так, как вы хотите. Только я отсюда никуда не двинусь. Мне тут очень удобно. Я поступлю иначе — заставлю прийти ко мне. Приглашу гостей на шерри. Светский обычай, не так ли?

— Приглашение на шерри!

— Вот именно. А гостями будут миссис Дейкр, капитан Дейкр, мисс Сатклиф, мисс Уиллс, мистер Мендерс и ваша очаровательная мать, мадемуазель.

— А я?

— Естественно, и вы. Все присутствующие включаются автоматически.

— Ура! — воскликнула Эгг. — Вы меня не проведете, мсье Пуаро. Что-то произойдет на этом приеме. Не правда ли?

— Посмотрим, — сказал Пуаро. — Но не ждите слишком многого. Теперь оставьте меня с сэром Чарльзом, мне нужен его совет по ряду вопросов.

Когда Эгг и мистер Саттерсуэйт ожидали лифта, она возбужденно сказала:

— Это восхитительно, совсем как в детективных историях. Все соберутся у него, а потом он скажет, кто это сделал.

— Есть над чем призадуматься, — ответил мистер Саттерсуэйт.

...Прием состоялся в понедельник вечером. Приглашение приняли все.

Очаровательная и откровенная мисс Сатклиф лукаво рассмеялась, оглядевшись вокруг.

— Настоящий паучий салон, мсье Пуаро. И все мы, бедные мушки, попались. Уверена, что мы тут услышим самое удивительное резюме, а потом вы внезапно покажете на меня и воскликнете: «Ты это сотворила, женщина!» И каждый скажет: «Она это сделала», а я расплачусь и признаюсь, потому что очень поддаюсь внушению. О мсье Пуаро, как я вас боюсь!

— Какая чепуха! — вскричал Пуаро, занятый разливанием шерри по стаканам. Один из них протянул мисс Сатклиф с поклоном. — Здесь собралась небольшая группа друзей. Давайте не говорить об убийствах, кровопролитии и яде. Все это портит вкус.

Пуаро протянул бокал и мрачной мисс Милрей, сопровождавшей сэра Чарльза, ее лицо выражало саму неприступность.

— Ну вот, — сказал бельгиец, покончив с раздачей напитка. — Давайте забудем мрачные обстоятельства нашей первой встречи. Пусть царит атмосфера вечеринки. Ешьте, пейте, веселитесь, потому что завтра мы умрем. Ах, несчастье, я снова упомянул о смерти. Мадам, — он поклонился миссис Дейкр, — позвольте мне пожелать вам счастья и поздравить с тем, что ваше платье поистине очаровательно.

— За вас, Эгг, — сказал сэр Чарльз.

— За здоровье всех, — добавил Фредди Дейкр.

Каждый что-то пробормотал, каждый стремился казаться радостно возбужденным и беззаботным. Но только у одного Пуаро это получалось естественно. Он без умолку болтал со счастливым видом:

— Шерри я предпочитаю коктейлю и уж тем более виски. Какая гадость — виски. Когда вы его пьете, вы разрушаете ощущение вкуса. Чтобы суметь оценить изысканные вина Франции, вы не должны никогда, никогда... Ах, что случилось? — воскликнул он по-французски.

Странный звук прервал его — какой-то сдавленный крик. Все повернулись к сэру Чарльзу, который покачивался с искаженным лицом. Бокал упал из его руки на ковер, актер сделал несколько неуверенных шагов, словно слепой, и рухнул.

Потрясенные гости мгновение молчали. Затем Энджела пронзительно вскрикнула, а Эгг бросилась к Картрайту.

— Чарльз! — закричала она. — Чарльз!

Мистер Саттерсуэйт мягко, но решительно отвел ее в сторону.

— О милостивый Боже! — воскликнула леди Мэри. — Еще один!

Энджела Сатклиф вскричала:

— Его тоже отравили! О Боже, это слишком страшно!

И, внезапно рухнув на софу, она начала рыдать и смеяться одновременно. Видно, у нее приключилась истерика.

Лишь Пуаро сохранил способность действовать. Он встал на колени перед распростертым человеком. Остальные отринули назад, пока он осматривал сэра Чарльза. Наконец Пуаро поднялся, как-то механически отряхивая пыль с колен. Посмотрел на собравшихся. Тишина была полной, если не считать всхлипываний Энджелы Сатклиф.

— Мой друг... — начал было Эркюль Пуаро, но тут вдруг разъяренная Эгг плюнула в его сторону.

— Вы тупица! Дурачок с претензиями! Строите из себя великого и всезнающего! И вы допустили, чтобы это случилось! Еще одно убийство! Под самым вашим носом! Если бы вы не вмешивались, ничего бы не произошло! Это вы убили сэра Чарльза...

Она замолчала, спазмы сдавили ей горло.

— Это правда, мадемуазель. Признаю, я убил сэра Чарльза. Но я — весьма особый тип убийцы. Могу убить и могу вернуть к жизни. — Он повернулся и уже совсем другим тоном, с присущей ему вежливостью, произнес: — Великолепно сыграно, сэр Чарльз. Поздравляю вас. Не хотите ли, чтобы занавес был поднят?

Актер вскочил на ноги и насмешливо поклонился.

Эгг едва слышно произнесла:

— Мсье Пуаро, вы... чудовище!

— Чарльз! — воскликнула Энджела Сатклиф. — А вы — настоящий дьявол!

Все разом заговорили:

— Но зачем...

— Как...

— Что за черт...

Подняв руку, Пуаро восстановил тишину.

— Прошу у всех прощения. Этот маленький фарс был необходим, чтобы доказать всем вам, а заодно и самому себе тот факт, который уже подсказывал разум. — Он помолчал. — Послушайте. В один из бокалов на подносе я влил чайную ложку простой воды. Вода заменила чистый никотин. Эти бокалы того же типа, что и те, что принадлежали сэру Чарльзу и сэру Бартоломью. Из-за глубокой резьбы на бокалах небольшое количество бесцветной жидкости совершенно невозможно обнаружить. Представьте себе теперь бокал с портвейном сэра Бартоломью Стренджа. После того как его поставили на стол, кто-то влил туда достаточное количество чистого никотина. Это мог сделать любой — дворецкий, горничная, один из гостей, завернувший в столовую по пути вниз. Приносят десерт, подают портвейн, бокал наполнен. Сэр Бартоломью пьет и умирает.

— Сегодня мы разыграли третью трагедию — поддельную. Я попросил сэра Чарльза исполнить роль жертвы. Он сделал это великолепно. Но представьте на минуту, что это не фарс, а правда. Сэр Чарльз мертв. Какие шаги предпримет полиция?

— Конечно, вот это, — вскричала мисс Сатклиф, кивнув на бокал, который выпал из руки сэра Чарльза. — Если бы там был никотин...

— Предположим, что там никотин. — Пуаро носком ботинка слегка коснулся бокала. — Вы считаете, что анализ даст какой-то результат?

— Бесспорно.

Пуаро слегка покачал головой:

— Ошибаетесь. Никотина там не найдут.

Все уставились на него с недоумением.

— Видите ли, — он улыбнулся, — это не тот бокал, из которого пил сэр Чарльз. — С усмешкой он вынул бокал из заднего кармана фрака. — Вот его бокал. Тут в действии простой трюк с подменой. Сразу два события не могут приковать человеческое внимание. Когда сэр Чарльз упал замертво, все глаза были устремлены на него. Все толпятся, чтобы приблизиться к нему, и никто, ни один человек, не смотрит на Эркюля Пуаро. В тот момент я подмениваю бокал. Таким путем я доказываю свой вывод — подобный трюк был проделан и в «Вороньем гнезде», и в аббатстве Мелфорт. Вот почему не оказалось следов никотина ни в бокале с коктейлем, ни в бокале с портвейном.

Эгг вскричала:

— Но кто же их подменил?

— Это нам еще предстоит определить.

— А вы не знаете?

Пуаро пожал плечами.

Гости как-то неуверенно стали расходиться. Они держались холодно, считая, что их сильно одурачили.

Жестом руки Пуаро остановил их.

— Минуточку, прошу вас. Я не все еще сказал. Сегодня, признаюсь, мы разыграли комедию. Но такое представление может произойти всерьез, и тогда оно станет трагедией. При определенных обстоятельствах убийца может нанести удар и в третий раз. Обращаюсь ко всем присутствующим здесь — расскажите откровенно все, что, по вашему мнению, имеет отношение к преступлению. Умоляю рассказать все сейчас. Опасно оставлять при себе какие-либо сведения в такой ситуации. Завтра, может быть, будет поздно...

Сэру Чарльзу показалось, что призыв Пуаро был обращен в первую очередь к мисс Уиллс. Но она молчала. Молчали и остальные. Пуаро вздохнул, рука его опустилась.

— Пусть будет так. Я предупредил вас. И больше ничего не могу сделать. Помните, молчать опасно.

С какой-то неловкостью гости разошлись. Остались Эгг, сэр Чарльз и мистер Саттерсуэйт.

Эгг еще не простила Пуаро. Она сидела неподвижно, щеки ее пылали, глаза были гневными. Девушка не смотрела на сэра Чарльза.

— Умная затея, мсье Пуаро, — сказал сэр Чарльз с одобрением.

— Поразительная, — усмехнулся мистер Саттерсуэйт. — Я бы не поверил, что не замечу, как вы совершаете подмену.

— Вот почему я не мог никому довериться, — сказал Пуаро. — Иначе эксперимент бы не удался.

— Вы задумали это лишь для того, чтобы узнать — можно ли подменить бокалы незаметно?

— Нет, пожалуй, не совсем так. У меня была и другая цель.

— Да?

— Я хотел посмотреть на выражение лица одного человека в тот момент, когда сэр Чарльз упадет замертво.

— О ком вы говорите? — резко спросила Эгг.

— Вот это мой секрет.

— И вы наблюдали за лицом этого человека? — спросил мистер Саттерсуэйт.

— Да.

— Ну и что?

Пуаро не ответил. Он только покачал головой.

— И вы нам не скажете, что заметили?

Пуаро ответил, растягивая слова:

— Оно выражало крайнее удивление.

У Эгг перехватило дыхание.

— Значит, вы знаете, кто убийца?

— Можно думать и так, мадемуазель.

— Но ведь тогда... тогда вы все знаете.

Пуаро покачал головой:

— Нет, напротив, я ничего не знаю. Ибо я не знаю, почему убит Стефен Баббингтон. Пока я этого не узнаю, я не смогу ничего доказать. Не смогу ничего узнать. Все держится на этом — каков мотив убийства Стефена Баббингтона.

Раздался стук в дверь, и вошел рассыльный с телеграммой на подносе.

Пуаро вскрыл ее. Лицо его изменилось. Он протянул телеграмму сэру Чарльзу. Склонившись над плечом сэра Чарльза, Эгг прочла вслух:

— «Прошу вас, приходите немедленно. Могу дать ценную информацию относительно смерти сэра Бартоломью. Маргарет де Рашбриджер».

— Миссис де Рашбриджер! — вскричал сэр Чарльз. — Значит, мы были правы! Она как-то связана с делом. — Потом он добавил: — Маргарет — «М.». Инициал в дневнике Толли. Наконец мы к чему-то приходим.

Глава 24

Сразу же возникла возбужденная дискуссия. Заглянули в справочник. Решили, что лучше ехать ранним поездом, нежели машиной.

— Наконец, — сказал сэр Чарльз, — мы выясним эту часть тайны.

— А в чем заключается, по-вашему, тайна? — спросила Эгг.

— Не представляю. Но, наверное, будет пролит какой-то свет на дело Баббингтона. Если Толли собрал всех этих людей преднамеренно, а я уверен, что так и было, значит, «сюрприз», который он им готовил, как-то связан с этой женщиной — де Рашбриджер. Думаю, мы можем так утверждать, не правда ли, Пуаро?

Пуаро покачал головой в замешательстве.

— Эта телеграмма осложняет дело, — пробормотал он. — Мы должны торопиться...

Мистер Саттерсуэйт не видел необходимости в чрезмерной торопливости, но он вежливо согласился:

— Конечно же, мы поедем первым утренним поездом. Только... есть ли необходимость ехать всем вместе?

— Мы договорились с сэром Чарльзом отправиться в Джиллинг, — сказала Эгг.

— Это можно отложить, — заметил сэр Чарльз.

— Не думаю, что нам следует что-либо откладывать, — возразила Эгг. — Нет необходимости отправляться в Йоркшир всем четверым. Это абсурдно. Массовая вылазка. Мсье Пуаро и мистер Саттерсуэйт поедут в Йоркшир, а мы с сэром Чарльзом отправимся в Джиллинг.

— Я бы предпочел заглянуть в дело Рашбриджер, — задумчиво ответил сэр Чарльз. — Видите ли... я уже беседовал с сестрой-хозяйкой, словом, как-то влез в дело.

— Именно поэтому вам нужно держаться подальше, — заявила Эгг. — Вы там наговорили всякой чепухи, а теперь, когда эта де Рашбриджер пришла в себя, вы будете разоблачены как законченный обманщик. Гораздо важнее, чтобы вы поехали в Джиллинг. Если мы решили посетить мать мисс Милрей, она вам расскажет много больше, чем кому-либо другому. Ее дочь у вас служит, и она отнесется к вам с доверием.

Сэр Чарльз посмотрел на разгоряченное личико Эгг и сдался:

— Ну хорошо, я поеду в Джиллинг. Наверное, вы правы.

— Я знаю, что права.

— На мой взгляд, прекрасное решение, — оживленно заметил Пуаро. — Как отметила мадемуазель, именно сэр Чарльз имеет все преимущества для беседы с миссис Милрей. Кто знает, быть может, от нее вы узнаете куда более важные факты, чем то, что мы выясним в Йоркшире.

Так и порешили. На следующее утро, без четверти десять, сэр Чарльз заехал на машине за Эгг. Пуаро и Саттерсуэйт уже выехали в Лондон поездом.

Погода была чудесной, таким же чудесным было и настроение Эгг. Сэр Чарльз был опытным водителем. Чтобы укоротить дорогу, он свернул с главного шоссе на извилистые деревенские дороги. Примерно без четверти двенадцать они достигли цели.

Джиллинг оказался маленькой, забытой миром деревней. Вся она состояла из старой церкви, усадьбы викария, двух-трех лавок, ряда коттеджей да трех или четырех новых домов. И чудесная зелень вокруг.

157

Мать мисс Милрей оказалась до смешного непохожей на свою дочь. В тех случаях, когда миссис Милрей проявляла твердость, она проявляла мягкость; мисс Милрей была угловатой, а мать — округлой. По сути, миссис Милрей была огромной тушей, прикованной к креслу, удобно расположенному у окна так, чтобы старая женщина могла наблюдать за всем, что происходило вокруг. Миссис Милрей ужасно обрадовалась приезду гостей.

— Так мило с вашей стороны, сэр Чарльз. Я так много слышала о вас от Вайолет. — Имя это совершенно не подходило мисс Милрей. — Вы не представляете, как она восхищается вами. Работать с вами все эти годы было так интересно для нее... Не присядете ли, мисс Литтон Гор? Простите, что я не могу встать. Уже много лет прошло, как отказали мои ноги. Такова воля Господня, я не жалуюсь и всегда говорю, что можно ко всему привыкнуть. Не хотите ли освежиться после долгого пути?

Сэр Чарльз и Эгг решительно отказались, но миссис Милрей все-таки похлопала в ладоши на восточный манер, и тут же был подан чай с печеньем. Когда они угощались, сэр Чарльз заговорил о цели визита:

— Вы, очевидно, слышали, миссис Милрей, о трагической смерти мистера Баббингтона, который некогда был здесь викарием?

Туша энергично закивала головой:

— Да, конечно. Я прочитала в газете по поводу эксгумации. Просто не могу представить, кто мог его отравить. Такой был милый человек; тут все любили его и ее тоже. И всех их детей.

— Поистине великая разгадка, — сказал сэр Чарльз. — Все мы просто в отчаянии. Мы подумали, что вы, быть может, прольете какой-то свет на это дело.

— Я! Но мы не виделись с Баббингтонами — дайте посчитать — уже более пятнадцати лет.

— Я знаю, но у некоторых из нас возникла мысль, что вам известно что-нибудь из прошлого, что могло бы как-то объяснить его смерть.

— Право же, не знаю ничего такого. Они вели очень тихую жизнь. Бедняги имели очень небольшой достаток со всеми своими детьми.

Миссис Милрей с готовностью предалась воспоминаниям, но все они не имели никакого отношения к интересующей гостей теме.

Сэр Чарльз показал ей набор фотографий, среди которых были снимки обоих Дейкров, давнишний портрет Энджелы Сатклиф и довольно размытый снимок мисс Уиллс, вырезанный из газеты.

Миссис Милрей рассматривала их с большим интересом, но никого из них не признала.

— Не могу припомнить никого из них. Конечно, прошло уже много времени. Но местечко здесь небольшое. Мало кто приезжает и уезжает. Мало что меняется. Думаю, Вайолет могла бы вам рассказать то же, что и я. Она была тогда молоденькой и часто бывала в доме викария.

Сэр Чарльз попытался представить мисс Вайолет Милрей молоденькой девушкой, но это ему не удалось.

Он спросил миссис Милрей, не помнит ли она особу по имени де Рашбриджер. Нет, старуха не знала такой женщины.

Наконец гости распрощались и ушли.

От миссис Милрей они отправились в булочную и кое-как перекусили.

Женщина, которая их обслуживала, была довольно общительной. Она тоже прочла в газете сообщение об эксгумации, и ее потрясло то обстоятельство, что речь шла о «старом викарии».

— Я была тогда ребенком, — пояснила она, — хорошо помню мистера Баббингтона.

Однако ничего особенного рассказать о нем она не смогла.

После ленча Чарльз и Эгг отправились в церковь и посмотрели книгу регистрации рождений, браков и смертей. Но и тут не за что было зацепиться.

Они вышли на церковный двор и там задержались. Эгг стала читать надписи на могильных памятниках.

— Какие нелепые тут имена, — сказала она. — Послушайте, целая семья по фамилии Стейвпенни, а там Мэри Энн Стиклпас.

— Ни одна из них не звучит более нелепо, чем моя, — пробормотал сэр Чарльз.

— Картрайт? Я не считаю, что это звучит нелепо.

— Не о том идет речь. Картрайт — мой сценический псевдоним, потом, правда, я его узаконил.

— А ваша настоящая фамилия?

— Не могу сказать. Это мой секрет.

— Неужели она так ужасна?

— Она не так ужасна, как смешна.

— Ну скажите же мне, прошу вас.

— Ни за что, — твердо ответил сэр Чарльз.

— Но почему же?

— Вы не сможете удержаться от смеха.

— О, пожалуйста, скажите. Пожалуйста, пожалуйста.

— Ну до чего же вы настойчивое создание, Эгг. Зачем вам это знать?

— Затем, что вы не хотите мне сказать.

— Вы восхитительное дитя, — ласково проговорил сэр Чарльз.

— Я не дитя.

— Неужели? Как бы не так.

— Скажите мне, — нежно прошептала Эгг.

Рот сэра Чарльза скривился в унылой усмешке.

— Хорошо, скажу. Моего отца звали Маг[1].

— Это правда? Да... — прошептала Эгг. — Почти катастрофа. Идти по жизни с именем Маг!

— Согласен! Подобное имя не способствовало бы карьере. Помню, — продолжал сэр Чарльз, — я мечтал — был молод тогда — назвать себя Людовиком Кастильоне, но потом нашел компромиссное решение и придумал себе имя — Чарльз Картрайт.

— А вас действительно зовут Чарльз?

---

[1] М а г — по-английски «кружка».

— Да, об этом позаботились мои крестные. — Он заколебался, потом сказал: — А почему бы вам не говорить Чарльз, отбросив сэр?

— Могу и так.

— Вы уже это сделали вчера... когда думали, что я умер.

— Ах вот как. — Эгг старалась, чтобы ее голос звучал небрежно. По той или иной причине девушка сочла необходимым переменить тему. Она вдруг выпалила: — Хотелось бы знать, что делает сегодня Оливер?

— Мендерс? Почему вы решили вспомнить о нем?

— Я очень хорошо к нему отношусь. — Ей почему-то захотелось так сказать. Она исподтишка бросила взгляд на сэра Чарльза. Станет ли он ревновать? Тот, конечно, нахмурился. И Эгг внезапно испытала чувство раскаяния. — Становится холодно, давайте поедем, — предложила она тихо.

Ее пробирала дрожь. Солнце скрылось, в мире стало как-то неуютно. Она подумала: «Какое странное чувство меня охватило. Словно предчувствие».

— Интересно, — произнесла она, — удалось ли остальным что-нибудь обнаружить?

— Остальным? Где? — Сэр Чарльз казался рассеянным.

— В Йоркшире.

— Как бы то ни было, — сказал сэр Чарльз, — сегодня меня это не занимает.

— Чарльз, вы все время казались таким увлеченным, а теперь...

Но сэр Чарльз уже не играл роль великого детектива.

— Что ж, раньше было мое представление. Теперь же я передал дело в руки Усача. Слово за ним.

— Вы действительно считаете, что Пуаро знает, кто совершил преступление?

— Возможно, он не имеет ни малейшего представления, но говорит так, чтобы поддержать свою репутацию.

Эгг молчала. Чарльз спросил:

— О чем вы сейчас думаете?

— Я думаю о мисс Милрей. Она так странно вела себя в тот вечер, о котором я вам рассказывала. Она как раз купила газету с заметкой об эксгумации и сказала, что не знает, как поступить.

— Чепуха, — весело ответил сэр Чарльз. — Эта женщина всегда знает, как ей поступить.

— Будьте же серьезны, Чарльз. Мисс Милрей казалась взволнованной.

— Эгг, моя дорогая, ну какое мне дело до волнений мисс Милрей? Какое мне дело до всего, кроме сегодняшнего дня? К черту убийство!

К чаю они вернулись в квартиру сэра Чарльза. Навстречу им вышла мисс Милрей.

— Вам принесли телеграмму, сэр Чарльз.

— Благодарю вас, мисс Милрей. — Он раскрыл телеграмму и взволнованно воскликнул: — Взгляните, Эгг! Это от Саттерсуэйта.

Он передал ей телеграмму. Эгг прочла, и глаза ее широко раскрылись.

Глава 25

Прежде чем отправиться к поезду, Эркюль Пуаро и мистер Саттерсуэйт имели короткую беседу с мисс Линдон, секретаршей покойного сэра Бартоломью Стренджа. Мисс Линдон не могла сообщить ничего важного. Миссис де Рашбриджер была упомянута в записной книжке сэра Бартоломью только из профессиональных соображений. И говорил сэр Бартоломью о ней лишь как о медицинском случае.

Они прибыли в санаторий около двенадцати. Санитарка, открывшая дверь, выглядела взволнованной, щеки ее пылали. Мистер Саттерсуэйт попросил пригласить сестру-хозяйку.

— Не знаю, сможет ли она сейчас повидаться с вами, — с сомнением ответила девушка.

Мистер Саттерсуэйт вынул визитную карточку и написал на ней несколько слов.

— Пожалуйста, передайте это.

Их провели в небольшую гостиную. Через пять минут дверь открылась, и вошла сестра-хозяйка. Она вовсе не казалась, как обычно, проворной и деловой.

— Я надеюсь, вы меня помните. Мы приходили сюда с сэром Чарльзом Картрайтом сразу же после смерти сэра Бартоломью Стренджа, — обратился к ней мистер Саттерсуэйт.

— Да, конечно, мистер Саттерсуэйт, я вас помню. Сэр Чарльз спрашивал о бедной миссис де Рашбриджер. Удивительное совпадение.

— Позвольте вам представить мсье Эркюля Пуаро.

Пуаро поклонился, и сестра рассеянно ответила на поклон.

Она продолжала:

— Не понимаю, каким образом вы могли получить телеграмму, о которой упомянули. Все выглядит таинственно. Это, бесспорно, не может быть связано со смертью бедного доктора. Просто бродит какой-то безумец и предает всех смерти. Только так можно объяснить происходящее. А теперь вот прибыла полиция. Просто ужасно.

— Полиция? — спросил с изумлением мистер Саттерсуэйт.

— Да, они тут с десяти утра.

— Полиция? — переспросил Эркюль Пуаро.

— Можем ли мы сейчас же увидеть миссис де Рашбриджер, ведь она просила нас приехать, — сказал мистер Саттерсуэйт.

Сестра прервала его:

— О мистер Саттерсуэйт, значит, вы ничего не знаете?

— Что именно? — резко спросил Пуаро.

— Бедная миссис де Рашбриджер... Она мертва.

— Мертва? — воскликнул Пуаро. — Громы и молнии! Это все объясняет, да, объясняет. Я должен был предвидеть... — Он смолк на секунду. — Как она умерла?

— Самым таинственным образом. По почте пришла коробка с шоколадом. Она съела одну, наверное, вкус

163

ее был отвратителен, но, застигнутая врасплох, миссис Рашбриджер проглотила ее. Как-то не принято выплевывать.

— Да, да, причем это и трудно, если жидкость внезапно попала в горло.

— Так вот, она позвала на помощь, няня тут же прибежала, но мы ничего не могли сделать. Она умерла примерно через две минуты. Тогда доктор вызвал полицию, они явились и тут же проверили конфеты. Весь верхний слой оказался отравленным, нижний — нетронутым.

— И какой яд был использован?

— Полиция считает, что никотин.

— Да, — сказал Пуаро, — снова никотин. Какой удар! Какой наглый удар!

— Мы опоздали, — произнес мистер Саттерсуэйт, — мы никогда не узнаем, что хотела нам сообщить миссис Рашбриджер. Разве только она кому-нибудь доверилась? — Он взглянул вопросительно на сестру-хозяйку.

Пуаро покачал головой:

— Никому она не доверилась, вы увидите.

— Стоит опросить всех.

— Обязательно опросите, — сказал Пуаро, но голос его звучал безнадежно.

Сестра-хозяйка немедленно послала за двумя нянями, дневной и ночной дежурной, которые ухаживали за миссис де Рашбриджер. Но ни та, ни другая не смогли сообщить что-либо новое. Миссис де Рашбриджер никогда не говорила о смерти сэра Бартоломью, они ничего не знали о том, что она посылала телеграмму.

По просьбе Пуаро обоих посетителей провели в комнату умершей. Они встретили там старшего инспектора Кросфилда, и мистер Саттерсуэйт представил его Пуаро.

Потом они подошли к постели умершей. Ей было около сорока лет. Волосы у нее были темные, лицо бледным. Оно не было спокойным — мучительная **смерть оставила свой след.**

— Бедняжка, — промолвил мистер Саттерсуэйт.

Он взглянул на Пуаро. Странное выражение было на маленьком лице бельгийца. Оно вызвало дрожь у мистера Саттерсуэйта.

— Кто-то знал, — сказал Саттерсуэйт, — что она может разоблачить убийцу, и ее убрали.

— Да, это так, — кивнул Пуаро.

— Ее убили, чтобы лишить возможности рассказать нам то, что она знала.

— Или то, чего она не знала. Но не будем терять времени. Еще многое предстоит сделать. Больше уже не должно быть смертей. Мы обязаны об этом позаботиться.

— Соответствует ли это вашему представлению о том, кто убийца? — с любопытством спросил Саттерсуэйт.

— Да, соответствует. Но теперь мне становится ясно, что убийца опаснее, нежели я предполагал. Мы должны быть осторожны.

Старший инспектор Кросфилд вышел вместе с ними из комнаты и узнал о телеграмме, полученной ими. Телеграмма была дана из почтового отделения Мелфорта, и, наведя там справки, они узнали, что послал ее маленький мальчик. Девушка на почте запомнила это, потому что была взволнована упоминанием в телеграмме о смерти сэра Бартоломью Стренджа.

После ленча вместе с инспектором они послали телеграмму сэру Чарльзу. И занялись дальнейшим расследованием.

В шесть часов вечера они нашли мальчика, пославшего телеграмму. Выяснилось, что телеграмму ему дал какой-то оборванец, сказавший, что получил ее от «сумасшедшей леди из дома в парке». Леди выбросила листок с текстом из окна, а в нем были завернуты две полкроны.

Полиция начала поиски этого человека, а Пуаро вместе с мистером Саттерсуэйтом вернулся в Лондон.

Около полуночи они прибыли в город. Эгг уже уехала к матери, но сэр Чарльз встретил их у гостиницы, и втроем они стали обсуждать ситуацию.

— Подчинитесь мне, мой друг, — сказал Пуаро. — Только одним путем можно разъяснить это дело — работой головы. Поездки по всей Англии, надежда, что кто-то расскажет то, что нам хочется узнать, — все эти методы любительские и абсурдные. Истину можно распознать только изнутри.

Сэр Чарльз отнесся к этому скептически.

— Что же вы намерены делать?

— Я намерен думать... дайте мне на это двадцать четыре часа.

Сэр Чарльз покачал головой с легкой усмешкой.

— Неужели размышления подскажут вам то, что вы могли бы услышать, будь эта женщина жива?

— Я так полагаю.

— Едва ли это возможно. Но действуйте, Пуаро, как находите нужным. Вы можете проникнуть в тайну скорее, чем я. Я сдаюсь и признаюсь в этом. В любом случае у меня имеются свои заботы.

Он, возможно, надеялся, что его станут расспрашивать, но его надежды не оправдались.

— Ну что ж, я вас покидаю, — сказал актер. — Да, вот еще что. Меня несколько тревожит мисс Уиллс.

— А что с ней?

— Она уехала.

— Уехала? Куда? — Пуаро уставился на него.

— Никто не знает. Я призадумался после того, как получил вашу телеграмму. Как я уже говорил, у меня создалось впечатление, что эта женщина что-то знает. Я решил в последний раз попытаться все выведать у нее. Отправился к ней домой, приехал примерно в половине десятого. Но мне сказали, что она уехала еще утром, как будто бы на денек в Лондон. А вечером она прислала домой телеграмму, что задержится на день-два. Просила, чтобы о ней не беспокоились.

— А домашние беспокоились?

— Мне так показалось. Видите ли, она не взяла с собой никаких вещей.

— Странно, — пробормотал Пуаро.

— Да. Мне кажется... сам не знаю. Мне что-то не по себе.

— Я ее предупредил, — сказал Пуаро. — Я всех предупредил. Помните, я сказал тогда: «Говорите сейчас».

— Да, да. И вы думаете, что она тоже...

— У меня есть мысль, — ответил Пуаро, — но я бы предпочел не высказывать ее сейчас.

— Сперва дворецкий Эллис, потом мисс Уиллс. Где Эллис? Просто невероятно, что полиция так и не смогла его разыскать.

— Они не искали его труп там, где надо бы, — сказал Пуаро.

— Значит, вы согласны с Эгг? Вы считаете, что он мертв? — спросил сэр Чарльз.

— Эллиса никто и никогда не увидит больше живым.

— Какой-то кошмар! — вскричал сэр Чарльз. — Все это совершенно непонятно!

— Нет, нет. Напротив, все понятно и логично.

Сэр Чарльз уставился на него.

— Вы так уверены в этом!

— Бесспорно. Видите ли, у меня аналитический склад ума.

— Я вас не понимаю.

Мистер Саттерсуэйт тоже с любопытством смотрел на сыщика.

— А какой же у меня склад ума? — спросил сэр Чарльз, слегка задетый.

— У вас — актерский, сэр Чарльз, творческий, оригинальный. Мистер Саттерсуэйт — театрал, — он наблюдает за характерами, остро чувствует окружающую атмосферу. А у меня ум прозаический. Я вижу только факты, без огней рампы.

— Значит, мы должны положиться только на вас?

— Вот именно. На двадцать четыре часа.

— Тогда желаем удачи. Спокойной ночи.

Когда они вышли, сэр Чарльз сказал мистеру Саттерсуэйту:

— Этот парень слишком высокого мнения о себе.

И голос его звучал довольно холодно.

Глава 26

Но Пуаро не удалось остаться в одиночестве на двадцать четыре часа, которые он себе выговорил.

На следующее утро после десяти он получил визитную карточку Оливера Мендерса, просившего уделить ему несколько минут.

Когда Мендерс вошел в комнату, Пуаро разворачивал небольшую посылку. Он отставил ее в сторону и взглянул вопросительно на посетителя.

— Доброе утро, мистер Мендерс. Вы хотели меня видеть?

— Да. — Оливер был в замешательстве.

Пуаро подвинул к нему стул.

— Садитесь, прошу вас... Мы можем побеседовать без помех.

Оливер сел, но все еще колебался.

— Ну так что ж? — подбодрил его Пуаро. — Каковы ваши намерения? Вы пришли, чтобы оказать мне услугу? Или же вы хотите, чтобы я вам ее оказал?

— Не знаю, — протянул Оливер. Затем резко подался к Пуаро и нервно проговорил: — Мсье Пуаро, я вам не нравлюсь.

Пуаро удивился:

— Что это вам вдруг пришло в голову?

— Нет, нет. Вы меня не любите. Очень мало людей ко мне хорошо относится. Я не знаю — почему.

Налет томности и высокомерия слетел с Оливера. Он выглядел так по-мальчишески и так естественно, как только может выглядеть молодой человек в его годы. На лице его читалась такая страстная мука, что оно казалось даже жалким.

— Но почему вы решили, что я вас не люблю? — мягко спросил Пуаро.

— Потому что позавчера, когда вы подстроили это мнимое убийство, вы это сделали... чтобы я попался в ловушку.

Брови Пуаро полезли вверх.

— То есть как это вы!

Оливер мрачно ответил:

— В глубине души вы считаете, что убил старого Баббингтона я.

— Что за мысль!

— Нет, вы так думаете. Я понимаю, что многое свидетельствует против меня, но я не убийца, мсье Пуаро, не убийца! Однажды я нагрубил старому священнику, сильно нагрубил, но, поверьте, после этого я чувствовал себя несчастным. Как будто во мне сидят два человека. Один из них противный парень с презрительным видом, всегда позирующий. А другой совсем не такой по натуре, но ему трудно это показать. О, вы, наверное, не сможете меня понять.

— Да, да, я очень хорошо понимаю. Если я стар, это не значит, что я забыл, каково бывает молодым. — Он продолжал мягким тоном: — Вот на что вы жалуетесь, мой друг, — на юность. Так характерно для молодых — стараться выглядеть хуже, чем на самом деле. — И с легкой усмешкой он добавил: — В моем же возрасте люди заняты тем, чтобы получше выставлять свой товар лицом.

— Значит, вы понимаете? — У Оливера был благодарный вид. Поистине очаровательная улыбка осветила его лицо. — Вы не можете себе представить, насколько легче тому, кто пытается показать все лучшее в нем, а не худшее.

— Жизнь ваша не была очень счастливой, верно? Лицо Оливера стало жестким.

— Нет, не была.

— Послушайте, я дам вам совет. Ваша судьба в ваших руках, вы должны ее сделать. Горечь, обида ни к чему хорошему не ведут. Они безысходны. Избавьтесь от них немедленно, пока не поздно.

— Вы правы, мсье Пуаро. Я попытаюсь начать все заново.

— Правильно. — Пуаро одобрительно кивнул, затем спросил: — А что еще?

Оливер удивился:

— Что вы имеете в виду, мсье?

— Ну, вам что-то еще хотелось сказать мне, или я ошибаюсь?

— Нет, нет, вы правы. Вот что еще. Разрешите мне помочь вам в этом деле. Вы мне доверяете?

— Помочь? Каким образом?

— Не знаю. Ведь могу же я быть в чем-то полезным. Мне кажется — может, я ошибаюсь, — что вы уже напали на след.

Он даже затаил дыхание в ожидании ответа Пуаро, но тот не очень торопился.

— Возможно, что вскоре вы сможете мне помочь, — наконец сказал он.

— О, это колоссально!

Оливер подождал минутку, но Пуаро молчал.

— Если бы вы могли мне подсказать, куда направлены ваши подозрения...

Эркюль Пуаро покачал головой:

— Пока еще не могу. Я просто немыслимо скрытен.

Оливер больше не настаивал. Поблагодарив за все мсье Пуаро, он откланялся.

Странная улыбка была на лице бельгийца, когда Оливер Мендерс покинул комнату. Он пробормотал про себя: «Я недооценивал этого молодого человека».

Затем он взялся за полученный пакет.

В двадцать минут двенадцатого без всякого уведомления пришла Эгг. К своему удивлению, она застала великого детектива за складыванием карточных домиков.

Лицо ее выразило такое живое возмущение, что Пуаро вынужден был оправдываться:

— Не думайте, мадемуазель, что я впал в детство. Нет. Но складывание карточных домиков всегда стимулировало мою умственную деятельность. Это старая привычка. Сегодня утром я первым делом пошел купить колоду карт. К сожалению, недосмотрел — это не настоящие карты. Но и они подходят.

Эгг рассмеялась:

— О Боже, они продали вам «Счастливые семейства».

— А что это значит?

— Есть такая игра. Ребята играют в нее в детских садах.

— Ну, ладно, и эти сойдут.

Эгг выбрала несколько карт и стала рассматривать их с нежностью.

— Мистер Бан[1] — сын булочника, я всегда его любила. А вот и мистер Маг — молочник. О Господи, хотела бы, чтобы здесь оказался сэр Чарльз. Я бы показала ему его портрет.

— Почему эта смешная карта изображает сэра Чарльза, мадемуазель?

— Из-за имени.

Эгг посмеялась над его растерянным лицом, потом принялась объяснять. Когда она закончила, он сказал:

— Ах вот как. Картрайт — театральный псевдоним. Маг! Кажется, на блатном языке «маг» — значит сумасшедший? Такое имя, естественно, хочется поменять. Никому бы не нравилось имя сэр Чарльз Маг, а?

Эгг рассмеялась:

— Леди Маг звучало бы еще хуже.

Пуаро пристально посмотрел на нее, и она покраснела.

— Все так складывается? — спросил он по-французски.

— Вовсе нет, — ответила Эгг. — Не знаю, что вы имеете в виду. — И быстро переменила тему: — Я пришла к вам вот для чего. Меня очень волнует эта вырезка из газеты, которую Оливер выронил из бумажника. Ну та, что мисс Уиллс подняла и вернула ему, вы знаете. На мой взгляд, либо Оливер явно лжет, когда говорит, что не может вспомнить, как она там очутилась, либо ее вовсе там не было. Он уронил какую-то бумажку, а эта женщина подсунула ему вырезку о никотине.

— Зачем ей было это делать, мадемуазель?

— Видно, она хотела избавиться от нее.

— Вы считаете, что она преступница?

---

[1] Б а н — по-английски «булочка».

— Да.

— Какой же у нее был мотив?

— Меня не стоит спрашивать. Я только могу предположить, что она не в своем уме. Никакого иного мотива я не вижу.

— Тут мы решительно заходим в тупик. Мне не следует просить вас разгадать мотив. Я сам себе непрестанно задаю вопрос: каким мотивом можно объяснить смерть мистера Баббингтона? Как только я найду ответ, дело будет закончено.

— А вы не думаете, что просто безумие... — предположила Эгг.

— И все-таки мотив должен быть, если хотите, безумный, но все же мотив. Вот что я ищу.

— Ну что ж, до свидания, — сказала Эгг. — Мне жаль, что я вам помешала, но я решила поделиться своей мыслью. Мне нужно спешить. Я иду вместе с Чарльзом на генеральную репетицию спектакля «Собачка смеется». По той пьесе, которую написала мисс Уиллс для Энджелы Сатклиф. Завтра будет премьера.

— О Боже! — вскричал Пуаро.

— В чем дело? Что-нибудь случилось?

— Да, поистине что-то случилось. Идея. Великолепная идея. Ну и слепым же я был... слепым.

Эгг уставилась на него. Пуаро взял себя в руки. Он похлопал Эгг по плечу.

— Вам кажется, что я сошел с ума? Вовсе нет. Я слушал, что вы сказали. Вы идете смотреть спектакль «Собачка смеется», и в нем будет играть мисс Сатклиф. Так идите же и не обращайте внимания на то, что я сказал.

Эгг ушла в некоторой растерянности. Оставшись в одиночестве, Пуаро стал ходить взад и вперед по комнате, что-то бормоча себе под нос. Его глаза сверкали зеленым блеском.

«Ну да, это все объясняет. Любопытный мотив, очень любопытный, такой мне еще никогда раньше не встречался, и в то же время он разумен и при соот-

172

ветствующих обстоятельствах естественен. Дело действительно очень любопытное».

Он прошел мимо стола, где все еще стоял его карточный домик. Махнув рукой, он сбросил карты со стола.

— «Счастливые семейства» мне уже не нужны, — сказал он. — Проблема решена. Остается только действовать.

Он схватил шляпу, надел пальто. Потом спустился вниз, и швейцар вызвал ему такси. Пуаро дал адрес квартиры сэра Чарльза.

Швейцара у входа не оказалось. Пуаро стал медленно подниматься по лестнице. На втором этаже дверь квартиры сэра Чарльза открылась, из нее вышла мисс Милрей.

Она увидела Пуаро.

— Вы!

— Я! — улыбнулся Пуаро. — Наконец-то я!

— К сожалению, вы не застали сэра Чарльза, — сказала мисс Милрей. — Он уехал в театр с мисс Литтон Гор.

— Я не ищу сэра Чарльза. Я ищу свою палку, которую, мне кажется, я оставил здесь.

— Ах вот что. Позвоните, Темпл вам ее найдет. Жаль, но я не могу вернуться. Я должна поспеть на поезд. Еду в деревню, чтобы повидаться с матерью.

— Я все понимаю. Позвольте вас больше не задерживать, мадемуазель.

Он отступил, пропуская мисс Милрей, и она быстро побежала вниз по лестнице. В руке у нее был кожаный чемоданчик.

Но когда мисс Милрей ушла, Пуаро, словно забыв, с какой целью пришел сюда, повернул назад и стал стремительно спускаться. К входной двери он подскочил как раз в тот момент, когда мисс Милрей садилась в такси. Пуаро, выбежал на тротуар и поднял руку. Улыбка мелькнула на его лице, когда он увидел идущее свободное такси. Погоня началась!

Машина, в которой ехала мисс Милрей, отправилась **на север и остановилась у Паддингтонского вокзала,** хотя отсюда не отправлялись поезда на Джиллинг. Пуаро подошел к кассе первого класса и взял билет в Лумауз и обратно. Поезд отправлялся через пять минут. Подняв воротник — день был холодным, — Пуаро забился в угол вагона первого класса.

Они прибыли в Лумауз около пяти часов. Уже стало темнеть. Незаметно Пуаро следовал за мисс Милрей. Вдруг он услышал, как дежурный этой маленькой станции приветствовал мисс Милрей:

— А мы вас не ждали, мисс. Разве сэр Чарльз собирается сюда?

— Я приехала ненадолго. Хочу захватить кое-какие вещи. Завтра утром уеду обратно. Нет, мне не нужна машина, благодарю вас. Я пойду по горной тропе.

Сумерки сгущались. Мисс Милрей быстро шла по крутой извилистой тропе. За ней неотступно следовал Эркюль Пуаро. Шел бесшумно, как кошка. Достигнув «Вороньего гнезда», мисс Милрей вынула ключ из сумки и вошла через боковую дверь, оставив ее открытой. Спустя минуту или две мисс снова появилась. В руках она держала ключ от дверей и электрический фонарь. Пуаро отступил за ближайший куст.

Мисс Милрей обошла дом и стала карабкаться по крутой заросшей тропинке. Эркюль Пуаро следовал за ней. Она поднималась все выше и выше, пока не достигла старой каменной башни, какие часто встречаются на побережье. Башня была небольшой, полуразрушенной. Однако грязное окно в ней было занавешено. Мисс Милрей вставила ключ в большую деревянную дверь.

Ключ повернулся со скрипом. Дверь заскрежетала на петлях. Мисс Милрей вошла в нее с фонарем.

Ускорив шаг, Пуаро в свою очередь бесшумно вошел в дверь. Свет фонаря осветил настоящую лабораторию — реторты, горелки, различные аппараты.

Мисс Милрей подняла кочергу и занесла ее над стеклянным аппаратом, но в этот момент ее схватили за руку. Она вскрикнула и повернулась.

Ее взгляд встретился с зелеными кошачьими глазами Эркюля Пуаро.

— Этого нельзя делать, мадемуазель, — сказал он. — Ибо то, что вы стремились уничтожить, улика.

Глава 27

Эркюль Пуаро сидел в большом кресле. Бра на стенах были выключены. Только лампа с розовым абажуром бросала свет на фигуру в кресле. Символическим казалось то, что он был освещен, а остальные трое — сэр Чарльз, мистер Саттерсуэйт и Эгг Литтон Гор — сидели в тени.

Голос Эркюля Пуаро звучал как бы сонно. Он словно обращался в пространство, а не к своим слушателям.

— Восстановить картину преступления — цель детектива. Нужно нанизывать один факт на другой так, словно вы кладете одну карту за другой, складывается карточный домик. Если факты не сойдутся — если карта не сохранит равновесие, — вы снова должны складывать домик, иначе он развалится.

Итак, я приступаю к рассказу об убийстве Стефена Баббингтона в августе этого года. В этот вечер сэр Чарльз Картрайт выдвинул версию, согласно которой Стефен Баббингтон был убит. Я не мог в это поверить. Теперь я признаю, что сэр Чарльз был прав. А я был неправ, потому что смотрел на преступление под совсем неподходящим углом зрения. Только двадцать четыре часа назад я внезапно понял, каким должен быть правильный угол зрения, чтобы убийство Стефена Баббингтона объяснилось разумно.

Но сейчас я отвлекусь от него и поведу вас шаг за шагом по тому пути, по которому шел сам. Смерть Стефена Баббингтона я назову первым актом драмы. После него занавес опустился, когда все мы покинули «Воронье гнездо».

То, что можно назвать вторым актом драмы, началось в Монте-Карло, когда мистер Саттерсуэйт показал мне газетный отчет о смерти сэра Бартоломью. Сразу стало ясно, что я был неправ, а сэр Чарльз прав. Оба — Стефен Баббингтон и сэр Бартоломью Стрендж — были убиты, и оба убийства составляли часть одного и того же преступления. Позднее, третье убийство завершило серию — убийство миссис де Рашбриджер.

Потому нам нужна отвечающая здравому смыслу версия, которая свяжет вместе три акта смерти.

Иными словами, все три преступления совершил один и тот же человек, извлекавший из них выгоду для себя.

Теперь могу сказать, что меня больше всего волновал тот факт, что сэр Бартоломью был убит после Стефена Баббингтона. Рассматривая все три убийства вне зависимости от времени и места, по теории вероятности, можно прийти к выводу, что убийство сэра Бартоломью было, так сказать, главным преступлением, а два остальных — второстепенными по своему характеру, то есть возникающими в результате связи этих двух людей с сэром Бартоломью Стренджем. Однако, как я уже отмечал, преступление не всегда удается совершить так, как хотелось бы. Стефен Баббингтон был убит первым, а сэр Бартоломью Стрендж несколько позднее. Таким образом, создалось впечатление, что второе преступление непременно проистекало из первого, а значит, первое нужно рассматривать как ключ к последующим.

Я же был настолько приверженцем теории вероятности, что серьезно носился с мыслью, будто произошла ошибка. Я предположил, что сэр Бартоломью был намечен первой жертвой, а мистера Баббингтона отравили по ошибке. Но пришлось отказаться от этой мысли. Любой человек, знакомый более или менее близко с сэром Бартоломью, знал, что он не пил коктейлей.

Другое предположение — не был ли Стефен Баббингтон отравлен по ошибке вместо любого из тех, кто присутствовал в первом случае? Но для этого не имелось никаких доказательств. Тогда мне пришлось вернуться к первому выводу, что убийство Стефена

Баббингтона было явно преднамеренным, и тут я сразу зашел в тупик — ничто не указывало на такую возможность.

Всякое расследование нужно начинать с простейших и наиболее очевидных посылок. Если Стефен Баббингтон выпил отравленный коктейль, кто имел возможность его отравить? Сперва мне казалось, что только двое могли это сделать — к примеру, те, кто предлагал напитки, то есть сам сэр Чарльз Картрайт и горничная Темпл. Хотя каждый из них предположительно мог добавить яду в стакан, ни у кого из них не было возможности дать мистеру Баббингтону именно тот бокал. Темпл могла бы так сделать, если бы она, ловко орудуя подносом, предложила ему последний бокал — нелегкая задача, но возможная. Сэр Чарльз мог взять сам тот бокал и вручить Баббингтону. Но ведь ни того, ни другого не случилось. И все выглядело так, словно только из-за простой случайности именно этот бокал попал к Стефену Баббингтону.

В аббатстве Мелфорт сэр Чарльз Картрайт и Темпл не присутствовали. У кого было больше всего возможности отравить бокал с портвейном, попавший к сэру Бартоломью? У отсутствующего дворецкого Эллиса, у его помощницы — горничной. Но здесь нельзя было исключить возможности того, что это сделал один из гостей. Рискованно, но возможно, ибо любой из них мог проскользнуть в столовую и отравить никотином бокал с портвейном.

Когда я присоединился к вам в «Вороньем гнезде», вы уже составили список людей, которые находились на обоих званых обедах. Сейчас могу сказать, что четыре имени, возглавлявшие список — капитан и миссис Дейкр, мисс Сатклиф и мисс Уиллс, — я отмел немедленно.

Все они не могли знать заранее, что на обеде встретят Стефена Баббингтона. Использование никотина в качестве яда свидетельствовало о тщательно продуманном плане, а не о решении, принятом в последнюю минуту. Остальные три имени в списке — леди Мэри

Литтон Гор, мисс Литтон Гор и мистер Оливер Мендерс. Они могли оказаться под подозрением, как ни казалось это маловероятным. Будучи местными жителями, они, возможно, имели мотивы для устранения Стефена Баббингтона и избрали для осуществления своего плана тот званый обед.

С другой стороны, я не смог найти никаких доказательств того, что кто-либо из них это сделал. Мистер Саттерсуэйт, мне кажется, рассуждал примерно так же, и его подозрения пали на Оливера Мендерса. Надо сказать, что Мендерса можно было заподозрить в первую очередь. По всем признакам он находился в состоянии высокого нервного напряжения в тот вечер в «Вороньем гнезде»; он имел несколько искаженное представление о жизни из-за своих личных неприятностей; ему присущ сильный комплекс неполноценности, который часто ведет к преступлению; возрасту его свойственна неуравновешенность; у него была ссора с мистером Баббингтоном, или он проявил враждебность по отношению к мистеру Баббингтону. Потом он прибыл в аббатство Мелфорт при любопытных обстоятельствах. Позднее он рассказал немыслимую историю о письме от сэра Бартоломью Стренджа, и к тому же при нем оказалась газетная вырезка, касавшаяся отравления никотином. В дневнике сэра Бартоломью упоминался некто «М.».

Итак, во главе списка семи подозреваемых следовало поставить Оливера Мендерса.

Но потом, друзья мои, меня охватило удивительное ощущение. Казалось достаточно ясным и логичным предположение, что человек, совершивший преступление, был лицом, которое присутствовало в обоих случаях. То есть один из тех, кто занесен в список. Но мое ощущение мне подсказало, что очевидность просто подстроена. В нее поверил бы любой здравомыслящий человек, умеющий логически рассуждать. И вдруг я понял, что столкнулся не с реальностью, а с ловко придуманной декорацией. Истинно умный преступник должен был предусмотреть, что подозревать станут именно тех, кто был на двух званых обедах, следовательно, нужно было устроить все так, чтобы не оказаться в списке.

Иными словами, убийца Стефена Баббингтона и сэра Бартоломью Стренджа присутствовал в обоих случаях, но так, что это не бросалось в глаза.

Кто был в первый раз и не был во второй? Сэр Чарльз Картрайт, мистер Саттерсуэйт, мисс Милрей и миссис Баббингтон.

Кто из этой четверки мог присутствовать во второй раз в каком-либо ином обличье? Сэр Чарльз и мистер Саттерсуэйт находились на юге Франции, мисс Милрей была в Лондоне, а миссис Баббингтон в Лумаузе. Значит, скорее всего можно было подумать о мисс Милрей и миссис Баббингтон. Но могла ли мисс Милрей присутствовать в аббатстве Мелфорт, оставаясь неузнанной? У мисс Милрей весьма характерные черты, которые трудно спрятать и нелегко забыть. Я решил, что мисс Милрей не могла находиться в аббатстве, оставаясь неузнанной. То же можно сказать и о миссис Баббингтон.

Могли ли мистер Саттерсуэйт или сэр Чарльз Картрайт находиться в аббатстве Мелфорт и не быть узнанными? Возможно, с сомнением скажем о мистере Саттерсуэйте; но с сэром Чарльзом все обстоит совсем иначе. Он — актер, привыкший играть роли. Какую же роль он мог сыграть?

Вот тут я стал раздумывать о дворецком Эллисе. Весьма таинственная личность. Человек, появившийся неизвестно откуда за две недели до преступления и весьма успешно исчезнувший после его совершения. Почему это ему удалось? Да потому, что на самом деле Эллиса не было. Эллиса создали с помощью грима и сценического искусства, это не реальная личность.

Но было ли это возможно? Все слуги в аббатстве знали сэра Чарльза, близкого друга сэра Бартоломью. Слуг я довольно легко отмел. Создать образ дворецкого можно было без риска; стоило слугам опознать сэра Чарльза, и все превращалось в шутку. С другой стороны, оставаться на протяжении двух недель вне всякого подозрения — значит обеспечить себе безопасность. И я вспомнил, что мне рассказывали о замечаниях слуг в адрес дворецкого. Он выглядел «как настоящий джентльмен», служил в «хороших домах» и ему были известны некоторые интересные скандальные истории. Все это легко понять. Но весьма примечательное замечание сделала горничная Дорис. Она сказала: «Свою работу он выполнял не так, как те дворецкие, которых я знала». Когда я услышал это замечание, оно подтвердило мою версию. Итак, слуги сэра Чарльза не узнали.

Однако с сэром Бартоломью дело обстояло иначе. Едва ли можно предположить, чтобы он попался на удочку своего друга. Он, очевидно, знал о перевоплощении. Есть ли тому доказательства? Да. Проницательный мистер Саттерсуэйт отметил уже на раннем этапе расследований — шутливое замечание сэра Бартоломью совершенно не соответствовало его манере обращения со слугами. «Вы первоклассный дворецкий, Эллис, не так ли?» Абсолютно понятное замечание в адрес дворецкого, если доктор понимает, что перед ним сэр Чарльз Картрайт, то есть если сэр Бартоломью участвует в розыгрыше.

А сэр Бартоломью, несомненно, видел все именно в таком свете. Перевоплощение в Эллиса было розыгрышем, может, даже на пари, рассчитанным на успешную мистификацию гостей; вот почему сэр Бартоломью намекал на сюрприз и был в веселом настроении. Заметьте также, что оставалось еще время для отступления; стоило кому-нибудь из гостей узнать сэра Чарльза в первый же вечер за обедом, ничего бы непоправимого не случилось. Все можно было превратить в шутку. Но никто не замечал хромающего дворецкого средних лет, с его потемневшими от белладонны глазами, бакенбардами и нарисованным на кисти родимым пятном. Весьма тонко задуманный штрих для опознания, который оказался безуспешным из-за отсутствия наблюдательности у большинства человеческих созданий. **Это родимое пятно было рассчитано на** то, что его особо упомянут при описании Эллиса, но на протяжении целых двух недель его никто не заметил! Только одна востроглазая мисс Уиллс, о которой мы еще поговорим.

Что же случилось потом? Сэр Бартоломью умер. На сей раз смерть не сочли естественной. Явилась полиция. Стали расспрашивать Эллиса и других. Позднее, ночью, Эллис ушел через потайной ход, стал самим собой, а спустя две недели гулял по Монте-Карло, готовясь к тому, чтобы показать, как его поразила и потрясла смерть друга.

Все это, заметьте, только версия. Подлинного доказательства у меня не было, но все последующее подкрепляло эту версию. Мой карточный домик был хорошо и правильно построен. Шантажные письма, обнаруженные в комнате Эллиса? Но ведь их обнаружил сам сэр Чарльз!

А письмо, которое якобы написал сэр Бартоломью Мендерсу с просьбой устроить аварию? Ведь сэру Чарльзу ничего не стоило написать это письмо. Если бы Мендерс сам не уничтожил письмо, то сэру Чарльзу в роли Эллиса было бы легко это сделать. Так же легко, как он всунул газетную вырезку в бумажник Оливера.

Теперь о третьей жертве — миссис де Рашбриджер. Когда мы впервые о ней услышали? Сразу же после того, как узнали о малопонятном замечании, которое сделал Эллису сэр Бартоломью. Любой ценой нужно было отвлечь внимание от отношения сэра Бартоломью к своему дворецкому. И сэр Чарльз поспешно задает вопрос — о чем сообщил доктору дворецкий. Об этой женщине, его пациентке. И сэр Чарльз немедленно использует всю силу своего влияния, чтобы отвлечь внимание от дворецкого и направить его на эту неизвестную женщину. Он отправляется в санаторий и расспрашивает сестру-хозяйку. Он всеми средствами фокусирует внимание на миссис де Рашбриджер.

Рассмотрим теперь роль мисс Уиллс в нашей драме. Это любопытная личность. Она принадлежит к тем людям, которые совершенно неспособны производить впе-

181

чатление на окружающих. Внешне непривлекательная, не остроумная, не живая, даже не очень симпатичная. Просто невзрачная. Она мстит всему миру своим пером, обладая великим даром воспроизводить характеры на бумаге. Не знаю, заметила ли мисс Уиллс что-либо необычное в дворецком, но за столом вообще лишь она одна его заметила. Наутро после убийства, подчиняясь своему невольному любопытству, она подсматривала и рыскала повсюду, как сказала горничная. Побывала в комнате Дейкров, заглядывала в помещения для слуг — стремилась что-то обнаружить, ведомая, на мой взгляд, инстинктом мангуста.

Она единственная вызывала у сэра Чарльза беспокойство. Вот почему ему так хотелось самому ее расспросить. Беседа его успокоила, и он был явно удовлетворен тем, что мисс Уиллс заметила родимое пятно. Но потом наступила катастрофа. Не думаю, что до этой минуты мисс Уиллс связывала Эллиса, дворецкого, с сэром Чарльзом Картрайтом. Наверное, ее смутно поразило только сходство Эллиса с кем-то ей знакомым. Но она наблюдательна. Когда ей подносили блюда, она автоматически запомнила не лицо, а руки, державшие блюда.

Тогда, на приеме, ей не пришло в голову, что Эллис — сэр Чарльз. Но когда она беседовала с сэром Чарльзом, эта мысль внезапно пришла к ней! И тогда она попросила его поднести ей блюдо с овощами. Однако ее интересовало не родимое пятно — на правой оно или левой руке. Ей понадобился повод, чтобы рассмотреть сами руки в том положении, в котором она видела руки дворецкого.

Вот тут-то она и постигла истину. Но эта женщина особого склада. Ей просто было приятно, что она совершила такое открытие. К тому же она вовсе не была уверена, что сэр Чарльз убил своего друга. Он нарядился в дворецкого — да, но это вовсе не значит, что он стал убийцей. Многие невиновные люди хранили молчание потому, что боялись, как бы это не поставило их в неловкое положение.

Итак, мисс Уиллс никому не сказала о своем открытии, просто наслаждалась им. Но сэр Чарльз забеспокоился. Ему не нравилось выражение удовлетворенного лукавства, которое он заметил на ее лице, когда покидал комнату. Он понял — мисс Уиллс что-то знает. Что же именно? Какое отношение это имело к нему? Уверенности не было, но он чувствовал какую-то связь с Эллисом, дворецким. Сперва мистер Саттерсуэйт, затем мисс Уиллс обратили на него внимание. Значит, внимание необходимо отвлечь, сфокусировать на ком-то другом. И он задумал план — простой, смелый и, как он себе представлял, решительно вводящий в заблуждение.

В тот день, когда я пригласил всех на шерри, сэр Чарльз, надо полагать, встал очень рано, отправился в Йоркшир и, переодетый в лохмотья, дал мальчишке телеграмму для отправки с почты. Потом он вовремя вернулся в город, чтобы сыграть ту роль, что я придумал для моего маленького представления. Он совершил еще один поступок — отправил по почте коробку шоколадных конфет женщине, которую никогда не видел и о которой ничего не знал.

Вам известно, что произошло в тот вечер. Зная о беспокойстве сэра Чарльза, я был почти уверен в том, что мисс Уиллс что-то подозревает. Когда сэр Чарльз разыграл сцену смерти, я наблюдал за лицом мисс Уиллс. На нем отразилось удивление. И тогда я понял, что мисс Уиллс явно подозревает сэра Чарльза в убийстве. Его собственная смерть привела ее в замешательство.

Но раз мисс Уиллс подозревает сэра Чарльза, значит, ей грозит серьезная опасность. Человек, убивший трижды, может убить еще раз. Я решил предупредить мисс Уиллс. Поздно вечером я связался с ней по телефону, и на следующий день мисс Уиллс внезапно покинула свой дом, с той поры она живет в этом отеле. То, что я поступил мудро, подтверждает визит сэра Чарльза к мисс Уиллс на следующий вечер, после возвращения из Джиллинга.

Он опоздал. Птичка улетела.

В то же время, с его точки зрения, план ему удался. Миссис де Рашбриджер хотела нам сообщить что-то важное. Миссис де Рашбриджер убили до того, как она смогла это сделать. Как драматично! Как похоже на детективные романы, пьесы, фильмы!

Но я, Эркюль Пуаро, не был обманут. Мистер Саттерсуэйт сказал, что ее убили, дабы она не могла рассказать то, что знает. Я же ответил: «Или того, что не знает». Мне думается, мистер Саттерсуэйт был озадачен. Но мог бы и понять правду. Миссис де Рашбриджер убили потому, что она вообще ничего не могла нам сказать. Она ничего не знала о преступлении. По успешно выполненному плану сэра Чарльза она могла привлечь к себе внимание, только будучи мертвой. Для этого и была убита безобидная иностранка.

Но даже при таком явном триумфе сэр Чарльз совершил колоссальную ошибку, словно малое дитя! Он адресовал телеграмму мне, Эркюлю Пуаро, в отель «Ритц». Но миссис де Рашбриджер никогда не слышала о том, что я связан с этим делом! Так была совершена по-детски немыслимая ошибка.

Итак, в ту пору я достиг определенной стадии. Я узнал убийцу. Но не знал мотива для первого убийства. Я размышлял. И снова понял, яснее ясного, что первоначальной и главной целью являлось убийство сэра Бартоломью Стренджа. По какой причине сэр Чарльз мог захотеть убить своего друга? Можно ли вообразить мотив? Я смог.

Раздался тяжкий вздох. Сэр Чарльз медленно поднялся со своего места и направился к камину. Он стал возле него, упершись рукой в бедро, и смотрел свысока на Пуаро. Как сказал бы мистер Саттерсуэйт, он встал в позу лорда Энглмаунта, презрительно глядящего на негодяя стряпчего, которому удалось обвинить его в мошенничестве. Он был воплощением благородства и отвращения. Аристократ, свысока взирающий на безродного негодяя.

— У вас поразительное воображение, мсье Пуаро, — сказал он. — Едва ли стоит говорить, что в вашей истории нет ни слова правды. Как вы набрались наглости, чтобы пустить на меня такую абсурдную лавину лжи, не знаю. Но продолжайте — мне интересно. Какой же был у меня мотив, чтобы убить человека, которого я знал с мальчишеских лет?

Эркюль Пуаро, маленький буржуа, смотрел вверх на аристократа. Он говорил спокойно и твердо:

— Сэр Чарльз, для убийства существует не так уж много мотивов. Страх, выгода или женщина. В данном случае, сэр Чарльз, нам не нужно идти дальше первого из них. Страх был вашим мотивом убийства сэра Бартоломью Стренджа.

Сэр Чарльз презрительно пожал плечами.

— А по какой причине я стал бы бояться моего старого друга?

— По той причине, — ответил Эркюль Пуаро, — что сэр Бартоломью был специалистом по психическим заболеваниям. — Он помолчал с минуту, затем продолжал мягким, приглушенным голосом: — Когда эта мысль пришла мне в голову, я стал наводить справки. Просмотрел подшивки газет. Возможно, вы помните, сэр Чарльз, как вы говорили мистеру Саттерсуэйту, что покинули сцену после нервного срыва, вызванного перегрузкой. Это не совсем соответствовало действительности. Я отметил, что за последние два года вашей сценической деятельности вы играли в трех пьесах — первая была сценической версией жизни Наполеона, вторая — религиозной пасторалью, в которой вы сыграли роль слегка замаскированного божества, а в третьей — вы сыграли супердиктатора, который властвовал над всем миром. В ваших публичных выступлениях того времени явно проглядывала мания величия. Что же касается нервного срыва, то подробности казались весьма туманными. В прессе объявили, что вы отправились в морское путешествие. Однако я не нашел вашего имени ни в одном из списков пассажиров судовых компаний.

Совершенно невольно на этой стадии мне помогла мисс Литтон Гор. Она мельком упомянула, что ваше настоящее имя — Маг. И тут мне на память пришла фраза из дневника сэра Бартоломью: «Меня беспокоит «М.». Мне не нравятся некоторые признаки». «М.» — это не Мендерс, не Маргарет де Рашбриджер или еще какое-нибудь неизвестное лицо. «М.» — значило Маг, под таким именем вас знал в молодости сэр Бартоломью. И очень быстро я нашел подтверждение своей теории. В тот день, когда сэр Чарльз якобы отправлялся в морское путешествие, в частную психиатрическую лечебницу в Линкольншире был принят пациент по имени Чарльз Маг. Мне понятны причины такой процедуры — сэр Чарльз Картрайт был хорошо известен персоналу санатория сэра Бартоломью в аббатстве. Таким путем избегалась всякая гласность. Чарльз Маг выписался из частной лечебницы спустя четыре месяца, но я предполагаю, что доктор не был вполне удовлетворен психическим состоянием своего друга. И нет сомнения, что его бдительность ускорила трагедию.

Болезнь сэра Чарльза не была излечена; он просто очень хитро скрывал ее от окружающих. Но он не мог с уверенностью скрывать ее от тревожных и опытных глаз своего друга. И вот, в то время, когда сэр Бартоломью испытывал смутное беспокойство по поводу психического состояния своего друга, сэр Чарльз намечал свои планы с хитростью, естественной для его состояния ума.

В сэре Бартоломью он увидел угрозу своей свободе. Он был убежден, что доктор намерен изолировать его. И задумал тщательно разработанный и весьма хитроумный способ убийства.

Одно обстоятельство озадачивало меня все время — отношения между сэром Чарльзом и мисс Литтон Гор. Мистеру Саттерсуэйту он казался страстно влюбленным мужчиной, не уверенным в ответных чувствах своей любимой. Он якобы считал, что мисс Литтон Гор влюблена в Оливера Мендерса. Но, на мой взгляд, сэр Чарльз — человек, хорошо знающий мир, и опытный мужчина — не мог обманываться. Он должен был знать, что перед ним пути открыты. Как же тогда объяснить его поведение?

Очень просто. Сэру Чарльзу нужно было оправдание, чтобы покинуть Лумауз и выехать за границу, разумное объяснение, почему он избегает на время своих друзей. И благодаря дару к драматическим эффектам, который ему, несомненно, свойствен, он решил, что романтическая причина наиболее убедительна. Он сразу вызвал сочувствие. И к тому же получил оправдание для возвращения в Англию после смерти Бартоломью, чтобы принять участие в расследовании. Ему весьма важно было знать, как развернутся события.

Эркюль Пуаро умолк. Сэр Чарльз рассмеялся. От всей души, с неподдельным весельем.

— Дорогой мой! — сказал он. — Ну и ну, дорогой мой!

И если бы здесь находилась публика, все бы решили, что абсурдные идеи этого иностранца слишком уж нелепы. Сэр Чарльз был просто воплощением здравого смысла.

— Так, значит, я сумасшедший, вот как? — спросил он с веселым юмором. — Мой дорогой мсье Пуаро, не думаете ли вы, что шапка горит вовсе на другой голове? Не будем говорить о старческом маразме, но... — он коснулся лба, — вы чуть-чуть не того, по-моему. Признаю, что нервы у меня совсем сдали и что по совету Толли я отправился в частную лечебницу на короткое время. Но считать меня убийцей, маньяком — это уж слишком. — Он помолчал, а потом продолжал в том же юмористическом тоне: — А Баббингтон — милый старина священник? Он что, тоже был специалистом по психиатрии?

— Нет, — ответил Эркюль Пуаро. — Причина для устранения мистера Баббингтона была совсем иной. Собственно, причины не было.

— Выходит, убийца слегка позабавился?

— Нет, нечто больше. Все время меня заботил тот факт, что, хотя в тот вечер у вас и была полная возможность опустить никотин в бокал с коктейлем, вы не могли рассчитывать, что он попадет к нужному лицу. Вчера после случайного замечания я все понял. Яд не был предназначен специально для Стефена Баббингтона. Он мог попасть к любому из присутствующих, за исключением двоих — вас и сэра Бартоломью, который, как вы знали, не пьет коктейлей.

Мистер Саттерсуэйт вскричал:

— Но это же абсурд! С какой же целью? Ведь ее же нет.

Пуаро повернулся к нему. Голос его зазвучал победно.

— О да, она есть. Странная цель — весьма странная. Впервые мне довелось столкнуться с таким мотивом для убийства. Убийство Стефена Баббингтона было не чем иным, как генеральной репетицией.

— Что?

— Да, сэр Чарльз — актер. Он подчинился инстинкту актера. Он срепетировал убийство, прежде чем совершить задуманное. Он никак не мог вызвать подозрения. Смерть кого-либо из присутствующих не могла принести ему никакой выгоды, следовательно, отсутствовал мотив, более того, как оно и случилось, никто не мог бы доказать, что сэр Чарльз хотел отравить определенного человека. И, друзья мои, генеральная репетиция прошла гладко. Мистер Баббингтон умирает, и никто даже не подозревает грязной игры. Остается самому сэру Чарльзу вызвать подозрение, а то, что мы отказались принять его всерьез, было ему весьма на руку. Подмена бокала также прошла незаметно. Значит, он может проникнуться уверенностью, что, когда состоится настоящее представление, все пройдет без сучка и задоринки.

Как вы знаете, события приняли несколько иной поворот. Во втором случае присутствовал врач, который немедленно заподозрил отравление. Именно тогда в интересах сэра Чарльза было обратить внимание на смерть Баббингтона. Пусть считают, что смерть сэра Бартоломью является следствием предыдущей. Следует сосредоточить внимание на мотиве убийства Баббингтона, а не на том, который привел к устранению сэра Бартоломью.

Но одно обстоятельство сэр Чарльз не учел. Деятельную бдительность мисс Милрей. Она знала, что ее хозяин проводит химические эксперименты в башне в саду. Мисс Милрей оплачивала счета за растворы для поливки роз и поняла, что довольно большое количество раствора необъяснимо исчезло. Когда она прочитала, что мистер Баббингтон умер от отравления никотином, она быстро сообразила, что сэр Чарльз извлекал чистый алкалоид из раствора для поливки роз.

И мисс Милрей сразу не могла решить, как ей поступить, ибо она знала мистера Баббингтона еще девочкой и в то же время была влюблена, глубоко и преданно, как свойственно уродливой женщине, в своего очаровательного хозяина.

Наконец, она решила уничтожить аппарат сэра Чарльза. Он же был так уверен в своем успехе, что никогда и не помышлял о такой необходимости. Она отправилась в Корнуолл, а я последовал за ней.

Сэр Чарльз снова рассмеялся. Он в еще большей степени казался джентльменом, полным отвращения к крысе.

— И вся ваша улика — какой-то старый химический аппарат? — спросил он презрительно.

— Нет, — сказал Пуаро. — В ваш паспорт занесены даты, когда вы покидали Англию и возвращались обратно. Они совпадают с тем периодом, когда дворецкий Эллис служил у сэра Бартоломью.

До этого момента Эгг сидела молча, словно замороженная. Но тут она встрепенулась. Она вскрикнула, вернее, застонала.

Сэр Чарльз величественно повернулся к ней:

— Эгг, ведь вы не верите ни слову из этой абсурдной истории, не так ли? — Он, смеясь, протянул к ней руки.

Эгг медленно двинулась к нему, словно загипнотизированная. Ее глаза не отрывались от его глаз. И вдруг, почти дойдя до него, она зашаталась и опустила глаза, не зная, в какую сторону двинуться. А потом с воплем бросилась на колени перед Пуаро.

— Неужели это правда? Неужели правда?

Пуаро положил обе руки ей на плечи, мягко и уверенно.

— Это правда, мадемуазель.

Эгг сказала:

— В тот день, когда мы были в деревне, меня что-то испугало, не знаю что. Просто я чего-то боялась. Было ли это потому...

— Женская интуиция, моя дорогая Эгг, — сказал сэр Чарльз, презрительно фыркнув. — Он все еще сохранял спокойствие. — Так не пойдет, Пуаро, — сказал он. — Я могу объяснить даты в паспорте. Признаюсь, создается плохое впечатление, но... на то были причины.

Пуаро заговорил резким деловым тоном:

— В соседней комнате, сэр Чарльз, находятся инспектор Скотленд-Ярда и два врача — известные специалисты по заболеваниям мозга.

— Вы это сделали? — Сэр Чарльз двинулся вперед. Лицо его словно растворилось и приняло другие очертания. Оно перекосилось от бессильной ярости. Голос звучал визгливо и надтреснуто. — Вы меня заманили в ловушку! Да, в ловушку! Тут заговор! Меня окружают! Но они не могут прикоснуться ко мне — никто не может прикоснуться ко мне! — Он резко выпрямился. — Я выше всех вас, выше всех глупых законов, придуманных человеком! Этих трех следовало убить, так было нужно. Я сожалею об их смерти, но так было необходимо. Ради моей безопасности! — Он остановился и уставился на Пуаро. — Это неправда. Тут все подстроено. Ложь. Там никого нет.

— Посмотрите сами, — сказал Эркюль Пуаро.

Сэр Чарльз направился к двери, широко раскрыл ее и переступил порог. Потом они услышали его резкий, визгливый вопль, приглушенные мужские голоса. Пуаро подошел к двери, тщательно закрыл ее.

— Все кончено, мадемуазель, — сказал он, — о нем позаботятся. А сейчас здесь находится друг, который отведет вас домой.

Он открыл другую дверь, и в комнату стремительно вошел Оливер Мендерс. Эгг, шатаясь, сделала шаг ему навстречу.

— Оливер, я была такой свиньей. Отведи меня к маме! О, скорее отведи меня к маме!

Он обнял ее за плечи и повел к двери.

— Да, дорогая, я отведу тебя. Пойдем.

— Это было так ужасно... так ужасно.

— Я знаю. Но все уже кончилось. Не надо думать об этом больше никогда.

— Я не смогу забыть. Никогда не смогу.

— Нет, забудешь. Очень скоро забудешь. Пойдем...

Она послушно пошла с ним. У двери взяла себя в руки и выпрямилась, сбросив его руки с плеч.

— Со мной все в порядке.

Пуаро жестом подозвал Оливера Мендерса, и тот вернулся в комнату.

— Будьте очень добры к ней, — произнес Пуаро.

— Я буду, сэр. Любовь к ней сделала меня ожесточенным и циничным. Но сейчас я буду другим. Готов все выдержать. И возможно, придет день...

— Я уверен, — сказал Пуаро. — Я думаю, что она уже начала дорожить вами, но тут явился он и ослепил ее. Увлечение героем — подлинная и ужасная опасность для юности. Придет день, когда Эгг полюбит друга и построит свое счастье на незыблемой скале.

Он тепло смотрел вслед молодому человеку, покидавшему комнату.

Мистер Саттерсуэйт наклонился вперед в кресле.

— Мсье Пуаро. Вы были великолепны — абсолютно великолепны.

Пуаро сказал со скромным видом:

— Это все ничего. Трагедия была в трех актах, а теперь занавес падает.

— Простите меня, — начал мистер Саттерсуэйт, — но я бы хотел...

— Чтобы я вам кое-что объяснил? Так спрашивайте.

— Почему вы иногда говорите на превосходном английском, а порой нет?

Пуаро рассмеялся:

— Ах вот что, я объясню. Правда, я могу говорить на правильном английском языке. Но, друг мой, разговор на ломаном английском имеет огромное преимущество. Люди вас начинают презирать. Они говорят: «Иностранец, даже не умеет правильно говорить по-английски». В мою задачу не входит потрясать людей; напротив, я не возражаю, чтобы меня немножко высмеивали. К тому же я хвастаю! Англичанин часто говорит: «Парень, который так много мнит о себе, не может много стоить». Такова английская точка зрения. Она вовсе неправильна. Но таким путем, как видите, я избавляю людей от настороженности. К тому же это уже вошло в привычку.

— Бог мой, — сказал мистер Саттерсуэйт, — настоящее змеиное хитроумие, мсье Пуаро. — Он помолчал некоторое время, размышляя обо всем деле. — Боюсь, что я вовсе не блистал все это время, — сказал он с досадой.

— Напротив, вы обратили внимание на очень важное обстоятельство — замечание сэра Бартоломью относительно дворецкого. Вы подчеркнули также острую наблюдательность мисс Уиллс. По сути, вы могли бы все разгадать, если бы не ваша реакция любителя-театрала на драматические эффекты.

Мистер Саттерсуэйт повеселел. Внезапно ему в голову пришла мысль, от которой лицо его вытянулось.

— Боже мой! — вскричал он. — Я только сейчас все осознал! Этот негодяй, отравивший коктейль... ведь любой мог его выпить! Ведь это мог быть я!

— Существовала еще более ужасная возможность, которую вы не осознали, — заметил Пуаро.

— Какая?

— Это мог быть я, — сказал Эркюль Пуаро.

Печальный кипарис

Роман

Sad Cypress

Прилетай, прилетай, смерть,
Пусть меня обовьют пеленой;[1]
Угасай, угасай твердь,
Я убит бессердечной красой.
Мой саван тисовой листвой
Изукрасьте,
Я встречу смертный жребий свой
Как счастье.

В. Шекспир

Пролог

— Элинор Катарин Карлайл! На основании этого акта вы обвиняетесь в убийстве Мэри Джерард, совершенном 27 июля сего года. Признаете ли вы себя виновной?

Элинор Карлайл стояла очень прямо с поднятой головой. Головка эта была изящной, лицо с высокими, хорошо очерченными скулами. Глаза бездонной синевы, волосы черные. Брови выщипаны до едва заметной тоненькой линии.

В зале воцарилась тишина... напряженная тишина.

Сэр Эдвин Балмер, адвокат ответчицы, весь напрягся в тревожном ожидании. *«Боже мой, она вот-вот признает себя виновной! У нее сдали нервы!»* — подумал он. Губы Элинор Карлайл дрогнули. Она произнесла:

— Не признаю!

Адвокат с облегчением откинулся на спинку стула и вытер платком лоб, поняв, что опасность миновала.

Со своего места поднялся сэр Сэмюэл Аттенбери, чтобы кратко изложить Королевскому суду суть данного уголовного дела.

— Ваша светлость, господа присяжные заседатели, 27 июля в половине четвертого пополудни в Хантербери, Мейденсфорд, скончалась Мэри Джерард...

---

[1] Подстрочный перевод этой строки звучит так: погребите меня под сенью *печального кипариса*.

У него был мелодичный, приятный для слуха голос. Он убаюкивал Элинор, доводя до обморочного состояния. До ее сознания доходили лишь отдельные фразы несложного и краткого повествования:

— ...Дело это чрезвычайно простое и понятное... Обязанность суда... доказать наличие побудительного мотива и возможности... Насколько известно, ни у кого, кроме обвиняемой, не было оснований для убийства этой несчастной девушки. Мэри Джерард обладала мягким нравом... ее все любили... у нее, можно сказать, во всем мире не было ни одного врага...

«Мэри, Мэри Джерард! Каким далеким все это кажется сейчас... и каким нереальным...»

— ...Я хотел бы, в частности, обратить ваше внимание на следующие моменты: во-первых, какие возможности и средства имелись у обвиняемой для совершения преступления; во-вторых, чем было мотивировано ее деяние?

Я считаю своим долгом представить свидетелей, показания которых могут помочь вам сделать правильные заключения по этим вопросам...

Что касается отравления Мэри Джерард, то я попытаюсь доказать вам, что *никто, кроме обвиняемой, не имел возможности* совершить данное преступление...

Элинор казалось, что она окутана густым туманом, сквозь который до нее доносились лишь отдельные слова:

— ...Бутерброды... Рыбный паштет... Пустой дом...

Слова пробивались к погруженной в свои мысли Элинор, как будто через плотную пелену, колючие, как иголки...

Зал суда. Лица. Целые ряды лиц! Одно из них — особенно примечательное лицо с большими черными усами и проницательными глазами... Это Эркюль Пуаро, у него задумчивый взгляд; он внимательно наблюдает за ней, чуть наклонив голову.

Элинор думает: *«Он пытается понять, почему же все-таки я это сделала. Пытается проникнуть в мою*

*душу, чтобы узнать, о чем я тогда думала, что чувство-
вала...»*

Что чувствовала? Немного затуманивается сознание, потом, как болезненный удар, приходит воспоми-
нание... Лицо Родди... его дорогое, бесконечно дорогое лицо с длинноватым носом и капризным ртом...
Родди! Всегда был Родди... с тех пор как она помнит
себя, с тех самых дней в Хантербери... и среди кустов
малины, и в крольчатнике, и у ручья... повсюду Родди, Родди, Родди...

Другие лица... сестра О'Брайен: рот слегка приот-
крыт, веснушчатое свежее лицо, подавшееся вперед...
Сестра Хопкинс: такая опрятная, подтянутая и непре-
клонная... Лицо Питера Лорда... Питер Лорд, такой добрый, такой деликатный и такой... *надежный!* А сейчас
он выглядит... неужели?.. да, несомненно, он выглядит
потерянным. Он так близко, так ужасно близко принимает все это к сердцу! Тогда как сама она — главное
действующее лицо — совсем равнодушна ко всему про-
исходящему!

Вот она стоит здесь, абсолютно спокойная, безучаст-
ная, стоит у скамьи подсудимых и обвиняется в убийстве.
Ее судят...

Что-то шевельнулось в груди... Пелена, обволакива-
ющая мозг, стала легче, стала совсем прозрачной... *Ее
судят! Люди...*

Люди в напряженных позах, губы их полуоткрыты,
возбужденные глаза уставились на нее, Элинор, в омер-
зительном наслаждении... Они, смакуя, с жестоким удовольствием слушают все, что рассказывает о ней этот
высокий мужчина:

— Факты, относящиеся к данному делу, чрезвычайно легко выстраиваются в логическую цепочку и являются неоспоримыми. Я изложу их вам в виде простой
схемы. С самого начала...

«С самого начала... Начало?» — думала Элинор. *Все
началось в тот день, когда она получила мерзкое анонимное письмо! Именно оно и стало началом всех событий...*

Глава 1

Анонимное письмо! Элинор Карлайл растерянно держала в руке распечатанное письмо. Ей никогда еще не приходилось видеть подобных писем. Оно вызывало чувство брезгливости: написано отвратительным почерком, безграмотно, на дешевой розовой бумаге.

«Хочу, чтоб ты знала,

что кое-кто — имен называть не буду — примазывается к твоей тетушке, и если ты будешь сидеть сложа руки, то наследства тебе не видать как своих ушей. Девицы попадаются хитрющие, а старые дамы тают от удовольствия, когда к ним примазываются и льстят им. Я хочу сказать, езжала бы ты лучше сюда, да посмотрела бы своими глазами, чего тут творится. Будет нечестно, если тебя и твоего молодого человека оставят с носом. Эта девица умело обделывает свои делишки, а старая дама вот-вот отдаст Богу душу.

Доброжелатель».

Элинор все еще стояла не в силах оторваться от послания, недовольно нахмурив свои тонкие брови, когда дверь открылась, горничная доложила: «Мистер Уэлмен!» — и вошел Родди.

Родди! Как всегда, при виде Родди Элинор почувствовала легкое головокружение и внезапный прилив радости, которую она считала своим долгом скрывать под некоторой сухостью и бесстрастностью, поскольку было совершенно очевидно, что Родди, хотя он и любил ее, не испытывал к ней столь же сильного чувства, какое владело ею. При первом взгляде на него у нее почти до боли сжалось сердце. Что за абсурд, когда человек, самый заурядный молодой человек, способен вызывать такое чувство у другого человека! Такое, что от одного взгляда все переворачивается в душе, а его голос вызывает желание немножко всплакнуть. Любовь, наверное, должна быть чувством радостным и уж никак не заставлять тебя страдать.

Ясно одно: надо очень, очень постараться и сделать вид, что ты относишься ко всему с полным безразличием. Мужчины не любят чрезмерной преданности и обожания. И уж конечно не любит этого Родди!

Она небрежно бросила:

— Привет, Родди!

— Привет, дорогая! — сказал Родди. — Почему у тебя такой трагичный вид? Это что, счет пришел?

Элинор отрицательно покачала головой.

— А я подумал, что какой-нибудь счет привел тебя в дурное расположение. Знаешь, середина лета — время танцующих фей, а тут на голову сыплются неоплаченные счета!

— Произошло нечто отвратительное, — сказала Элинор, — я получила анонимное письмо.

Родди изумленно поднял брови. Его оживленное нервное лицо застыло и помрачнело.

— Не может быть! — резко сказал он.

— Да, произошло нечто отвратительное, — повторила Элинор. — Она шагнула к секретеру. — Я думаю, лучше его порвать.

Она могла бы тогда же порвать его — и почти сделала это, потому что Родди и анонимные письма — настолько нелепое сочетание! Она могла бы выбросить письмо и навсегда забыть о нем. Родди не стал бы ее останавливать. Присущая ему взыскательность ко всему, что его окружало, одержала бы верх над любопытством.

Однако какой-то странный импульс заставил Элинор поступить иначе. Она сказала:

— Может быть, тебе лучше сначала прочесть его? А потом мы его порвем. Оно касается тети Лоры.

— Тети Лоры? — изумился Родди. Он взял письмо, прочитал его, нахмурив лоб, и брезгливо протянул назад. — Конечно, надо сжечь! Что за люди!

— Как ты думаешь, может быть, это написал кто-то из прислуги? — спросила Элинор.

— Наверное, так оно и есть. — Он помедлил. — Хотел бы я знать, о ком это там идет речь.

Элинор задумчиво произнесла:

— Я думаю, что это, должно быть, о Мэри Джерард. Родди нахмурил лоб, пытаясь припомнить.

— Мэри Джерард? Кто это?

— Это дочь тех людей, которые жили в домике сторожа. Ты должен помнить ее, еще когда она была ребенком. Тетя Лора всегда любила девочку и интересовалась ею. Она оплачивала ее обучение в школе и все остальное: уроки музыки, французского языка и так далее.

— Да, теперь я, кажется, припоминаю ее, — сказал Родди. — Худышка, которая как будто вся состояла из рук и ног да копны растрепанных белокурых волос.

Элинор кивнула.

— Да, это она. Ты, наверное, не видел ее с тех самых летних каникул, когда мама и папа были за границей. Ведь ты бывал в Хантербери не так часто, как я. А последнее время она жила в Германии в качестве компаньонки. Но в детстве мы всегда приглашали ее поиграть вместе с нами.

— Какая же она теперь? — спросил Родди.

— Она стала весьма миловидной, — ответила Элинор. — С хорошими манерами и все такое. Получила образование, и теперь трудно поверить, что она дочь старого Джерарда.

— Совсем как настоящая леди, а?

— Да. И мне кажется, что именно по этой причине ей не очень-то хорошо живется в сторожке. Миссис Джерард умерла несколько лет назад, а с отцом Мэри не ладит. Он постоянно насмехается над ее образованностью и изысканными манерами.

— Людям почему-то не приходит в голову мысль о том, какой вред можно причинить, «давая кому-то образование»! Как часто доброта оборачивается жестокостью! — изрек Родди.

— Она много времени проводит в доме тети Лоры. Я знаю, что после того, как тетю Лору разбил паралич, она читает ей вслух, — сказала Элинор.

— Почему ей не может читать сиделка?

Элинор улыбнулась.

— У сестры О'Брайен такой ужасный ирландский акцент! Не удивительно, что тетя Лора предпочитает Мэри.

Родди минуту-другую нервно ходил по комнате, потом сказал:

— Послушай, Элинор, мне кажется, мы должны туда съездить.

Элинор, с гримасой отвращения указав на письмо, спросила:

— Из-за этого?..

— Нет-нет, совсем не из-за этого... А впрочем, черт возьми, надо честно признаться: *да, из-за этого!* Каким бы мерзким ни было это письмо, в нем *наверняка есть доля правды*. Я имею в виду, что наша дорогая старушка действительно серьезно больна...

— Ты прав, Родди.

Он взглянул на нее со своей обезоруживающей улыбкой, как бы призывая согласиться, что человеку свойственны слабости, и сказал:

— К тому же деньги *играют не последнюю роль* — и для тебя, и для меня, Элинор.

Она с поспешностью согласилась:

— Да, ты прав.

Лицо его стало серьезным.

— Это вовсе не значит, что я меркантилен. Однако тетя Лора сама не раз говорила, что из всей семьи у нее остались только ты и я. Ты ее родная племянница, дочь ее брата, а я — племянник ее мужа. Она всегда давала нам понять, что после ее смерти все ее состояние перейдет к одному из нас, а вероятнее всего, к обоим вместе. Не забывай, что это кругленькая сумма, Элинор!

— Должно быть, это так, — задумчиво сказала Элинор.

— Содержание Хантербери, конечно, обходится в копеечку. — Он помедлил. — Дядя Генри был, что называется, человек со средствами, когда они встретились с твоей тетей Лорой, тоже богатой наследницей.

И она, и твой отец получили неплохое наследство. Жаль, что твой отец играл на бирже и потерял бо́льшую часть своих денег.

Элинор вздохнула.

— Бедному отцу всегда недоставало деловой хватки. Перед смертью он был очень обеспокоен состоянием своих дел.

— Что и говорить, твоя тетя Лора соображала в делах гораздо больше, чем он. Когда она вышла замуж за дядю Генри, они купили Хантербери. Она не раз говорила мне, что ей всегда везло в том, что называется «выгодно поместить капитал». Она практически никогда не была в убытке.

— После смерти дяди Генри все его состояние перешло к ней? — спросила Элинор.

Родди кивнул:

— Да. Как трагично, что он так рано ушел из жизни. Но она так и не вышла замуж снова. Какая преданность! Тетя Лора всегда очень хорошо к нам относилась! Со мной она обращалась так, как будто я ее родной племянник. Она не раз помогала мне выпутаться, когда я попадал в затруднительное положение. К счастью, со мной это *не так уж часто* случалось!

— И со мной она тоже всегда была ужасно щедра, — с благодарностью сказала Элинор.

Родди кивнул.

— Тетя Лора — молодчина! Но знаешь, Элинор, может быть, конечно, неумышленно и я, и ты ведем слишком расточительную жизнь, если учесть, какие скромные средства у нас с тобой в действительности.

Она печально сказала:

— Наверное, ты прав. Но все стоит так дорого: одежда, и косметика, и всякие пустяки вроде кино и коктейлей, даже граммофонные пластинки...

— Дорогая моя, ты живешь как птичка Божья, которая не знает ни забот, ни труда...

— Ты считаешь, что я должна жить по-другому, Родди?

Он отрицательно покачал головой.

— Я люблю тебя такой, какая ты есть: нежная, холодная и ироничная. Мне очень не хотелось бы, чтобы ты вдруг стала чересчур серьезной и озабоченной. Я только хотел сказать, что, если бы не тетя Лора, тебе пришлось бы, пожалуй, заняться какой-нибудь нудной работой. То же относится и ко мне, — продолжал он. — Моя работа в фирме «Льюис и Хьюм» не требует больших усилий. Это мне подходит. Работа позволяет мне сохранять уважение к самому себе, однако, заметь, я не беспокоюсь о своем будущем, поскольку у меня есть надежда получить кое-что от тети Лоры.

— Мы живем словно какие-нибудь пиявки, — сказала Элинор.

— Чепуха! Нас приучили к мысли, что со временем у нас будут деньги, вот и все. Естественно, что это влияет на наше поведение.

Элинор произнесла задумчиво:

— А ведь тетя Лора никогда не говорила нам ничего определенного о том, *как* она намерена распорядиться своими деньгами...

— Ну, это не имеет значения! По всей вероятности, она поделит их между нами; но даже если это не так, если она, например, завещает все деньги или большую их часть тебе как своей кровной родственнице, тогда, дорогая, я все равно буду иметь на них право, потому что я *собираюсь жениться на тебе;* а если милая старушка сочтет, что большая часть должна достаться мне как представителю мужской линии Уэлменов, то и в этом случае все будет в порядке, потому что ты *выходишь замуж за меня.* — Он нежно улыбнулся ей и сказал: — Нам просто повезло, что мы любим друг друга. Ты ведь любишь меня, Элинор, не так ли?

— Да, — ответила Элинор холодно, почти официальным тоном.

— Да, — передразнил ее Родди. — Ты просто великолепна, Элинор. Это твоя манера говорить — этакая холодность, неприступность — ну просто *принцесса Недотрога!* Мне кажется, что именно за это я и полюбил тебя.

Элинор затаила дыхание.

— Ты действительно так думаешь? — спросила она.

— Да. — Он поморщился. — Женщины иногда бывают такие... не знаю, как и сказать... такие собственницы, такие по-собачьи преданные, что их чувства просто затопляют все вокруг! Мне это было бы неприятно. С тобой же я никогда не знаю, что будет дальше; я никогда не могу быть уверен в тебе, потому что в любой момент ты способна отвернуться этак высокомерно и равнодушно, как ты умеешь, и сказать, что ты передумала, оставаясь при этом совершенно невозмутимой, так сказать, и глазом не моргнув. Ты обворожительное создание, Элинор! Ты как произведение искусства — *само совершенство!* Знаешь, мне кажется, что наш брак будет идеальным, — продолжал он. — Оба мы любим друг друга достаточно, но не чрезмерно. Мы хорошие друзья. У нас во многом сходные вкусы. Мы знаем друг о друге все. У нас есть все те преимущества, которые дает родство, но мы избавлены от тех сложностей, которые неизбежно связаны с кровным родством. Ты никогда не наскучишь, потому что тебя невозможно постичь до конца. Хотя я-то могу наскучить тебе. Ведь я такой заурядный парень...

Элинор покачала головой.

— Нет, Родди. Ты мне никогда не наскучишь. Никогда.

— Милая! — Он поцеловал Элинор. — Думаю, что тетя Лора достаточно проницательна, чтобы догадаться о наших отношениях, — сказал он, — хотя мы не бывали у нее после того, как между нами все было окончательно решено. Кстати, это хороший повод, чтобы съездить к ней.

— На днях я подумала... — начала Элинор, а Родди закончил фразу за нее:

— ...Что мы бываем у нее не так часто, как могли бы. Я тоже думал об этом. Когда с ней случился первый удар, мы навещали ее почти каждую неделю. А теперь прошло уже около двух месяцев с тех пор, как мы ездили к ней в последний раз.

— Позови она нас, мы бы тотчас приехали, — сказала Элинор.

— Ну конечно же! К тому же мы знаем, что сестрой О'Брайен она довольна и что за ней хорошо ухаживают. Но все равно это нас не оправдывает, мы, конечно, немного распустились. Сейчас я имею в виду не денежный вопрос, а чисто человеческую сторону дела.

Элинор кивнула:

— Я понимаю.

— Итак, это грязное письмо принесло некоторую пользу. Мы поедем туда, чтобы защитить наши интересы и просто потому, что мы любим нашу милую старушку.

Он зажег спичку, взял письмо из рук Элинор и поджег его.

— Хотел бы я знать, кто же все-таки его написал, — сказал он. — Это, правда, не имеет никакого значения... Наверное, кто-нибудь из тех, кто «за нас», как мы обычно говорили, когда были детьми. Может быть, этот человек действительно сделал для нас доброе дело. Всякое бывает в жизни! Вот, например, мать Джима Партингтона поехала на Ривьеру отдохнуть. Там ее лечил один красивый молодой врач-итальянец, а она влюбилась в него по уши и завещала ему свое состояние до последнего пенни. Джим и его сестры пытались опротестовать завещание, но у них ничего не вышло.

— Тетя Лора, конечно, довольна новым доктором, к которому перешла практика доктора Рэнсома, однако не до такой степени! Да и в этом ужасном письме упоминалась девушка. Должно быть, речь идет о Мэри.

— Мы поедем туда и все увидим своими глазами, — сказал Родди.

Сестра О'Брайен прошуршала юбками из спальни миссис Уэлмен в ванную комнату. Обернувшись через плечо, она сказала:

— Я хочу поставить чайник. Уверена, сестрица, что вам не помешает чашечка чая перед уходом.

Сестра Хопкинс уселась поудобнее.

— Чашечка чая, дорогая, *никогда не бывает лишней.* Я всегда говорю: ничто не сравнится с доброй чашкой крепкого чая!

Наполняя водой чайник и зажигая газовую конфорку, сестра О'Брайен щебетала:

— В этом буфете у меня есть все: чайник, чашки, сахар, а Эдна дважды в день приносит мне свежее молоко. Не нужно каждый раз звонить слугам. Какая удобная газовая плита! Чайник на ней закипает в мгновение ока.

Сестра О'Брайен была высокой рыжеволосой женщиной лет тридцати, с ослепительно белыми зубами и располагающей улыбкой на веснушчатом лице. Жизнерадостная и энергичная, она была любимицей у своих пациентов. Сестра Хопкинс, районная медицинская сестра, которая каждое утро приходила, чтобы помочь перестелить постель и помыть больную, была некрасивой женщиной средних лет, умелой и проворной. Она с одобрением сказала:

— В этом доме такой порядок, все делается как следует.

Вторая сестра кивнула:

— Вы правы. Кое-что, конечно, устарело, например нет центрального отопления, но зато много каминов и служанки здесь такие обходительные. Миссис Бишоп держит их в строгости.

— Эти теперешние служанки... у меня просто не хватает терпения с ними, — сказала сестра Хопкинс. — Большинство из них и сами не знают, чего хотят, а работу по дому сделать как следует не умеют.

— Ну, Мэри Джерард, например, приятная девушка, — сказала сестра О'Брайен. — Я просто не знаю, как миссис Уэлмен обошлась бы без нее. Видели, она и сейчас попросила ее позвать. Правду сказать, Мэри — милое создание, и у нее есть подход к людям.

— Жаль мне Мэри, — сказала сестра Хопкинс. — Этот старик, ее отец, делает все, чтобы хоть как-то досадить девушке.

— Доброго слова не скажет, старый невежа, — подхватила сестра О'Брайен. — А вот и чайник запел! Я заварю чай, как только он закипит.

Горячий крепкий чай был заварен и налит в чашки. Обе сестры чаевничали в комнатке сестры О'Брайен, расположенной рядом со спальней миссис Уэлмен.

— Приезжают мистер Уэлмен и мисс Карлайл, — сообщила сестра О'Брайен. — Сегодня утром пришла телеграмма.

— Вот оно что! — сказала сестра Хопкинс. — То-то мне показалось, что старая леди чем-то взволнована сегодня. Они давненько не навещали ее, не так ли?

— Должно быть, около двух месяцев, а то и больше. Такой приятный молодой человек этот мистер Уэлмен! Только очень уж гордый у него вид.

— А *ее* фотографию я на днях видела в «Татлере». Там она с одним из друзей в Ньюмаркете, — сказала сестра Хопкинс.

— Она пользуется успехом в обществе. И всегда у нее такие потрясающие туалеты! — мечтательно сказала сестра О'Брайен. — Как по-вашему, сестрица, она красивая?

— Теперь трудно разглядеть под слоем косметики, как эти современные девушки выглядят на самом деле, — сказала сестра Хопкинс. — По-моему, ей далеко до Мэри Джерард!

Сестра О'Брайен поджала губы и задумчиво склонила голову набок.

— Возможно, вы и правы. Но зато у Мэри нет того, что называется *стилем!*

Сестра Хопкинс произнесла назидательно:

— Одежда красит человека!

— Еще чашечку чая, сестрица?

— Благодарю вас, сестрица. Не откажусь.

Над дымящимися чашками чая женщины поближе придвинулись друг к другу. Сестра О'Брайен сказала:

— Прошлой ночью случилась удивительная вещь. Я вошла в спальню около двух часов, чтобы, как обычно, поудобнее укрыть нашу дорогую бедняжку.

Вижу, она не спит. Но, наверное, она дремала, потому что, когда я вошла в комнату, она сказала: «Фотография. Подайте мне фотографию».

И я сказала: «Ну конечно, миссис Уэлмен. Только не лучше ли вам подождать до утра?» — «Нет, — сказала она, — я хочу взглянуть на нее сейчас». Тогда я спросила: «Где же эта фотография? Вы имеете в виду фотографию мистера Родерика?» А она произнесла: «Роде-ри-ка? Нет, *Льюиса*». Потом она попыталась приподняться, и я подошла помочь ей. Она достала ключ из шкатулочки, что стоит рядом с постелью, и попросила меня отпереть второй ящик секретера. Представьте себе! Там действительно лежала фотография в массивной серебряной рамке. *Такой* красивый мужчина! А в уголке написано: «*Льюис*». Старомодная, конечно, фотография, сделанная, наверное, много лет назад. Я подала ей фотографию, и она долго вглядывалась в нее и шептала: «*Льюис, Льюис...*» Потом вздохнула, отдала мне ее и велела положить назад. И поверите ли, не успела я оглянуться, как она уже сладко спала, как ребенок.

— Как вы думаете, это фотография ее мужа? — спросила сестра Хопкинс.

— В том-то и дело, что нет! Потому что сегодня утром я спросила, как бы между прочим, миссис Бишоп, как звали покойного мистера Уэлмена, и она ответила, что его звали Генри!

Женщины обменялись понимающим взглядом. Кончик длинного носа сестры Хопкинс подрагивал от удовольствия. Она сказала задумчиво:

— Льюис... Льюис. Что-то не припомню никого с этим именем в здешних местах.

— Это было, наверное, много лет назад, — напомнила сестра О'Брайен.

— Да, конечно. Я ведь здесь работаю всего пару лет. Любопытно...

— Такой красавец мужчина! Похоже, что он был кавалерийским офицером, — промолвила сестра О'Брайен.

Сестра Хопкинс сказала, отхлебнув из чашки:

— Как это все интересно!

Романтически настроенная сестра О'Брайен высказала предположение, что они любили друг друга в юности, а жестокий отец разлучил их. Сестра же Хопкинс с глубоким вздохом сказала:

— А может быть, он погиб на войне?

Когда сестра Хопкинс, приятно возбужденная чаем и романтическими домыслами, вышла наконец из дому, ее нагнала выбежавшая из дверей Мэри Джерард.

— Сестрица, можно я пройдусь с вами до деревни?

— Разумеется, дорогая Мэри.

Мэри сказала, переводя дыхание:

— Я хочу поговорить с вами. Меня многое беспокоит.

В двадцать один год Мэри была милейшим созданием, чем-то напоминавшим дикую розу: нежная точеная шейка, бледно-золотистые волосы, мягкими естественными волнами лежавшие на изящной головке, ясные, небесной голубизны глаза...

— Что случилось? — спросила сестра Хопкинс.

— Беда в том, что время бежит, а *я ничего не делаю*.

— Успеешь наработаться, — сухо заметила сестра Хопкинс.

— Вы правы. Но это меня очень тревожит. Миссис Уэлмен была так добра ко мне, оплатив все мое дорогостоящее образование. Я действительно чувствую, что теперь обязана начать сама зарабатывать на жизнь. Я должна получить какую-нибудь профессию.

Сестра Хопкинс кивнула с сочувствием.

— Если я не начну работать, все усилия пропадут даром, — продолжала Мэри. — Я пыталась объяснить это миссис Уэлмен, но это не так просто, она, по-видимому, этого не понимает. Она каждый раз говорит, что впереди еще много времени.

— Не забывай, что она больна, — напомнила сестра Хопкинс.

Мэри густо покраснела.

— Я не забываю об этом. Я думаю, мне не следовало бы ее беспокоить. Но эта мысль не дает мне покоя, да еще отец *говорит всякие гадости*. Все время издевается надо мной, называет меня «леди Фу-ты Ну-ты»! А я и сама не хочу сидеть сложа руки!

— Я тебя понимаю.

— Беда в том, — продолжала Мэри, — что обучение любой профессии почти всегда стоит немалых денег. Я довольно хорошо владею немецким языком и могла бы найти ему какое-то применение. Но мне кажется, что из меня получилась бы неплохая медицинская сестра. Я очень люблю ухаживать за больными.

Далекая от романтики сестра Хопкинс заметила:

— Не забудь, что для этого нужно быть сильной, как лошадь!

— А я сильная! И мне *действительно* нравится ухаживать за больными. Мамина сестра — та, которая уехала в Австралию, — была медицинской сестрой. Так что, видите, это у меня в крови!

— Что, если стать массажисткой? — предложила сестра Хопкинс. — Или пойти в Норлендское медицинское училище? Ведь ты любишь детей? А труд массажисток хорошо оплачивается.

Мэри сказала с сомнением:

— Курс обучения, наверное, дорого стоит. Я надеялась... хотя это может показаться проявлением алчности с моей стороны... ведь она уже так много сделала для меня.

— Ты имеешь в виду миссис Уэлмен? Чепуха! Я считаю, что она просто обязана помочь тебе. Она дала тебе роскошное образование, но не такое, которое дает в руки еще и профессию. А ты не хотела бы стать учительницей?

— Я недостаточно умна для этого.

— Умной можно быть по-разному, — назидательно сказала сестра Хопкинс. — Послушай моего совета, Мэри, наберись пока терпения. Как я уже говорила, я считаю, что миссис Уэлмен просто обязана помочь тебе встать на ноги и начать зарабатывать на жизнь.

И я не сомневаюсь, что она намерена это сделать. Однако дело в том, что она к тебе привязалась и не хочет с тобой расставаться.

У Мэри перехватило дыхание.

— Вы действительно так думаете? — спросила она.

— Ничуть не сомневаюсь в этом! Вот лежит она там, бедняжка, почти совсем беспомощная, наполовину парализованная — и рядом практически нет ничего и никого, чтобы развлечь ее. Для нее очень много значит присутствие рядом такого свеженького, молоденького создания, как ты. Ты ведь умеешь очень ласково обращаться с больными.

Мэри тихо сказала:

— Вы очень успокоили меня... Милая миссис Уэлмен! Я очень, *очень* люблю ее! Она всегда так хорошо ко мне относилась. Я сделала бы для нее *что угодно!*

Сестра Хопкинс сухо заметила:

— В таком случае тебе самое лучшее оставаться на своем месте и перестать тревожиться. Ждать уже не долго!

— Вы имеете в виду... — Мэри посмотрела на сестру широко раскрытыми испуганными глазами.

Районная сестра кивнула.

— Ее самочувствие сейчас улучшилось, но это ненадолго. Будет второй удар, а потом и третий. Я-то уж знаю, как это бывает! Наберись терпения, моя милая. Если тебе удастся скрасить ее последние дни, считай, что ты сделала очень доброе дело. А для всего прочего еще придет время.

— Вы так добры, — благодарно сказала Мэри.

— А вот и твой папаша! — воскликнула сестра Хопкинс. — Появился из сторожки и, мне кажется, не для того, чтобы занять нас приятным разговором.

Они как раз приближались к массивным чугунным воротам. Из сторожки с трудом спускался по ступенькам старик с согнутой спиной.

Сестра Хопкинс бодро приветствовала его:

— Доброе утро, мистер Джерард!

Эфрейм Джерард что-то буркнул в ответ.

— Какая прекрасная погода, — сказала сестра Хопкинс.

Старый Джерард ответил сердито:

— Для вас, может, и прекрасная. Только не для меня. У меня жестокий приступ люмбаго.

Бодрым голосом медицинской сестры Хопкинс заметила:

— Это из-за повышенной влажности на прошлой неделе. Теплая сухая погода, как сегодня, быстро поможет с этим справиться.

Ее профессиональная самоуверенность, по-видимому, раздражала старика. Он сказал неодобрительно:

— Сестры, сестры — все вы одинаковы! Как будто радуетесь страданиям людей! Вам ведь это совершенно безразлично. И Мэри туда же, с ее разговорами о том, чтобы стать медицинской сестрой! Можно было бы надеяться, что она выберет что-нибудь получше. Как-никак знает французский и немецкий языки, играет на фортепьяно и чему-то научилась в своей роскошной школе и за границей.

Мэри резко сказала:

— Если бы мне удалось стать медицинской сестрой, меня это вполне устроило бы.

— Конечно! А еще больше тебя устроило бы вообще ничего не делать, не так ли? Ходила бы с напыщенным видом и своими изысканными манерами высокородной леди Фу-ты Ну-ты! Безделье — вот что тебе больше всего по душе, моя милая!

Со слезами, навернувшимися на глаза, Мэри протестующе воскликнула:

— Это неправда, отец! Ты не имеешь права так говорить!

Сестра Хопкинс вмешалась в разговор, грубовато пытаясь привести старика в хорошее настроение:

— Мы немножко не в духе с утра, не так ли? Вы не правы, Джерард, и вы сами это знаете. Мэри — хорошая девушка и хорошая дочь.

Джерард смерил взглядом с головы до ног свою дочь с почти неприкрытой недоброжелательностью.

— Она больше не дочь мне с ее французским языком, историей и жеманством. Тьфу!

Он повернулся и снова ушел в сторожку.

В глазах Мэри все еще стояли слезы. Она сказала:

— Теперь вы сами убедились, сестра, как мне с ним трудно! Он ничего и слушать не желает. Он никогда меня по-настоящему не любил, даже когда я была совсем маленькой. Маме всегда приходилось защищать меня.

Сестра Хопкинс ласково сказала:

— Ну, ну, успокойся. Такие испытания нам ниспосланы свыше. О Боже, я должна поторапливаться. С утра у меня такой большой обход по участку.

Провожая глазами удаляющуюся энергичным шагом фигуру, Мэри Джерард с грустью думала, что ей не на кого опереться и не от кого ждать помощи. При всем ее добром отношении к Мэри сестра Хопкинс ограничивалась набором прописных истин, преподнося их как нечто новое.

«Что, что же мне делать?» — печально думала Мэри.

Глава 2

Миссис Уэлмен лежала на тщательно взбитых подушках. Дыхание ее было несколько тяжелым, но она не спала.

Ее глаза, все еще ярко-синие, как и у племянницы Элинор, глядели в потолок. Это была крупная, несколько грузноватая женщина с красивым орлиным профилем. Гордость и непреклонность были написаны на ее лице.

Она перевела глаза и остановила взгляд на фигурке у окна, глядя на нее с нежностью, почти мечтательно. Наконец она произнесла:

— Мэри...

Девушка быстро повернулась.

— О, вы уже проснулись, миссис Уэлмен?

— Я давно не сплю.

— Я не знала. Я бы...

Миссис Уэлмен прервала ее:

— Не беспокойся. Я лежала и думала. Думала о многом.

— О чем же, миссис Уэлмен?

Сочувственный взгляд, заинтересованность в голосе вызвали прилив нежности у старой женщины. Она мягко произнесла:

— Я очень люблю тебя, дорогая. Ты так хорошо относишься ко мне.

— О, миссис Уэлмен, это вы ко мне всегда хорошо относитесь. Если бы не вы, не знаю, что было бы со мной. Вы сделали для меня *все!*

— Не знаю, не уверена... — Больная беспокойно пошевелилась, ее правая рука судорожно дернулась, тогда как левая оставалась неподвижной и безжизненной. — Когда человек намерен наилучшим образом сделать все, что в его силах, трудно бывает решить, что именно *лучше,* что *правильнее.* Мне кажется, я всегда была слишком самоуверенной.

— О нет, — сказала Мэри Джерард. — Я уверена, что вы всегда знаете, как лучше поступить и что правильнее сделать.

Лора Уэлмен покачала головой:

— Нет, нет. И это меня тревожит. У меня всегда был один неискоренимый недостаток, Мэри, — гордость. А гордость может управлять поступками человека. Это у нас в роду. У Элинор тоже есть этот недостаток.

Мэри быстро переключила разговор на другую тему:

— Как хорошо, что приезжают мисс Элинор и мистер Родерик! Это вас взбодрит. Давненько они вас не навещали.

Миссис Уэлмен сказала тихо:

— Они хорошие дети, очень хорошие дети. И оба любят меня. Я всегда знаю, что стоит мне за ними послать — и они примчатся в любое время. Только не хочу злоупотреблять этим. Они молоды и счастливы —

весь мир открыт перед ними. Зачем раньше времени заставлять их соприкасаться с увяданием и страданиями?

— Уверена, что они так не думают, миссис Уэлмен, — сказала Мэри.

Миссис Уэлмен продолжала говорить скорее для себя, чем для девушки:

— Я всегда надеялась, что они поженятся. Но я никогда не пыталась навязать им эту мысль. У молодежи так развит дух противоречия! Это им помешало бы. Давным-давно, когда они еще были детьми, мне показалось, что Элинор влюблена в Родди. А вот в отношении Родди я совсем не была уверена. Он такое странное создание. Генри был похож на него — очень сдержанный и требовательный к себе и людям... Да, Генри... — Она немного помолчала, вспоминая своего покойного мужа. — Все это было так давно, так бесконечно давно... — прошептала она. — Мы были женаты всего пять лет, когда он умер. Двустороннее воспаление легких... Мы были с ним счастливы, да, очень счастливы... но все это кажется теперь чем-то нереальным. Я была тогда странной, молчаливой и несформировавшейся девушкой: голова была набита идеалами и преклонением перед героями. Реальная жизнь меня не интересовала.

Мэри тихо спросила:

— Вам, наверное, было очень одиноко... потом?

— Потом? О да, ужасно одиноко! Мне в ту пору было двадцать шесть лет... а теперь перевалило за шестьдесят. Столько лет прошло, дорогая... много, много лет. — Неожиданно она добавила с острой горечью: — А теперь еще *это* случилось!

— Ваша болезнь?

— Ну конечно! Я всегда страшно боялась именно паралича. Все это так унизительно: купают тебя и ухаживают, как за младенцем! Ничего не можешь сама для себя сделать — полная беспомощность. Это меня просто бесит. Эта О'Брайен — добродушное создание, надо отдать ей должное: она не сердится, когда я с

215

ней резко разговариваю, и она не глупее большинства сиделок. Но для меня так важно, что рядом есть ты, Мэри!

— Правда? — Девушка покраснела от удовольствия. — Я так рада, миссис Уэлмен.

С присущей ей проницательностью Лора Уэлмен спросила:

— Ты беспокоишься о будущем, Мэри? Положись на меня, дорогая. Я позабочусь о том, чтобы у тебя были средства и чтобы ты ни от кого не зависела и могла выбрать профессию. А пока наберись еще немного терпения, ведь для меня так много значит твое присутствие!

— Ну конечно же, миссис Уэлмен, *конечно!* Я не покину вас ни за что в мире. Если только вы хотите, чтобы я была здесь...

— Я действительно хочу, чтобы ты осталась со мной. — Голос ее стал необычно глубоким и проникновенным. — Ты мне как дочь, Мэри. На моих глазах ты подрастала здесь, в Хантербери, ты превращалась из крошечной девчушки в красивую девушку. Я горжусь тобой, дитя мое, и надеюсь только, что я сделала все, чтобы тебе было хорошо.

Мэри торопливо сказала:

— Если вы думаете, что ваше хорошее отношение ко мне и то образование, о котором я не смела бы и мечтать в моем положении и которое получила благодаря вам, если вы думаете, что все это внушило мне какие-то нелепые мысли о превосходстве над своей средой, которые отец называет «манерами леди Фу-ты Ну-ты», то вы совершенно не правы. И если я стремлюсь начать зарабатывать средства к существованию, то это лишь потому, что считаю своим долгом не бездельничать после всего, что вы для меня сделали. Мне не хотелось бы, чтобы кто-нибудь думал, что я живу за ваш счет.

В голосе Лоры Уэлмен зазвучали резкие нотки:

— Так вот какие мысли старый Джерард вколачивает в твою голову? Не обращай внимания на своего отца, Мэри! Вопрос о том, что ты якобы живешь за мой счет, никогда не стоял и не будет стоять! Я прошу тебя остаться со мной еще на некоторое время исключительно потому, что это нужно мне. Скоро все кончится... Если бы можно было сделать все так, как это и должно было бы быть, то моя жизнь закончилась бы мгновенно — и никакой этой всем надоевшей суеты с сиделками и врачами не было бы.

— Что вы, миссис Уэлмен! Доктор Лорд говорит, что вы можете прожить еще многие годы.

— Нет, увольте! Я не так уж жажду этого. На днях сказала ему, что в настоящем цивилизованном государстве мне было бы достаточно только намекнуть врачу, что я хотела бы покончить счеты с жизнью, и он прекратил бы мои страдания безболезненно, с помощью какой-нибудь хорошей таблетки. «И если у вас, доктор, есть хоть капля мужества, — сказала я ему, — то вы именно так и сделаете!»

— И что он на это ответил? — спросила Мэри.

— Этот непочтительный молодой человек попросту ухмыльнулся, моя дорогая, и сказал, что не намерен рисковать своей шеей. И добавил еще: «Вот если бы вы завещали мне все свои деньги, миссис Уэлмен, тогда еще можно было бы подумать». Этакий молодой нахал! Но все равно он мне симпатичен. Его посещения приносят мне больше пользы, чем все его лекарства.

— Да, он очень приятный человек, — сказала Мэри. — Сестра О'Брайен его высоко ценит, да и сестра Хопкинс тоже.

— Хопкинс не мешало бы быть поразумнее в ее возрасте. А что касается О'Брайен, то она только и знает, что глупо улыбаться и бормотать: «Да, доктор!» — как только он появляется.

— Бедная сестра О'Брайен!

Миссис Уэлмен снисходительно добавила:

— Вообще-то она совсем неплохая, но меня раздражают все медицинские сестры. Всегда-то им кажется, что человек даже в пять часов утра горит желанием выпить «добрую чашечку чая»! — Она замолчала и прислушалась. — Что это? Машина?

Мэри выглянула в окно.

— Да, это подъехала машина. Приехали мисс Элинор и мистер Родерик.

Миссис Уэлмен сказала, обращаясь к племяннице:

— Я очень рада, Элинор, услышать такую новость о вас с Родди.

Элинор улыбнулась.

— Я не сомневалась, что ты будешь рада, тетя Лора.

Помедлив минутку, старая женщина спросила:

— Ты и впрямь любишь его, Элинор?

Элинор изумленно вскинула свои тонкие брови.

— Конечно!

Лора Уэлмен торопливо сказала:

— Ты должна простить меня, дорогая. Но при твоей сдержанности трудно понять твои чувства и мысли. Когда вы оба были значительно моложе, мне казалось, что ты начинаешь любить Родди... слишком сильно.

Элинор снова подняла брови в удивлении.

— Слишком сильно?

Старая женщина кивнула.

— Да. Неразумно любить слишком сильно. А с молоденькими девушками иногда это случается... Я обрадовалась, когда ты уехала в Германию завершать образование. Потом, когда ты вернулась, мне показалось, что ты совсем охладела к нему — и, по правде говоря, я об этом даже сожалела. Я привередливая старуха, и на меня трудно угодить! Но мне всегда казалось, что ты, должно быть, страстная натура — люди такого темперамента встречались в нашем роду. Обладателям подобного характера это не приносит счастья... Однако, как я уже говорила, когда ты возвратилась из-за границы, ты была так равнодушна к Родди, что я об этом сожалела, поскольку всегда надеялась, что вы будете вместе. А теперь все так и получилось и, значит, все в порядке! Но ты на самом деле любишь его?

Элинор сказала серьезно:

— Я люблю Родди достаточно, но не слишком сильно.

Мисс Уэлмен одобрительно кивнула.

— В таком случае, я думаю, вы будете счастливы. Родди нужно, чтобы его любили, но ему были бы не по душе бурные эмоции. Его оттолкнуло бы также проявление собственнического инстинкта.

— Ты очень хорошо знаешь Родди, — заметила Элинор.

— Но еще лучше, если Родди будет любить тебя чуточку больше, чем ты его, — добавила миссис Уэлмен.

— Совсем как в газетном разделе «Советы тетушки Агаты»: *«Заставьте своего молодого человека теряться в догадках, не позволяйте ему быть слишком уверенным в вас»!* — резко заметила Элинор.

Лора Уэлмен насторожилась.

— Ты несчастлива, дитя мое? Тебя что-нибудь тревожит?

— Нет, нет, ничего.

— Ты просто подумала, что я говорю... пошлости? Дорогая моя, ты молода и все принимаешь близко к сердцу. Боюсь, что в жизни действительно немало пошлости.

С некоторой горечью Элинор сказала:

— Наверное, ты права.

— Дитя мое, но ведь ты и впрямь чем-то расстроена! Что случилось? — спросила Лора Уэлмен.

— Ничего, абсолютно ничего.

Элинор встала и подошла к окну.

— Тетя Лора, скажи мне честно, как ты думаешь, любовь бывает когда-нибудь счастливой?

Лицо миссис Уэлмен стало серьезным.

— В том смысле, который ты в это вкладываешь, Элинор, наверное, не бывает. Страстная любовь к другому человеку всегда приносит больше печали, чем радости; но как бы то ни было, Элинор, человеку приходится постигать это на собственном опыте. Тот, кто по-настоящему не любил, никогда и не жил по-настоящему.

Девушка кивнула.

— Да, — сказала она, — ты это понимаешь, потому что знаешь по собственному опыту, как это бывает... — Она неожиданно повернулась. — Тетя Лора...

В этот момент открылась дверь и появилась рыжеволосая сестра О'Брайен. Бодрым голосом она объявила:

— Миссис Уэлмен, к вам пришел доктор!

Доктор Лорд был молодым мужчиной тридцати двух лет, с рыжеватыми волосами, некрасивым, но симпатичным веснушчатым лицом, совершенно квадратным подбородком и проницательным взглядом светло-голубых глаз.

— Доброе утро, миссис Уэлмен!

— Доброе утро, доктор Лорд. Познакомьтесь, это моя племянница, мисс Карлайл.

На открытом лице доктора Лорда появилось выражение откровенного восхищения.

— Как поживаете? — сказал он. Руку, протянутую ему Элинор, он взял так осторожно, будто боялся сломать ее.

Миссис Уэлмен продолжала:

— Элинор и мой племянник приехали, чтобы подбодрить меня.

— Прекрасно! — сказал доктор Лорд. — Это именно то, что вам надо! Уверен, это пойдет вам на пользу, миссис Уэлмен.

Он все еще глядел на Элинор с неприкрытым восхищением.

Направляясь к двери, Элинор сказала:

— Доктор, я хотела бы поговорить с вами перед вашим уходом.

— Что?.. Ну да, конечно, обязательно.

Она вышла, закрыв за собой дверь. Доктор Лорд подошел к постели, за ним суетливо семенила сестра О'Брайен.

Миссис Уэлмен насмешливо спросила:

— Ну, доктор, вы опять собираетесь проделывать со мной свой обычный набор трюков: пульс, дыхание, температура? Какие же мошенники все эти докторишки!

Сестра О'Брайен со вздохом заметила:

— О, миссис Уэлмен! Разве можно так разговаривать с доктором?

Доктор Лорд с озорным огоньком в глазах сказал:

— Миссис Уэлмен видит меня насквозь, сестра! Но все равно мне придется проделать все, что требуется. Беда моя в том, что я так и не научился светским манерам у постели больного.

— С вашими манерами все в порядке. По правде говоря, вы даже гордитесь ими.

Доктор Лорд, подавив смешок, заметил:

— Пожалуй, только вы их и одобряете!

Задав несколько обычных вопросов и получив на них ответы, доктор Лорд откинулся на спинку стула и улыбнулся своей пациентке.

— Процесс выздоровления идет просто превосходно!

— И вы, конечно, считаете, что я встану и через недельку-другую буду ходить по дому?

— Ну, может быть, не так скоро...

— Ну разумеется, не так скоро! Какой же вы обманщик! Какой смысл жить, если ты вот так прикован к постели и за тобой приходится ухаживать, как за младенцем?

— А в чем вообще смысл жизни? Вот в чем вопрос, — произнес доктор Лорд. — Вам не приходилось когда-нибудь читать об одном милом средневековом изобретении, о своеобразной камере пыток? В ней нельзя было ни стоять, ни сидеть, ни лежать. Казалось бы, любой человек, обреченный на пребывание в ней, не выживет там и нескольких недель. Как бы не так! Один человек провел в такой железной клетке шестнадцать лет, потом был освобожден и дожил до глубокой старости.

— В чем же суть этой истории? — спросила Лора Уэлмен.

— А суть ее в том, что человек обладает инстинктом выживания. Человек живет не потому, что так велит его разум. Люди, которым, как мы говорим, «лучше бы умереть», умирать не хотят. Люди же, которые обладают всем, ради чего стоило бы жить, запросто позволяют себе уходить из жизни, потому что у них не хватает энергии, чтобы бороться за жизнь.

— Продолжайте, я слушаю.

— А мне больше нечего сказать. Вы принадлежите к тем людям, которые действительно *хотят* жить. А если ваше тело хочет жить, разуму бесполезно ему противоречить.

Миссис Уэлмен резко сменила тему разговора:

— Как вам нравится работать в наших краях, доктор?

Питер Лорд улыбнулся.

— Я доволен.

— Наверное, такому молодому человеку, как вы, здесь скучновато? Вы не хотели бы специализироваться? Не надоела вам работа деревенского врача?

Доктор Лорд отрицательно качнул рыжеволосой головой.

— Нет, я люблю свою работу. Знаете, я люблю людей и люблю лечить обычные повседневные болезни. Мне совсем не хотелось бы обнаружить редкий вирус загадочной болезни. Я предпочитаю иметь дело с корью и ветрянкой и другими общеизвестными болезнями. Мне нравится наблюдать, как на них реагируют организмы разных людей. Я пытаюсь улучшить общепринятые методы лечения, и это мне тоже нравится. Беда моя в том, что я абсолютно лишен честолюбия. И я останусь здесь, пока не отращу себе бакенбарды и люди не начнут поговаривать: «Конечно, мы все привыкли к доктору Лорду, и он такой добрый старик, но его методы несколько устарели, и не лучше ли нам пригласить молодого доктора такого-то, который идет в ногу со временем».

Миссис Уэлмен, хмыкнув, сказала:

— Вы, кажется, расписали свою жизнь на сто лет вперед!

Питер Лорд встал.

— Ну а теперь я должен покинуть вас.

— Племянница, наверное, захочет поговорить с вами. Кстати, как она вам понравилась? Ведь вы с ней раньше не встречались?

Доктор Лорд внезапно покраснел до корней волос. Он пробормотал:

— Я... Она... кажется, очень красива. И умна, по-видимому, ну и все прочее...

Миссис Уэлмен подумала про себя: *«Как он еще молод!»* — и вслух сказала:

— Вам следует жениться, доктор!

Родди бродил по саду. Он пересек газон и, пройдя по мощеной дорожке, попал в обнесенный забором, заботливо ухоженный огород. Он размышлял о том, поселятся ли они с Элинор когда-нибудь в Хантербери. Сам он предпочел бы жить в деревне. А вот в отношении Элинор у него были некоторые сомнения — может быть, ей захочется жить в Лондоне. Никогда нельзя с уверенностью сказать, что захочет Элинор. Она довольно скрытная: свои мысли и чувства держит при себе. Родди нравилась эта черта ее характера. Он терпеть не мог, когда люди начинали поверять ему свои мысли и чувства, не спросив, интересны ли ему все перипетии их переживаний. Сдержанный человек всегда гораздо интереснее. ...Элинор, размышлял он, стараясь быть объективным, само совершенство. В ней ничто не раздражает, не оскорбляет. У нее очаровательная внешность, она остроумна — вообще, она самый приятный компаньон...» И он самодовольно подумал: *«Мне чертовски повезло, что я ее заполучил! Не могу понять только, что она увидела в таком парне, как я».*

При всей своей разборчивости Родерик Уэлмен не был самонадеянным человеком, и его искренне удивляло, что Элинор согласилась выйти за него замуж. Дальнейшая жизнь представлялась ему весьма приятной. Он всегда чувствовал определенность своего положения, а это такое счастье! Он предполагал, что они поженятся в ближайшее время, то есть если Элинор так пожелает: ведь, может быть, она захочет немного повременить... Ему не следует торопить Элинор. Сначала они окажутся в несколько стесненных обстоятельствах. Но об этом не следует беспокоиться. Он искренне надеялся, что тетя Лора проживет еще долго. Она такая милая и всегда так хорошо к нему относилась: приглашала в гости на каникулы, интересовалась его делами. Он прогнал мысль о ее близкой смерти (он обычно избегал думать о чем-либо неприятном). Однако потом, после всего этого, будет очень приятно жить здесь, особенно когда у него будет достаточно денег, чтобы содержать это поместье. Хотелось бы ему знать точно, кому завещала деньги тетушка. Это, правда, не имеет большого значения. Некоторым женщинам было бы очень важно, кому именно — мужу или жене — принадлежат деньги. Но только не Элинор. У нее столько такта, и она не придает деньгам такого уж большого значения, чтобы создавать из этого проблему.

«Что бы ни было, беспокоиться не о чем», — думал он.

Через калитку в дальнем конце огорода он вышел на лесную поляну, где весной обычно цветут желтые нарциссы. Сейчас, конечно, их время уже прошло. Но зеленый травяной покров, освещенный солнечными лучами, которые пробивались сквозь кроны деревьев, радовал глаз.

На мгновение им овладело какое-то странное беспокойство, нарушившее его безмятежную умиротворенность... *«Чего-то мне не хватает... Недостает чего-то такого, что мне нужно... необходимо...»*

Золотисто-зеленый свет, мягкий воздух... пульс его участился, внезапное нетерпение овладело им.

Из-за деревьев навстречу ему вышла девушка — у нее были блестящие золотистые волосы, нежный румянец...

«Какая красота... какая неописуемая красота...» — подумалось ему.

Он внезапно остановился и замер на месте. Все во- круг как будто закружилось в каком-то невероятном великолепном безумии!

Девушка остановилась, потом подошла к нему. А он все стоял онемевший, и рот был раскрыт от изумления самым глупейшим образом, как у рыбы, выброшенной на берег.

Немного помолчав, она спросила:

— Вы не помните меня, мистер Родерик? Конечно, прошло столько времени... Я Мэри Джерард, из сторожки.

— О, так вы Мэри Джерард?

— Да, — сказала она застенчиво. — Я, конечно, изменилась с тех пор, как вы меня видели.

— Да, вы изменились... Я никогда не узнал бы вас.

Он стоял, уставившись на нее, и не слышал шагов сзади. Мэри услышала и оглянулась.

Неподвижно застыв на мгновение, Элинор сказала:

— Привет, Мэри!

— Здравствуйте, мисс Элинор! Рада вас видеть. Миссис Уэлмен так ждала вашего приезда!

— Да, я давно не бывала здесь. Я... сестра О'Брайен просила поискать вас. Она хочет приподнять миссис Уэлмен и говорит, что вы ей обычно помогаете.

— Я иду сию же минуту! — сказала Мэри.

Она пошла, потом побежала. Элинор смотрела ей вслед. Мэри бежала, и каждое ее движение было исполнено грации.

Родди тихо произнес:

— Богиня Аталанта!

Элинор промолчала. Минуту-другую она постояла, а затем сказала:

— Пора обедать! Нам лучше вернуться назад.

Вместе они направились к дому.

— Не упрямься, Мэри, пойдем! Это мировецкий фильм — весь про Париж! И сценарий модернового автора. Когда-то по нему поставили оперу.

— Очень мило с твоей стороны, Тед, что ты приглашаешь меня, но я не пойду.

Тед Бигленд сказал сердито:

— Последнее время я никуда не могу вытащить тебя, Мэри. Ты стала совсем другой.

— Ты ошибаешься, Тед. Я не изменилась.

— Еще как изменилась! Это все потому, что ты училась в этой шикарной школе и была в Германии. Теперь мы тебе не компания.

— Неправда, Тед. Я совсем не гордячка, — горячо возразила Мэри.

Тед, прекрасный экземпляр молодого деревенского здоровяка, посмотрел на нее одобрительно, несмотря на свое раздражение.

— Нет, ты стала совсем другая. Ты теперь почти как настоящая леди, Мэри.

С внезапно прорвавшейся горечью Мэри воскликнула:

— «Почти» не считается!

Тед с неожиданным сочувствием согласился:

— Пожалуй, так оно и есть.

Мэри быстро добавила:

— Во всяком случае, кто теперь придает этому значение? Леди и джентльмены... и всякая прочая ерунда...

— Конечно, теперь не то, что раньше, — согласился Тед, добавив задумчиво: — Но все равно это *чувствуется*. Господи, Мэри, ты ведь *выглядишь* как какая-нибудь герцогиня!

— Это еще ни о чем не говорит. Мне приходилось видеть герцогинь, которые выглядели как старьевщицы! — сказала Мэри.

— Ну, ты понимаешь, что я имею в виду.

Неожиданно рядом с ними возникла величественная фигура внушительных размеров, затянутая в безупречно строгое черное платье. Она бросила на них проницательный взгляд.

Тед, уступая ей дорогу, почтительно поздоровался:

— Добрый день, миссис Бишоп!

Миссис Бишоп слегка наклонила голову.

— Добрый день, Тед Бигленд! Здравствуй, Мэри! — И она царственно проплыла мимо, как корабль на всех парусах.

Тед с уважением посмотрел ей вслед.

Мэри тихо сказала:

— Вот она действительно выглядит как герцогиня!

— Да уж, манер ей не занимать, у нее есть стиль. Меня всегда в жар бросает, когда я с ней встречаюсь.

Мэри медленно произнесла:

— Она меня не любит.

— Чепуха, моя девочка!

— Правда. Не любит. Она всегда говорит мне колкости.

— Завидует, — сказал Тед с видом умудренного опытом человека, — в этом все дело.

— Возможно, ты прав. — В голосе Мэри прозвучало сомнение.

— Поверь мне, так оно и есть. Она была экономкой в Хантербери долгие годы, всем распоряжалась, всеми командовала, а потом, когда старая миссис Уэлмен так привязалась к тебе, ей стало казаться, что ее обошли! В этом-то все и дело.

Беспокойство отразилось на лице Мэри, она сказала:

— Это очень глупо с моей стороны, но я не выношу, когда меня кто-нибудь не любит. Я хочу, чтобы люди меня любили.

— Наверняка некоторые женщины тебя не любят, Мэри! Завистливые кошки, они считают, что ты слишком красива!

— Мне кажется, зависть — ужасное чувство.

Тед медленно произнес:

— Возможно... но *оно все-таки существует*. Послушай, я видел чудесный фильм в «Алледоре» на прошлой неделе. С Кларком Гейблом. История про одного миллионера, который пренебрегал своей женой, а она потом притворилась, что *изменяет* ему. Там был еще один человек...

Мэри прервала его:

— Извини, Тед. Мне нужно идти, я опаздываю.

— Куда это ты торопишься?

— Меня пригласила на чашку чая сестра Хопкинс.

Тед скорчил гримасу.

— Странный у тебя вкус! Эта женщина — самая большая сплетница во всей деревне. Всегда сует свой длинный нос в чужие дела.

— Она всегда была так добра ко мне.

— Я не хочу сказать, что она вредная, но она — настоящее трепло!

— До свидания, Тед, — сказала Мэри и торопливо пошла прочь, а Тед остался, обиженно глядя ей вслед.

Сестра Хопкинс жила в маленьком коттедже на краю деревни. Сама она только что вернулась домой и развязывала ленты своего чепца, когда вошла Мэри.

— А, вот и ты! А я немного опоздала. Старой миссис Колдкот опять стало хуже. Из-за этого я задержалась с перевязками. Не с Тедом ли Биглендом я видела тебя в конце улицы?

— Да, — сказала Мэри как-то подавленно.

Сестра Хопкинс, наклонившись, чтобы зажечь конфорку под чайником, взглянула на нее настороженно. Ее длинный нос дернулся.

— Он сказал тебе что-нибудь интересное, дорогая?

— Нет. Он просто хотел пригласить меня в кино.

— Понимаю, — быстро сказала сестра Хопкинс. — Ну что ж, он приятный молодой человек, неплохо устроился в гараже, да и у его отца дела идут лучше, чем у большинства фермеров в округе... И все равно, дорогая, ты, по-моему, не подходишь для роли жены Теда Бигленда. С твоим-то образованием... и все такое прочее! Я уже говорила тебе, что, будь я на твоем месте, я бы, когда придет время, стала учиться на массажистку. Им приходится бывать в разных местах, встречаться с людьми... К тому же они более или менее сами распоряжаются своим временем.

— Я над этим подумаю, — сказала Мэри. — Миссис Уэлмен говорила со мной на днях. Она все понимает. Дело, оказывается, обстоит именно так, как вы предполагали: она не хочет, чтобы я покинула ее сейчас. Сказала, что ей будет недоставать меня, и еще сказала, чтобы я не беспокоилась о своем будущем, что она намерена мне помочь.

Сестра Хопкинс с сомнением произнесла:

— Будем надеяться, что она изложит это намерение на бумаге. От больных можно ждать чего угодно!

Мэри вдруг спросила:

— Как вы думаете, миссис Бишоп действительно не любит меня или мне это только кажется?

Сестра Хопкинс на минуту задумалась.

— Надо сказать, она вечно бывает всем недовольна. Она относится к таким людям, которым бывает не по душе, когда молодым весело или когда для них что-нибудь делают. Может быть, ей кажется, что миссис Уэлмен слишком тебя балует, и ей это не нравится. — Она весело рассмеялась. — На твоем месте, Мэри, я не стала бы беспокоиться. Открой-ка этот пакет: у меня там парочка пончиков к чаю.

Глава 3

«Прошлой ночью с вашей тетушкой случился второй удар. Причин для тревоги пока нет, однако советую вам приехать, если сможете. *Лорд*».

Получив телеграмму, Элинор немедленно позвонила Родди, и теперь они вместе ехали в поезде, направлявшемся в Хантербери.

В течение недели, прошедшей после поездки туда, Элинор редко виделась с Родди. В обоих случаях, когда они ненадолго встречались, между ними возникала какая-то странная напряженность. Родди прислал ей цветы — огромную охапку роз с длинными стеблями. Для него это было крайне необычным поступком.

На одном из обедов, когда они сидели рядом за столом, он проявлял к ней большее внимание, чем обычно, интересовался, какие блюда и напитки она предпочитает, а потом с большим усердием помогал ей надеть и снять пальто. «Он как будто играет какую-то роль на сцене, — размышляла Элинор, — роль преданного жениха».

Тогда она сказала себе: *«Не будь дурочкой! Ничего не случилось! Все это тебе просто показалось! Во всем виноват твой характер — гадкий, подозрительный характер собственницы».*

Она обращалась с Родди, может быть, даже более отчужденно, равнодушно, чем обычно.

Теперь же, когда возникли эти чрезвычайные обстоятельства, напряженность прошла, и они беседовали вполне естественно.

Родди сказал:

— Бедная старушка, а ведь она так хорошо себя чувствовала всего несколько дней назад!

— Я очень беспокоюсь за нее, — сказала Элинор. — Я знаю, как она ненавидела собственную беспомощность, а теперь, наверное, она станет еще более беспомощной и просто не вынесет этого. Начинаешь понимать, Родди, что людей следует освобождать от страданий, если они сами желают этого.

— Ты права, — сказал Родди. — Ведь умерщвляем же мы животных, чтобы избавить их от боли. Мне кажется, что с людьми так не поступают лишь из боязни, что больных, даже если их положение не так уж безнадежно, начнут отправлять на тот свет из-за денег их же собственные любящие родственники. Такова уж природа человеческая!

Элинор произнесла задумчиво:

— Конечно, все зависело бы от заключения врача...

— Но врач тоже может оказаться мошенником, — возразил Родди.

— На такого, как доктор Лорд, можно положиться.

— Да, он, по-видимому, вполне честный малый, — небрежно сказал Родди. — Приятный человек.

Доктор Лорд склонился над постелью. Позади него в ожидании распоряжений застыла сестра О'Брайен. Напряженно наморщив лоб, он пытался понять обрывки слов, неразборчиво произносимые его пациенткой.

— Я все понимаю, — сказал он, — не волнуйтесь... не торопитесь. Просто немного приподнимите правую руку, если хотите сказать «да». Вас что-то беспокоит?

Он сразу же получил утвердительный сигнал.

— Что-нибудь срочное? («Да».) Вы хотите, чтобы что-нибудь сделали? За кем-нибудь послали? Мисс Карлайл? И мистер Уэлмен? Они уже в пути.

Миссис Уэлмен вновь попыталась что-то невнятно произнести. Доктор Лорд внимательно прислушивался.

— Вы хотели бы, чтобы они приехали, но вы хотите сказать о другом? О ком-то еще? О родственнике? Нет? Какой-нибудь деловой вопрос? Понимаю. Что-то связанное с деньгами? *Поверенный?* Не так ли? Хотите сделать какие-то распоряжения? Ну-ну, успокойтесь. Все в порядке. У нас еще уйма времени. Что такое вы сказали — Элинор? — Он едва разобрал искаженно произнесенное имя. — Она знает поверенного? И она договорится с ним? Прекрасно. Она будет здесь примерно через полчаса. Я передам ей все и поднимусь к вам вместе с нею, чтобы была полная ясность. А теперь не тревожьтесь больше. Положитесь на меня. Я позабочусь о том, чтобы все было сделано так, как вы желаете.

Он помедлил еще немного, наблюдая, как больная постепенно успокаивается, затем тихо вышел на лестничную площадку. Сестра О'Брайен следовала за ним. Сестра Хопкинс только что пришла и поднималась по лестнице.

— Добрый вечер, доктор! — запыхавшись, приветствовала его сестра.

— Добрый вечер, сестра!

Он прошел вместе с ними в комнату сестры О'Брайен, чтобы сделать распоряжения. Сестра Хопкинс должна была остаться дежурить на всю ночь вместе с сестрой О'Брайен.

— Завтра я договорюсь с постоянной сиделкой, — сказал доктор Лорд. — Как не вовремя, в Стемфорде началась эпидемия дифтерии! Во всех больницах не хватает рабочих рук.

Затем, отдав распоряжения, которые были выслушаны с благоговейным вниманием (что, признаться, льстило его самолюбию), доктор Лорд спустился по лестнице, чтобы встретить племянницу и племянника миссис Уэлмен, которые, судя по времени, должны были прибыть с минуты на минуту.

В холле он столкнулся с Мэри Джерард. Лицо ее было бледно и встревоженно. Она спросила:

— Ей не лучше?

— Я могу гарантировать ей спокойную ночь, и это самое большее, что я в состоянии сделать в данной ситуации, — ответил доктор Лорд.

Мэри с горечью промолвила:

— Все это так жестоко, так несправедливо...

Он сочувственно кивнул.

— Иногда это именно так и выглядит. Я думаю... — Он замолчал и прислушался. — Вот и машина подъехала!

Он прошел в гостиную, Мэри взбежала по лестнице.

Входя в гостиную, Элинор спросила:

— Ей очень плохо?

Родди был бледен и выглядел подавленным.

Доктор сказал печально:

— Боюсь, что для вас это будет потрясением. Она почти полностью парализована, и с большим трудом можно разобрать, что она говорит. Кстати, она чем-то явно обеспокоена. Кажется, ей хотелось бы видеть своего поверенного. Вы знаете, кто ее поверенный, мисс Карлайл?

— Это мистер Седдон, его контора находится на Блумсбери-сквер. Но едва ли он сейчас там, уже поздно. А его домашнего адреса я не знаю, — быстро сказала Элинор.

— Мы успеем это сделать завтра, — сказал доктор Лорд. — Мне очень хотелось бы как можно скорее успокоить миссис Уэлмен. Не подниметесь ли вы наверх вместе со мною, мисс Карлайл? Мне кажется, что совместными усилиями нам это удастся.

— Конечно, сию же минуту я иду с вами.

Родди спросил с надеждой в голосе:

— Вы обойдетесь без меня?

Ему было немного стыдно за себя, но он страшно боялся идти в комнату больной, боялся увидеть тетю Лору беспомощной, утратившей дар речи.

— В этом нет никакой необходимости, мистер Уэлмен. Лучше, чтобы в комнате больной не собиралось слишком много народу, — поспешил заверить его доктор Лорд.

Родди испытал явное облегчение.

Доктор Лорд и Элинор поднялись по лестнице. У постели больной дежурила сестра О'Брайен.

Тяжело и хрипло дыша, Лора Уэлмен лежала в полузабытьи. Элинор стояла, глядя на неё, потрясенная видом осунувшегося, искаженного лица.

Внезапно правое веко больной задрожало и поднялось. Выражение ее лица заметно изменилось. Она узнала Элинор. Она попыталась что-то произнести — *Элинор*... Для любого, кто не догадывался бы, что она хочет сказать, эти звуки были бы лишены смысла.

Элинор поспешила сказать:

— Я здесь, тетя Лора. Ты чем-то встревожена? Ты хочешь, чтобы я послала за мистером Седдоном?

Последовал еще ряд неразборчивых хриплых звуков. Элинор лишь догадывалась о том, что они могут означать.

— Мэри Джерард? — спросила она.

Дрожащая правая рука едва заметно шевельнулась, подтвердив правильность догадки. Больная издала несколько невнятных звуков. Доктор Лорд и Элинор беспомощно переглянулись. Звуки повторились еще и еще раз. И Элинор уловила смысл слова.

— *Распоряжение в отношении Мэри в своем завещании?* Хочешь оставить ей какую-то сумму денег? Понимаю, дорогая тетя Лора. Все это очень просто сделать. Завтра приедет мистер Седдон, и все будет сделано именно так, как ты желаешь.

Страдание отпустило больную. Тревога исчезла из полуприкрытых глаз. Элинор взяла ее руку в свою и почувствовала слабое пожатие.

С неимоверным усилием миссис Уэлмен произнесла:

— Тебе... все... тебе...

— Да, да, положись на меня. Я позабочусь, чтобы все было сделано, как ты пожелаешь.

Элинор вновь почувствовала слабое пожатие. Потом веки больной опустились. Доктор Лорд, положив руку на плечо Элинор, мягко увлек ее из комнаты. На лестнице стояла Мэри Джерард и разговаривала с сестрой Хопкинс. Она бросилась им навстречу.

— О, доктор Лорд, можно мне пойти к ней?

Доктор кивнул.

— Только очень тихо. И не беспокойте ее.

Мэри направилась в комнату больной.

Доктор Лорд сказал, обращаясь к Элинор:

— Ваш поезд запоздал. Вы... — Он замолчал.

Элинор пристально смотрела вслед Мэри. Внезапно она осознала наступившее молчание. Она повернулась и вопросительно взглянула на него. Доктор Лорд стоял, уставившись на нее удивленно. Кровь прилила к щекам Элинор. Она торопливо сказала:

— Извините меня. Так о чем вы говорили?

— О чем я говорил? — тихо сказал доктор Лорд. — Я не помню. Мисс Карлайл, вы держались у больной просто превосходно. — В его голосе появилась теплота. — Вам удалось быстро понять ее, успокоить, то есть сделать все, что требовалось.

Сестра Хопкинс едва слышно хмыкнула.

Элинор сказала:

— Бедная моя тетя. Я страшно расстроилась, увидев ее в таком состоянии.

— Это понятно. Но вы не показали виду. Вам, очевидно, свойственно большое самообладание.

Губы Элинор сжались в прямую линию. Она сказала:

— Я научилась скрывать свои чувства.

— И все же время от времени любая маска обязательно спадает, — задумчиво произнес доктор Лорд.

Сестра Хопкинс поспешно скрылась в ванной.

— Маска? — произнесла Элинор, подняв тонкие брови и глядя прямо в лицо доктору.

— Человеческое лицо ко всему прочему является не чем иным, как маской, — сказал доктор Лорд.

— А что под ней?

— А под ней мужчина или женщина, какие они есть на самом деле.

Элинор быстро повернулась и начала спускаться по лестнице. Питер Лорд последовал за ней, озадаченный и необычно серьезный.

В холле к ним подошел Родди.

— Ну как? — с беспокойством спросил он.

— Бедная тетя. Так печально видеть ее в таком состоянии. На твоем месте я не ходила бы туда, пока она тебя не позовет, — сказала Элинор.

— Она хотела сказать что-нибудь важное? — спросил Родди.

Питер Лорд обратился к Элинор:

— Я должен идти. Я больше ничем пока не могу помочь. Я приду рано утром. До свидания, мисс Карлайл. Не тревожьтесь больше, чем следует.

На мгновение он задержал ее руку в своей. Его рукопожатие так успокаивало и ободряло! Он посмотрел на Элинор, и ей показалось, что в его взгляде, как ни странно, мелькнула жалость к ней.

Как только за доктором закрылась дверь, Родди повторил свой вопрос.

— Тетю Лору тревожат некоторые... деловые проблемы. Мне удалось ее успокоить, сказав, что мистер Седдон непременно приедет завтра. Первое, что нужно сделать утром, — это позвонить ему.

— Она хочет написать новое завещание? — спросил Родди.

— Тетя Лора этого не сказала.

— А что она... — Родди замер на полуслове. По лестнице быстро спускалась Мэри Джерард. Она пересекла холл и скрылась за дверью, ведущей в кухню.

Элинор резко спросила:

— Ну? Что ты хотел сказать?

— Я... что? Я забыл, о чем говорил, — пробормотал Родди. Он продолжал смотреть на дверь, за которой скрылась Мэри Джерард.

Элинор сжала руки и почувствовала, как ее длинные заостренные ногти впиваются в ладони. «*Я не могу, не могу этого перенести, — думала она. — Нет, мне не показалось, это правда. Родди, Родди, я не могу потерять тебя.*

...А этот доктор, — продолжала она размышлять, — что такое увидел он в выражении моего лица там, на лестнице? Ведь он что-то увидел...

...О Боже, как ужасна жизнь... когда чувствуешь то, что я чувствую сейчас. Ну скажи хоть что-нибудь, дурочка! Возьми себя в руки!»

Вслух она произнесла спокойным тоном:

— Относительно ужина, Родди... Я не очень голодна. Я лучше посижу с тетей Лорой, а обе сестры могут спуститься вниз, чтобы поужинать.

Родди спросил с тревогой в голосе:

— Они будут ужинать вместе со мной?

Элинор холодно сказала:

— Не бойся, они не кусаются!

— А как же ты? Ты тоже должна поесть. Почему бы сначала не поужинать нам, а потом им?

— Нет, — сказала Элинор, — первый вариант удобнее. Знаешь, сестры такой обидчивый народ!

И подумала: «*Я не смогла бы высидеть с ним за столом с глазу на глаз... разговаривать... вести себя как обычно*».

Вслух же она сказала нетерпеливо:

— Позволь мне делать так, как я считаю нужным!

Глава 4

На следующее утро Элинор разбудила не служанка, а миссис Бишоп собственной персоной, шуршащая старомодным черным платьем и плачущая, не скрывая слез.

— О, мисс Элинор, она умерла!

— Что? — Элинор села в постели.

— Ваша тетушка, миссис Уэлмен. Моя дорогая госпожа... умерла во сне.

— Тетя Лора умерла?

Элинор глядела на нее широко раскрытыми глазами. Казалось, что до нее не доходит смысл сказанного.

Миссис Бишоп разрыдалась еще сильнее.

— Подумать только, — всхлипывала она, — после всех этих лет! Я ведь прослужила у нее восемнадцать лет... Этому просто невозможно поверить!

Элинор тихо сказала:

— Значит, тетя Лора умерла во сне, совсем спокойно... Какое счастье для нее!

Мисс Бишоп продолжала рыдать.

— Так *неожиданно!* Доктор сказал, что придет утром, и все было как обычно...

— Не так уж это *неожиданно!* — резко сказала Элинор. — Она довольно долго болела. Я просто благодарю судьбу за то, что она избавила тетю от еще больших страданий.

Миссис Бишоп, глотая слезы, согласилась, что за это действительно надо благодарить судьбу.

— А кто сообщит об этом мистеру Родерику? — спросила она.

— Я, — ответила Элинор.

Накинув халат, она прошла по коридору к его двери и постучала.

— Войдите!

Она вошла.

— Родди, умерла тетя Лора. Она умерла во сне.

Родди, сидя в постели, глубоко вздохнул.

— Бедная милая тетя Лора! За это следует благодарить Бога. Я не вынес бы, если бы она продолжала оставаться в таком ужасном состоянии, как вчера.

Элинор непроизвольно заметила:

— А я и не знала, что ты видел ее.

Он довольно смущенно кивнул.

— По правде говоря, Элинор, я чувствовал себя самым последним трусом из-за того, что не пошел к ней. Я сходил туда вчера вечером. Толстуха сиделка куда-то вышла из комнаты — кажется, наполнить грелку, — и я проскользнул в комнату. Она, конечно, не знала, что я пришел. Я просто постоял немного и посмотрел на нее. А потом услышал, как вверх по лестнице затопала сиделка, и тихо вышел из спальни. Но то, что я увидел, было ужасно!

Элинор кивнула.

— Да, действительно ужасно.

— Должно быть, ей было невыносимо находиться в таком состоянии!

— Я знаю.

— Просто удивительно, как мы с тобой всегда одинаково смотрим на вещи!

— Да, — сказала Элинор.

— В эту минуту мы оба чувствуем одно и то же — *огромную благодарность судьбе за то, что она уже отстрадалась.*

— Что случилось, сестрица? Вы что-нибудь потеряли? — спросила сестра О'Брайен.

Сестра Хопкинс с покрасневшим лицом рылась в своем маленьком чемоданчике, который вчера вечером положила в холле.

— Какая досада! — проворчала она. — Не представляю себе, как со мной могло такое случиться!

— А что все-таки произошло?

Сестра Хопкинс ответила не вполне вразумительно:

— Элиза Райкен, если вы помните, у которой саркома. Ей приходится делать инъекции морфина дваж-

ды в день — вечером и утром. Вчера вечером по дороге сюда я использовала для инъекции ей последнюю
таблетку из старого пузырька и могу поклясться, что
новый пузырек тоже лежал у меня в чемоданчике.

— Поищите еще раз. Эти пузыречки такие крошечные.

Сестра Хопкинс еще раз перетрясла содержимое чемоданчика.

— Его здесь нет! Может быть, все-таки я оставила
его у себя в шкафу? До сих пор считала, что могу положиться на свою память. Могла бы поклясться, что
взяла его с собой!

— По пути сюда вы нигде не оставляли чемоданчик?

— Конечно же нет! — резко воскликнула сестра Хопкинс.

— О Господи, — сказала сестра О'Брайен, — надеюсь, *все обойдется?*

— И я надеюсь. Единственное место, где я оставляла чемоданчик, — это здесь, в холле, а *здесь* никто ничего не может стащить. Я думаю, меня просто подвела
память. Но понимаете, сестра, я все-таки беспокоюсь.
К тому же мне придется теперь заходить домой — а это
на другом конце деревни — и снова возвращаться сюда.

— Надеюсь, у вас будет не слишком утомительный
день после такой ночи. Бедная старая леди! Я-то была
уверена, что она долго не протянет, — сказала сестра
О'Брайен.

— Я тоже. Но вот доктор будет поражен!

— Доктор никогда *не теряет надежды,* когда речь
идет о его пациентах! — с некоторым неодобрением
сказала сестра О'Брайен, поджав губы.

Сестра Хопкинс, собравшаяся уходить, сказала:

— О, доктор еще слишком молод! У него нет нашего опыта.

Сделав это мрачное заявление, она удалилась.

— Так, значит, она умерла? — произнес доктор Лорд
в изумлении.

— Да, доктор.

Сестре О'Брайен не терпелось сообщить доктору все подробности, однако, подчиняясь строгой дисциплине, она ждала.

Питер Лорд произнес в задумчивости:

— Умерла во сне... — Минутку он постоял, размышляя, а потом резко сказал: — Принесите мне кипятку!

Сестра О'Брайен была поражена и озадачена, но, будучи вышколенной медицинской сестрой, она твердо знала, что задавать вопросы — не ее дело. Если доктор приказал бы ей пойти и принести кожу крокодила, она автоматически пробормотала бы «да, доктор» и послушно отправилась бы выполнять поставленную задачу.

— Вы хотите сказать, что моя тетя *умерла, не оставив завещания?* — спросил Родерик Уэлмен. — Что она *вообще никогда не писала завещания?*

Мистер Седдон протер очки и сказал:

— По-видимому, именно так обстоит дело.

— Как это странно! — воскликнул Родди.

— Не так уж странно, как вам кажется, — возразил мистер Седдон. — Это случается чаще, чем можно было бы предполагать. Существует своего рода предрассудок, связанный с составлением завещания. Люди думают, что у них впереди еще много времени. А сам факт составления завещания, как им кажется, приближает к ним возможность смерти. Это весьма странно, но именно так обстоит дело.

— Вам никогда не приходилось разговаривать с ней на эту тему? — спросил Родди.

— Неоднократно, — сухо ответил мистер Седдон.

— И что она говорила?

Мистер Седдон вздохнул.

— Обычные вещи: что впереди еще много времени, что она еще не собирается умирать, что еще окончательно не решила, как ей поступить с деньгами.

— Но наверняка после первого удара... — произнесла Элинор.

Мистер Седдон отрицательно покачал головой.

— Нет, тогда стало еще хуже. Она не желала слышать даже упоминания об этом вопросе!

— Все это очень странно, — сказал Родди.

— Ничуть! — снова возразил мистер Седдон. — Просто вследствие болезни увеличилась ее нервозность.

Элинор озадаченно произнесла:

— Но ведь она хотела умереть...

Протирая очки, мистер Седдон сказал:

— Дорогая мисс Элинор, человеческий разум — весьма любопытный механизм. Миссис Уэлмен, возможно, и *думала,* что хотела бы умереть, но бок о бок с этой мыслью жила надежда на полное выздоровление. И вследствие этой надежды, мне кажется, она считала, что составление завещания стало бы вызовом судьбе. Не то чтобы она не имела намерения написать завещание, но без конца откладывала это дело.

— Вы знаете, — продолжал мистер Седдон, обращаясь к Родди и переходя на почти неофициальный тон, — как это бывает, когда человек все оттягивает какое-то неприятное дело, за которое ему не хочется браться, как всячески избегает его?

Родди вспыхнул и пробормотал:

— Да-да... конечно, я понимаю, что вы имеете в виду.

— Вот именно, — сказал мистер Седдон. — Миссис Уэлмен всегда *собиралась* написать завещание, но заняться этим ей казалось лучше завтра, чем сегодня. И продолжала успокаивать себя тем, что впереди еще много времени.

— Так вот почему она была так удручена вчера вечером, — медленно произнесла Элинор, — почему она была в такой панике и просила, чтобы послали за вами?

— Несомненно, — ответил мистер Седдон.

— Что же теперь будет? — в замешательстве спросил Родди.

— С состоянием миссис Уэлмен? — Поверенный откашлялся. — Поскольку миссис Уэлмен умерла, не оставив завещания, вся ее собственность переходит к ее ближайшей кровной родственнице, то есть к мисс Элинор Карлайл.

— Все состояние — мне одной? — тихо спросила Элинор.

Мистер Седдон объяснил, что определенный процент взимается в пользу Короны. Он пояснил некоторые юридические подробности и закончил:

— Поскольку нет никаких долговых обязательств, как нет и денежных сумм, вложенных в доверительные фонды, деньги принадлежали миссис Уэлмен безоговорочно, и она могла распоряжаться ими по собственному усмотрению. Таким образом, они переходят полностью к мисс Карлайл. Боюсь, что налоги на наследство окажутся несколько обременительными, но даже после их уплаты наследство будет составлять значительную сумму, причем капитал разумно помещен в особо надежные ценные бумаги.

— А как же Родерик?.. — спросила Элинор.

Откашлявшись, мистер Седдон сказал извиняющимся тоном:

— Мистер Уэлмен является лишь *племянником мужа* миссис Уэлмен. Между ними не было кровного родства.

— Безусловно! — сказал Родди.

Элинор медленно произнесла:

— Кто из нас получит деньги, не имеет никакого значения, поскольку мы собираемся пожениться. — Она не взглянула на Родди.

— Безусловно! — в свою очередь произнес мистер Седдон. Но сказал он это довольно торопливо.

Мистер Седдон ушел.

— Это действительно не имеет значения, — сказала Элинор. Она произнесла это почти умоляющим тоном.

Лицо Родди нервно передернулось.

— Деньги должны принадлежать тебе. И это совершенно справедливо. Ради Бога, Элинор, не вбивай себе в голову, что я имею к тебе претензии! Не желаю я этих чертовых денег!

Запинаясь, Элинор тихо сказала:

— Мы ведь договорились с тобой в Лондоне, Родди, что не будет иметь значения, кто из нас получит деньги, поскольку мы собираемся пожениться.

Родди ничего не ответил.

— Ты что, не помнишь, как ты сам это говорил? — продолжала настаивать Элинор.

— Помню. — Глаза его были опущены, лицо побледнело, в уголках капризного рта появились горестные складки.

Задорно вскинув голову, Элинор неожиданно сказала:

— *Это не будет иметь значения в том случае, если мы намерены пожениться. Но намерены ли мы?*

— Намерены ли мы... что?

— Намерены ли мы с тобой пожениться?

— Насколько я помню, у нас была такая мысль. — В голосе его звучало безразличие с долей раздражения. — Конечно, Элинор, если у тебя теперь появились другие планы...

Элинор воскликнула:

— О, Родди! Неужели ты не можешь сказать честно?

Он вздрогнул. Потом сказал в замешательстве глухим голосом:

— Не знаю, что случилось со мной.

— Зато я знаю.

Он торопливо сказал:

— Может быть, мне все-таки просто не нравится идея жить на деньги жены.

Побледневшая Элинор воскликнула:

— Не то! Это что-то другое... — Она помедлила, а потом тихо произнесла: — Это из-за Мэри, не так ли?

Внезапно вся сдержанность Родди исчезла.

— О, Элинор, я не понимаю, что со мной случилось! Мне кажется, я схожу с ума! Это произошло, когда я ее увидел в день приезда, в лесу... только ее лицо — и все вдруг перевернулось. Тебе этого не понять.

— Я пойму. Продолжай.

Родди сказал беспомощно:

243

— Я не хотел влюбляться в нее... я был совершенно счастлив с тобой. О, Элинор, какой же я негодяй, если все это выкладываю тебе!

— Чепуха! Продолжай. Рассказывай.

— Ты такая чудесная! Такое облегчение поговорить с тобой. Я ужасно люблю тебя, Элинор! Поверь мне. То, другое, — это просто какое-то наваждение. Оно перевернуло все: мое понимание жизни, мой подход ко многим вещам и вообще весь упорядоченный, разумный уклад жизни.

Элинор мягко произнесла:

— Любовь не очень-то разумна.

— Ты права, — удрученно сказал Родди.

Чуть дрожащим от волнения голосом Элинор спросила:

— Ты что-нибудь ей говорил?

— Сегодня утром... как дурак... я совсем потерял голову...

— Ну и?..

— Конечно, она сразу же заставила меня замолчать. Она была страшно смущена. Из-за смерти тети Лоры и... из-за тебя.

Элинор сняла с пальца бриллиантовое колечко, сказав:

— Возьми его назад, Родди. Так будет лучше.

Взяв кольцо, он пробормотал, не глядя на нее:

— Элинор, ты не представляешь себе, каким негодяем я себя чувствую.

Элинор спокойно спросила:

— Как ты думаешь, она выйдет за тебя замуж?

Он покачал головой.

— Не имею понятия. По крайней мере, это будет еще не скоро. Я не думаю, чтобы нравился ей сейчас. Но может быть, со временем она и полюбит меня.

— Я думаю, что ты прав, — сказала Элинор. — Ей нужно дать возможность подумать. Не встречайся с ней некоторое время, а потом... начни все сначала.

— Дорогая Элинор, ты мой лучший друг на всем свете! — Он неожиданно взял ее руку и поцеловал. — Знаещь, Элинор, я все-таки действительно люблю тебя не меньше, чем раньше. Мэри — она как сон. Я могу проснуться... и обнаружить, что ее никогда не было.

— Если бы Мэри не было... — произнесла Элинор.

С внезапным волнением Родди заговорил:

— Иногда мне хочется, чтобы ее не было... Ты и я, Элинор, мы оба составляем одно целое. Мы созданы друг для друга, правда?

Она медленно наклонила голову и произнесла:

— Да, мы созданы друг для друга, — подумав при этом: *«Если бы Мэри не было...»*

Глава 5

Сестра Хопкинс, переполненная впечатлениями, сказала:

— Какие красивые похороны!

Сестра О'Брайен отозвалась:

— Что правда, то правда! А цветы! Вы видели когда-нибудь такие прекрасные цветы? Там была арфа из белых лилий и крест из желтых роз. Так красиво!

Сестра Хопкинс вздохнула и положила себе на тарелку пирожное с кремом.

Обе сестры сидели за чаем в кафе «Голубая синица».

Сестра Хопкинс продолжала:

— Мисс Карлайл — очень щедрая девушка. Она сделала мне хороший подарок, хотя вовсе не была обязана делать это.

— Да, она милая щедрая девушка, — согласилась сестра О'Брайен. — Что касается меня, то я терпеть не могу скаредность в людях!

— Ну, она ведь унаследовала огромное состояние, — сказала сестра Хопкинс.

С некоторой запинкой сестра О'Брайен спросила:

— Вам не кажется странным, что старая леди не оставила завещания?

— Я считаю, что это просто нечестно! — сказала сестра Хопкинс. — Людей надо заставлять писать завещания. Когда они этого не делают, случаются большие неприятности.

— Хотелось бы мне знать, — мечтательно произнесла сестра О'Брайен, — кому бы она оставила деньги, *если бы написала завещание?*

Сестра Хопкинс твердо заявила:

— Одно я знаю наверняка... Она обязательно оставила бы какую-то сумму Мэри Джерард!

— Вы правы, сестрица, — согласилась О'Брайен и добавила возбужденно: — Я ведь рассказывала вам, в каком состоянии она была, бедняжка, и как доктор пытался ее успокоить. Мисс Элинор держала ее за руку и клялась самим Всевышним (тут ирландское воображение сестры, разыгравшись, заставило ее несколько драматизировать события), что пошлет за поверенным и сделает все, как она пожелает. «Мэри, Мэри!» — произнесла старая леди. А мисс Элинор спросила: «Ты имеешь в виду Мэри Джерард?» — и тут же поклялась, что с Мэри обойдутся по справедливости!

Сестра Хопкинс спросила с некоторым сомнением:

— Именно так все и происходило?

Сестра О'Брайен твердо ответила:

— Так оно и было! И вот что я хочу еще сказать: по-моему, если бы миссис Уэлмен сделала завещание при жизни, то оно могло бы оказаться неожиданным для всех. Кто знает, может быть, она оставила бы все, что имела, именно Мэри Джерард!

Сестра Хопкинс засомневалась:

— Не думаю, чтобы она так поступила. Я противница того, чтобы деньги завещали кому-то, кроме кровных родственников. Деньги должны оставаться в семье.

С видом прорицательницы сестра О'Брайен изрекла:

— Разные бывают кровные родственники!

— На что это вы намекаете?

— Я не сплетница! И я не намерена чернить имя покойной.

Сестра Хопкинс долила кипятку в заварочный чайник и кивнула.

— Я с вами совершенно согласна! Лишние разговоры только вредят делу.

— Кстати, — спросила сестра О'Брайен, — вы тогда нашли дома тот пузырек с морфином?

Сестра Хопкинс нахмурилась.

— Нет. Понять не могу, куда он мог исчезнуть! Думаю, что, возможно, я положила его на краешек каминной доски — я часто так делаю, когда запираю шкаф, — и он, наверное, скатился и упал в переполненную мусорную корзинку, которую вытряхивали, как раз когда я уходила из дому. — Она помедлила. — Должно быть, это случилось именно так, потому что никакого другого объяснения его пропажи я не могла придумать, как ни ломала голову.

— Понимаю, — сказала сестра О'Брайен. — Не тревожьтесь, дорогая. Наверное, именно так оно и случилось. Ведь вы нигде, кроме Хантербери, не оставляли свой чемоданчик, значит, все произошло так, как вы предполагаете. Он попал в мусорную корзинку.

— А как же иначе! — воодушевленная поддержкой, воскликнула сестра Хопкинс. — Иначе и быть не могло! — Она взяла себе песочное пирожное с розовой глазурью и сказала: — А что, если... — Она замолчала.

Другая сестра быстро, может, даже поспешно, сказала:

— На вашем месте я больше не стала бы об этом тревожиться.

Сестра Хопкинс, успокоившись, сказала:

— Я и не тревожусь.

Элинор, которая, несмотря на молодость, выглядела очень суровой в своем черном траурном платье, сидела за массивным письменным столом миссис Уэлмен в библиотеке. Перед ней на столе были разложены разные документы. Она только что закончила разговор со слугами и миссис Бишоп. Теперь, с минуту помедлив на пороге, в комнату вошла Мэри Джерард.

— Вы хотели меня видеть, мисс Элинор?

— Да, Мэри. Садись.

Мэри подошла и села в кресло, предложенное Элинор. Кресло было развернуто в сторону окна, свет из которого падал на лицо Мэри, подчеркивая ослепительную чистоту ее кожи и светлое золото волос. Одной рукой Элинор немного прикрывала свое лицо и сквозь пальцы могла наблюдать за выражением лица другой девушки.

Она думала: *«Разве удастся мне скрыть свою ненависть к ней?»*

Вслух же она сказала любезным деловым тоном:

— Я думаю, тебе известно, Мэри, что моя тетя очень участливо к тебе относилась и беспокоилась о твоем будущем.

Мэри тихо произнесла:

— Миссис Уэлмен всегда была очень добра ко мне.

Холодным и равнодушным тоном Элинор продолжала:

— Я уверена, что, если бы тетя успела написать завещание, она пожелала бы сделать несколько дарственных распоряжений. Поскольку она умерла, не оставив завещания, ответственность за выполнение ее желаний ложится на меня. Я посоветовалась с мистером Седдоном и с его помощью составила перечень сумм, предназначенных для распределения среди слуг в зависимости от продолжительности срока их службы. — Она помедлила. — Ты, разумеется, не вполне относишься к этой категории...

В душе Элинор почти надеялась, что эти слова могут уколоть самолюбие девушки, но выражение лица, которое она видела перед собой, не изменилось. Мэри приняла ее слова за чистую монету и ждала, когда Элинор продолжит разговор.

— Несмотря на то что в последний вечер своей жизни тетя не могла говорить внятно, мне удалось понять ее. Она, несомненно, хотела как-то позаботиться о твоем будущем.

Мэри сказала тихо:

— Это очень благородно с ее стороны.

— Как только введение в наследство будет утверждено судом, я намерена передать тебе две тысячи фунтов, причем ты будешь иметь полное право распоряжаться этой суммой по своему усмотрению.

К лицу Мэри прилила краска.

— Две тысячи фунтов? О, мисс Элинор, вы так великодушны, что даже не знаю, как мне благодарить вас.

Элинор резко заметила:

— Я вовсе не великодушна, и, пожалуйста, не благодари меня!

Мэри вспыхнула.

— Вы и представить себе не можете, как это меняет мою жизнь, — тихо проговорила она.

— Я рада этому, — сказала Элинор. Она помедлила. Не глядя на Мэри, спросила с некоторым усилием: — Мне хотелось бы знать, каковы твои дальнейшие планы.

— Я намерена приобрести какую-нибудь профессию, — быстро ответила Мэри. — Возможно, стану массажисткой. Так мне советует сестра Хопкинс.

— Это неплохая мысль. Я постараюсь договориться с мистером Седдоном, чтобы какую-то часть денег ты смогла получить сразу же, если это возможно.

— Вы очень добры, мисс Элинор, — с благодарностью сказала Мэри.

— Таково было желание моей тети, — резко произнесла Элинор и, несколько помедлив, добавила: — Ну а теперь можешь идти!

На сей раз резкий тон слов достиг своей цели, больно уколов Мэри. Она встала и, спокойно сказав: «Благодарю вас, мисс Элинор», — вышла из комнаты.

Элинор сидела не шевелясь, уставившись в пространство невидящим взглядом. Лицо ее не выдавало никаких эмоций. Нельзя было догадаться, о чем она думает. И она долго сидела так, в полной неподвижности.

Наконец Элинор отправилась разыскивать Родди. Она обнаружила его в маленькой гостиной. Он стоял, уставившись в окно, и резко обернулся на шаги Элинор.

— Я покончила с этим делом! — сказала она. — Миссис Бишоп получила пять тысяч фунтов — она здесь прослужила целую вечность. Сто фунтов я выделила повару и по пятьдесят — Милли и Олив. По пять фунтов — всем прочим слугам. Двадцать пять фунтов — Стеффенсу, старшему садовнику. Еще остался старый Джерард из сторожки. О нем я не подумала. Так нескладно получилось! Ему, наверно, надо бы назначить содержание? — Она помедлила, а потом несколько торопливо продолжила: — Мэри Джерард я выделила две тысячи фунтов. По-моему, это будет соответствовать желанию тети Лоры. Я думаю, что распределила суммы более или менее правильно.

Не глядя на нее, Родди сказал:

— Полагаю, что ты абсолютно права. На твои суждения всегда можно положиться, Элинор.

Он отвернулся и снова стал смотреть в окно.

Элинор на минуту задержала дыхание, а потом быстро заговорила, спотыкаясь на словах, в каком-то нервном возбуждении:

— Я хотела бы добавить еще кое-что. Я хотела бы — и это было бы правильно, — чтобы ты получил справедливую долю наследства, Родди!

Он повернулся к ней, гнев отразился на его лице... а она продолжала торопливо:

— Только не спеши, Родди, послушай меня! Сама справедливость требует этого. Деньги, которые принадлежали твоему дяде... которые он оставил своей жене... естественно, он предполагал, что они перейдут к тебе. Тетя Лора имела в виду то же самое. Я уверена в этом. Это можно было понять из всего, о чем она не раз говорила. Если я наследую ее деньги, то ты должен получить ту сумму, которая принадлежала дяде, — это было бы справедливо. Не могу смириться с мыслью, что как будто обобрала тебя только потому, что тетя Лора умерла, не оставив завещания. Ты должен... просто обязан согласиться с разумными доводами.

Продолговатое нервное лицо Родди смертельно побледнело. Он сказал:

— Боже мой, Элинор! Неужели тебе хочется, чтобы я чувствовал себя полным негодяем? Неужели ты хоть на минутку могла подумать, что я мог бы... мог бы принять эти деньги от тебя?

— Я не дарю тебе эти деньги. Они по праву принадлежат тебе.

— Не желаю я твоих денег! — воскликнул Родди.

— Они не мои.

— Они принадлежат тебе по закону — только одно это и имеет значение! Ради Бога, давай поговорим об этом строго по-деловому. Я не возьму у тебя ни гроша! Не изображай из себя даму-благотворительницу!

— Родди! — воскликнула Элинор.

Родди быстро провел рукой по лицу.

— О Господи! Извини меня, я не соображаю, что говорю. Ты меня совсем сбила с толку — я в полной растерянности.

Элинор мягко произнесла:

— Бедняжка Родди!

Он снова отвернулся и стал вертеть кисть от портьеры. Уже другим, равнодушным тоном он спросил:

— Ты не знаешь, что собирается делать дальше Мэри Джерард?

— Судя по ее словам, намерена учиться на массажистку.

— Понятно.

Они помолчали. Элинор встала, гордо откинула голову. Когда она заговорила, в ее голосе звучали властные нотки:

— Родди, я хочу, чтобы ты выслушал меня очень внимательно!

Он повернулся к ней, слегка изумленный.

— Слушаю тебя, Элинор!

Элинор спросила спокойно:

— Ты ведь не очень занят на работе? Ты мог бы взять отпуск?

— Разумеется.

— Тогда послушайся моего совета: поезжай куда-нибудь за границу. Один. Заведи новых друзей, посмотри новые места. Давай говорить совершенно откровенно. В данный момент тебе кажется, что ты влюблен в Мэри Джерард. Возможно, это так. Но сейчас не время говорить с ней об этом, ты это прекрасно знаешь сам. Наша с тобой помолвка расторгнута бесповоротно. И поэтому поезжай за границу как свободный от обязательств человек, а через три месяца прими окончательное решение. К тому времени ты сможешь сказать с уверенностью, действительно ли любишь Мэри или же это было лишь мимолетное увлечение. Если будешь совершенно уверен в том, что любишь ее, возвращайся назад, иди к ней и скажи об этом. И тогда, возможно, она тебя выслушает.

Родди подошел к ней и взял за руку.

— Элинор, ты просто удивительная! Такая разумная! И такая самоотверженная. В тебе нет ни капли мелочности, ты так благородна! Я восхищаюсь тобой больше, чем когда-либо. Все сделаю именно так, как ты советуешь. Уехать, отрезать себя от всего — и выяснить, действительно ли серьезно болен или же просто поставил себя в дурацкое положение. Дорогая Элинор, ты не знаешь, как искренне я тебя люблю! Прекрасно сознаю, что ты всегда была в тысячу раз лучше меня. Благослови тебя Бог за твою доброту!

В порыве благодарности он неожиданно поцеловал ее и вышел из комнаты. К счастью, он не оглянулся и не видел выражения ее лица...

Дня через два Мэри поведала сестре Хопкинс о своих улучшившихся видах на будущее.

Эта практичная женщина сердечно поздравила ее.

— Тебе очень повезло, Мэри! — сказала она. — Возможно, старая леди и имела намерение кое-что хорошее сделать для тебя, но если добрые намерения не записаны черным по белому, они немногого стоят! Ты вполне могла бы остаться ни с чем.

— Мисс Элинор сказала, что в тот вечер, перед смертью, миссис Уэлмен просила ее позаботиться обо мне.

Сестра Хопкинс хмыкнула.

— Может, и просила. Но многие для удобства позабыли бы об этом. Такое случается с родственниками. Уж я-то знаю, кое-что повидала в жизни. Видела, как люди, умирая, говорили, что полагаются на своего дорогого сына или на свою дорогую дочку в том, что они выполнят их желания. В девяти случаях из десяти дорогой сын или дорогая дочка находили какой-нибудь благовидный предлог, чтобы не сдержать обещания. Такова человеческая натура: никому не хочется расставаться с деньгами, особенно если закон не обязывает их делать это. Поэтому говорю тебе, Мэри, моя девочка, что тебе просто повезло! Мисс Карлайл оказалась честнее многих.

— И все-таки я чувствую, что она не любит меня, — медленно произнесла Мэри.

— По правде говоря, у нее есть для этого все основания, — грубовато заявила сестра Хопкинс. — Ну-ну, Мэри, не делай такого невинного лица. Мистер Родерик давненько бросает на тебя влюбленные взгляды.

Мэри покраснела.

Сестра Хопкинс продолжала:

— По-моему, он здорово влюбился. С первого взгляда. А ты, моя девочка? Он тебе нравится?

Мэри застенчиво пробормотала:

— Не знаю. Я не думаю. Хотя, конечно, он очень симпатичный.

Сестра Хопкинс с сомнением хмыкнула.

— Я бы в такого не влюбилась, — сказала она. — Он из тех мужчин, на которых трудно угодить, к тому же такой нервный. Наверняка и в еде очень привередлив. Даже в самые лучшие моменты мужчины бывают не ахти что! Не слишком торопись, дорогая Мэри. С твоей внешностью ты можешь позволить себе быть разборчивой. Сестра О'Брайен на днях говорила мне, что тебе следовало бы сниматься в кино. Я не раз слышала, что там большой спрос на блондинок.

Глубокая морщинка перерезала лоб Мэри. Она озабоченно спросила:

— Сестрица, как вы думаете, что я должна сделать для отца? Он считает, что часть денег следует отдать ему.

— Не вздумай сделать такую глупость! — сердито сказала сестра Хопкинс. — Миссис Уэлмен предназначала деньги не ему. Уверена, что он давно потерял бы работу, если бы не ты. Подобного лодыря свет не видывал!

— Странно все-таки, что, имея такие деньги, миссис Уэлмен не написала завещания, чтобы было ясно, как она желает ими распорядиться.

Сестра Хопкинс покачала головой.

— Таковы люди! Просто удивительно, как часто они откладывают это серьезное дело на потом.

— Мне кажется, это просто неумно, — сказала Мэри.

С озорным огоньком в глазах сестра Хопкинс спросила:

— А сама-то ты написала завещание, Мэри?

Мэри с недоумением уставилась на нее.

— Конечно нет.

— А тебе ведь уже исполнился двадцать один год.

— Но мне нечего завещать... хотя, я полагаю, что теперь у меня кое-что есть.

Сестра Хопкинс резко проговорила:

— Конечно есть. И к тому же кругленькая сумма.

— Вы правы. Но спешить некуда.

— И ты туда же! Как и все прочие. То, что ты здоровая молодая девушка, еще не дает основания считать, что ты не можешь попасть в транспортную катастрофу или что тебя не может сбить автомобиль на улице.

Мэри рассмеялась и сказала:

— Я и представления не имею, как пишут завещания.

— Все очень просто. Бланк можно взять на почте. Пойдем прямо сейчас и возьмем.

254

В коттедже сестры Хопкинс на столе развернули бланк и обсудили все важные вопросы. Сестра Хопкинс получала огромное удовольствие от всей этой процедуры.

— Составление завещания, — изрекла она, — стоит по значению на втором месте после смерти.

— А кому достанутся деньги, если я не напишу завещания? — спросила Мэри.

С большим сомнением сестра Хопкинс сказала:

— Думаю, что твоему отцу.

— Он их не получит! — резко сказала Мэри. — Лучше я завещаю их своей тетушке, которая живет в Новой Зеландии.

— Твоему отцу завещать их бесполезно. Он долго не протянет, помяни мое слово.

Мэри слишком часто слышала от сестры Хопкинс это предсказание, а поэтому оно не произвело на нее никакого впечатления.

— Не могу вспомнить адрес тетушки. Уже несколько лет от нее нет никаких вестей.

— Думаю, что это не так уж важно, — сказала сестра Хопкинс. — Ты знаешь, как ее зовут?

— Мэри. Мэри Райли.

— Этого достаточно. Напиши, что ты завещаешь все, что имеешь, Мэри Райли, сестре покойной Элизы Райли из Хантербери, Мейденсфорд.

Мэри прилежно писала, склоняясь над бланком. Когда она поставила точку, ее вдруг охватила внезапная дрожь. Какая-то тень заслонила солнце. Мэри подняла глаза и увидела Элинор Карлайл, которая с улицы заглядывала в окно.

— Чем это вы так усердно занимаетесь? — спросила Элинор.

Сестра Хопкинс ответила с усмешкой:

— Мэри пишет завещание.

— Пишет завещание? — Элинор внезапно расхохоталась странным, почти истеричным смехом. — Так ты пишешь завещание, Мэри? *Это забавно! Это очень забавно!*

Все еще смеясь, она повернулась и быстро пошла по улице.

Сестра Хопкинс застыла в изумлении.

— Ты видела что-нибудь подобное? Что это на нее нашло?

Элинор, продолжая смеяться, не успела сделать и десятка шагов, как чья-то рука легла ей на плечо сзади. Она резко остановилась и оглянулась.

Глядя ей прямо в лицо, стоял доктор Лорд, и брови его были нахмурены.

Он строго спросил:

— Над чем это вы смеялись?

— По правде говоря, не знаю, — ответила Элинор.

— Довольно глупый ответ!

Элинор покраснела.

— Должно быть, я просто нервничаю. Я заглянула в окно коттеджа сестры Хопкинс, а там... Мэри писала завещание. Не знаю почему, но это меня ужасно рассмешило!

— *Не знаете?* — резко спросил доктор Лорд.

— Конечно, это выглядит очень глупо, но я уже сказала вам, что нервничаю.

— Я пропишу вам что-нибудь успокаивающее.

Элинор заметила язвительно:

— Как это, наверное, полезно!

Доктор Лорд расплылся в обезоруживающей улыбке.

— Согласен, что это совершенно бесполезно. Но это единственный выход, когда человек не желает отвечать, что с ним происходит!

— Со мной ничего не происходит, — сказала Элинор.

— С вами многое происходит, — спокойно констатировал доктор Лорд.

— Я думаю, что в последнее время у меня было некоторое нервное перенапряжение.

— И не малое! Но я говорю не об этом. — Питер Лорд помедлил. — Вы еще пробудете здесь некоторое время?

— Я уезжаю завтра.

— Вы не собираетесь здесь поселиться?

Элинор отрицательно покачала головой.

— Никогда! Я думаю... думаю, что продам усадьбу, если удастся найти подходящего покупателя.

— Понимаю, — равнодушно произнес Питер Лорд.

— Мне пора домой, — сказала Элинор.

Она весьма решительно протянула ему руку. Питер Лорд взял ее и задержал в своей.

— Мисс Карлайл, прошу вас, скажите, что у вас было на уме, когда вы смеялись? — очень серьезно спросил он.

Она быстро отняла руку.

— А что должно было быть у меня на уме?

— Именно это я и хотел бы знать.

Лицо его помрачнело и выглядело очень несчастным.

— Мне просто стало смешно — вот и все, — с раздражением сказала Элинор.

— Стало смешно оттого, что Мэри Джерард писала завещание? Почему? Составление завещания — весьма разумная процедура. Позволяет избежать многих неприятностей. Иногда, правда, само завещание становится источником неприятностей!

Элинор сказала нетерпеливо:

— Разумеется, каждый должен написать завещание. Я не это имела в виду.

— Миссис Уэлмен тоже следовало бы в свое время написать завещание.

— Что правда, то правда, — согласилась Элинор. Она покраснела.

Неожиданно доктор Лорд спросил:

— А *вы?* Вы только что сказали, что каждый должен написать завещание. А вы написали?

Элинор с минуту смотрела на него изумленными глазами, а потом рассмеялась.

— Как удивительно! — сказала она. — Нет, я не написала. Даже не подумала об этом! Как я похожа на тетю Лору! А знаете что, доктор Лорд, как только приду домой, сразу же напишу об этом мистеру Седдону.

— Это было бы весьма разумно, — сказал доктор Лорд.

В библиотеке Элинор только что закончила письмо мистеру Седдону.

«Дорогой мистер Седдон, прошу вас составить для меня текст завещания, чтобы я могла его подписать. Содержание его очень простое. Я желаю оставить все свое состояние Родерику Уэлмену в его полное распоряжение.

С уважением

Элинор Карлайл».

Она взглянула на часы. Через несколько минут будут забирать почту. Она выдвинула ящик стола, но вспомнила, что утром использовала последнюю марку. В спальне у нее оставалось несколько штук, и она поднялась по лестнице. Когда вернулась с маркой в библиотеку, у окна стоял Родди.

— Итак, мы завтра уезжаем. Добрый старый Хантербери! Немало беззаботных дней мы провели здесь! — сказал Родди.

— Ты не возражаешь против его продажи?

— Нет, нет! Я понимаю, что это самое разумное, что можно сделать.

Они замолчали. Элинор взяла письмо, бегло прочитала его еще раз, чтобы убедиться, что в нем все правильно, затем запечатала конверт и наклеила марку.

Глава 6

Письмо сестры О'Брайен сестре Хопкинс от 14 июля

Лейборо-Корт

«Дорогая Хопкинс,
вот уже несколько дней собираюсь написать вам. Я попала в прекрасный дом, где много картин, по-ви-

258

димому, очень известных. Однако не могу сказать, что здесь так же комфортабельно, как это было в Хантербери, — вы понимаете, что я имею в виду. В этом глухом краю трудно найти прислугу, поэтому служанки здесь плохо обученные, а некоторые из них не слишком обходительные. И хотя я никогда не была чересчур привередливой, но согласитесь, что пища, которую приносят наверх на подносах, должна быть по крайней мере горячей! К тому же здесь нет никаких приспособлений, чтобы вскипятить чайник, чай не всегда заваривается кипятком! Получается ни то ни се. Мой пациент — приятный спокойный джентльмен (у него двустороннее воспаление легких, но кризис уже миновал). То, что я собираюсь вам рассказать, вас, безусловно, заинтересует: это самое удивительное совпадение, какое можно себе представить! В гостиной на большом рояле стоит фотография в массивной серебряной рамке, и — хотите, верьте, хотите, нет — это такая же фотография, как та, о которой я вам рассказывала, — та, которая подписана «Льюис» и которую старая миссис Уэлмен просила ей принести. Конечно же я была заинтригована, как и любой бы на моем месте! Я спросила дворецкого, чья это фотография, и он сразу же ответил, что это брат леди Рэттери — сэр Льюис Райкрофт. Он жил неподалеку отсюда и погиб на войне. Так печально, не правда ли? Я спросила как бы между прочим, был ли он женат, и дворецкий ответил «да», но что леди Райкрофт попала в психиатрическую лечебницу, бедняжка, вскоре после свадьбы. Он сказал еще, что она жива до сих пор. Вот это история! Оказывается, мы все думали неправильно. Они, должно быть, очень любили друг друга — он и миссис Уэлмен — и не могли пожениться, потому что его жена была в психиатрической лечебнице. Совсем как в кино, правда? А она все эти годы о нем помнила и перед смертью смотрела на его фотографию! Дворецкий говорит, что его убили в 1917 году. Какая романтическая история! Здесь поблизости нет ни одного кинотеатра. Такая глушь! Не удивительно, что невозможно найти приличных служанок.

Пока до свидания, дорогая, напишите мне и расскажите все новости.

Искренне ваша

Эйлин О'Брайен».

Письмо сестры Хопкинс сестре О'Брайен

Роз-Коттедж

«Дорогая О'Брайен,
здесь в основном все по-старому. Хантербери опустел — всех слуг отпустили, а на воротах висит табличка «Продается». На днях я видела миссис Бишоп, она гостит у своей сестры, которая живет примерно в миле отсюда. Можете себе представить, как она удручена тем, что усадьба продается! Похоже, она была уверена, что мисс Карлайл и мистер Уэлмен поженятся и будут здесь жить. Миссис Бишоп сказала, что помолвка расторгнута! Вскоре после вашего отъезда мисс Карлайл уехала в Лондон. Я не раз замечала, что она как-то странно себя вела. Не знаю, что и подумать о ней! Мэри Джерард уехала в Лондон и начала учиться на массажистку. Думаю, что это очень разумно с ее стороны. Мисс Карлайл намерена дать ей две тысячи фунтов, и я считаю, что это очень приличная сумма и что немногие на ее месте поступили бы так благородно.

Кстати, помните ли вы, как однажды рассказали мне о фотографии, подписанной «Льюис», которую миссис Уэлмен вам показывала? На днях я остановилась поболтать с миссис Слэттери (она была экономкой у старого доктора Рэнсома, который практиковал здесь до доктора Лорда); она прожила здесь всю жизнь и многое знает о господских семьях в нашей округе. Речь зашла об именах, и я между прочим сказала, что имя Льюис редко встречается, а она назвала их несколько, в том числе упомянула сэра Льюиса Райкрофта из Форбс-Парк. Он служил в 17-м уланском полку и был убит в самом конце войны. Я сказала, что, мол, говорят, они были большими друзьями с миссис Уэлмен из Хантербери, которая в то время была вдовой. А она так посмотрела на меня, дорогая, что я сразу же поняла: она кое-что знает. Я сказала, что, мол, странно, что они не поженились. А она, представьте себе, ответила, что они не могли пожениться, так как он был женат и жена его находилась в психиатрической лечебнице! Видите, нам теперь стала известна вся история! Странные вещи иногда случаются в жизни! Если подумать, как просто развестись в наше время и как это было тогда — даже психическое заболевание считалось недостаточным основанием для развода — просто стыд!

Помните ли вы молодого парня приятной наружности — Теда Бигленда, — который увивался вокруг Мэри Джерард? Так вот, он приходил ко мне и просил дать лондонский адрес Мэри. Я, конечно, не дала. По-моему, он неподходящая пара для Мэри. Не знаю, догадывались ли вы об этом, но мистер Родерик в нее влюбился, что, конечно, достойно сожаления, поскольку уже принесло неприятность. Уверена, что именно из-за этого была расторгнута помолвка между ним и мисс Карлайл. И, если хотите знать, она очень тяжело это переживает. Не знаю, что она в нем нашла! На такого, как он, я и внимания не обратила бы, а она, как мне известно из надежных источников, всегда по нему с ума сходила! Так все запуталось! К тому же теперь все деньги достались ей. Уверена, что он всегда надеялся получить от тетки кругленькую сумму.

Старику Джерарду из сторожки с каждым днем становится все хуже — несколько раз случались глубокие обмороки. Но он остается все таким же грубияном и упрямцем. На днях прямо заявил мне, что Мэри — не его дочь. Я ответила, что на его месте постыдилась бы говорить такое о своей покойной жене. А он обозвал меня дурой и сказал, что я ничего не понимаю. Очень вежливо, не правда ли? Уж я ему ответила на это, будьте уверены! Его жена, насколько мне известно, до того, как он женился на ней, была горничной миссис Уэлмен.

Ваша *Джесси Хопкинс»*.

Почтовая открытка сестры Хопкинс сестре О'Брайен:

«Подумать только, наши письма разминулись в пути! Какая ужасная стоит погода!»

Почтовая открытка сестры О'Брайен сестре Хопкинс:

«Получила ваше письмо сегодня утром. Бывают же такие совпадения!»

Письмо Родерика Уэлмена Элинор Карлайл от 15 июля:

«Дорогая Элинор,
только что получил твое письмо. Я не испытываю сожаления по поводу продажи Хантербери. Очень мило с твоей стороны, что советуешься со мной. Считаю, что поступаешь очень разумно, если только не собиралась там жить — а ты, очевидно, не имеешь такого намерения. Однако с его продажей, возможно, возникнут трудности. По нынешним временам поместье великовато, хотя модернизировано и приспособлено к современным нуждам: там есть удобные помещения для слуг, есть газ, электричество и все прочее. Во всяком случае, я искренне желаю тебе удачи!

Здесь стоит такая жара! Часами не вылезаю из моря. Здесь есть забавные люди, но я почти не общаюсь с ними. Ты однажды сказала мне, что я плохо схожусь с людьми. Так вот, боюсь, что ты была права. Я испытываю антипатию к большинству представителей рода человеческого. Они, очевидно, платят мне той же монетой.

Я давно считаю тебя одним из немногих поистине безупречных представителей человечества. Через недельку-другую собираюсь побродить по побережью Далмации. Мой адрес: п/о Томаса Кука, Дубровник, где я буду с 22-го числа и далее. Если могу чем-нибудь помочь, дай мне знать.

С восхищением и благодарностью
твой *Родди*».

262

Письмо мистера Седдона («Седдон, Блейтеруик и Седдон») мисс Элинор Карлайл от 20 июля:

«Блумсбери-сквер, 104

Уважаемая мисс Карлайл,

я, безусловно, считаю, что вам следует принять предложение майора Соммервела о приобретении у вас Хантербери за 12 500 фунтов. В данный момент крупную недвижимость трудно продать, а предлагаемую цену можно считать весьма выгодной. Приобретение, однако, обусловливается немедленным введением во владение, и, насколько мне известно, майор Соммервел интересовался также и другими поместьями в округе, а поэтому я рекомендовал бы вам безотлагательно принять его предложение.

Насколько мне известно, майору Соммервелу было бы желательно воспользоваться меблированным помещением сроком на три месяца, в течение которых юридические формальности будут завершены и продажу можно будет оформить окончательно.

Что касается привратника Джерарда, проживающего в сторожке, и назначения ему содержания, то, как я слышал от доктора Лорда, он серьезно болен и дни его сочтены.

Утверждение завещания судом еще не состоялось, но до окончательного урегулирования формальностей я передал мисс Мэри Джерард сто фунтов.

С уважением

Эдмунд Седдон».

Письмо доктора Лорда мисс Элинор Карлайл от 24 июля:

«Дорогая мисс Карлайл,

сегодня умер старый Джерард. Не могу ли я быть чем-нибудь полезным вам? Слышал, что вы продали дом нашему новому члену парламента майору Соммервелу.

С уважением

Питер Лорд».

Письмо Мэри Джерард сестре Хопкинс от 25 июля:

«Дорогая сестра Хопкинс,
благодарю вас за то, что вы написали мне об отце. Я рада, что ему не пришлось страдать. Мисс Элинор написала мне, что дом продан и что ей хотелось бы, чтобы я как можно скорее освободила сторожку. Не могли бы вы приютить меня, если я приеду завтра на похороны? Если вы согласны, не трудитесь отвечать. Искренне ваша

Мэри Джерард».

Глава 7

В четверг, 27 июля, утром Элинор Карлайл вышла из дверей гостиницы «Королевский герб» и минуту-другую постояла на пороге, окидывая взглядом главную улицу Мейденсфорда. Неожиданно, вскрикнув от радости, она бросилась на другую сторону улицы.

Разве можно было спутать с кем-нибудь эту величественную фигуру, эту преисполненную достоинства осанку человека, проплывающего по улице, подобно кораблю под полными ветра парусами?

— Миссис Бишоп!

— Ах, неужели это вы, мисс Элинор? Вот уж сюрприз так сюрприз! Я и не знала, что вы приехали в наши края. Если бы знала, что вы приедете в Хантербери, немедленно явилась бы туда! Кто вам там прислуживает? Вы привезли с собой кого-нибудь из Лондона?

Элинор покачала головой.

— Я остановилась не в доме, а в «Королевском гербе».

Миссис Бишоп бросила взгляд на противоположную сторону улицы и с сомнением хмыкнула.

— Слышала, что там *можно* жить, — допустила она такую возможность. — Там чисто. И, говорят, неплохо готовят... Но едва ли это то, к чему вы привыкли, мисс Элинор.

Элинор сказала с улыбкой:

— Мне там вполне удобно. Я приехала всего на пару дней. Мне необходимо разобрать вещи, оставшиеся в доме, личные вещи тети... еще там есть кое-что из мебели, что мне хотелось бы взять с собой в Лондон.

— Значит, вы и впрямь продали дом?

— Да. Майору Соммервелу, новому члену парламента от нашего округа. Как вы, наверное, знаете, сэр Джордж Керр умер и состоялись дополнительные выборы.

— Как же не знать, он был избран единогласно, — важно произнесла миссис Бишоп. — Здесь, в Мейденсфорде, мы всегда голосовали только за консерваторов.

— Я рада, что дом куплен человеком, который действительно собирается в нем жить. Печально, если бы его превратили в гостиницу или перестроили бы.

Миссис Бишоп закрыла глаза и вздрогнула при мысли об этом всем своим аристократичным телом.

— Это было бы просто ужасно. И без того страшно подумать, что Хантербери перейдет в руки совершенно посторонних людей!

— Я с вами совершенно согласна, но, видите ли, дом слишком велик, чтобы мне там жить... одной.

Миссис Бишоп неодобрительно хмыкнула.

Элинор торопливо сказала:

— Я хотела спросить вас: может быть, вам хотелось бы взять на память что-нибудь из мебели? Я была бы очень рада.

Миссис Бишоп просияла и сказала с достоинством:

— Вы очень внимательны, мисс Элинор, и очень добры... Если вы не сочтете вольностью с моей стороны...

Она замолчала. Элинор поспешно сказала:

— О нет, миссис Бишоп! Я буду очень рада.

— ...Я всегда восхищалась секретером, который стоит в маленькой гостиной. Такая прелестная вещь!

Элинор помнила этот секретер — довольно претенциозный образец инкрустации по дереву. Она поспешила сказать:

— Конечно же он ваш, миссис Бишоп. Может быть, что-нибудь еще?

— Ну что вы, мисс Элинор! Вы и так были чрезвычайно щедры!

— Там есть еще несколько стульев в том же стиле, что и секретер, — сказала Элинор. — Не хотите ли взять и их?

С надлежащими выражениями благодарности миссис Бишоп приняла в подарок и стулья.

— Я сейчас гощу у своей сестры, — сказала она, — но, может быть, я помогла бы вам в чем-нибудь, мисс Элинор? Если вам угодно, могла бы пойти вместе с вами.

— Благодарю вас, — быстро и довольно решительно отказалась Элинор.

— Это не составило бы труда, уверяю вас, я помогла бы вам с удовольствием. Такое грустное занятие — разбирать вещи незабвенной миссис Уэлмен!

— Я вам очень признательна, миссис Бишоп, но будет лучше, если сделаю все сама. Право же, некоторыми делами лучше заниматься одной...

— Как вам будет угодно, — холодно сказала миссис Бишоп. — Эта дочь Джерарда тоже здесь. Вчера были похороны. Она остановилась у сестры Хопкинс. Слышала, что они собирались сегодня утром в сторожку.

Элинор кивнула.

— Я просила Мэри приехать и освободить сторожку. Майор Соммервел хотел бы переехать сюда как можно скорее.

— Понимаю.

— Ну а теперь я должна идти. Так приятно было увидеться с вами, миссис Бишоп! Я не забуду о секретере и стульях.

Она попрощалась с ней за руку и пошла вдоль улицы. По дороге она заглянула в булочную и купила хлеба. Потом зашла в молочный магазинчик и купила полфунта масла и молоко. И наконец, зашла в бакалейную лавку.

— Я хотела бы купить паштет для бутербродов.

— К вашим услугам, мисс Карлайл. — К ней подбежал мистер Эббот собственной персоной, локтем оттолкнув младшего приказчика. — Что вы предпочитаете? Паштет из лосося с креветками? Из индейки с языком? Из лосося с сардинами? Из окорока с языком?

Он один за другим брал с полки горшочки с паштетами и выставлял их в ряд на прилавке.

Слабо улыбнувшись, Элинор сказала:

— Несмотря на их названия, мне они всегда кажутся почти одинаковыми на вкус.

Мистер Эббот немедленно согласился с ней:

— Может быть, в какой-то мере вы и правы... Да, в какой-то мере. Но все они, несомненно, очень, очень вкусны.

Элинор заметила:

— Многие боятся употреблять в пищу рыбные паштеты. Ведь бывали случаи отравления птомаином, не так ли?

Мистер Эббот, услышав это, был просто в шоке.

— Смею вас заверить, что они изготовлены очень респектабельной фирмой, весьма надежной — к нам никогда не поступало жалоб.

— Пожалуй, возьму один горшочек лосося с анчоусами и один — лосося с креветками. Благодарю вас, — сказала Элинор.

Элинор Карлайл вошла на территорию Хантербери через заднюю калитку. Был жаркий безоблачный летний день. Цвел душистый горошек. Когда она проходила мимо его рядов, ее уважительно приветствовал Хорлик, младший садовник, который оставался здесь, чтобы поддерживать сад в порядке.

— Доброе утро, мисс. Получил ваше письмо. Боковая дверь не заперта. Я открыл ставни и большую часть окон.

— Спасибо, Хорлик, — сказала Элинор.

Она было двинулась дальше, но молодой человек, нервничая и делая судорожные глотательные движения, обратился к ней:

— Извините, мисс...

— Что такое? — обернувшись, спросила Элинор.

— Это правда, что дом продан? Я имею в виду, все это решено окончательно?

— Да.

Хорлик смущенно проговорил:

— Хотел бы просить вас, мисс... не замолвите ли вы за меня словечко майору Соммервелу? Ему все равно потребуется садовник. Может быть, ему покажется, что я слишком молод для главного садовника, но я проработал четыре года под началом мистера Стеффенса и кое-чему научился. Когда я присматривал за всем один, здесь все было в полном порядке.

Элинор поспешно сказала:

— Конечно, Хорлик, я сделаю все, что смогу. Я и сама намеревалась упомянуть о вас майору Соммервелу и сказать, какой вы хороший садовник.

Лицо Хорлика стало багровым.

— Благодарю вас, мисс. Вы так добры. Понимаете, все это так неожиданно случилось: смерть миссис Уэлмен, а потом сразу продажа дома... а я собираюсь жениться осенью, и поэтому, конечно, нужна какая-то определенность...

Он замолчал.

Элинор благожелательно сказала:

— Надеюсь, майор Соммервел возьмет вас. Можете положиться на меня — я сделаю все, что смогу.

Хорлик еще раз поблагодарил ее и сказал:

— По правде говоря, *мы все надеялись, что поместье останется во владении семьи.*

Элинор пошла дальше.

Неожиданно, как поток из прорвавшейся плотины, ее захлестнуло чувство глубокой обиды.

«Мы все надеялись, что поместье останется во владении семьи».

Здесь могли бы жить они с Родди! *Она и Родди...* Родди пожелал бы этого. И она сама захотела бы того же. Они оба всегда любили Хантербери. Дорогой Хантербери... Еще до того, как умерли ее родители, когда они были в Индии, она приезжала сюда на каникулы, играла в лесу, бродила у ручья, набирала огромные букеты душистого горошка, лакомилась крупными зелеными ягодами крыжовника и темно-красной сочной малиной. А позднее поспевали яблоки. И были здесь такие укромные уголки, где целыми часами можно было лежать, свернувшись калачиком с книгой в руках, и читать.

Элинор любила Хантербери. Всю жизнь где-то в глубине души жила уверенность в том, что когда-нибудь она будет здесь жить постоянно. Эту мысль подогревала тетя Лора... Отдельными фразами, словами: «Когда-нибудь, Элинор, тебе, возможно, захочется спилить эти тисовые деревья. Они, пожалуй, мрачноваты!» или «В этом уголке можно было бы посадить водные растения. Может быть, когда-нибудь ты это сделаешь».

А Родди? Родди тоже надеялся, что Хантербери станет его домом. Может быть, именно эта мысль была в основе его чувства к ней, Элинор. Подсознательно он чувствовал, что было бы целесообразно и правильно, если бы оба они вместе жили в Хантербери.

И они жили бы здесь вместе. Они были бы вместе здесь в эту минуту, и не для того, чтобы упаковывать вещи и готовить дом к продаже, а для того, чтобы заново отделать его, подумать, как дополнительно украсить дом и сад, и они бродили бы рука об руку, тихо наслаждаясь тем, что все это принадлежит им, — счастливые, да, счастливые оттого, что они вместе. Так бы все и было, если бы не роковое появление в их жизни девушки с красотой дикой розы.

Много ли Родди знал о Мэри Джерард? Он не знал ничего... меньше, чем ничего! Какое дело было ему до Мэри... до настоящей Мэри! Вполне возможно, что она обладает достойными восхищения качествами, но разве Родди что-нибудь знал об этом? Все это старо как мир — обычная злая шутка природы!

Не называл ли это сам Родди «наваждением»?

Разве не сам Родди, в сущности, хотел освободиться от этого?

Если бы Мэри, например, умерла, не признался ли бы Родди когда-нибудь потом, что «это к лучшему», что у них «не было ничего общего»? Возможно, он добавил бы при этом с легкой грустью: «Она была таким милым созданием!»

Пусть она и оставалась бы для него навсегда... прелестным воспоминанием... воплощением красоты и предметом восхищения.

Если бы что-нибудь случилось с Мэри, Родди вернулся бы к ней, Элинор. Она уверена в этом!

«*...Если бы что-нибудь случилось с Мэри Джерард...*»

Элинор повернула ручку боковой двери и из теплого солнечного света погрузилась в сумрак дома. Дрожь пробежала по телу.

Здесь было холодно, темно, мрачно. Как будто в доме находилось что-то жуткое, поджидавшее ее...

Она прошла через холл и открыла дверь в буфетную. Там пахло плесенью. Она широко распахнула окно.

Выложив на стол свои покупки — масло, хлеб, небольшую бутылку молока, она вдруг вспомнила: «Вот глупая! Я же собиралась купить кофе!»

Она заглянула в банки для продуктов, стоявшие на полке. В одной из них было немного чая, но кофе не было.

«Обойдусь, это не так уж важно», — подумала она.

Она развернула оба стеклянных горшочка с рыбным паштетом и с минуту постояла, уставившись на них. Потом, выйдя из буфетной, поднялась по лестнице, направившись прямо в спальню миссис Уэлмен. Она начала с массивного комода, выдвигая ящики, разбирая, сортируя и складывая вещи в небольшие кучки.

Мэри Джерард стояла посередине сторожки, оглядываясь вокруг с довольно беспомощным видом. Она как-то не осознавала раньше, насколько странной была ее жизнь.

Воспоминания о прошлом нахлынули на нее... Мать, которая шила платьица для ее кукол. Отец —

вечно злой, недовольный. Он не любил ее. Нет, не любил...

Она неожиданно спросила сестру Хопкинс:

— Отец ничего не говорил... ничего не передавал мне, умирая?

Сестра Хопкинс ответила бодрым тоном, без намека на сочувствие:

— Боже мой, конечно же нет! Перед смертью он около часа лежал без сознания.

Мэри медленно произнесла:

— Наверное, мне следовало бы приехать сюда и ухаживать за ним. Как-никак он был моим отцом.

В некотором замешательстве сестра Хопкинс сказала:

— Послушай меня, Мэри! Был ли он твоим отцом или не был — к делу не относится. В наши дни дети не очень-то беспокоятся о родителях и, насколько мне известно, далеко не все родители беспокоятся о детях. Как бы то ни было, я считаю, что сожалеть о прошлом и сентиментальничать — пустое занятие. Мы должны продолжать жить — вот наше дело, причем иногда не такое уж легкое.

— Возможно, вы и правы, — тихо сказала Мэри. — Но мне кажется, что, может быть, это я виновата в том, что мы с ним не ладили.

— Чепуха! — грубо оборвала ее сестра Хопкинс.

Слово взорвалось, как бомба, прервав горестные размышления Мэри.

Сестра Хопкинс переключилась на более жизненные вопросы:

— Что ты намерена делать с мебелью? Отдать на хранение? Или продать?

Мэри нерешительно сказала:

— Не знаю. А вы что посоветуете?

Окинув помещение практичным взором, сестра Хопкинс заявила:

— Некоторые вещи еще вполне хорошие и крепкие. Ты могла бы отдать их на хранение, чтобы со временем меблировать собственную квартирку в Лондоне. От всего старья надо избавиться. Стулья еще хорошие... и стол тоже. И вот этот маленький письменный столик — такие, правда, сейчас не в моде, но он из настоящего красного дерева... к тому же, говорят, викторианский стиль когда-нибудь снова войдет в моду. На твоем месте я отделалась бы от этого громоздкого гардероба. Он слишком велик — занимает половину спальни.

Они вместе составили список вещей, которые следовало оставить или продать.

Мэри сказала:

— Поверенный· — я имею в виду мистера Седдона — был очень любезен. Выдал мне некоторую сумму авансом, чтобы я могла начать вносить плату за обучение и оплатить другие расходы. Сказал, что деньги будут полностью переведены мне примерно через месяц.

— Как тебе нравится работа? — спросила сестра Хопкинс.

— Думаю, что я ее полюблю. Сначала, правда, было очень тяжело. Приходила домой и валилась с ног от усталости.

Сестра Хопкинс сказала невесело:

— Думала, что умру, когда стажировалась в больнице Святого Луки. Казалось, что не выдержу такой нагрузки в течение трех лет. Однако выдержала.

Они разобрали одежду старика. Теперь дошла очередь до металлической шкатулки, полной бумаг.

— Наверное, надо их просмотреть, — сказала Мэри. Они уселись за стол друг против друга.

Сестра Хопкинс, взяв пачку бумаг, проворчала:

— Уму непостижимо, зачем люди хранят такой хлам. Вырезки из газет! Старые письма! Всякая прочая чепуха!

Разворачивая один из документов, Мэри сказала:

— А вот свидетельство о браке отца с матерью. Зарегистрировано в церкви Сент Олбанс в 1919 году.

Сестра Хопкинс сказала:

— По-старому это называется «брачная справка». В деревне до сих пор многие так его называют.

Вдруг Мэри прошептала сдавленным голосом:

— Что же это такое...

Сестра Хопкинс резко вскинула на нее глаза. Лицо Мэри выражало отчаяние.

— В чем дело, Мэри?

Мэри Джерард произнесла дрожащим голосом:

— Взгляните только! Сейчас 1939 год, и мне 21 год. В 1919 году мне уже исполнился год. Это значит... Это значит, что отец с матерью поженились только... *потом*.

Сестра Хопкинс нахмурилась и грубовато сказала:

— Ну и что из этого? Не хватает еще сейчас об этом беспокоиться!

— Но я ничего не могу с собой поделать!

Сестра Хопкинс заявила уверенным тоном:

— Многие пары идут в церковь только тогда, когда их обстоятельства вынудят. Но если в конце концов обвенчаются, это уже не имеет значения. Я так считаю.

Мэри тихо сказала:

— Как вы думаете, может быть, поэтому отец никогда не любил меня? Потому что мать, возможно, *заставила* его жениться на себе?

Сестра Хопкинс помедлила, закусив губу, а потом сказала:

— Думаю, что это было не совсем так. — Она помолчала. — Ну что ж, если это тебя так беспокоит, то тебе, наверное, лучше знать всю правду. Ты вообще не дочь Джерарду.

— Так вот почему...

— Возможно, — сказала сестра Хопкинс.

На каждой щеке Мэри неожиданно вспыхнули красные пятна. Она сказала:

— Наверное, это очень плохо с моей стороны, но я рада этому! Я всегда испытывала какую-то неловкость оттого, что не любила отца... Но если он мне не отец, тогда все в порядке. А как вы об этом узнали?

— Джерард не раз говорил об этом перед смертью. Я его довольно резко обрывала, но на него это не действовало. Правда, мне не следовало бы рассказывать об этом тебе, но раз уж у нас зашла речь...

Мэри задумчиво произнесла:

— Хотела бы я знать, кто мой настоящий отец...

Сестра Хопкинс помедлила. Она открыла было рот, но потом закрыла его снова. Казалось, ей было трудно решиться что-то сказать.

Тень упала в комнату, и обе женщины оглянулись. У окна стояла Элинор Карлайл.

— Доброе утро, — сказала она.

— Доброе утро, мисс Карлайл! Прекрасная сегодня погода, — откликнулась сестра Хопкинс.

— Доброе утро, мисс Элинор! — приветливо проговорила Мэри.

— Я приготовила бутерброды. Не хотите ли зайти ко мне и перекусить на скорую руку? Времени почти час, и так не хочется возвращаться в гостиницу, чтобы пообедать. Я специально приготовила побольше бутербродов, чтобы хватило на троих.

Приятно удивленная сестра Хопкинс сказала:

— Вы очень внимательны, мисс Карлайл. Досадно отрываться от дела, а потом еще раз возвращаться сюда из деревни. Я надеялась, что мы управимся с делами за утро, а поэтому пораньше обошла всех своих пациентов. На всю эту разборку уходит больше времени, чем предполагаешь!

Мэри с благодарностью произнесла:

— Спасибо, мисс Элинор. Вы очень добры.

Они втроем отправились по дороге, ведущей к дому. Уходя, Элинор оставила входную дверь открытой. Они вошли в дом, в сумрак холла. Мэри вдруг зябко поежилась. Элинор внимательно посмотрела на нее.

— Что с тобой, Мэри?

— Ничего... просто какая-то дрожь. Это из-за того, что мы вошли сюда после солнечного света.

— Как странно, — сказала Элинор, — сегодня утром я испытала такое же ощущение.

Рассмеявшись, сестра Хопкинс громко заявила:

— Послушать вас, так можно подумать, что в доме водятся привидения. Я, например, ничего не почувствовала!

Элинор улыбнулась. Она прошла первой в направлении маленькой гостиной, расположенной справа от входной двери. Шторы там были подняты, окна распахнуты настежь. Комната выглядела очень приветливо.

Элинор прошла через холл в буфетную и принесла оттуда большое блюдо с бутербродами. Она протянула его Мэри:

— Возьми, попробуй!

Мэри взяла бутерброд. Элинор с минуту постояла, наблюдая, как ровные белые зубки девушки откусывают кусочек. Она продолжала стоять с рассеянным видом, держа в руке блюдо, пока не увидела полураскрытые губы сестры Хопкинс и голодное выражение на ее лице. Элинор вспыхнула и торопливо протянула блюдо старшей женщине.

Сама Элинор тоже взяла бутерброд и извиняющимся тоном сказала:

— Хотела приготовить кофе, но забыла купить. Правда, есть пиво, если кому-нибудь захочется пить.

Сестра Хопкинс огорченно сказала:

— Что бы мне подумать и захватить с собой заварку!

Элинор рассеянно сказала:

— В буфетной есть немного чаю в банке.

Лицо сестры Хопкинс оживилось.

— В таком случае я на минутку выйду, чтобы поставить чайник. Молока, наверное, нет?

— Есть, я купила, — сказала Элинор.

— Ну тогда все в порядке, — сказала сестра Хопкинс и торопливо вышла.

Элинор и Мэри остались вдвоем. Возникло какое-то странное напряжение. Элинор с явным усилием пыталась поддержать разговор. Губы ее пересохли. Она провела по ним кончиком языка и спросила деревянным голосом:

275

— Как тебе нравится работа в Лондоне?

— Очень нравится. Я... я так вам благодарна...

Элинор неожиданно рассмеялась хриплым, неприятным, таким непохожим на нее смехом. Мэри уставилась на нее в изумлении.

— Тебе совсем не надо меня благодарить! — сказала Элинор.

Мэри в полной растерянности пролепетала:

— Я не хотела... то есть... — Она замолчала.

Элинор смотрела на неё таким пытливым, таким странным... да, странным... взглядом, что Мэри вся сжалась.

Она спросила:

— Что-нибудь не так?

Элинор быстро встала. Не глядя на Мэри, ответила вопросом на вопрос:

— Что может быть не так?

Мэри пробормотала:

— Не знаю. Вы... вы так смотрели...

Усмехнувшись, Элинор спросила:

— Я слишком пристально глядела на тебя? Со мной это случается иногда... когда я думаю о чем-нибудь другом.

Сестра Хопкинс заглянула в дверь, жизнерадостно оповестила, что уже поставила чайник, и ушла снова.

Элинор внезапно обуял приступ смеха.

— Мэри, помнишь считалочку, которую мы часто распевали в детстве? «Полли поставила чайник, Полли поставила чайник — скоро мы будем пить чай...»

— Конечно помню.

— ...*В детстве,* — сказала Элинор. — Тебе не жаль, Мэри, что в детство нельзя вернуться?

— А вам хотелось бы туда вернуться? — спросила Мэри.

— О да... да, — мечтательно произнесла Элинор.

Некоторое время они молчали.

Потом Мэри, покраснев, сказала:

— Мисс Элинор, вы не должны думать...

Она замолчала, увидев, как внезапно напряглась стройная фигурка Элинор и как вызывающе поднялся вверх ее подбородок.

Холодно, с металлом в голосе Элинор произнесла:

— Что именно я не должна думать?

Мэри растерянно пробормотала:

— Я... забыла, что хотела сказать.

Тело Элинор расслабилось, как будто миновала опасность.

Вошла сестра Хопкинс с подносом. На нем были коричневый заварочный чайник, молоко и три чашки. Не подозревая о том, какую напряженность разряжает, сестра Хопкинс объявила:

— А вот и чай!

Она поставила поднос перед Элинор. Элинор отрицательно покачала головой.

— Я не буду пить чай, — сказала она и передвинула поднос к Мэри. Мэри наполнила чаем две чашки.

Сестра Хопкинс с удовлетворением вздохнула.

— Чай чудесный и крепкий!

Элинор встала и отошла к окну.

— Может быть, вы все-таки выпьете чашечку? Вам это пойдет на пользу, — убеждала ее сестра Хопкинс.

— Нет, благодарю вас, — тихо сказала Элинор.

Сестра Хопкинс осушила свою чашку, поставила ее на блюдце и пробормотала:

— Я выключу газ под чайником. Я оставила его на конфорке на случай, если потребуется заварить еще чаю.

Она торопливо выскочила из комнаты.

Элинор отошла от окна.

— Мэри... — произнесла она, и в голосе ее звучали мольба и отчаяние.

— Я слушаю вас, мисс Элинор, — отозвалась Мэри.

Медленно свет исчез с лица Элинор, губы сомкнулись. Стерлось выражение отчаянной мольбы, и осталась лишь маска — холодная и спокойная.

— Нет, ничего, — сказала она.

В комнате установилась тяжелая тишина.

Мэри подумала: «*Как все странно сегодня. Как буд-то... как будто мы ждем чего-то*».

Элинор наконец вышла из оцепенения. Она подо-шла к окну, взяла поднос и поставила на него пустое блюдо из-под бутербродов.

Мэри подскочила к ней.

— Позвольте мне, мисс Элинор...

Элинор резко сказала:

— Нет, оставайся здесь. Я сделаю все сама.

Она понесла поднос из комнаты. Оглянувшись ра-зок через плечо, она увидела Мэри Джерард, сидящую у окна, полную жизни, красивую...

Сестра Хопкинс была в буфетной. Она вытирала пот-ное лицо носовым платком. Окинув проницательным взглядом вошедшую Элинор, она сказала:

— Ну и жарища же здесь!

Элинор рассеянно ответила:

— Да, ведь окна буфетной выходят на юг.

Сестра Хопкинс взяла у нее поднос.

— Позвольте, я вымою посуду, мисс Карлайл. Вы что-то не очень хорошо выглядите.

— Со мной все в порядке, — ответила Элинор. Она взяла посудное полотенце. — Я буду вытирать по-суду.

Сестра Хопкинс сняла нарукавники и налила в ра-ковину горячую воду из чайника.

Глядя на ее запястье, Элинор рассеянно сказала:

— Вы укололи руку.

Сестра Хопкинс засмеялась.

— Это о вьющуюся розу около сторожки. Сейчас вытащу шип.

...*Вьющиеся розы у сторожки*. Воспоминания волна-ми накатывались на Элинор. Она и Родди ссорятся — война Алой и Белой розы. Она и Родди ссорятся и ми-рятся. Чудесные, полные смеха, счастливые дни! Ост-рое чувство отвращения к себе охватило ее. До чего она дошла теперь! В какую черную бездну ненависти и зла провалилась! Она стояла, немного покачиваясь, и думала: *«Я просто сошла с ума!»*

Сестра Хопкинс с любопытством наблюдала за ней. «Она была такой странной — так впоследствии сестра Хопкинс будет описывать этот эпизод, — говорила, сама не понимая, что говорит, и глаза у нее были такие блестящие и необычные».

Чашки и блюдца гремели в раковине. Элинор взяла со стола пустой горшочек из-под рыбного паштета и положила в раковину. Затем сказала, сама поразившись твердости своего голоса:

— Наверху я рассортировала часть одежды тети Лоры. Может быть, вы знаете, сестра Хопкинс, кому она могла бы пригодиться в деревне?

— Конечно, — оживилась сестра Хопкинс. — Это и миссис Паркинсон, и старая Нелли, и та бедняга, у которой не все дома, из Айви-Коттеджа. Для них это будет просто дар Божий!

Вместе с Элинор они прибрали буфетную. Затем вместе поднялись по лестнице.

В комнате миссис Уэлмен одежда была сложена в аккуратные кучки: нижнее белье, будничные платья, несколько нарядных платьев, бархатное вечернее платье, шубка из ондатры, которую, как объяснила Элинор, она предполагала отдать миссис Бишоп.

Сестра Хопкинс одобрительно кивнула. Заметив, что соболя миссис Уэлмен отложены на комод, подумала: *«Собирается переделать их для себя».*

Она бросила взгляд на высокий комод. «Хотелось бы мне знать, нашла ли Элинор ту фотографию, подписанную «Льюис», и если нашла, то как она с ней поступила».

«Забавно, — продолжала она размышлять, — что наши с сестрой О'Брайен письма разминулись в пути. Никогда не предполагала, что такое может случиться: подумать только, что она наткнулась на ту фотографию именно в тот день, когда я написала ей о разговоре с миссис Слэттери».

Она помогла Элинор рассортировать вещи и вызвалась увязать их в отдельные узлы, чтобы потом раздать в деревне́, а также пообещала самолично проследить за их распределением.

— Я могла бы продолжить работу здесь, — сказала сестра Хопкинс, — а Мэри лучше вернуться в сторожку и закончить все дела там. Ей осталось только просмотреть шкатулку с бумагами. Кстати, где эта девушка? Не ушла ли она в сторожку?

— Она осталась в маленькой гостиной, — сказала Элинор.

— Не может быть, чтобы она просидела там все это время, — сказала сестра Хопкинс и взглянула на часы. — Подумать только, уже почти час прошел с тех пор, как мы поднялись сюда.

Она поспешила вниз по лестнице. Элинор последовала за ней.

Они вошли в маленькую гостиную.

— Вот те на! — воскликнула сестра Хопкинс. — Она заснула.

Мэри Джерард сидела в большом кресле у стола. Она немного сползла вниз. В комнате слышался странный звук — хриплое затрудненное дыхание.

Сестра Хопкинс подошла к креслу и потрясла девушку за плечо.

— Проснись, дорогая...

Она внезапно замолчала, наклонилась и оттянула вниз веко девушки. Потом с мрачной настойчивостью начала трясти девушку.

Она повернулась к Элинор и произнесла:

— Что все это значит? — И в голосе ее было что-то враждебное.

— Я не понимаю, что вы имеете в виду, — сказала Элинор. — Она заболела?

— Где телефон? Скорее найдите доктора Лорда!

— Да что случилось? — спросила Элинор.

— Случилось? Девушка больна. Она умирает.

Элинор отшатнулась.

— Умирает? — прошептала она.

— Она отравлена, — сказала сестра Хопкинс. Тяжелым, подозрительным взглядом смотрела она на Элинор.

Глава 8

Эркюль Пуаро, слегка наклонив яйцеобразную голову, вопросительно подняв брови и сложив кончики пальцев рук, внимательно следил, как молодой человек с искаженным от ярости лицом беспокойно мерил комнату огромными шагами.

— Eh bien[1], мой друг, рассказывайте, в чем дело, — сказал Эркюль Пуаро.

Питер Лорд резко остановился.

— Мсье Пуаро, вы единственный человек на свете, кто может помочь мне, — сказал он. — Я слышал, как о вас отзывался Стиллингфлит; он рассказал мне, какое чудо вы сотворили в деле этого Бенедикта Фарлея. Тогда абсолютно все были уверены, что это самоубийство, а вы доказали, что это было убийство!

— Речь, по-видимому, пойдет о самоубийстве одного из ваших пациентов, обстоятельства смерти которого вам кажутся сомнительными? — спросил Пуаро.

Питер Лорд отрицательно покачал головой. Он уселся напротив Пуаро и сказал:

— Речь пойдет об одной молодой женщине. Ее арестовали и будут судить по обвинению в убийстве! Я хочу, чтобы вы нашли доказательства, которые подтвердили бы, что она его не совершала!

Брови Пуаро поднялись еще выше. Он спросил сдержанно-доверительным тоном:

— Вы и эта молодая леди... вы жених и невеста? Вы любите друг друга?

Питер Лорд рассмеялся резким горьким смехом.

— Нет, это вовсе не так! У нее плохой вкус, и она предпочла длинноносого надменного глупца с лицом меланхоличной лошади! Не очень-то умно с ее стороны, но именно так обстоит дело!

— Понимаю, — сказал Пуаро.

— Ну разумеется, вам все понятно! — с горечью сказал Лорд. — И незачем щадить мои чувства. Я влюбил-

---

[1] Итак (фр.).

ся в нее с первого взгляда. И поэтому не хочу, чтобы ее повесили. Это вам понятно?

— Какие ей предъявлены обвинения? — спросил Пуаро.

— Она обвиняется в убийстве одной молодой девушки по имени Мэри Джерард путем отравления ее гидрохлоридом морфина. Ведь вы, наверное, читали следственные материалы в газетах?

— А каков мотив преступления? — спросил Пуаро.

— Ревность!

— И, по вашему мнению, она этого преступления не совершала?

— Ну конечно же не совершала!

Минуту-другую Пуаро задумчиво смотрел на него, а потом сказал:

— Что именно вы хотите от меня? Чтобы я расследовал это дело?

— Хочу, чтобы вы выручили ее из беды!

— Я не адвокат, mon cher![1]

— В таком случае изложу свою просьбу яснее. *Я хочу, чтобы вы нашли доказательства, которые позволили бы адвокату выручить ее.*

— Вы ставите вопрос весьма необычно, — сказал Пуаро.

— Потому что я ничего не пытаюсь скрыть, вы это имеете в виду? Мне кажется, все очень просто. *Я хочу, чтобы девушку оправдали!* И считаю, что вы единственный человек, который может это сделать!

— Вам угодно, чтобы я рассмотрел фактические обстоятельства по делу? Чтобы докопался до правды? Установил, что же произошло на самом деле?

— Я хочу, чтобы вы отыскали любые факты, которые говорили бы в ее пользу.

Размеренными и точными движениями Эркюль Пуаро раскурил тоненькую сигарету. Он сказал:

— Не кажется ли вам несколько неэтичным то, что вы предлагаете? Докопаться до правды — это мне по-

---

[1] Дорогой мой *(фр.).*

нятно, это всегда меня интересует. Но правда — обоюдоострое оружие. А вдруг я обнаружу факты, которые говорят не в пользу этой леди? Вы требуете, чтобы я о них умолчал?

Питер Лорд встал. Лицо его побелело.

— Но это невозможно! — воскликнул он. — Ничто из того, что вы обнаружите, не может оказаться в большей степени направленным против нее, чем те факты, которые уже установлены! Все факты окончательно и бесповоротно обличают ее! Против нее сколько угодно показаний, изложенных черным по белому для всеобщего обозрения! Вам не удастся найти ничего такого, что ухудшило бы ее положение! Я прошу вас употребить всю вашу изобретательность — а Стиллингфлит говорил, что вы дьявольски изобретательны, — чтобы отыскать лазейку, возможную альтернативу.

— Но ее поверенные, несомненно, сделают это, — возразил Пуаро.

— Сделают? — Молодой человек презрительно рассмеялся. — Да они сложили оружие до начала битвы! Они считают дело безнадежным. Они поручили ведение дела королевскому адвокату Балмеру, который знаменит тем, что берется за безнадежные дела, — это само по себе говорит о стремлении завоевать дешевую репутацию! Великий оратор со слезой в голосе... делает упор на молодость заключенного... и все такое прочее! Однако с судьей его фокусы не пройдут. Никакой надежды!

— Но предположим, что она действительно виновна... вы и в этом случае желаете, чтобы ее оправдали? — спросил Пуаро.

— Да, — спокойно ответил Питер Лорд.

Пуаро переменил положение в кресле. Он произнес:

— Вы меня заинтересовали. — Помедлив минуту-другую, он сказал: — Я думаю, вам следовало бы как можно точнее изложить мне все факты, относящиеся к делу.

— Разве вы ничего не читали об этом в газетах?

Пуаро отмахнулся.

— Всего лишь упоминание об этом деле. Газеты так искажают информацию, что я никогда не полагаюсь на то, что в них пишут.

— Все совершенно просто, — начал Питер Лорд. — Ужасно просто. Эта девушка, Элинор Карлайл, недавно получила в наследство поместье Хантербери-Холл, расположенное неподалеку отсюда, а также все состояние своей тетушки, которая умерла, не оставив завещания. Тетушку звали миссис Уэлмен. Племянником покойной тетушки по мужу является Родерик Уэлмен. Он был помолвлен с Элинор Карлайл — обычная история, они знали друг друга с детства. В Хантербери жила девушка по имени Мэри Джерард, дочь привратника. Старая миссис Уэлмен много носилась с ней, оплатила ее образование и так далее. В результате девушка выглядела как настоящая леди. Родерик Уэлмен, по-видимому, увлекся ею, и помолвка была расторгнута.

Теперь о том, как развивались события. Элинор Карлайл объявляет о продаже поместья, и его покупает человек по имени Соммервел. Элинор приезжает туда из Лондона, чтобы разобрать личные вещи тетушки и всякое такое. Мэри Джерард, у которой только что умер отец, делает уборку в сторожке. Таково было положение дел на утро 27 июля.

Элинор Карлайл остановилась в местной гостинице. На улице она встретила бывшую экономку миссис Бишоп. Миссис Бишоп предложила ей свою помощь. Элинор наотрез отказалась. Затем зашла к бакалейщику и купила рыбного паштета, бросив несколько слов о случаях пищевого отравления. Понимаете? Совершенно невинное замечание, но даже оно оборачивается против нее! Она пошла в дом и примерно около часу дня зашла в сторожку, где Мэри занималась разборкой вещей вместе с помогавшей ей сестрой Хопкинс, особой не в меру любопытной, и, сказав, что приготовила бутерброды, чтобы перекусить на скорую руку, пригласила их присоединиться к ней. Они все вместе пришли в дом, отведали бутербродов, а примерно час спустя меня вызвали туда, и я обнаружил Мэри Джерард в бессознательном состоянии. Я принял необходимые меры, но все оказалось бесполезным. При вскрытии было обнаружено, что незадолго до смерти в организм была введена большая доза морфина. А полиция обнаружила при обыске обрывок этикетки от гидрохлорида морфина как раз в том месте, где Элинор Карлайл готовила бутерброды.

— Что еще пила или ела Мэри Джерард?

— Она и районная сестра пили чай с бутербродами. Сестра его заваривала, а Мэри разливала. Едва ли в нем могло что-нибудь быть. Конечно, я понимаю, что адвокат устроит свистопляску вокруг этих бутербродов, делая упор на то, что ели их все трое и что поэтому, мол, невозможно сделать так, чтобы отравился только один человек. Если вы помните, защита упорно настаивала на этом в деле Хирна.

Пуаро кивнул.

— Но в действительности это очень просто, — сказал он. — Вы готовите большое количество бутербродов. *В одном из них яд.* Вы протягиваете блюдо. В нашем цивилизованном государстве лицо, которому предлагают блюдо, обязательно возьмет тот *бутерброд, который лежит ближе всего к нему.* Предполагаю, это Элинор Карлайл сначала предложила блюдо Мэри Джерард?

— Именно так.

— Хотя сестра, которая старше по возрасту, также находилась в комнате?

— Да.

— Все это выглядит не слишком утешительно.

— На самом же деле это ничего не значит. Никто не будет строго соблюдать правила хорошего тона, когда речь идет о закуске на скорую руку, — сказал Питер Лорд.

— Кто готовил бутерброды?

— Элинор Карлайл.

— Кто-нибудь еще находился в доме?

— Никого.

Пуаро покачал головой.

— Это плохо. И девушка ничего не ела, кроме чая и бутербродов?

— Ничего. Содержимое желудка подвергли анализу.

— Можно предположить, — сказал Пуаро, — что Элинор Карлайл надеялась, что причиной смерти девушки будут считать пищевое отравление. Как она сама объясняет тот факт, что отравился только один из присутствующих?

— Иногда это случается, — сказал Питер Лорд. — К тому же там были два горшочка с паштетом, по внешнему виду почти не отличавшиеся друг от друга. Можно было бы предположить, что в одном горшочке паштет был доброкачественным и что по чистой случайности весь испорченный паштет достался Мэри.

— Интересное исследование в области теории вероятностей, — заметил Пуаро. — Мне кажется, с математической точки зрения были бы весьма высоки шансы против вероятности такого случая. Однако, с другой стороны, если замышлялось отнести убийство за счет пищевого отравления, то *почему бы не выбрать другой яд*? Симптомы отравления морфином ничуть не похожи на симптомы пищевого отравления. Для этой цели, несомненно, больше подошел бы атропин!

Питер Лорд произнес в раздумье:

— Вы правы! Но есть еще одно обстоятельство. Эта проклятая районная сестра клянется, что потеряла пузырек с таблетками морфина!

— Когда?

— Несколько недель назад, в ту ночь, когда умерла старая миссис Уэлмен. Сестра утверждает, что оставила свой чемоданчик в холле, а утром хватилась пузырька с морфином. Мне кажется, что все это вздор. Может быть, она разбила пузырек дома и забыла об этом.

— Она вспомнила об этом только после смерти Мэри Джерард?

Питер Лорд неохотно ответил:

— По правде сказать, она упомянула об этом, как только обнаружила пропажу, в разговоре с другой сестрой, которая дежурила у постели больной.

Эркюль Пуаро взглянул на Питера Лорда с интересом. Он тихо сказал:

— Мне кажется, mon cher, что есть кое-что еще... о чем вы мне не сказали.

— Ну что ж, — сказал Питер Лорд, — пожалуй, лучше, если вы будете знать все. Было обращение за ордером на эксгумацию; собираются выкапывать труп старой миссис Уэлмен.

— Eh bien?

— *В результате, вероятно, удастся обнаружить то, что они разыскивают, — морфин!*

— Вы знали об этом?

Лицо Питера Лорда побелело под веснушками. Он тихо сказал:

— Я это подозревал.

Эркюль Пуаро задумчиво похлопал по подлокотнику кресла.

— Mon Dieu![1] — воскликнул он. — Я вас не понимаю! В тот момент, когда она умерла, *вы знали*, что ее убили?

— Бог мой, конечно же нет! — закричал Питер Лорд. — Мне это и в голову не приходило! Я думал, что она приняла его сама.

Пуаро откинулся на спинку кресла.

— Ах, так вы подозревали самоубийство?

— Как же иначе? Она не раз говорила со мной на эту тему. Не раз спрашивала, почему я не могу «прикончить» ее. Она ненавидела болезнь, связанную с этим беспомощность и то, что она называла «унизительным положением», когда человек прикован к постели и за ним ухаживают, как за младенцем. Следует учесть также, что она была весьма решительной женщиной. — Он помолчал минуту, а затем продолжил: — Ее смерть озадачила меня. Я не ожидал этого. Я услал сестру из комнаты под каким-то предлогом и провел самое тщательное обследование, какое было в моих силах. Разумеется, без вскрытия нельзя было сказать

_____

[1] Боже мой! *(фр.)*

что-либо с полной уверенностью. Да и что бы это изменило? Если уж она решила покончить счеты с жизнью, то какой смысл поднимать вокруг этого шум и устраивать скандал? Разумнее подписать свидетельство о смерти и дать ей возможность уйти в могилу с миром. К тому же не забудьте, что полной уверенности у меня не было. Наверное, я принял неправильное решение. Но мне ни на секунду не приходило в голову, что это могло быть преднамеренным убийством! Я был убежден, что она сделала это сама.

— Каким же образом она могла заполучить морфин? — спросил Пуаро.

— Об этом я как-то не подумал. Но, как уже говорил, она была женщиной умной и предприимчивой, способной на решительные поступки.

— Не могла ли она получить морфин от сестер?

Питер Лорд энергично покачал головой.

— Ни за что на свете! Вы плохо знаете медицинских сестер!

— А от кого-нибудь из членов семьи?

— Возможно. Она могла сыграть на их чувствах.

— Вы говорили, что миссис Уэлмен умерла, не оставив завещания, — сказал Пуаро. — Если бы она не умерла, написала бы она завещание?

Питер Лорд неожиданно расплылся в улыбке.

— Вы с дьявольской точностью нащупываете самые важные точки, не так ли? Да, она намеревалась написать завещание и очень волновалась по этому поводу. Она уже не могла внятно говорить, но свои пожелания сумела сформулировать ясно. Элинор Карлайл должна была утром прежде всего связаться по телефону с поверенным миссис Уэлмен.

— Значит, Элинор Карлайл знала, что ее тетя намерена написать завещание? И если бы тетя умерла, не оставив завещания, все ее состояние унаследовала бы Элинор Карлайл?

Питер Лорд поспешно сказал:

— Она этого не знала. Она и понятия не имела, что тетушка за всю жизнь так и не написала завещания.

— Это, мой друг, она так говорит. Но она могла и знать!

— Послушайте, Пуаро, вы что, выступаете на стороне обвинения?

— В данный момент — да. Я должен знать, насколько убедительны доказательства предъявленного ей обвинения. Могла ли Элинор Карлайл стащить морфин из чемоданчика сестры?

— Да, как и любой, кто находился в доме: Родерик Уэлмен... сестра О'Брайен... любой из слуг...

— Или доктор Лорд?

Питер Лорд широко раскрыл глаза.

— Конечно, — сказал он, — но зачем бы мне это делать?

— Возможно, из чувства милосердия.

Питер Лорд покачал головой.

— Ничего не поделаешь, вам придется поверить мне на слово!

Эркюль Пуаро откинулся на спинку кресла.

— Давайте поразмыслим над таким предположением, — сказал он. — Допустим, что Элинор Карлайл взяла морфин из чемоданчика и дала его своей тетушке. В доме что-нибудь говорилось о пропаже морфина?

— В доме никто об этом не знал. Сестры никому не рассказывали об этом.

— Что, по вашему мнению, предпримет прокурор? — спросил Пуаро.

— Вы имеете в виду, если в теле миссис Уэлмен будет обнаружен морфин?

— Да.

Питер Лорд мрачно произнес:

— Вполне возможно, что, даже если с Элинор будет снято теперешнее обвинение, ее вновь арестуют по обвинению в убийстве тетушки.

Пуаро задумчиво сказал:

— А ведь мотивы-то разные: в случае с убийством миссис Уэлмен мотивом могла быть выгода, тогда как в случае с убийством Мэри Джерард — это, по-видимому, ревность.

— Вы правы.

— Какое направление предполагает избрать защита?

— Балмер предполагает сделать упор на отсутствие мотива. Он будет развивать мысль о том, что помолвка Элинор с Родериком была чисто семейным делом, что в ее основе лежали интересы семейства и желание угодить миссис Уэлмен и что, как только старая леди умерла, Элинор расторгла помолвку по собственной инициативе. Родерик Уэлмен в своих показаниях поддержит эту версию. Мне кажется, он почти поверил в нее.

— Поверил в то, что Элинор была не слишком к нему привязана?

— Да.

— Но в таком случае, — сказал Пуаро, — у нее не было основания убивать Мэри Джерард?

— Именно так.

— Тогда встает вопрос: *кто же* убил Мэри Джерард?

— Вот именно!

Пуаро покачал головой.

— C'est difficile[1].

Питер Лорд в ярости воскликнул:

— Что правда, то правда! Если не она, то кто же это сделал? Может быть, был отравлен чай? Но его пили обе — и сестра Хопкинс, и Мэри. Защита попытается выдвинуть версию о том, что Мэри приняла морфин сама, когда две другие женщины вышли из комнаты, то есть что она фактически совершила самоубийство.

— А у нее была какая-нибудь причина для самоубийства?

— Совсем никакой.

— Не была ли она предрасположена к самоубийству?

— Нет.

— Какой она была, эта Мэри Джерард? — спросил Пуаро.

Питер Лорд задумался.

---

[1] Это сложно *(фр.)*.

— Она была... она была милое дитя. Да, я нашел совершенно точное определение: милое дитя.

Пуаро вздохнул и тихо спросил:

— А этот Родерик Уэлмен влюбился в нее только потому, что она была милое дитя?

Питер Лорд улыбнулся.

— Я понимаю, что вы имеете в виду. Она, несомненно, была красивой.

— А вы сами как? У вас не было чувства к ней?

Питер Лорд взглянул на него в изумлении.

— Боже мой, конечно же нет!

Поразмыслив минуту-другую, Эркюль Пуаро спросил:

— Родерик Уэлмен утверждает, что между ним и Элинор Карлайл существовала лишь привязанность, но не более того. Вы с этим согласны?

— Откуда мне знать, черт возьми!

Пуаро покачал головой.

— В начале нашего разговора вы сказали, что у нее плохой вкус, так как она влюбилась в длинноносого надменного глупца. Предполагаю, что это было ваше описание Родерика Уэлмена. Итак, согласно вашему утверждению, она все-таки его любит.

Питер Лорд воскликнул раздраженно:

— Да, она действительно любит его! Любит безумно!

— В таком случае, — сказал Пуаро, — имеется мотив для убийства.

Питер Лорд резко повернулся к нему. Лицо его вспыхнуло гневом.

— Какое это имеет значение? Да, она могла пойти на преступление. *Но мне все равно, совершила она его или нет!*

— Ах, даже так! — проборматал Пуаро.

— Я не хочу, чтобы ее повесили, понятно? Может быть, она была доведена до отчаяния? Любовь может довести до отчаяния и перевернуть всю жизнь вверх дном. Она может ничтожество превратить в прекрасного парня, но может и достойного человека превратить в негодяя. Предположим, что Элинор пошла на преступление. У вас нет никакой жалости к ней?

— Я не одобряю убийство, — изрек Эркюль Пуаро.

Питер Лорд пристально посмотрел на него, отвел глаза, потом вновь взглянул на него и разразился смехом.

— Нашли что сказать! К тому же таким официальным и самодовольным тоном! Кто спрашивает вашего одобрения? Я не прошу вас лгать! Правда есть правда, не так ли? Но если вам удастся обнаружить какой-то факт, который говорит в пользу обвиняемого, вы ведь не будете умалчивать о нем только потому, что этого человека обвиняют?

— Разумеется, не буду.

— Тогда почему же, черт возьми, вы не можете сделать то, о чем я вас прошу?

Эркюль Пуаро произнес с невозмутимым видом:

— Но, друг мой, я готов заняться этим.

Глава 9

Питер Лорд пристально взглянул на него, достал носовой платок, вытер лицо и бросился в кресло.

— Уф-уф! — вздохнул он. — Ну и довели же вы меня. Я никак не мог понять, к чему вы клоните!

— Я анализировал дело, возбужденное против Элинор Карлайл, — заявил Пуаро. — Теперь я его знаю. Морфин был введен в организм Мэри Джерард, насколько можно судить, с бутербродами. Никто не прикасался к этим бутербродам, *кроме Элинор Карлайл.* У самой же Элинор Карлайл имелось *основание* для убийства Мэри Джерард, и она, по вашему мнению, была способна убить Мэри Джерард, и, по всей вероятности, так это и было в действительности. У меня нет оснований считать, что дело обстояло по-иному.

Но это, mon ami[1], одна сторона вопроса. А теперь мы выбросим из головы все эти размышления и подой-

---

[1] Мой друг *(фр.)*.

дем к делу с другой стороны. *Если Элинор Карлайл не убивала Мэри Джерард, то кто же ее убил?* Или, может быть, Мэри Джерард совершила самоубийство?

Питер Лорд встрепенулся. Морщина перерезала его лоб.

— Вы только что допустили неточность, — сказал он.

— Я? *Неточность?* — Голос Пуаро звучал оскорбленно.

Питер Лорд безжалостно продолжал:

— Именно так. Вы только что сказали, что никто, кроме самой Элинор Карлайл, не прикасался к этим бутербродам. Вы этого знать не можете.

— Но в доме больше никого не было.

— *Насколько нам известно,* не было. Но вы забываете о *коротком промежутке времени, когда Элинор Карлайл уходила в сторожку.* Бутерброды в это время лежали на блюде в буфетной, и с ними могли сделать что угодно.

Пуаро глубоко вздохнул.

— Вы правы, мой друг, — сказал он. — Я признаю ошибку. Действительно, был отрезок времени, в течение которого кто-нибудь неизвестный мог иметь доступ к блюду с бутербродами. Надо попытаться представить себе, *кто бы это мог быть,* я хочу сказать, надо представить себе, какого *типа мог быть этот человек.*

Немного помолчав, Эркюль Пуаро продолжал:

— Давайте поразмыслим над личностью этой Мэри Джерард. *Кто-то* — отнюдь не Элинор Карлайл — желает ее смерти. *Почему?* Кто-нибудь выгадывает от ее смерти? У нее были деньги?

Питер Лорд отрицательно покачал головой.

— В тот момент не было. Но через месяц она получила бы две тысячи фунтов. Элинор Карлайл определила для нее такую сумму, потому что считала, что это соответствовало бы желанию ее тетушки. Только вот формальности по введению в наследство еще не были завершены.

— В таком случае мы можем исключить версию материальной заинтересованности. Вы говорили, что Мэри Джерард была красивой девушкой. Красота всегда вызывает осложнения. У нее были поклонники? — спросил Пуаро.

— По-видимому, были. Но я не очень осведомлен об этом.

— А кто мог бы знать об этом?

Питер Лорд ухмыльнулся.

— Об этом лучше всего было бы спросить у сестры Хопкинс. Она у нас как бы справочное бюро для всей деревни. Ей известно все, что происходит в Мейденсфорде.

— Можно попросить вас высказать свое мнение о каждой из медицинских сестер? — спросил Пуаро.

— Ну что ж, пожалуйста. О'Брайен — ирландка, хорошая медицинская сестра, умелая, несколько глуповатая, может быть язвительной, любит немного приврать — просто у нее иногда разыгрывается воображение, причем не с целью обмана, а для того, чтобы изо всего сделать увлекательную историю, понимаете?

Пуаро кивнул.

— Хопкинс — здравомыслящая, весьма проницательная особа средних лет, довольно доброжелательная и компетентная, но страдает излишним любопытством и слишком интересуется делами других людей.

— Случись в деревне неприятность с каким-нибудь парнем, знала бы об этом сестра Хопкинс?

— Еще бы! — воскликнул Питер Лорд. — И все же я не думаю, что по этой линии обнаружится что-нибудь существенное. Мэри долго не была на родине. Она два года прожила в Германии.

— Ей исполнился двадцать один год?

— Да.

— А не может ли быть каких-нибудь осложнений, связанных с пребыванием в Германии?

Лицо Питера Лорда просияло. Он с воодушевлением стал развивать эту мысль:

— Вы имеете в виду, что, может быть, какой-нибудь немецкий парень затаил против нее злобу? Может быть, он последовал за ней сюда, выждал время и наконец достиг цели?

— Все это несколько смахивает на мелодраму, — с сомнением сказал Пуаро.

— Но ведь это *возможно?*

— Возможно, но маловероятно.

— Я не согласен с вами, — сказал Питер Лорд. — Кто-нибудь мог по уши влюбиться в нее, а когда она отвергла его, он пришел в ярость, решив, что с ним обошлись несправедливо. Это идея!

— Да, это идея, — сказал Пуаро, однако без всякого воодушевления.

— Продолжайте, Пуаро, — сказал Питер Лорд умоляющим тоном.

— Вы хотите, по-видимому, чтобы я, как фокусник, вынимал вам кролика за кроликом из пустой шляпы?

— Считайте так, если вам угодно.

— Есть еще одна возможная версия, — сказал Пуаро.

— Продолжайте!

— В тот июньский вечер *некто* стащил пузырек с таблетками морфина из чемоданчика сестры Хопкинс. *Если предположить, что Мэри Джерард видела, кто это сделал?*

— Она сказала бы об этом.

— Нет, нет, mon cher, рассуждайте здраво. Если бы Элинор Карлайл, или Родерик Уэлмен, или сестра О'Брайен, или даже кто-нибудь из прислуги открыл чемоданчик и извлек оттуда маленький пузырек, что мог бы подумать любой свидетель этого эпизода? Он просто подумал бы, что данное лицо послано сестрой, чтобы принести что-то из чемоданчика. Такой эпизод сразу же вылетел бы из головы Мэри Джерард. Однако не исключена возможность, что впоследствии она могла вспомнить о нем и без малейшего подозрения упомянуть об этом в разговоре с данным лицом. Но представьте себе, как могло бы отреагировать на такое упоминание лицо, действительно виновное в убийстве миссис Уэлмен! «Мэри видела... Мэри следует заставить молчать во что бы то ни стало!» Смею заверить вас, мой друг, что человек, которому однажды убийство сошло с рук, не остановится перед следующим убийством!

Питер Лорд сказал, нахмурясь:

— Я все время считал, что миссис Уэлмен приняла это средство сама.

— Но ведь она же была парализована... беспомощна... с ней накануне случился второй удар.

— Знаю. Но моя версия заключается в том, что, заполучив морфин тем или иным способом, она тайно хранила его где-нибудь рядом с собой.

— Но в таком случае она должна была бы запастись морфином до того, как случился второй удар, тогда как сестра хватилась его после.

— Хопкинс могла обнаружить пропажу не сразу. Возможно, морфин исчез пару дней назад, а она этого не заметила.

— Каким образом старая леди могла заполучить морфин?

— Не знаю. Может быть, она подкупила кого-нибудь из слуг? В таком случае этот слуга никогда не признался бы в случившемся.

— Вам не кажется, что она могла подкупить одну из сестер?

Питер Лорд покачал головой.

— Ни за что на свете! Начнем с того, что обе они весьма строго относятся к вопросам профессиональной этики. Кроме того, они до смерти боялись бы сделать что-нибудь подобное. Им-то известно, чем это грозит!

— Вы правы, — сказал Пуаро и задумчиво добавил: — Похоже, что мы возвратились к тому, с чего начали. Кто, вероятнее всего, мог взять этот пузырек с морфином? *Элинор Карлайл.* Мы можем предположить, что она хотела гарантировать себе получение большого наследства. Мы можем быть великодушнее к ней и считать, что ее поступок был мотивирован жалостью и что она, стащив морфин, дала его тете, потому что та не раз просила ее об этом. Но *Мэри Джерард видела,* как Элинор доставала морфин из чемоданчика. Таким образом, мы вновь возвращаемся к бутербродам и пустому дому... вновь на передний план выходит Элинор Карлайл, правда, на сей раз ее действия имеют другую мотивировку — спастись от виселицы!

Питер Лорд воскликнул:

— Но это невероятно! Уверяю вас, что она не такой человек! Деньги ничего не значат для нее... и для Родерика Уэлмена тоже. Должен признаться, что я слышал, как оба они говорили об этом.

— Вы это слышали? Весьма любопытно. Сам я отношусь с большим подозрением к заявлениям такого рода.

— Черт вас возьми, Пуаро! — воскликнул Питер Лорд. — Почему вы всегда стараетесь перевернуть любой пустяк таким образом, что все вновь возвращается к этой девушке?

— Это не я перевертываю факты — они перевертываются сами по себе. Это как стрелка барометра: сначала она колеблется туда-сюда, но когда останавливается, то всегда указывает на одно и то же — *Элинор Карлайл.*

— Нет! — воскликнул Питер Лорд.

Пуаро печально покачал головой, а потом спросил:

— У нее есть родственники, у этой Элинор Карлайл? Сестры, братья, родные или двоюродные? Отец или мать?

— Нет. Она сирота — одна на белом свете.

— Как патетично это звучит! Уверен, что Балмер здорово обыграет это обстоятельство! В таком случае кто же унаследует ее деньги, если она умрет?

— Не знаю. Я об этом не думал.

Пуаро сказал с упреком:

— О таких вещах всегда следует подумать. Например, написала ли она завещание?

Питер Лорд покраснел. Он сказал растерянно:

— Я... я не знаю.

Эркюль Пуаро посмотрел в потолок, сложив кончики пальцев.

— Было бы неплохо, — заметил он, — если бы вы все мне рассказали.

— Рассказал... о чем?

— Рассказали бы то, о чем умалчиваете... как бы это ни дискредитировало Элинор Карлайл.

— Но как вы догадались?..

— Я просто знаю. Знаю, что есть какой-то эпизод, о котором вы умалчиваете. Лучше было бы рассказать мне об этом, чтобы я не подумал, что это нечто более серьезное, чем есть на самом деле.

— Но это действительно такой пустяк...

— Ну что ж, договоримся считать это пустяком. Тем не менее я хотел бы узнать, о чем идет речь.

Медленно и очень неохотно Питер Лорд позволил вытянуть из себя всю эту историю — описание той сцены, когда Элинор расхохоталась у окошка коттеджа сестры Хопкинс.

Пуаро задумчиво произнес:

— Значит, она так и сказала: *«Так ты пишешь завещание, Мэри? Это забавно! Это очень забавно!»?* И вы сразу же поняли, что было у нее на уме? Может быть, она думала о том, что *Мэри осталось недолго жить?*

— Мне это могло просто показаться. Я совсем не уверен, — сказал Питер Лорд.

— Нет, это вам не «просто показалось», — сказал Пуаро.

Глава 10

Эркюль Пуаро сидел в коттедже сестры Хопкинс. Доктор Лорд привел его сюда, представил, а потом, повинуясь взгляду Пуаро, оставил их для разговора с глазу на глаз.

Сестра Хопкинс, поначалу отнесшаяся с некоторым недоверием к явному иностранцу, быстро оттаивала.

С несколько мрачным удовольствием смакуя сказанное, она поведала ему о своем отношении к случившемуся:

— Какой ужасный случай! Никогда в жизни мне не приходилось сталкиваться с чем-либо более страшным! Мэри была одной из самых красивых девушек на свете. Пожелай она — и ее могли бы взять сниматься в кино! И такая симпатичная уравновешенная девушка, совсем нечванливая, хотя и могла бы загордиться, если учесть, какое внимание ей уделялось.

Пуаро, ловко ввернув вопрос в ее повествование, спросил:

— Вы имеете в виду внимание, которое уделяла ей миссис Уэлмен?

— Вот именно. Старая леди была необыкновенно привязана к ней и уж так ее баловала!

Пуаро тихо сказал:

— Наверное, это всех удивляло?

— Как сказать. Возможно, это было вполне естественно. Я имею в виду... — Сестра Хопкинс, закусив губу, замолчала со смущенным видом. — Я имею в виду, что Мэри располагала к себе людей — приятный мягкий голос, милые манеры и все такое. Поверьте моему слову, старому человеку отрадно видеть рядом с собой молоденькое личико!

— Но ведь мисс Карлайл время от времени приезжала навестить свою тетушку? — сказал Эркюль Пуаро.

Сестра Хопкинс резко проговорила:

— Мисс Карлайл приезжала, когда ей было удобно.

— А ведь вы не любите мисс Карлайл! — заметил Пуаро.

Сестра Хопкинс воскликнула:

— Ишь, чего захотели! За что ее любить? Отравительница! Хладнокровная отравительница!

— Ну, я вижу, у вас уже сложилось определенное мнение, — сказал Пуаро.

— Что вы имеете в виду, когда говорите «сложилось мнение»? — подозрительно спросила сестра Хопкинс.

— Ведь вы совершенно уверены в том, что именно она отравила морфином Мэри Джерард, не так ли?

— Хотелось бы мне знать, кто же еще мог это сделать? Не предполагаете ли вы, что это сделала я?

— Ни в коем случае! Однако ее вина еще не доказана, не забудьте об этом.

Со спокойной уверенностью сестра Хопкинс проговорила:

— Это сделала именно она! Это по ее лицу было видно! Она все время была какой-то странной. Меня увела с собой наверх, в спальню, и продержала там, стараясь, по возможности, затянуть время. А потом, когда я, обнаружив Мэри в таком состоянии, взглянула ей в лицо, на нём все было ясно написано. И она знала, что я знаю!

Эркюль Пуаро сказал задумчиво:

— Да, трудно подумать на кого-нибудь другого. Если только, конечно, Мэри не сделала этого сама.

— Что вы имеете в виду — *«сделала сама»?* Вы думаете, что Мэри совершила самоубийство? Никогда не слыхивала подобной чепухи!

— Разве можно говорить об этом с полной уверенностью? Сердце молодой девушки так нежно, так уязвимо! — Он помолчал. — Я думаю, что это вполне могло случиться. Ведь вы могли и не заметить, если бы она положила что-нибудь в свою чашку чая? Вы же не наблюдали за ней все время!

— Конечно, я за ней не наблюдала. Да, наверное, она могла бы сделать это... Но все это сущая чепуха! Зачем бы ей делать такое?

Эркюль Пуаро покачал головой и вновь повторил свою мысль:

— Сердце молодой девушки, как я уже говорил, весьма уязвимо. Может быть, какая-нибудь несчастная любовь...

Сестра Хопкинс презрительно хмыкнула.

— Девушки не совершают самоубийств из-за любовных историй — разве что если забеременеют... Но Мэри была не из таких — в этом уж можете положиться на меня — И она с воинственным видом уставилась на Пуаро.

— А она не была влюблена?

— Только не она. У нее и в мыслях не было любовных дел. Увлекалась своей работой и радовалась жизни.

— Но у нее, наверное, были поклонники, ведь она была такой привлекательной девушкой.

— Она была не из тех девушек, у которых на уме одни мужчины. Она была порядочной девушкой! — заявила сестра Хопкинс.

— Но в деревне, наверное, были молодые люди, которым она нравилась?

— Конечно. Тед Бигленд, например, — сказала сестра Хопкинс.

Пуаро стал вытягивать из нее различные подробности о Теде Бигленде.

— Ему очень нравилась Мэри. Но она могла ему дать сто очков вперед, — проговорила сестра Хопкинс.

— Он, наверное, очень разозлился, когда она дала ему понять, что не желает иметь с ним ничего общего?

— Что правда, то правда! Он очень обиделся, — согласилась сестра Хопкинс, — и всю вину за это свалил на меня!

— Тед считал, что в этом вы виноваты?

— Он так и говорил. А я имела полное право давать советы девушке. В конце концов, я кое-что понимаю в жизни! Мне не хотелось, чтобы девушка упустила свои возможности.

Пуаро мягко спросил:

— Что заставляло вас принимать такое большое участие в судьбе девушки?

— Не знаю, что и сказать. — Сестра Хопкинс замялась. Потом с некоторой застенчивостью, как бы стыдясь себя, сказала: — Было в Мэри что-то... романтическое.

Пуаро тихо сказал:

— В ней самой — возможно, но никак не в обстоятельствах ее жизни. Она ведь была дочерью сторожа, не так ли?

Сестра Хопкинс замялась.

— Да, так-то оно так... Хотя...

Она помедлила, посмотрев на Пуаро, который внимал ей с самым сочувственным видом.

— По правде говоря, — начала сестра Хопкинс в порыве доверия, — она вообще не была дочерью старого Джерарда. Он мне сам это говорил. Она была дочерью какого-то джентльмена.

— Вот как? — тихо произнес Пуаро. — Ну а ее мать?

Сестра Хопкинс помедлила, закусив губу, а потом продолжила:

— Ее мать была горничной старой миссис Уэлмен и вышла замуж за Джерарда после рождения Мэри.

— Вот так история! Это действительно похоже на роман... роман, полный тайн.

Лицо Хопкинс оживилось.

— Ведь правда, любопытно? Всегда бывает интересно знать о людях кое-что такое, о чем другие и не догадываются! Чистая случайность, что мне довелось столько всего узнать. По правде сказать, на эту мысль меня натолкнула сестра О'Брайен... Но это уже совсем другая история. Немало любопытного всплывает, если покопаться в прошлом. Сколько на свете трагедий, о которых даже не подозревают! Сколько печального в жизни!

Пуаро глубоко вздохнул и покачал головой.

Сестра Хопкинс внезапно встревожилась.

— Мне, наверное, не следовало бы рассказывать вам все это. В конце концов, это не имеет никакого отношения к делу. Для всего мира Мэри — дочь Джерарда, а на все остальное даже и намекать не следует. Это повредило бы репутации покойной! Джерард женился на ее матери — вот и все дела.

Пуаро тихо сказал:

— Вы, должно быть, знаете, кто ее отец?

Сестра Хопкинс неохотно ответила:

— Может быть, знаю, а может, и нет. Я хочу сказать, что наверняка я не знаю, но могу догадываться. Как говорится, старые грехи отбрасывают длинные тени. Однако я не из болтливых и больше ни слова не промолвлю.

Пуаро тактично воздержался от замечаний по этому поводу и перевел разговор на другую тему:

— Есть кое-что еще... это вопрос деликатный. Но я уверен, что могу положиться на вашу скромность.

Сестра Хопкинс с важностью задрала нос. Ее некрасивое лицо расплылось в довольной улыбке.

— Речь идет о мистере Родерике Уэлмене, — продолжал Пуаро. — Он, как я слышал, был увлечен Мэри Джерард?

— Влюблен в нее по уши, — сказала сестра Хопкинс.

— Несмотря на то, что в то время он был помолвлен с мисс Карлайл?

— По правде говоря, — сказала сестра Хопкинс, — он никогда не был по-настоящему влюблен в мисс Карлайл. По крайней мере, в том смысле, какой я вкладываю в это слово.

— А Мэри поощряла его ухаживания? — спросил Пуаро.

— Она вела себя очень достойно. Уж ее-то никто не мог бы упрекнуть в том, что она его завлекала, — резко возразила сестра Хопкинс.

— Она была влюблена в него?

— Нет! — решительно отвергла это предположение сестра Хопкинс.

— Но он ей нравился?

— О да, она ему симпатизировала.

— Может быть, со временем это смогло бы перерасти во что-то большее?

— Возможно. Но Мэри не стала бы принимать никакого решения второпях. Она еще здесь сказала ему, чтобы он не смел говорить ей такие вещи, потому что помолвлен с мисс Элинор. И когда он приезжал к ней в Лондон, она повторила то же самое.

С подкупающей искренностью Пуаро спросил:

— Какого вы сами мнения о мистере Родерике Уэлмене?

— Он довольно приятный молодой человек. Правда, нервный. Похоже, что в будущем у него может развиться диспепсия. Люди такого нервного склада часто бывают предрасположены к желудочным заболеваниям.

— Он был очень привязан к своей тетушке?

— Пожалуй, да.

— И он много времени с ней проводил во время ее тяжелой болезни?

— Вы имеете в виду, когда с ней случился второй удар? В тот вечер, когда они приехали, накануне ее смерти? Мне кажется, он даже не заходил к ней в комнату!

— Вот как?

Сестра Хопкинс быстро сказала:

— Она его не звала. По правде говоря, таких, как он, немало среди мужчин: боятся зайти в комнату больного! И хотели бы, да не могут. Это вовсе не бессердечие. Просто не желают расстраиваться.

Пуаро с пониманием кивнул, а потом спросил:

— А вы уверены, что мистер Уэлмен вообще не заходил к тетушке перед ее смертью?

— Уверена, по крайней мере во время моего дежурства. В три часа утра меня сменила сестра О'Брайен, которая, возможно, посылала за ним. Правда, она мне об этом не говорила.

— Не мог ли он зайти к ней в комнату в ваше отсутствие? — высказал предположение Пуаро.

— Я не оставляю своих пациентов без присмотра, мсье Пуаро! — оборвала его сестра Хопкинс.

— Тысяча извинений! Я не это имел в виду. Я подумал, что, может быть, вам понадобилось вскипятить воду или сбегать вниз за каким-нибудь нужным лекарством...

Смягчившись, сестра Хопкинс сказала:

— Я, конечно, спускалась вниз, чтобы сменить воду в грелках. Внизу, в кухне, всегда есть горячая вода.

— Вы долго отсутствовали?

— Минут пять, наверное.

— Но в таком случае мистер Уэлмен *мог* зайти к **больной именно в это время?**

— Если так, то он, должно быть, очень быстро ушел оттуда.

Пуаро вздохнул.

— Вы совершенно правы. Мужчины избегают сталкиваться с болезнью. Женщины — вот ангелы-хранители! Что бы мы без них делали? Особенно женщины вашей поистине благородной профессии.

Сестра Хопкинс, зардевшись от удовольствия, сказала:

— Очень любезно, что вы так говорите. Я никогда не рассматривала свою профессию с этой стороны. В работе медицинской сестры столько тяжелого труда, что о ее благородной стороне некогда и подумать.

— Вам больше нечего рассказать мне о Мэри Джерард? — спросил Пуаро.

Последовала довольно заметная пауза, а затем сестра Хопкинс сказала:

— Нет, больше ничего не могу сказать.

— Вы в этом уверены?

Сестра Хопкинс, как-то без связи со всем предыдущим, воскликнула:

— Как вы не понимаете? Ведь я *любила* Мэри.

— И вы ничего не могли бы добавить?

— Нет. Это мое последнее слово!

Глава 11

У миссис Бишоп сидел Эркюль Пуаро, ставший вдруг таким робким и незначительным в присутствии величественной особы, затянутой в черное.

Расположить к себе миссис Бишоп было задачей нелегкой, поскольку она, будучи дамой консервативных взглядов и традиций, решительно не одобряла иностранцев. А Эркюль Пуаро, вне всякого сомнения, был иностранцем. Она отвечала на вопросы ледяным тоном, поглядывая на него неодобрительно и с подозрением. Тот факт, что его представил доктор Лорд, ничуть не смягчил обстановку.

— Конечно, доктор Лорд очень знающий врач, и у него добрые намерения, — сказала миссис Бишоп, когда доктор Лорд ушел, — однако доктор Рэнсом, его предшественник, прожил здесь столько лет!

Из этого следовало, что доктор Рэнсом заслужил полное доверие как достойный член здешнего общества, тогда как в пользу доктора Лорда, еще очень молодого человека, чужака, который занял место почтенного доктора Рэнсома, говорят лишь его профессиональные знания. По всему было видно, миссис Бишоп была склонна считать, что знания — это еще не все.

Эркюль Пуаро пустил в ход весь свой дар убеждения, всю свою находчивость, но, к каким бы уловкам он ни прибегал, дабы добиться расположения миссис Бишоп, она оставалась холодно отчужденной и непреклонной.

Смерть миссис Уэлмен была очень печальным событием. Ее так уважали в округе! Арест мисс Карлайл она считала «позорным» и во всем обвиняла «нелепые новомодные методы работы полиции». Мнение миссис Бишоп о смерти Мэри Джерард было чрезвычайно расплывчатым, и самое большее, что удалось от нее добиться, была фраза: «Право, мне нечего сказать».

Эркюль Пуаро решил выложить свой последний козырь. С простодушной гордостью он рассказал о своем недавнем посещении Сандринхема. С восторгом говорил о любезности, очаровательной простоте и сердечности членов королевской семьи.

Миссис Бишоп, которая ежедневно внимательно читала в «Придворном циркуляре» обо всем, что касается членов королевской семьи, была покорена. В конце концов, если даже Они посылали за мсье Пуаро, то это совсем другое дело. Иностранец он или не иностранец, но ей ли, Эмме Бишоп, уклоняться от разговора с ним, если Сама Королевская Семья его принимает?

Вскоре она и мсье Пуаро погрузились в приятный разговор на поистине волнующую тему — речь шла не более и не менее как о выборе подходящего супруга для принцессы.

Наконец, когда истощился запас возможных кандидатур, которые были отвергнуты как не вполне достойные, разговор перешел в менее высокие сферы.

Пуаро назидательно заметил:

— Увы, женитьба часто чревата опасностями, а иногда оказывается западней.

— Вы правы! А особенно ужасны эти разводы! — сказала миссис Бишоп таким тоном, будто речь шла о какой-нибудь заразной болезни вроде ветрянки.

— Я думаю, — сказал Пуаро, — что перед смертью миссис Уэлмен, наверное, очень хотелось видеть свою племянницу должным образом устроенной в жизни.

Миссис Бишоп кивнула.

— Да, помолвка мисс Элинор с мистером Родериком была для нее большим утешением. Именно на это она всегда надеялась.

Пуаро отважился спросить:

— Возможно, эта помолвка отчасти объяснялась желанием сделать тетушке приятное?

— О нет, я бы так не сказала. Мисс Элинор всегда любила мистера Родди, еще с тех пор, когда была крошечной девочкой, такой миловидной малышкой. Мисс Элинор всегда отличалась большим постоянством.

— А он? — тихо спросил Пуаро.

Мисс Бишоп сурово произнесла:

— Мистер Родерик был предан мисс Элинор.

— И все же помолвка была расторгнута?

Лицо миссис Бишоп покраснело. Она сказала:

— Это произошло, мсье Пуаро, в результате бессовестных махинаций одной коварной змеи, Мэри Джерард.

Пуаро, всем своим видом показывая, что это произвело на него должное впечатление, произнес:

— Да что вы говорите?

Миссис Бишоп, покрасневшая еще сильнее, пояснила:

— В нашей стране, мсье, при упоминании о покойных принято соблюдать определенную сдержанность.

Но эта молодая особа, мсье Пуаро, тайно стремилась к достижению своих неблаговидных целей.

Пуаро задумчиво взглянул на нее и сказал с самым простодушным видом:

— Вы меня удивляете! У меня сложилось впечатление, что она была весьма простой и скромной девушкой.

У миссис Бишоп затрясся подбородок.

— Она была очень хитрой, мсье Пуаро. Люди попадались на ее удочку. Эта сестра Хопкинс, например. И моя бедная дорогая госпожа тоже.

Пуаро сочувственно покачал головой и поцокал языком.

— Вот так-то! — сказала миссис Бишоп, ободренная таким проявлением понимания. — Здоровье госпожи ухудшалось, а эта молодая особа втерлась к ней в доверие. Уж эта не упустила бы своей выгоды! Всегда вертелась вокруг, читала ей, приносила букетики цветов. Все время только и слышно было: «Мэри то», «Мэри другое» и «где Мэри?»! А какие деньги госпожа тратила на эту девушку! Дорогие школы и обучение за границей... а девушка-то была всего-навсего дочерью старого Джерарда! Смею вас заверить, что, в отличие от других, он ее не любил! Не раз жаловался на ее высокомерные манеры. Она совершенно отбилась от рук — вот что я скажу!

На сей раз Пуаро покачал головой и сочувственно произнес:

— Ну и ну!

— А как бессовестно она завлекала в свои сети мистера Родерика! Он слишком простодушен, чтобы разгадать ее хитрости. А мисс Элинор, благовоспитанная молодая леди, конечно, не могла разобраться в том, что происходит. Мужчины же все одинаковы: их легко привлечь лестью и смазливым личиком!

Пуаро вздохнул.

— Наверное, у нее были поклонники и из ее круга?

— Ну конечно! Например, сын Руфуса Бигленда, Тед — очень хороший парень, каких немного. Но куда там! Наша высокородная леди была слишком хороша *для него!* У меня сил не было видеть все это жеманство!

— Неужели Теда не обижало такое отношение к нему? — спросил Пуаро.

— Так оно и было. Тед упрекал ее в том, что она завлекает мистера Родди. Я это слышала своими ушами. И я не виню Теда за то, что он сердился!

— Я тоже, — сказал Пуаро. — Вы меня чрезвычайно заинтересовали, миссис Бишоп. Некоторые люди умеют в нескольких словах дать четкую и яркую характеристику. Это огромный дар! Наконец-то я получил полное представление о Мэри Джерард!

— Заметьте, — сказала миссис Бишоп, — я ни слова не сказала *против* девушки! Я никогда не позволила бы себе такого, тем более что она уже в могиле. Однако можете не сомневаться в том, что она принесла много бед!

Пуаро задумчиво произнес:

— Хотелось бы мне знать, что из этого всего могло бы получиться?

— Вот и я думаю то же самое! — сказала миссис Бишоп. — Поверьте мне, мсье Пуаро, что, если бы моя дорогая госпожа не умерла так рано — для меня это было таким ударом в тот момент, хотя теперь вижу, что, может быть, это было даже к лучшему, — я не знаю, чем могла бы кончиться вся эта история!

— Что вы имеете в виду? — спросил Пуаро.

Миссис Бишоп торжественно продолжала:

— Мне не раз приходилось сталкиваться с подобными случаями. Однажды это было, когда умер старый полковник Рэндолф, который оставил все до последнего пенни не своей бедняжке жене, а какой-то особе сомнительного поведения, проживавшей в Истбурне, а в другой раз это было со старой миссис Дейкрес, которая оставила все состояние церковному органисту — одному из этих длинноволосых молодых людей, — хотя у нее были женатые сыновья и замужние дочери.

Пуаро спросил:

— Вы имеете в виду, насколько я понимаю, что миссис Уэлмен могла бы оставить все свои деньги Мэри Джерард?

— Меня это ничуть не удивило бы, — сказала миссис Бишоп. — Я не сомневаюсь, что именно этого и добивалась молодая особа. А если я осмеливалась сказать хоть слово, миссис Уэлмен готова была снять с меня голову, хотя я у нее прослужила почти двадцать лет. Сколько неблагодарности в этом мире, мсье Пуаро! Человек хочет выполнить свой долг, а это не ценят!

— Увы, — вздохнул Пуаро, — вы абсолютно правы!

— Однако не всегда зло торжествует, — сказала миссис Бишоп.

— Вы правы. Мэри Джерард умерла, — заметил Пуаро.

— Ей воздано по заслугам, — произнесла миссис Бишоп в утешение, — а мы не должны ее судить.

Пуаро произнес в раздумье:

— Обстоятельства ее смерти кажутся совсем необъяснимыми.

— Ох уж эта мне полиция с ее дурацкими новомодными идеями! — сказала миссис Бишоп. — Где это видано, чтобы такая благовоспитанная молодая леди из хорошей семьи, как мисс Элинор, могла кого-нибудь отравить? Еще и меня пытались впутать в это дело, потому что я, видите ли, сказала, будто она вела себя несколько странно!

— А на самом деле ее поведение не показалось вам странным?

— Почему бы ему и не быть странным? — вопросом на вопрос ответила миссис Бишоп, и ее бюст заколыхался от негодования. — Мисс Элинор — впечатлительная молодая леди. Ей предстояло разобрать тетины вещи — а это всегда бывает весьма тягостной обязанностью.

Пуаро с сочувствием кивнул.

— Ей, возможно, было бы легче, если бы вы пошли вместе с ней, — сказал он.

310

— Я хотела это сделать, мсье Пуаро, но она наотрез отказалась от моей помощи. Мисс Элинор всегда была гордой и сдержанной молодой леди. Однако я все-таки сожалею, что не пошла с ней.

— А вам не пришло в голову пойти туда за ней следом?

Миссис Бишоп величественно подняла голову.

— Я не хожу туда, где мое присутствие нежелательно, мсье Пуаро!

Пуаро смутился и пробормотал:

— К тому же у вас, несомненно, были неотложные дела в то утро?

— Насколько я помню, это был очень жаркий день. Было чрезвычайно душно. — Она вздохнула. — Я прошлась до кладбища, чтобы положить цветы на могилу миссис Уэлмен — просто в знак уважения, — и мне пришлось довольно долго отдыхать там, потому что я просто изнемогала от жары. Я опоздала домой к обеду, и моя сестра страшно расстроилась, увидев, как на меня подействовала жара. Она сказала, что мне ни за что не следовало бы ходить на кладбище в такой знойный день.

Пуаро взглянул на нее с восхищением. Он сказал:

— Я завидую вам, миссис Бишоп. Как отрадно сознавать, что тебе не в чем себя упрекнуть перед покойным! Я думаю, мистер Родерик Уэлмен, должно быть, очень сожалеет, что не зашел повидать свою тетушку в тот вечер, хотя, конечно, не мог предполагать, что она умрет так неожиданно.

— Вот тут вы не правы, мсье Пуаро! Я видела своими глазами, как мистер Родди все-таки заходил в комнату тети. В тот момент я находилась на лестнице, неподалеку от спальни. Я слышала, как сестра спускалась по лестнице, и подумала, что, может быть, мне лучше было бы зайти и посмотреть, не нужно ли чего-нибудь госпоже, потому что вы знаете, каковы эти сестры — всегда задерживаются на кухне, чтобы посплетничать со служанками, или же надоедают им до смерти, требуя то одно, то другое. Сестра Хопкинс, конечно, получше этой рыжей ирландки. Эта вечно чешет языком, и от нее одно беспокойство. Но, как уже говорила, я хотела лишь убедиться, что все в порядке, и именно в этот момент увидела, как мистер Родди проскользнул в комнату своей тетушки. Не знаю, узнала ли она его, но, во всяком случае, ему не в чем себя упрекнуть.

— Я рад этому, — сказал Пуаро. — Он, кажется, человек несколько нервного склада.

— Немножко раздражительный. Он всегда был таким.

— Миссис Бишоп, — обратился к ней Пуаро, — вы, очевидно, в высшей степени рассудительная дама. Я очень высоко ценю ваше мнение. Как, по-вашему, умерла в действительности Мэри Джерард?

Миссис Бишоп хмыкнула.

— Я думаю, что это совершенно ясно! Отравилась недоброкачественным рыбным паштетом, купленным у Эббота. Эти горшочки у него месяцами хранятся на полке! Однажды моя двоюродная сестра едва не умерла, поев консервированных крабов!

— Как же тогда объяснить, что в ее трупе был обнаружен морфин? — спросил Пуаро.

Миссис Бишоп величественно заявила:

— Насчет морфина мне ничего не известно. Но какие бывают врачи, я отлично знаю. Заставь их найти что-нибудь — и они найдут! *Будто им недостаточно испорченного рыбного паштета!*

— А вам не кажется, что она могла совершить самоубийство? — спросил Пуаро.

— Она? — презрительно фыркнула миссис Бишоп. — Ну нет! Не она ли решила женить на себе мистера Родди? И чтоб *она* пошла на самоубийство? Да никогда!

Глава 12

Был воскресный день, и Эркюль Пуаро разыскал Теда Бигленда на отцовской ферме.

Заставить Теда Бигленда разговориться не составило никакого труда. Он, казалось, был даже рад возможности излить душу.

— Так вы пытаетесь узнать, кто убил Мэри? Это ведь дело запутанное, правда? — задумчиво сказал он.

— А вы не верите, что ее убила мисс Карлайл? — спросил Пуаро.

Тед Бигленд наморщил лоб и стал похож на растерянного ребенка. Он медленно произнес:

— Мисс Элинор — леди! Она такая, что и представить невозможно, будто она могла сделать что-нибудь грубое, если вы понимаете, что я имею в виду. Подумайте сами, сэр, ведь маловероятно, чтобы такая симпатичная молодая леди взяла бы да и сделала что-нибудь подобное!

Эркюль Пуаро кивнул, соглашаясь с ним.

— Вы правы, это маловероятно. Однако, когда речь идет о ревности...

Он выдержал паузу, наблюдая за выражением лица красивого белокурого парня атлетического сложения, который стоял перед ним.

— О ревности? — удивился Тед Бигленд. — Я слышал, что такое случается, но это бывает обычно, когда какой-нибудь парень напьется и распалится, придет в ярость и уже не владеет собой. Но чтобы мисс Элинор, такая благовоспитанная, достойная молодая леди...

— *Однако Мэри Джерард умерла,* причем умерла насильственной смертью, — сказал Пуаро. — Нет ли у вас какой-нибудь идеи... хоть чего-нибудь, что могло бы помочь мне найти убийцу Мэри Джерард?

Парнишка медленно покачал головой. Он сказал:

— Это как-то неправильно, если вы понимаете, что я имею в виду, просто невозможно себе представить, чтобы кто-нибудь захотел убить Мэри. Она была... она была похожа на цветок!

И вдруг в какой-то яркий миг прозрения Пуаро совершенно по-новому представил себе покойную девушку. В этих запинающихся, нескладных словах девушка Мэри снова была живой и цветущей... *«Она была похожа на цветок».*

Внезапно возникло горькое чувство утраты, сожаление о гибели чего-то очень нежного, изящного.

В голове Пуаро одна за другой проносились фразы, сказанные о Мэри Питером Лордом (*«Она была милое дитя»*), сестрой Хопкинс (*«Пожелай она — и ее могли бы взять сниматься в кино»*), ядовитое замечание миссис Бишоп (*«У меня просто сил не было видеть все это жеманство!»*). И теперь вот эта, последняя, фраза, отбросившая в сторону все остальные мнения, фраза, сказанная со спокойным изумлением: *«Она была похожа на цветок»*.

— Но в таком случае... — произнес Пуаро, широко разведя руками, что было жестом явно иностранного происхождения.

Тед Бигленд кивнул. В его глазах застыла немая мольба раненого животного.

— Я знаю, сэр, что вы говорите правду. Она умерла насильственной смертью. Но мне пришло в голову... — Он помедлил.

— Что? — спросил Пуаро.

Тед Бигленд медленно произнес:

— Мне пришло в голову, что, может быть, это все-таки был несчастный случай?

— Несчастный случай? Но каким образом?

— Я понимаю, сэр, что это может показаться бессмысленным. Но я все думаю и думаю, и, по-моему, случилось что-то такое, чего не должно было произойти или что произошло по ошибке. Просто... *несчастный случай!*

Он посмотрел на Пуаро умоляющим взглядом, смущенный тем, что не умеет связно выразить свою мысль.

Пуаро молчал минуту-другую. Казалось, он размышлял над сказанным. Наконец он произнес:

— Любопытно, что вы это ощущаете.

— Наверное, вы не видите в этом смысла, сэр? Я, конечно, не могу ответить на вопросы «как?» и «почему?». Я просто *чувствую* это.

— Чувство иногда бывает очень важным ориентиром, — сказал Пуаро. — Надеюсь, что вы меня извините, если я задену больной вопрос, но я хотел бы узнать, вы очень любили Мэри Джерард?

На загорелом лице Теда выступил багровый румянец. Он ответил просто:

— Я думаю, об этом знает каждая собака в округе!

— Вы собирались жениться на ней?

— Да.

— Но она не хотела?

Лицо Теда помрачнело. Он сказал, с трудом подавляя гнев:

— Даже если люди имеют самые добрые намерения, они не должны портить жизнь другим своим вмешательством. Все эти школы и поездки за границу! Они изменили Мэри. Я не имею в виду, что они испортили ее или что она стала заносчивой — нет, она не стала гордячкой. Но они... сбили ее с толку! Она перестала понимать, где ее место. Грубо говоря, она стала слишком хороша для меня, но все еще недостаточно хороша для настоящего джентльмена вроде Уэлмена.

Пуаро, внимательно наблюдавший за ним, спросил:

— Вам не нравится мистер Уэлмен?

Тед Бигленд сказал с грубоватой прямотой:

— Почему, черт возьми, он должен мне нравиться? Человек как человек. Я ничего не имею против него. Его не назовешь, конечно, мужественным в том смысле, как я это понимаю. Я мог бы его поднять одной рукой и переломить пополам. Я думаю, он не глуп... Но это едва ли поможет, если, скажем, сломается автомобиль. Даже если вы знаете принцип работы его двигателя, вы все равно будете беспомощны, как ребенок, когда всего и дел-то прочистить карбюратор!

— Вы работаете в гараже? — спросил Пуаро.

Тед Бигленд кивнул.

— У Хендерсона, там, вниз по дороге.

— Вы были в гараже в то утро, когда... это случилось?

— Да, я проверял машину одного джентльмена. Понимаете, произошла закупорка, и мне никак не удавалось обнаружить, где именно. Погонял ее немножко.

Теперь жутко вспомнить. День был такой чудесный, и жимолость еще цвела... Мэри любила жимолость. Перед ее отъездом за границу мы вместе ходили нарвать ей цветов.

На его лице вновь появилось по-детски растерянное выражение. Эркюль Пуаро молчал. Тед наконец вышел из состояния транса.

— Простите, сэр, — сказал он. — Забудьте, что я сказал о мистере Уэлмене. Я злился, потому что он увивался вокруг Мэри. Ему следовало бы оставить ее в покое. Она была ему не пара... ну, не вполне подходящая для него.

— Вы думаете, он ей нравился? — спросил Пуаро. Тед Бигленд нахмурился.

— Право, не знаю... во всяком случае, не по-настоящему. А может быть, и нравился — откуда мне знать?

Пуаро спросил:

— А другие поклонники у Мэри были? Может быть, она встретила кого-нибудь за границей?

— Не могу сказать, сэр. Она мне ничего такого не рассказывала.

— А враги у нее здесь, в Мейденсфорде, были?

— Вы имеете в виду кого-нибудь, кто затаил бы на нее злобу? — Он отрицательно покачал головой. — Никто ее особенно близко не знал. Но она всем нравилась.

— А как насчет экономки миссис Бишоп? Ей тоже нравилась Мэри?

Тед неожиданно расплылся в улыбке.

— Ну, это была просто зависть! Старой даме было не по душе, что миссис Уэлмен уделяет столько внимания Мэри.

Пуаро спросил:

— А Мэри была счастлива здесь? Она любила старую миссис Уэлмен?

— Думаю, что она могла бы жить здесь вполне счастливо, если бы ее оставила в покое эта медицинская сестра. Я имею в виду сестру Хопкинс. Это она вбивала в голову Мэри всякие мысли о том, чтобы зарабатывать себе на жизнь и поехать учиться на массажистку.

— Но она была привязана к Мэри?

— О да, *она была к ней привязана,* вы правы. Но она из тех людей, которые считают себя вправе указывать каждому, что для него хорошо и что плохо!

Пуаро медленно произнес:

— Предположим, что сестре Хопкинс известно что-то такое, что могло бы бросить тень на репутацию Мэри, могла бы она не проболтаться об этом?

Тед Бигленд с любопытством посмотрел на Пуаро.

— Я не вполне понимаю вас, сэр.

— Как вы думаете, если бы сестра Хопкинс знала о Мэри что-нибудь плохое, могла бы она придержать свой язык и не проболтаться об этом?

— Сомневаюсь, чтобы эта женщина вообще была способна о чем-нибудь не проболтаться, — сказал Тед Бигленд. — Это самая отъявленная сплетница в деревне. Но если бы она сумела воздержаться от сплетен о *ком-нибудь,* то это, возможно, была бы Мэри. — Тут любопытство одержало верх над сдержанностью, и он спросил: — А нельзя ли узнать, *почему* вы об этом спрашиваете?

— Когда разговариваешь с людьми, складывается определенное впечатление, — сказал Пуаро. — Сестра Хопкинс, по-видимому, говорила со мной откровенно и искренне, но у меня сложилось впечатление — и весьма твердое, — что она *о чем-то умалчивает.* Это не обязательно *что-то важное;* это даже может не иметь никакого отношения к преступлению. Тем не менее *существует нечто, что она знает и скрывает.* У меня также создалось впечатление, что это «нечто», чем бы оно ни было, явно бросило бы тень на образ Мэри и нанесло бы ущерб ее репутации.

Тед беспомощно развел руками.

Эркюль Пуаро вздохнул.

— Ну что ж, — сказал он. — В свое время я узнаю, что это такое.

Глава 13

Пуаро с интересом вглядывался в продолговатое капризное лицо Родерика Уэлмена.

Нервы Родди были в плачевном состоянии: руки дрожали, глаза были воспалены, а голос был хриплый и раздражительный.

Взглянув на визитную карточку, он сказал:

— Разумеется, мне известно ваше имя, мсье Пуаро. Но мне не вполне ясно, чем, по мнению доктора Лорда, вы можете помочь в этом деле! Во всяком случае, ему-то какое до этого дело? Он лечил мою тетушку, а во всем остальном совершенно посторонний человек. Мы с Элинор даже никогда не встречались с ним до приезда туда в июне этого года. Позаботиться обо всем этом, несомненно, обязанность Седдона, не так ли?

— Формально это совершенно правильный подход к делу, — сказал Пуаро.

— Нельзя сказать, чтобы Седдон меня обнадежил, — подавленным тоном сказал Родди. — Он чрезвычайно мрачно настроен.

— Таков уж обычай юристов.

— И все же, — сказал Родди, немного оживившись, — нам удалось заполучить Балмера. Он, говорят, занимает сейчас ведущее положение среди адвокатов.

— За ним упрочилась репутация адвоката, берущегося за ведение безнадежных дел.

Было заметно, как Родди вздрогнул.

— Надеюсь, что вам не будет неприятна моя попытка оказать помощь мисс Карлайл? — спросил Пуаро.

— Нет, нет... разумеется, нет. Но...

— Но что я могу сделать? Вы это хотели спросить?

Мимолетная улыбка промелькнула на встревоженном лице Родди. Улыбка была такой неожиданно обаятельной, что Эркюль Пуаро вдруг понял, в чем заключается неуловимая привлекательность этого человека.

Родди сказал извиняющимся тоном:

— Может быть, это покажется вам несколько грубым, но я не буду ходить вокруг да около и поставлю вопрос прямо: так что же вы можете сделать, мсье Пуаро?

— Я могу докопаться до истины.

— Понимаю. — В голосе Родди звучало некоторое сомнение.

— Возможно, мне удастся обнаружить факты, которые помогут обвиняемой, — сказал Пуаро.

Родди вздохнул.

— Если бы это вам удалось!

Эркюль Пуаро продолжал:

— Я искренне хотел бы помочь. Но и вы могли бы помочь мне, рассказав, что вы думаете обо всем этом деле.

Родди встал и начал беспокойно ходить туда-сюда по комнате.

— Что я могу рассказать? Вся эта история так абсурдна, так фантастична! Чего стоит одна лишь мысль о том, что Элинор — Элинор, которую я знаю с детства, — могла опуститься до такой мелодрамы и отравить человека! Это, конечно, просто смешно. Но как, черт возьми, объяснить это присяжным заседателям?

Пуаро спросил бесстрастным тоном:

— Вы считаете, совершенно невозможно, чтобы мисс Карлайл поступила подобным образом?

— Конечно! Об этом не может быть и речи! Элинор — утонченное создание, прекрасно умеет держать себя в руках, такая уравновешенная... в ее характере нет жестокости. Она умна, деликатна и абсолютно лишена животных страстей. Но возьмите этих двенадцать олухов, сидящих в суде присяжных! Бог знает, чему их можно заставить поверить! И все же будем снисходительны, ведь они сидят там не для того, чтобы судить о характере. Они сидят там, чтобы тщательно анализировать показания. Факты... Факты... *факты!* А факты все против нее!

Эркюль Пуаро задумчиво кивнул.

— Вы, мистер Уэлмен, человек рассудительный и умный. Факты обличают мисс Карлайл. То, что вы знаете о ней, ее оправдывает. Так что же в таком случае произошло на самом деле? Что могло произойти?

Родди в отчаянии развел руками.

— В том-то и заключается весь ужас положения! Ведь сестра, по-видимому, не могла сделать этого?

— Она ни разу даже не подходила к бутербродам — я очень тщательно проверил это, — и она также не могла отравить чай, не отравившись при этом сама. В этом я тоже полностью убедился. Кроме того, почему бы у нее могло возникнуть желание убить Мэри Джерард?

Родди воскликнул:

— А почему вообще у кого-нибудь могло возникнуть желание убить Мэри?

— Именно на этот вопрос, — сказал Пуаро, — у меня пока нет ответа. Ни один человек не желал смерти Мэри Джерард. («Кроме Элинор Карлайл», — мысленно добавил он.) Таким образом, если рассуждать логически, можно сделать вывод: Мэри Джерард не должна быть убита. Однако это, увы, не так. Она была убита! — Несколько неожиданно он добавил: — *«Но она в могиле, и как все изменилось для меня!»*

— Извините, не понял вас, — сказал Родди.

— Это стихи Вордсворта. Я его много читал. Возможно, эти строки выражают то, что вы чувствуете?

— Я? — Родди принял высокомерный и неприступный вид.

— Извините, ради Бога, извините! — сказал Пуаро. — Так трудно быть сыщиком и оставаться истинным джентльменом старой закалки. В вашем языке существует очень хорошее выражение: «Есть вещи, о которых не принято говорить». Так вот, сыщик, увы, вынужден о них говорить! Он обязан расспрашивать о **личных делах людей, об их чувствах!**

— Наверное, в этом нет никакой необходимости? — спросил Родди.

Пуаро торопливо и с несколько застенчивой интонацией произнес:

— Мне бы только понять положение дел! Тогда мы могли бы покончить с неприятной темой и больше не возвращаться к ней. Многие говорили мне, мистер Уэлмен, что вы были неравнодушны к Мэри Джерард. Думаю, что так оно и было?

Родди встал и, подойдя к окну, стал перебирать кисть портьеры.

— Да, — сказал он.

— Вы в нее влюбились?

— Наверное, так.

— Понимаю. И теперь, когда она умерла, вы убиты горем?

— Я... думаю... имею в виду... Ну, право же, мсье Пуаро!

Он повернулся — нервное, раздражительное, капризное создание, поставленное в безвыходное положение.

— Если бы только вы мне рассказали... просто помогли бы мне прояснить для себя ситуацию... тогда мы могли бы с этим покончить, — сказал Пуаро.

Родди уселся в кресло. Не глядя в глаза собеседнику, заговорил резкими, отрывистыми фразами:

— Все это очень трудно объяснить. Нужно ли мне вдаваться в подробности?

— Нельзя постоянно прятаться от неприятных сторон жизни, мистер Уэлмен. Вы сказали, что, наверное, были влюблены в эту девушку. Вы что же, не вполне уверены?

— Не знаю... Она была такая милая. Как сон. Именно так мне все это сейчас и представляется: сон! Нечто нереальное! Все это... когда я увидел ее впервые... мое... ну, мое увлечение ею. Какое-то сумасшествие! А теперь все кончилось... прошло, как будто этого никогда и не бывало.

Пуаро кивнул.

— Я понимаю вас. Вас не было в Англии, когда она умерла?

— Нет, я был в отъезде. Уехал за границу 9 июля и вернулся 1 августа. Телеграмма Элинор следовала за мной из города в город. Как только получил это известие, поспешил домой.

— По-видимому, для вас это было страшным ударом. Ведь эта девушка так нравилась вам!

С горечью и раздражением Родди сказал:

— Почему вообще в жизни случаются такие вещи? Они застают человека врасплох! Они противоречат всему... всему, что человек вправе ждать от жизни!

— Но такова уж жизнь! — сказал Эркюль Пуаро. — Она не позволяет человеку планировать ее для себя и устанавливать в ней порядок по собственному усмотрению. Она не позволяет избегать эмоций и жить, как это подсказывают разум и логика. Человек не может приказать себе переживать ровно настолько, насколько считает нужным, и не больше. Жизнь, мистер Уэлмен, какой бы еще она ни была, *не подчиняется* логике!

— По-видимому, вы правы, — сказал Родерик Уэлмен.

— Весеннее утро, лицо девушки... и вот уже нарушен весь размеренный ход существования...

Родди вздрогнул. А Пуаро продолжал:

— Иногда это бывает нечто большее, чем просто *лицо*. Мистер Уэлмен, а много ли вы в действительности знали о Мэри Джерард?

— Много ли я знал о ней? — горестно повторил Родди. — Очень мало, теперь-то понимаю это. Она была милой... и, кажется, нежной. Но, по правде говоря, я ничего не знаю о ней... совсем ничего. Думаю, что именно поэтому и не тоскую по ней.

Его враждебность и настороженность уже исчезли. Он говорил теперь естественно и просто. Эркюлю Пуаро, который мастерски умел это делать, удалось пробиться сквозь сопротивление противника. Казалось, Родди почувствовал даже некоторое облегчение, получив возможность высказать все, что накопилось в душе.

— Милая... нежная... не блещущая особым умом. И, мне кажется, немного сентиментальная... и добрая. Она обладала этакой утонченностью, которую не ожидаешь встретить у девушки ее сословия.

— Как вам кажется, не относилась ли она к категории людей, которые наживают врагов, сами того не подозревая?

— Нет, нет! Что вы! — энергично запротестовал Родди. — И представить себе не могу, чтобы кто-нибудь не любил ее настолько, чтобы желать ей зла. Недоброжелательность — другое дело.

Пуаро быстро спросил:

— Недоброжелательность? Так все-таки были недоброжелатели, вы думаете?

Родди сказал рассеянно:

— Наверное, были... если вспомнить, что было написано в том письме.

— Что за письмо? — насторожился Пуаро.

Родди покраснел и ответил с досадой:

— О, ничего важного.

— Что за письмо? — настойчиво повторил Пуаро.

— Анонимное письмо, — неохотно ответил Родди.

— Когда оно было получено? И кому адресовано? Скрепя сердце Родди рассказал ему все.

— Это уже интересно! — пробормотал Эркюль Пуаро. — Нельзя ли взглянуть на это письмо?

— Боюсь, что нельзя. По правде говоря, я его сжег.

— А почему вы сделали это, мистер Уэлмен?

— В тот момент это казалось совершенно естественным поступком, — сдавленным от волнения голосом сказал Родди.

— И, прочитав письмо, вы и мисс Карлайл спешно отправились в Хантербери?

— Мы действительно туда отправились. А вот насчет *спешно* ничего не могу вам сказать.

— Но вам было немного не по себе, не так ли? Может быть, вы даже были встревожены?

— Я не сказал бы этого, — еще тише проговорил Родди.

— Но, несомненно, это было так! Это было бы лишь естественно! — воскликнул Пуаро. — Ваше наследство, на которое вы рассчитывали, оказалось под угрозой! Без сомнения, вы были встревожены этим обстоятельством! Деньги — очень важная вещь!

— Не такая уж важная, как вы считаете.

— Такое бескорыстие поистине вызывает изумление!

Родди покраснел.

— Разумеется, деньги играли некоторую роль в нашей жизни. Мы не относились к ним с полным безразличием. Однако основная цель нашей поездки заключалась в том, чтобы навестить тетю и убедиться, что с нею все в порядке.

— Вы поехали туда с мисс Карлайл. В то время ваша тетушка еще не написала завещания. Вскоре после этого с ней случился второй удар. И тогда она пожелала написать завещание, однако — может быть, весьма кстати для мисс Карлайл — в ту ночь она умерла, так и не успев это сделать.

Лицо Родди запылало гневом.

— Послушайте, на что это вы намекаете?

— Когда речь шла о смерти Мэри Джерард, вы сказали мне, мистер Уэлмен, что мотив преступления, приписываемый Элинор Карлайл, абсурден и что она решительно не такой человек. А теперь возникает другая версия. У Элинор Карлайл была причина опасаться, что ее лишат наследства в пользу постороннего человека. Письмо ее предупредило, а несвязные слова тетушки подтвердили, что эти опасения не лишены основания. Внизу, в холле, стоит чемоданчик с различными лекарствами и медицинскими принадлежностями. Вынуть оттуда пузырек с морфином не составляет труда. К тому же, как я узнал, *она оставалась в комнате больной тети наедине с ней, в то время как вы и обе сестры обедали внизу.*

— Побойтесь Бога, мсье Пуаро! — воскликнул Родди. — Что еще за нелепое предположение вы высказываете? Что Элинор убила тетю Лору? Какая смехотворная мысль!

— Но вам, наверное, известно, что запрашивается ордер на эксгумацию тела миссис Уэлмен? — спросил Пуаро.

— Я знаю об этом. Но они ничего не обнаружат.

Пуаро покачал головой.

— Я в этом не уверен. К тому же, как вы понимаете, от смерти миссис Уэлмен в тот момент выигрывал только один человек.

Родди сел. Лицо его побелело, он дрожал. Некоторое время он пристально смотрел на Пуаро, а потом сказал:

— Я думал, что вы... на ее стороне.

— На чьей бы стороне я ни был, мистер Уэлмен, следует смотреть *фактам* в лицо. Мне кажется, что до сих пор вы предпочитали по возможности избегать неприятной правды?

— Есть ли смысл терзать себя, вглядываясь в мрачную сторону жизни? — спросил Родди.

— Иногда это бывает необходимо, — веско произнес Пуаро. — Помедлив минуту, он сказал: — Не будем исключать возможность, что смерть вашей тетушки наступила в результате отравления морфином. Что тогда?

Родди беспомощно покачал головой:

— Не знаю.

— Вы должны попытаться подумать. Кто мог дать ей морфин? Вам следует признать, что самую удобную возможность сделать это имела Элинор Карлайл.

— А может быть, сестры?

— Разумеется, каждая из них могла это сделать. Однако сестра Хопкинс в тот момент была обеспокоена пропажей пузырька с морфином и тогда же упомянула об этом в разговоре, хотя могла бы и скрыть этот факт, тем более что свидетельство о смерти было уже подписано. Если бы она была виновата, то зачем бы ей привлекать внимание к пропаже морфина? И без того она, по всей вероятности, понесет наказание за халатность, но, если бы она отравила миссис Уэлмен, было бы вообще глупо привлекать внимание к морфину. К тому же чем для нее могла быть выгодна смерть миссис Уэлмен? Ничем. То же самое относится и к сестре О'Брайен. Она могла дать морфин миссис Уэлмен, могла стащить его из чемоданчика сестры Хопкинс, однако и в данном случае возникает вопрос: *зачем бы ей это делать?*

Родди покачал головой.

— Да, все это в достаточной степени убедительно.

— Остаетесь еще *вы сами,* — сказал Пуаро.

Родди вздрогнул всем телом.

— Я?

— Конечно. Вы могли стащить морфин. Вы могли дать его миссис Уэлмен. В тот вечер вы на короткое время оставались с ней наедине. Однако и в этом случае встает вопрос: *зачем бы вам делать* это? Если бы миссис Уэлмен осталась жива и успела написать завещание, есть некоторая вероятность того, что вы были бы в нем упомянуты. Таким образом, в данном случае и у вас не было мотива. Мотив был только у двоих.

Глаза Родди оживились.

— У двоих?

— Да. Одним из этих людей является Элинор Карлайл.

— А вторым?

Пуаро задумчиво произнес:

— А вторым — автор того анонимного письма.

Родди посмотрел на него недоверчиво.

— Некто написал это письмо, — начал объяснять Пуаро. — Некто ненавидел Мэри Джерард или по меньшей мере не любил ее. Некто был, как говорится, «на вашей стороне». То есть *этот человек хотел, чтобы Мэри Джерард не получила ничего после смерти миссис Уэлмен.* А теперь скажите, мистер Уэлмен, есть ли у вас какие-нибудь догадки относительно личности автора того письма?

Родди отрицательно покачал головой.

— Не имею ни малейшего понятия. Письмо было безграмотное, написано корявым почерком, на дешевой бумаге.

— Это не имеет значения, — отмахнулся Пуаро. — Вполне возможно, что оно было написано образованным человеком, которому было желательно скрыть этот факт. Именно поэтому я и надеялся, что письмо у вас сохранилось. Человек, который старается написать безграмотное письмо, обычно так или иначе выдает себя.

Родди сказал с сомнением в голосе:

— Мы с Элинор думали, что, может быть, это написал кто-нибудь из слуг.

— А кого-нибудь конкретно вы не подозревали?

— Нет, никого.

— Как вы думаете, не могла ли это сделать миссис Бишоп, экономка?

Родди, казалось, был шокирован.

— Ну что вы, что вы! Она в высшей степени респектабельная дама и держится всегда так величественно. Да и пишет она хорошим, хотя и высокопарным слогом, любит употреблять всякие заумные слова. Кроме того, я уверен, что она никогда...

Пока он подыскивал слово, Пуаро спросил:

— Она не любила Мэри Джерард?

— Думаю, что не любила. Хотя никогда ничего такого не замечал.

— Может быть, мистер Уэлмен, вы вообще мало замечаете, что происходит вокруг?

Родди сказал в раздумье:

— А не кажется ли вам, Пуаро, что тетя могла принять морфин сама?

Пуаро сказал:

— Это идея.

— Она ненавидела свою беспомощность, не раз говорила, что ей лучше было бы умереть.

— Но не могла же она встать с постели, спуститься по лестнице и взять пузырек с таблетками морфина из чемоданчика?

— Конечно не могла. Но кто-нибудь мог достать морфин для нее...

— Кто? ·

— Может быть, одна из сестер.

— Только не сестры! Они слишком хорошо понимают, какой опасности подвергли бы себя. Вот уж кого можно подозревать в последнюю очередь, так это обеих сестер.

— Тогда, может быть, кто-нибудь другой?

Родди вдруг замолчал, открыл было рот, потом закрыл.

— Вы что-нибудь вспомнили, а? — спокойно спросил Пуаро.

— Да, но... — пробормотал Родди.

— Вы не уверены, следует ли об этом говорить мне?

— По правде говоря, не уверен.

Уголки рта Пуаро приподнялись в странной улыбке. Он спросил:

— Когда мисс Карлайл говорила об этом?

— Боже милостливый, Пуаро! Уж не колдун ли вы? Это было в поезде, когда мы ехали к тете. Вы ведь знаете, что мы получили телеграмму о том, что у тети Лоры случился второй удар. Элинор заметила, что ей очень жаль тетю, что бедняжка ненавидела болезнь и что теперь, когда она стала еще более беспомощной, жизнь для нее будет сущим адом. Элинор сказала тогда: «Людей следует освобождать от страданий, если они сами действительно желают этого».

— А вы что ответили?

— Я согласился с ней.

— Совсем недавно, мистер Уэлмен, вы с негодованием отвергли возможность того, что мисс Карлайл убила свою тетушку из-за денег. А возможность того, что она могла убить тетушку из *чувства сострадания, вы тоже отвергаете?*

— Я не... нет, не могу, — пробормотал Родди.

— Я так и думал, — кивнул Пуаро. — Был уверен, что именно так вы и ответите.

Глава 14

В конторе «Седдон, Блейтеруик и Седдон» Эркюль Пуаро был принят с чрезвычайной осторожностью, если не сказать — с недоверием.

Поглаживая указательным пальцем гладко выбритый подбородок, мистер Седдон с непроницаемым лицом оглядел сыщика оценивающим пристальным взглядом холодных серых глаз.

— Ваше имя, несомненно, знакомо мне, мсье Пуаро. Но я не могу понять, в каком качестве вы участвуете в этом деле.

— Я действую, мсье, в интересах вашей клиентки, — сказал Пуаро.

— Ах так! А кто, позвольте узнать, поручил вам выступать в этом качестве?

— Я пришел сюда по просьбе доктора Лорда.

Мистер Седдон очень высоко поднял брови.

— Вот как? Мне кажется, что это противоречит правилам... весьма сильно противоречит правилам. Насколько мне известно, доктор Лорд вызывается в суд как свидетель обвинения.

Эркюль Пуаро пожал плечами.

— Разве это имеет значение?

— Все обязанности по организации защиты мисс Карлайл полностью возложены на нашу фирму. И я, право, не думаю, что в данном деле нам потребуется помощь со стороны.

— Не потому ли, что доказать невиновность вашей клиентки не составит труда? — спросил Пуаро.

Мистер Седдон вздрогнул. На бесстрастном лице юриста появились чуть заметные признаки гнева.

— Это совершенно неуместный вопрос... совершенно неуместный.

— Вашей клиентке предъявлены очень серьезные обвинения, — сказал Пуаро.

— По правде говоря, я просто не понимаю, Пуаро, откуда вы можете знать об этом!

— Хотя мне поручил эту миссию доктор Лорд, у меня также есть записка от мистера Уэлмена, — сказал Пуаро и с поклоном протянул записку.

Мистер Седдон, пробежав глазами содержащиеся в записке несколько строк, неохотно произнес:

— Это, конечно, меняет дело. Мистер Уэлмен взял на себя ответственность за защиту мисс Карлайл. Мы действуем по его просьбе. Наша фирма крайне редко берется за уголовные дела, — добавил он с видимой брезгливостью, — но я счел своим долгом... перед нашей бывшей клиенткой... взять на себя ответственность за защиту ее племянницы. Могу сообщить вам, что нам уже удалось заполучить сэра Эдвина Балмера, королевского адвоката.

Пуаро улыбнулся, и улыбка его была неожиданно ироничной. Он произнес:

— Не постоите ни за какими расходами! И все будет сделано правильно и надлежащим образом!

Посмотрев на него поверх очков, мистер Седдон произнес:

— Право же, мсье Пуаро...

Пуаро пресек его возражения.

— Красноречие и призывы к чувствам не спасут вашу клиентку. Для этого потребуется кое-что большее.

Мистер Седдон спросил сухим тоном:

— Что же вы рекомендуете?

— Можно было бы докопаться до истины.

— Согласен с вами.

— Но поможет ли нам истина в данном деле?

Мистер Седдон резко заметил:

— А это еще одно весьма неуместное замечание.

— У меня есть несколько вопросов, на которые я хотел бы получить ответы, — сказал Пуаро.

Мистер Седдон осторожно заметил:

— Я, конечно, не могу гарантировать вам ответы на все вопросы без согласия моего клиента.

— Ну, разумеется, я понимаю. — Пуаро помедлил, а затем спросил: — Были ли у Элинор Карлайл враги?

Лицо мистера Седдона выразило едва заметное удивление.

— Насколько мне известно, не было.

— Составляла ли покойная миссис Уэлмен в какой-нибудь период своей жизни завещание?

— Никогда. Она всегда откладывала эту процедуру.

— А Элинор Карлайл написала завещание?

— Да.

— Кому она завещала свое состояние?

— А это, Пуаро, вопрос конфиденциальный. Я не имею права разглашать тайну без разрешения своей клиентки.

— В таком случае мне придется побеседовать с вашей клиенткой, — сказал Пуаро.

Мистер Седдон произнес с холодной улыбкой:

— Боюсь, что это будет не так-то легко сделать.

Пуаро встал и, сделав жест, как бы отметающий все преграды, сказал:

— Для Эркюля Пуаро это не составит труда!

Глава 15

Главный инспектор Марсден был очень приветлив.

— Ну, мсье Пуаро, — сказал он, — прибыли, чтобы наставить меня на путь истинный в связи с одним из моих дел?

— Ну что вы, — скромно пробормотал Пуаро, — простое любопытство с моей стороны, не более того.

— Буду весьма рад удовлетворить его. Чье это дело?

— Элинор Карлайл.

— Ах, этой девушки, которая отравила Мэри Джерард? Суд состоится через две недели. Любопытное дело. Кстати, она ведь и тетушку свою убила. Окончательное заключение еще не поступило, но, по-видимому, в этом нет никакого сомнения. Отравление морфином. Хладнокровная девица. И бровью не повела ни в момент ареста, ни после. Ни в чем не признается. Но у нас нет недостатка в доказательствах ее вины. Ей несдобровать.

— Вы считаете, что она сделала это?

Марсден, умудренный опытом человек с добродушным лицом, утвердительно кивнул.

— Нет ни тени сомнения. Положила яд в верхний бутерброд. Отчаянная девица.

— И у вас не возникло никаких сомнений? Совсем никаких?

— Ни малейших. Полная уверенность. Приятно сознавать, что у тебя есть полная уверенность. Мы, как и все другие, не любим ошибаться. Мы отнюдь не добиваемся признания подсудимого виновным во что бы то ни стало, как некоторые считают. Но на сей раз моя совесть абсолютно чиста.

— Понимаю, — тихо произнес Пуаро.

Сотрудник Скотленд-Ярда взглянул на него с любопытством.

— А у вас что, есть какие-нибудь другие данные?

Пуаро в раздумье покачал головой.

— Пока никаких. Пока все факты, которые мне удалось собрать по этому делу, подтверждают виновность Элинор Карлайл.

Инспектор Марсден сказал с бодрой уверенностью:

— Она виновна, можете не сомневаться в этом.

— Мне хотелось бы увидеться с ней, — сказал Пуаро.

Инспектор Марсден снисходительно улыбнулся.

— Вы крепко держите в руках нынешнего министра внутренних дел, не так ли, Пуаро? Для вас все дороги открыты.

Глава 16

— Ну, есть что-нибудь утешительное? — спросил Питер Лорд.

— Нет, пока все складывается не так уж хорошо, — ответил Пуаро.

— Вам не удалось ничего обнаружить? — Питер Лорд был явно удручен.

Пуаро медленно произнес:

— Элинор Карлайл убила Мэри Джерард из ревности... Элинор Карлайл убила свою тетушку, чтобы получить в наследство ее деньги... Элинор Карлайл убила свою тетушку из чувства сострадания. Друг мой, у нас огромный выбор!

— Вы несете чушь, — заявил Питер Лорд.

— Чушь?

Веснушчатое лицо Питера Лорда залилось краской. Он сердито спросил:

— Послушайте, что все это значит?

— Как вы думаете, это возможно? — спросил Пуаро.

— Что возможно?

— Чтобы Элинор Карлайл не смогла вынести страданий своей тети и помогла ей уйти из жизни?

— Чепуха!

— Такая ли уж это чепуха? Вы сами говорили мне, что старая леди просила вас помочь ей расстаться с жизнью.

— Она говорила это несерьезно. Она была уверена, что я не сделаю ничего подобного.

— И все же такая мысль у нее была. И Элинор Карлайл, *возможно,* помогла ей.

Питер Лорд вскочил и забегал по комнате. Наконец он произнес:

— Нельзя отрицать возможность поступка такого рода. Но Элинор Карлайл — разумная, здравомыслящая молодая женщина. Я не думаю, чтобы она настолько поддалась чувству жалости, что забыла о риске. Она, несомненно, понимала, чем рискует. А рисковала бы она тем, что может предстать перед судом по обвинению в убийстве.

— Итак, вы полагаете, что она не сделала бы этого?

Питер Лорд медленно проговорил:

— Мне кажется, женщина могла бы пойти на такое ради своего мужа или ребенка, может быть, ради матери. Не думаю, чтобы она решилась на это ради тетушки, как бы она эту тетушку ни любила. К тому же, кажется, она могла бы так поступить, если бы данное лицо действительно испытывало невыносимые страдания.

— Возможно, вы правы, — в раздумье сказал Пуаро и неожиданно спросил:

— Как по-вашему, мог бы Родерик Уэлмен расчувствоваться до такой степени, чтобы это заставило его пойти на такой поступок?

— У него не хватило бы мужества, — презрительно ответил Питер Лорд.

— Не уверен, — тихо сказал Пуаро. — Вы, mon cher, склонны недооценивать этого человека.

— О, я не сомневаюсь, что он умен и благороден и все такое прочее.

— Вот именно, — сказал Пуаро. — К тому же у него есть обаяние, которое я сам испытал.

— Неужели? Вот уж никогда не подумал бы! Так как же, Пуаро, вам, значит, так и не удалось ни до чего докопаться?

— Мои расследования, увы, пока не увенчались успехом, — сказал Пуаро. — Они всегда приводят к одному и тому же: никто не выигрывал от смерти Мэри Джерард, никто не питал к ней ненависти, *кроме Элинор Карлайл*. Возможно, нам следовало бы призадуматься еще над одним вопросом... Пожалуй, его можно было бы сформулировать так: *ненавидел ли кто-нибудь Элинор Карлайл?*

Доктор Лорд задумчиво покачал головой.

— Насколько мне известно, никто... Вы имеете в виду, что кто-то мог подстроить все таким образом, чтобы взвалить вину за преступление на Элинор?

Пуаро кивнул.

— Это, конечно, можно допустить с большой натяжкой, причем пока нет ничего, что подтверждало бы это предположение... кроме, пожалуй, безупречной завершенности всех улик против нее.

Он рассказал Питеру Лорду об анонимном письме.

— Понимаете, — сказал он, — это дает возможность очень хорошо аргументировать предъявленное ей обвинение. Ее предупредили о том, что она, возможно, совсем не будет упомянута в завещании тети, что все деньги могут достаться человеку постороннему, той девушке. А поэтому, когда тетушка, невнятно произнося слова, попросила пригласить поверенного, Элинор, желая оградить себя от случайностей, позаботилась о том, чтобы старая леди умерла той же ночью.

— Вы забыли о Родерике Уэлмене! — воскликнул Питер Лорд. — Его наследство тоже было под угрозой!

Пуаро покачал головой.

— Вы ошибаетесь. Ему было бы выгоднее, чтобы старая леди написала завещание. Не забывайте, что именно потому, что она умерла, не оставив завещания, он не получил ничего. Ее ближайшей кровной родственницей была Элинор.

— Но он собирался жениться на Элинор, — сказал Лорд.

— Правильно. Но не забывайте, что сразу же после смерти миссис Уэлмен помолвка была расторгнута и что он сам пожелал расторгнуть ее.

Питер Лорд застонал и схватился за голову.

— Все снова замыкается на Элинор. Каждый раз!

— Да. Разве только... — Пуаро помолчал немного, а затем произнес: — Есть *одно обстоятельство*...

— Говорите же!

— Чтобы решить головоломку, не хватает крошечной детали. Это, по-видимому, касается Мэри Джерард. Друг мой, вам приходится иногда слышать местные сплетни? Вам никогда не случалось услышать о чем-нибудь таком, что бросало бы тень на ее репутацию?

— Что-нибудь плохое о Мэри Джерард? Вы имеете в виду ее характер?

— Что угодно. Какая-нибудь давно забытая история о ней. Намек на скандал. Сомнение в ее честности. Какой-нибудь недоброжелательный слушок о ней. Что-нибудь... но что-нибудь такое, *что бросало бы тень на ее репутацию.*

Питер Лорд сказал задумчиво:

— Надеюсь, вы не собираетесь предложить вести поиск в этом направлении: копаться в прошлом безобидной молодой женщины, которой уже нет в живых и которая не сможет защитить себя? Я просто не верю, что вы способны этим заниматься!

— Она что, была похожа на сэра Галаада в женском обличье и вела безупречную жизнь?

— Насколько мне известно, так оно и было. Я никогда ничего дурного о ней не слышал.

Пуаро тихо произнес:

— Не думайте, мой друг, что я намерен искать грязь там, где этой грязи нет. Дело обстоит совсем не так. Доброй сестре Хопкинс не свойственно скрывать свои чувства. Она любила Мэри, и ей известно о Мэри нечто такое, что она не хотела бы предавать огласке, а это значит, что имеется какой-то факт, говорящий не в пользу Мэри, и она боится, что я о нем узнаю. Она считает, что этот факт не имеет отношения к преступлению. Но, с другой стороны, она убеждена, что преступление совершила Элинор Карлайл, а этот факт, каков бы он ни был, явно не имеет отношения к Элинор. Видите ли, мой друг, совершенно необходимо, чтобы я знал *абсолютно все.* Потому что вполне возможно, что это какое-то зло, причиненное Мэри третьей стороне, и в таком случае эта третья сторона могла иметь основание желать ее смерти.

— Но, надо думать, в таком случае и сестра Хопкинс поняла бы это.

— Сестра Хопкинс — весьма неглупая особа, хотя и несколько ограниченная, однако ее интеллект едва ли может сравниться с моим. Она может не разобраться в чем-то, но Эркюль Пуаро разберется непременно.

Покачав головой, Питер Лорд сказал:

— Весьма сожалею, но ничего такого не знаю.

Пуаро задумался.

— Ничего не знает и Тед Бигленд, хотя он, как и Мэри, прожил здесь всю свою жизнь. Ничего не знает и миссис Бишоп, хотя, знай она что-нибудь предосудительное об этой девушке, она не удержалась бы и сказала об этом! Eh bien, осталась последняя надежда.

— Что именно?

— Сегодня я встречаюсь со второй медицинской сестрой — О'Брайен.

— Едва ли она многое знает о местных делах. Она проработала здесь не более двух месяцев.

— Я это знаю, — сказал Пуаро. — Однако, мой друг, как нам известно, у сестры Хопкинс длинный язык. Она не болтала в деревне, где такая болтовня могла бы причинить вред Мэри Джерард. Но сильно сомневаюсь, чтобы она смогла удержаться хотя бы от намека на то, что ее тревожило, в разговоре с человеком посторонним, тем более с коллегой! Сестра О'Брайен *может* кое-что знать.

Глава 17

Сестра О'Брайен, тряхнув копной рыжих волос, широко улыбнулась маленькому человечку, сидевшему напротив нее за столом.

Она подумала про себя: *«Какой забавный человек... и глаза у него зеленые, как у кота... однако сам доктор Лорд говорит, что это человек большого ума!»*

— Как приятно встретить такого жизнерадостного человека! Я уверен, что все ваши пациенты быстро выздоравливают, — сказал Эркюль Пуаро.

— Да! Не люблю напускать на себя унылый вид. И благодарна судьбе, что из пациентов, за которыми ухаживаю, умирают очень немногие.

— Смерть, по-видимому, была для миссис Уэлмен счастливым избавлением? — спросил Пуаро.

— Ну еще бы! Ах она бедняжка! — Проницательные глаза сестры О'Брайен взглянули на Пуаро, и она спросила: — Вы об этом хотели поговорить со мной? Я слышала, что собираются выкапывать ее труп?

— А у вас самой не возникло никаких подозрений в тот момент? — спросил Пуаро.

— Никаких... хотя могли бы и возникнуть, как вспомнишь, какое выражение лица было у доктора Лорда в то утро и как он без конца посылал меня то туда, то сюда за всякими вещами, которые ему были вовсе не нужны. Однако он все-таки подписал свидетельство.

— У него были свои причины... — начал было Пуаро, но она не дала ему закончить фразу.

— Понимаю. И он был прав. Не стоит врачу думать невесть что и оскорблять чувства членов семьи, поскольку, если он окажется не прав, это будет концом его карьеры и уже никто никогда не пожелает пользоваться его услугами. Доктор обязан знать все наверняка.

— Есть предположение, — сказал Пуаро, — что миссис Уэлмен совершила самоубийство.

— Она?! Когда лежала совершенно беспомощная? Все, что она могла сделать, — это чуть приподнять руку!

— Кто-нибудь мог ей помочь?

— Я понимаю, что вы имеете в виду. Мисс Карлайл, или мистер Уэлмен, или, может быть, Мэри Джерард?

— Но ведь такую возможность нельзя исключить?

Сестра О'Брайен отрицательно покачала головой.

— Они не осмелились бы — ни один из них!

Пуаро тихо произнес:

— Возможно, вы правы... — Подумав, он неожиданно спросил: — Когда сестра Хопкинс хватилась пузырька с морфином?

— В то самое утро. «Я уверена, что брала его с собой», — сказала она. Сначала она была абсолютно уверена в этом, но ведь вы знаете, как это бывает: через некоторое время начинаешь сомневаться! Так что в конце концов она убедила себя в том, что оставила его дома.

— И даже у вас не возникло никакого подозрения?

— Ни малейшего! Конечно, мне ни на минуту не приходило в голову, что здесь что-нибудь нечисто. Но ведь даже сейчас у них есть всего лишь подозрение.

— Скажите, а мысль о пропавшем пузырьке с морфином ни у вас, ни у сестры Хопкинс не вызвала никакого беспокойства?

— Я бы этого не сказала. Припоминаю, что эта мысль приходила в голову и мне... и сестре Хопкинс тоже... мы тогда были с ней в кафе «Голубая синица». Я подумала об этом и поняла, что сестра Хопкинс угадала мою мысль. «Думаю, что положила пузырек на краешек каминной доски и он скатился в мусорную корзину — могло ведь так случиться?» — сказала мне тогда сестра Хопкинс. А я ответила: «Наверное, так оно и случилось», — и ни одна из нас не высказала вслух ту мысль, от которой нам обеим было страшно.

— А теперь что вы думаете об этом? — спросил Эркюль Пуаро.

— Если они найдут морфин в теле миссис Уэлмен, то едва ли останется сомнение в том, кто взял морфин и для какой цели он был использован... Хотя ни за что не поверю, что она отправила старую леди к праотцам, пока не подтвердится, что в теле миссис Уэлмен есть морфин, — заявила сестра О'Брайен.

— У вас нет ни малейшего сомнения в том, что Элинор Карлайл убила Мэри Джерард? — спросил Пуаро.

— По-моему, об этом даже излишне спрашивать. У кого еще было для этого основание?

— В этом-то и заключается вопрос, — сказал Пуаро.

А сестра О'Брайен продолжала свое повествование с театральными интонациями:

— Разве не присутствовала там я сама в тот вечер, когда старая леди пыталась говорить, а мисс Элинор обещала, что все будет сделано честно и благородно и в соответствии с ее пожеланиями? Разве не видела я своими глазами выражение ее лица, когда она однажды смотрела вслед Мэри, спускавшейся по лестнице? На ее лице тогда была написана черная ненависть. Наверное, в тот момент она замышляла убийство!

— Если Элинор Карлайл убила миссис Уэлмен, то почему она сделала это?

— Почему? Из-за денег, конечно! Шутка ли, двести тысяч фунтов! Именно столько она получила в результате и именно из-за этого пошла на убийство... если она действительно сделала это. Это смелая и умная молодая леди... ничего не боится и соображает здорово.

— Как по-вашему, если бы миссис Уэлмен осталась жива и написала завещание, кому оставила бы она свои деньги? — спросил Пуаро.

— Мне не следовало бы говорить этого, — начала сестра О'Брайен, хотя по лицу ее было видно, что именно это она и собирается сделать, — но, мне кажется, что старая леди все до последнего пенни оставила бы Мэри Джерард.

— Почему? — с изумлением спросил Пуаро.

Этот простой вопрос, казалось, привел сестру О'Брайен в замешательство.

— Почему? Вы спрашиваете, почему? Так вот, я вам скажу на это только одно: именно так оно и было бы!

Пуаро тихо сказал:

— Можно подумать, что Мэри Джерард ловко вела свою игру и так сумела втереться в доверие к старой даме, что заставила ее позабыть свои кровные узы и привязанности.

— Можно, конечно, и так рассуждать, — задумчиво сказала сестра О'Брайен.

— Как по-вашему, *была ли* Мэри девушкой хитрой, склонной к интригам?

Все еще в задумчивости сестра О'Брайен ответила:

— Не думаю, чтобы она была такой. Все, что она делала, было вполне естественным и не похоже на интригу. Она была не такая. И не в ней дело. Просто иногда для таких поступков бывают причины, о которых никто не догадывается.

— Вы, я вижу, женщина очень рассудительная, сестра О'Брайен, — вкрадчиво сказал Пуаро.

— Да уж, я не из тех, кто болтает о том, что его не касается!

Пристально глядя на нее, Пуаро продолжал:

— Вы и сестра Хопкинс договорились — не так ли? — молчать о некоторых вещах, которые лучше не вытаскивать на свет Божий?

— Что вы хотите этим сказать? — насторожилась сестра О'Брайен.

— Я говорю не о том, что имело бы отношение к преступлению... или преступлениям. Я имею в виду совсем другие дела, — поспешил успокоить ее Пуаро.

Сестра О'Брайен покачала головой.

— Какой смысл копаться в грязи и ворошить старые истории... старая леди была такой добропорядочной, и намека не было на какие-либо скандалы, связанные с ней... и умерла она всеми уважаемая и почитаемая.

Пуаро, соглашаясь, кивнул и осторожно сказал:

— Вы правы, миссис Уэлмен очень уважали в Мейденсфорде.

Разговор принимал неожиданный оборот, однако его лицо не выражало ни удивления, ни замешательства.

Сестра О'Брайен продолжала:

— К тому же все это было так давно. Их уже нет в живых, все позабыто. Сама я обожаю романтические истории и всегда считала, да и сейчас считаю, что человеку, у которого жена в психиатрической лечебнице, тяжело быть всю жизнь связанным по рукам и ногам, когда только смерть может освободить его от этих пут.

Все еще не понимая, о чем идет речь, Пуаро пробормотал:

— Вы правы, это, должно быть, тяжело.

— Сестра Хопкинс не рассказывала вам, как наши с ней письма разминулись в пути? — спросила сестра О'Брайен.

— По правде говоря, об этом не рассказывала, — признался Пуаро.

— Произошло очень странное совпадение. Но так всегда и случается! Услышали вы чье-то имя, а через день-другой, смотришь, опять натолкнулись на него, и, как говорится, чем дальше в лес, тем больше дров. Подумать только, разве это не удивительно, что я увидела ту самую фотографию на пианино и что в это же время сестра Хопкинс услышала всю эту историю от экономки доктора!

— Все это очень интересно, — сказал Пуаро и, повинуясь интуиции, спросил: — А Мэри Джерард... знала об этом?

— Кто бы ей стал об этом рассказывать? Уж только не я... и не сестра Хопкинс. Да и какая была бы ей от этого польза?

Она вскинула свою рыжеволосую голову и остановила на Пуаро вопрошающий взгляд.

— И впрямь, — сказал Пуаро со вздохом, — какая была бы ей польза?

Глава 18

Элинор Карлайл. Через стол, который их разделял, Пуаро смотрел на нее изучающим взглядом.

Их оставили один на один. Сквозь стеклянную перегородку за ними наблюдал охранник.

Пуаро обратил внимание на эмоциональное умное лицо с прямоугольным белым лбом и тонко очерченным овалом. Благородные черты лица: гордая, чувствительная натура, видна порода, сдержанность и... что-то еще... пожалуй, страстность.

— Меня зовут Эркюль Пуаро, — представился он. — Меня направил к вам доктор Лорд. Он полагает, что я могу вам помочь.

— Питер Лорд... — произнесла Элинор, и задумчивая улыбка, вызванная воспоминаниями, промелькнула на ее лице... промелькнула и погасла. Элинор продолжала официальным тоном: — Это очень мило с его стороны, но не думаю, чтобы вы смогли что-нибудь сделать.

— Не ответите ли вы на несколько вопросов? — спросил Пуаро.

Она вздохнула.

— Поверьте, было бы лучше не задавать их мне... Мое дело в хороших руках. Мистер Седдон был очень любезен, и теперь у меня есть знаменитый адвокат.

— Он не так знаменит, как я! — произнес Пуаро.

Элинор Карлайл сказала усталым тоном:

— У него превосходная репутация.

— Он известен как защитник преступников. За мной же упрочилась репутация человека, способного доказать невиновность.

Она наконец подняла на него глаза... чудесные ярко-синие глаза. Она посмотрела прямо в лицо Пуаро.

— Вы верите, что я невиновна?

— А вы и в самом деле невиновны? — спросил Пуаро.

Элинор едва заметно улыбнулась ироничной улыбкой.

— Это и есть один из ваших вопросов? На него так просто ответить «да»!

Неожиданно Пуаро спросил:

— Вы, наверное, очень устали?

Глаза Элинор расширились в изумлении.

— По правде говоря, очень. А как вы догадались?

— Я просто понял, — сказал Пуаро.

— Я буду рада, когда все это кончится...

Пуаро молча смотрел на нее какое-то время, а затем сказал:

— Я виделся с вашим... э... э... кузеном — можно так называть его для удобства? — с мистером Уэлменом.

Бледное гордое лицо медленно залилось румянцем. И Пуаро понял, что на свой следующий вопрос получил ответ, не задавая его.

Голос Элинор немного дрожал, когда она спросила:

— Вы виделись с Родди?

— Он делает для вас все, что может.

— Я это знаю, — мягко произнесла она.

— Он богат или беден? — спросил Пуаро.

— Родди? У него не очень-то много собственных денег.

— Однако он ведет довольно-таки расточительную жизнь?

Она ответила с каким-то отрешенным видом:

— Ни одному из нас никогда не приходило в голову придавать этому значение. Мы знали, что когда-нибудь... — Она замолчала.

Пуаро торопливо продолжил:

— Вы рассчитывали на наследство? Это понятно. Вы, возможно, слышали о результатах вскрытия тела вашей тетушки? Она умерла вследствие отравления морфином.

— Я ее не убивала, — холодно сказала Элинор.

— А вы не помогли ей покончить жизнь самоубийством?

— Не помогла ли я?.. О, понимаю... Нет, я не делала этого.

— Вам было известно, что ваша тетушка не написала завещания?

— Нет, я и понятия не имела об этом.

Голос Элинор стал бесцветным, скучным... Она отвечала автоматически.

— А сами вы написали завещание?

— Да.

— Вы ведь написали его в тот день, когда доктор Лорд говорил с вами об этом?

— Да. — И вновь лицо ее внезапно залилось краской.

— Кому вы завещали свое состояние, мисс Карлайл?

Элинор спокойно ответила:

— Я завещала все свое состояние Родди... Родерику Уэлмену.

— Он знает об этом?

— Разумеется, нет, — быстро ответила она.

— Вы не обсуждали с ним этот вопрос?

— Конечно нет. Он расстроился бы и очень не одобрил бы мой поступок.

— Кто еще осведомлен о содержании вашего завещания?

— Я думаю, что только мистер Седдон... и, может быть, его клерк.

— Ваше завещание составлял мистер Седдон?

— Да. Я написала ему в тот же вечер... я имею в виду... вечером того дня, когда доктор Лорд разговаривал со мной по этому поводу.

— Вы сами отослали это письмо?

— Нет, его отправили из дома вместе с другой корреспонденцией.

— Вы написали письмо, положили его в конверт, запечатали, наклеили марку, а затем бросили его в ящик, comme ça?[1] Не останавливались ли вы, чтобы подумать? Перечитать его еще раз?

Элинор, внимательно посмотрев на него, сказала:

— Да, я его перечитала, потом пошла поискать марку. Когда вернулась с маркой, просто пробежала письмо глазами еще раз, чтобы убедиться, что в нем все достаточно ясно изложено.

— Кто-нибудь находился в комнате вместе с вами?

— Только Родди.

— Он знал, что вы делаете?

— Я уже говорила вам: нет.

— Не мог ли кто-нибудь еще прочесть письмо, пока вас не было в комнате?

— Не знаю. Вы имеете в виду кого-нибудь из прислуги? Думаю, что мог бы, если бы вошел в комнату, пока я отсутствовала.

— И до того, как туда вошел мистер Уэлмен?

— Да.

— А он тоже мог бы прочесть это письмо? — спросил Пуаро.

Голос Элинор презрительно зазвенел:

_____

[1] Так? *(фр.)*

345

— Смею вас заверить, мсье Пуаро, что мой «кузен», как вы его называете, не имеет обыкновения читать чужие письма!

— Я знаю, что так принято считать. Но вы были бы очень удивлены, если бы узнали, сколько людей делают вещи, которые «не принято делать»!

Элинор пожала плечами.

— Это было в тот день, когда мысль о том, чтобы убить Мэри Джерард, впервые пришла вам в голову? — как бы между прочим спросил Пуаро.

В третий раз Элинор покраснела. На сей раз ее лицо просто горело.

— Это что, Питер Лорд сказал вам об этом?

— Так это случилось именно тогда, — мягко повторил свой вопрос Пуаро, — когда вы заглянули в окно и увидели, как она пишет завещание? Именно тогда вам пришло в голову, что было бы занятно... и так удобно... если бы Мэри Джерард вдруг умерла?

— Он понял... — сказала Элинор глухим, сдавленным голосом, — он взглянул на меня и понял...

— Доктор Лорд многое понимает. Он отнюдь не глуп, этот рыжеволосый молодой человек с веснушками на лице, — сказал Пуаро.

— Это правда, что он направил вас, чтобы вы помогли мне? — тихо спросила Элинор.

— Это правда, мадемуазель.

— Я не понимаю, — сказала она, вздохнув. — Нет, ничего не понимаю.

— Послушайте, мисс Карлайл, необходимо, чтобы вы рассказали мне подробно о том, что именно происходило в тот день, когда умерла Мэри Джерард: куда вы ходили, что делали. Более того, я хотел бы, чтобы вы даже рассказали мне, о чем думали.

Она посмотрела на него испытующим взглядом, и неожиданно на ее губах появилась странная усмешка.

— Вы, должно быть, невероятно доверчивый человек, мсье Пуаро. Разве вы не понимаете, как легко мне сказать вам неправду?

— Это не имеет значения, — спокойно сказал Пуаро. Это ее озадачило.

— Не имеет значения?

— Нет. Потому что ложь открывает тому, кто умеет слушать, не меньше, чем правда. А иногда даже больше! Ну а теперь начинайте! Итак, вы встретили экономку, эту добрую миссис Бишоп. Она хотела пойти с вами, чтобы помочь. Вы ей не позволили. Почему?

— Мне хотелось побыть одной.

— Почему?

— *Почему? Почему...* Я просто хотела... подумать.

— Допустим, вы хотели подумать. Что же вы делали дальше?

Элинор с вызывающим видом подняла подбородок и сказала:

— Я купила паштет для бутербродов.

— Два горшочка?

— Два.

— А потом отправились в Хантербери. Что вы делали там?

— Я поднялась в комнату тети и стала разбирать вещи.

— Вы обнаружили что-нибудь?

— Обнаружила? — Элинор наморщила лоб. — Одежду... старые письма... фотографии... ювелирные украшения.

— И никаких секретов?

— Секретов? Я вас не понимаю...

— В таком случае продолжим. Что было дальше?

— Я спустилась в буфетную и приготовила бутерброды.

— Ну и что вы при этом думали? — мягко спросил Пуаро.

Ее синие глаза внезапно вспыхнули.

— Я думала о своей тезке, Элинор Аквитанской.

— Я хорошо понимаю вас. Я знаю эту историю. Это ведь она предложила белокурой Розамунде выбор — кинжал или чашу с ядом? И Розамунда выбрала яд.

347

Элинор ничего не сказала, лишь заметно побледнела.

— Правда, на сей раз выбора не было. Продолжайте, мадемуазель, что же было дальше?

— Я положила готовые бутерброды на блюдо и пошла в сторожку. Там были сестра Хопкинс и Мэри. Я им сказала, что приготовила бутерброды.

Пуаро внимательно наблюдал за ней, потом сказал тихо:

— И вы все вместе отправились в дом, не так ли?

— Да. Мы ели бутерброды в маленькой гостиной.

Тем же тихим, вкрадчивым голосом Пуаро произнес:

— И вы *все еще были как во сне...* А потом?

— Потом? — Она задумчиво посмотрела на него. — Я оставила Мэри стоящей у окна. Пошла в буфетную. Я все еще была, по вашему выражению, как во сне. Сестра Хопкинс мыла там посуду. Я отдала ей горшочек из-под паштета.

— Так-так. А что было дальше? О чем вы подумали?

Элинор сказала, припоминая:

— У сестры на запястье была какая-то царапина. Я ей сказала об этом, а она ответила, что укололась о вьющуюся розу у сторожки. *Розы у сторожки...* Родди и я однажды поссорились — это было давно — из-за войны Алой и Белой розы. Я была Ланкастер, а он — Йорк. Ему нравились белые розы. А я сказала, что они какие-то ненастоящие и даже не пахнут! Я всегда предпочитала алые розы — крупные и темные, такие бархатистые и пахнущие летом. Мы из-за этого поссорились самым идиотским образом. Видите ли, обо всем этом я вспомнила там, в буфетной, и... что-то надломилось... черная ненависть, которая жила в моем сердце, ушла, как только я вспомнила то время, когда в детстве мы играли все вместе. У меня не осталось ненависти к Мэри. Я уже не хотела больше, чтобы она умерла. А потом, когда мы вернулись в маленькую гостиную, я увидела ее умирающей. — Элинор замолчала.

Пуаро очень пристально смотрел на нее. Элинор вспыхнула под его взглядом и сказала:

— Вы снова намерены спросить у меня, *убила ли я Мэри Джерард?*

Пуаро встал.

— Не буду вас спрашивать ни о чем. Есть вещи, о которых я не хочу знать.

Глава 19

По просьбе Пуаро доктор Лорд встретил поезд на станции.

Из вагона вышел Эркюль Пуаро. Выглядел он весьма по-лондонски и был обут в остроносые лакированные ботинки.

Питер Лорд в тревожном ожидании всматривался в его лицо, однако лицо Эркюля Пуаро было непроницаемым.

— Я приложил все усилия, чтобы найти ответы на ваши вопросы, — сказал Питер Лорд. — Во-первых, Мэри Джерард уехала в Лондон 10 июля. Во-вторых, у меня нет экономки... в моем доме всей прислуги — две вечно хихикающие девчонки. Я думаю, что вы, наверное, имели в виду миссис Слэттери, которая была экономкой у доктора Рэнсома, моего предшественника. Если хотите, могу проводить вас к ней немедленно. Я договорился, чтобы она была дома.

— Пожалуй, будет неплохо для начала встретиться с ней, — сказал Пуаро.

— Вы еще говорили, что хотели бы сходить в Хантербери. Я мог бы пойти туда вместе с вами. Не понимаю, почему вы не зашли туда, когда были здесь в прошлый раз! Мне всегда казалось, что в подобных случаях прежде всего надо побывать на месте преступления, — сказал Питер Лорд.

Слегка склонив голову набок, Эркюль Пуаро спросил:

— Почему?

— Почему? — Питер Лорд был, казалось, немало озадачен этим вопросом. — Разве не так поступают обычно?

Эркюль Пуаро произнес назидательным тоном:

— Расследование нельзя вести по учебнику. Для этого пользуются природным интеллектом.

— Но на месте можно обнаружить какое-нибудь вещественное доказательство, — не унимался Питер Лорд.

Пуаро вздохнул.

— Вы читаете слишком много детективных романов! Полиция в вашей стране достойна восхищения. У меня нет никакого сомнения в том, что полицейские самым тщательным образом обыскали и дом, и территорию вокруг него.

— Они искали улики против Элинор Карлайл, а не вещественные доказательства в ее пользу!

Пуаро вздохнул.

— Мой друг, не считайте полицию каким-то чудовищем! Элинор Карлайл была арестована, поскольку у них в руках оказалось достаточно улик, чтобы возбудить против нее уголовное дело, причем, могу добавить, весьма надежно аргументированное дело. Было бы бесполезно искать что-нибудь там, где прошлись полицейские.

— Но вы же захотели сходить туда сейчас? — возразил Питер Лорд.

Эркюль Пуаро кивнул.

— Да... теперь в этом есть необходимость. Потому что теперь *я точно знаю, что́ именно буду искать.* Прежде чем воспользоваться глазами, человеку следует пошевелить мозгами.

— Значит, вы все-таки считаете, что там еще можно что-нибудь найти?

— Да, у меня есть маленькое предчувствие, что мы кое-что там обнаружим, — скромно сказал Пуаро.

— Что-нибудь такое, что позволит доказать невиновность Элинор?

— Я не говорил этого.

Питер Лорд так и прирос к месту.

— Вы что же, все еще считаете, что она виновна?

— Потерпите, мой друг, и вы получите ответ на этот вопрос, — важно заявил Пуаро.

Пуаро обедал вместе с доктором в приятной квадратной комнате, открытое окно которой выходило в сад.

— Вам удалось получить нужные сведения от старухи Слэттери? — спросил Лорд.

— Да.

— А что именно вы хотели узнать у нее?

— Сплетни! Болтовню о давно минувших днях. Ведь некоторые преступления уходят корнями в прошлое! Мне кажется, что данное преступление является именно таким.

Питер Лорд сказал, не скрывая раздражения:

— Вы говорите загадками. Я не понимаю ни слова из сказанного.

Пуаро улыбнулся.

— Какая изумительно свежая рыба! — похвалил он.

Теряя терпение, Питер Лорд заметил:

— Еще бы! Я сам ее поймал перед завтраком. Послушайте, Пуаро, скажете ли вы наконец, к чему вы клоните? Почему вы держите меня в неведении?

Пуаро покачал головой.

— Потому, что пока я еще не все понял. Ход моих размышлений все время прерывается, наталкиваясь на одно и то же препятствие: ни у одного человека не было основания для убийства Мэри Джерард... кроме Элинор Карлайл.

— Но ведь в этом еще нет полной уверенности! Не забудьте, что Мэри Джерард некоторое время прожила за границей!

— Да, конечно. Я получил кое-какие сведения об этом.

— Вы что, сами ездили в Германию?

— Нет, сам не ездил. У меня там есть свои «шпионы», — добавил Пуаро, посмеиваясь.

— Вы полагаетесь на других людей?!

— Конечно. Разве я могу бегать туда-сюда и по-любительски делать то, что за небольшую сумму кто-нибудь другой может выполнить с профессиональным умением? Смею вас заверить, мой друг, у меня много способов достижения своей цели. И у меня есть несколько полезных помощников, один из которых — бывший взломщик.

— Час от часу не легче! Для каких же целей вы его используете?

— Совсем недавно я воспользовался его услугами для самого тщательного обыска квартиры мистера Уэлмена.

— А что он искал?

— Всегда бывает полезно узнать точно, в чем тебе солгали.

— А мистер Уэлмен солгал вам?

— Несомненно.

— А кто еще вам лгал?

— Я думаю, каждый: сестра О'Брайен — вследствие романтического настроения, сестра Хопкинс — из-за упрямства, миссис Бишоп — по причине своей язвительности, вы сами...

— Боже милостивый! — бесцеремонно прервал его Питер Лорд. — Не считаете ли вы, что я тоже вам лгал?

— Пока нет, — признался Пуаро.

Питер Лорд откинулся на спинку стула.

— Вы недоверчивый малый, Пуаро! — сказал он. — Если вы готовы, то не отправиться ли нам в Хантербери? Позднее я буду занят: у меня несколько визитов и хирургическая операция.

— Я в вашем распоряжении, мой друг.

Они отправились пешком и вошли на территорию Хантербери через заднюю калитку. На полпути к дому им встретился высокий парень приятной наружности, который катил тачку. Он уважительно притронулся к кепке, приветствуя доктора Лорда.

— Доброе утро, Хорлик. Пуаро, это — Хорлик, садовник. Он здесь работал в то утро.

— Да, сэр, — подтвердил Хорлик. — Я видел мисс Элинор в то утро и разговаривал с ней.

— Что же она вам сказала? — спросил Пуаро.

— Она сказала, что дом практически уже продан, и для меня это было просто как гром среди ясного неба, сэр. Но мисс Элинор обещала замолвить за меня словечко майору Соммервелу, чтобы он меня оставил на этой работе, потому что я здесь прошел хорошую выучку у мистера Стеффенса, хотя я, может быть, и молод для старшего садовника...

— Она была такой же, как обычно, Хорлик?

— Конечно, сэр, разве что немного возбужденной, как будто у нее что-то было на уме.

— Вы знали Мэри Джерард? — спросил Пуаро.

— Конечно, сэр. Правда, не очень хорошо.

— Какая она была?

Хорлик посмотрел на него с озадаченным видом.

— Какая была? Вы имеете в виду внешность?

— Не совсем. Я имею в виду, что за девушка она была?

— Понял, сэр. Она была очень высокомерная девушка. Речь у нее была такая культурная и все такое. Я сказал бы, она зазнавалась. Видите ли, старая миссис Уэлмен очень баловала ее. Старика Джерарда это просто из себя выводило! Из-за этого он ходил злой как черт.

— Судя по тому, что я о нем слышал, у старика характер был не сахар, — сказал Пуаро.

— Что правда, то правда. Дурной был характер. Такой был сварливый и грубый старик. Доброго слова от него не услышишь.

— Итак, в то утро вы находились здесь. Приблизительно в каком месте вы работали? — спросил Пуаро.

— Бо́льшую часть времени в огороде, сэр.

— Дом оттуда не виден?

— Нет, сэр.

— Если бы кто-нибудь подошел к дому... к окну буфетной, вы не смогли бы увидеть этого человека? — спросил Питер Лорд.

— Нет, сэр.

— Когда вы уходите на обед?

— В час, сэр.

— И вы ничего не видели... какого-нибудь человека, который околачивался бы здесь... или какую-нибудь машину за воротами... или хоть что-нибудь такое? — настаивал Питер Лорд.

Парень в некотором удивлении поднял брови.

— Вы имеете в виду за воротами со стороны черного хода, сэр? Но там стояла только ваша машина... и никакой другой не было.

— *Моя* машина? — воскликнул Питер Лорд. — Это была не моя машина! Я в то утро уезжал в Уайтенбери и возвратился только после двух!

Весьма озадаченный, Хорлик с сомнением произнес:

— Но, сэр, я нарочно посмотрел на нее внимательно — это была ваша машина!

— Ну ладно, это не имеет значения. До свидания, Хорлик, — торопливо сказал Питер Лорд.

Они с Пуаро двинулись к дому. Хорлик постоял некоторое время, уставившись им вслед, а потом медленно покатил тачку дальше.

Как-то вяло, без особого энтузиазма, Питер Лорд произнес:

— Наконец-то хоть что-то есть! Чья бы это машина могла стоять у ворот в то утро?

— Какой марки ваша машина? — спросил Пуаро.

— «Форд», десятая модель... цвета морской волны. Подобных машин великое множество...

— И вы уверены, что это была не ваша машина? Вы не перепутали день?

— Абсолютно уверен. Я уезжал в Уайтенбери, вернулся поздно, перекусил, а потом мне позвонили относительно Мэри Джерард, и я помчался туда.

— В таком случае, друг мой, нам, по-видимому, наконец удалось наткнуться на что-то реальное, — спокойно сказал Пуаро.

— *Кто-то был здесь в то утро,* кроме Элинор, Мэри Джерард и сестры Хопкинс!

— Это весьма интересно, — отозвался Пуаро. — Пойдемте, продолжим наши расследования. Посмотрим, например, каким образом могли бы мужчина или женщина незаметно приблизиться к дому, если, предположим, они имели бы такое намерение.

На полпути к дому от дороги ответвлялась тропинка, ведущая через заросли кустарника. Они пошли по ней, и на одном из поворотов Питер Лорд схватил Пуаро за локоть, указывая на окошко.

— Вот, это окно буфетной, где Элинор Карлайл готовила бутерброды, — сказал он.

Пуаро пробормотал:

— Но с *этого места любой мог бы увидеть, как она режет хлеб.* Если мне не изменяет память, окно было открыто?

— Оно было широко распахнуто. Не забудьте, что в тот день было очень жарко.

Пуаро медленно произнес:

— В таком случае, если кто-нибудь пожелал бы, не выдавая своего присутствия, посмотреть, что там происходит, самое подходящее место для этого было бы где-нибудь здесь.

Оба задумались. Питер Лорд сказал:

— За этими кустами есть одно место... там что-то было затоптано в землю... Конечно, теперь все уже заросло, но это до сих пор нетрудно разглядеть.

Пуаро подошел к нему.

— Да, это удобное место, — сказал он в раздумье. — Оно закрыто со стороны тропинки, а сквозь этот просвет в кустах окно видно как на ладони. Подумаем, мой друг, что мог делать этот человек, который стоял здесь. Может быть, курил?

Они наклонились, осматривая землю и отбрасывая листья и ветки. Вдруг Пуаро что-то проворчал.

Питер Лорд выпрямился.

— Что вы нашли? — спросил он.

— Спичечный коробок, мой друг. Пустой спичечный коробок, сильно затоптанный в землю, мокрый и полуистлевший.

Он осторожно высвободил предмет, потом положил его на листок бумаги, извлеченный из кармана.

— Это не отечественные спички, — заметил Питер Лорд. — Боже мой, да это немецкие спички!

— А Мэри Джерард недавно была в Германии! — добавил Пуаро.

Питер Лорд торжествующе воскликнул:

— Наконец-то мы обнаружили кое-что! Вы не можете отрицать этого, Пуаро!

— Возможно, — тихо сказал Пуаро.

— Но послушайте! У кого, черт возьми, в наших местах могли бы быть иностранные спички?

— Понимаю, понимаю, — сказал Пуаро. — Он растерянно окинул взглядом просвет в кустах и окно, виднеющееся сквозь него. — Все не так просто, как вам кажется, — сказал он. — Есть одно существенное затруднение. Неужели вы сами не видите?

— Что именно? Скажите!

Пуаро вздохнул.

— Ну если вы не видите сами... Однако давайте продолжим поиски.

Они подошли к дому. Питер Лорд отпер заднюю дверь ключом.

Он провел Пуаро через судомойню в кухню, а затем по коридору, в который с одной стороны выходила дверь гардеробной, — в буфетную. Войдя туда, они осмотрелись вокруг.

В буфетной стояли шкафы со скользящими стеклянными дверцами, предназначенные для хранения стеклянной и фарфоровой посуды, газовая плита с двумя чайниками на ней. На полке над плитой стояли банки с надписями «Чай» и «Кофе». У окна — стол.

— Вот на этом столе Элинор Карлайл готовила бутерброды. Вот в этой щели под раковиной был найден обрывок этикетки от пузырька с морфином, — сказал Питер Лорд.

— Полицейские производят обыск очень тщательно, от них едва ли что-нибудь укроется, — задумчиво сказал Пуаро.

Питер Лорд воскликнул в отчаянии:

— Но ведь нет никаких доказательств, что Элинор вообще когда-нибудь держала в руках этот пузырек! Уверяю вас, что кто-то наблюдал за ней из кустов, а когда она ушла в сторожку, этот человек воспользовался случаем, проскользнул в дом, измельчил в порошок несколько таблеток морфина и подсыпал порошок в верхний бутерброд! Он и не заметил, что от этикетки оторвался кусочек и залетел в щель. Он поспешно выбрался из дому, завел машину и умчался.

Пуаро вздохнул.

— Вы все еще ничего не поняли? Просто поразительно, каким иногда бестолковым бывает умный человек!

Питер Лорд рассерженно спросил:

— Не хотите ли вы сказать, что не верите тому, что кто-то стоял в кустах и наблюдал за окном?

— Я верю этому, — сказал Пуаро.

— В таком случае нам нужно узнать, кто это был?

Пуаро тихо произнес:

— Мне кажется, что для этого нам не придется ходить далеко.

— Вы имеете в виду, что вам известно, кто он?

— Я догадываюсь.

— Так, значит, ваши помощники, собиравшие для вас сведения в Германии, все-таки сообщили вам кое-что?

Эркюль Пуаро постучал пальцами по своему лбу.

— Мой друг, — сказал он неторопливо, — у меня все это здесь, в моей голове. Пойдемте-ка лучше осмотрим дом.

Они вошли наконец в комнату, где умерла Мэри Джерард.

В доме ощущалась какая-то странная атмосфера: он, казалось, был полон воспоминаний и зловещих предзнаменований.

Питер Лорд распахнул одно из окон.

— Чувствуешь себя как в гробнице, — сказал он, поежившись.

— Если бы стены могли говорить! В этом доме скрыты ответы на все вопросы. Именно здесь начало всей этой истории, — сказал Пуаро.

Он помедлил, а затем тихо спросил:

— Мэри Джерард умерла в этой комнате?

— Они нашли ее в кресле у окна, — сказал Питер Лорд.

— Молодая девушка... красивая... романтичная, — произнес задумчиво Пуаро. — Была ли она высокомерной и заносчивой? Была ли она мягкой и нежной, без намека на интриганство, молодым созданием, только что вступающим в жизнь? Девушкой, похожей на цветок?

— Какой бы она ни была, — сказал Питер Лорд, — кто-то желал ее смерти.

— Не знаю... — тихо произнес Пуаро.

Лорд пристально взглянул на него.

— Что вы имеете в виду?

Пуаро покачал головой.

— Имейте терпение, мой друг. — Он оглянулся вокруг. — Мы осмотрели весь дом. Увидели все, что можно было увидеть. Теперь пойдемте в сторожку.

Здесь тоже был наведен порядок. Во всех комнатах было аккуратно прибрано, хотя уже лежал слой пыли, и не осталось никаких личных вещей. Они пробыли там всего несколько минут. Когда вышли на солнце, Пуаро притронулся к листьям вьющейся розы, плети которой ползли вверх по решетке. Она была покрыта алыми душистыми цветами. Пуаро тихо спросил:

— Вы знаете, как называется эта роза? Это Lephyrine Droughin, мой друг.

— И что из этого следует? — раздраженно спросил Питер Лорд.

— Когда я виделся с Элинор Карлайл, она заговорила со мной о розах. Именно тогда передо мной забрезжил свет — даже не свет, а лишь намек на свет, как это бывает, когда едешь в поезде, который приближается к выходу из туннеля. Еще не свет, а только предвестник света...

Питер Лорд спросил:

— Что она вам рассказала?

— Она рассказала мне о детстве, о том, как они играли в этом саду и как она и Родерик Уэлмен были враждующими сторонами, потому что он предпочитал белые розы Йорка — холодные и строгие, тогда как она, по ее словам, любила алые розы Ланкастера. Алые розы, имеющие аромат и цвет, страстность и теплоту. Именно в этом, мой друг, и заключается разница характеров Элинор Карлайл и Родерика Уэлмена.

— Разве это... что-нибудь объясняет? — спросил Питер Лорд.

— Это объясняет характер Элинор Карлайл — страстный и гордый характер девушки, безумно влюбленной в человека, который был неспособен любить ее.

— Я вас не понимаю, — сказал Питер Лорд.

— Зато я теперь понимаю Элинор. Я понимаю их обоих, — сказал Пуаро. — А теперь, мой друг, давайте сходим еще раз на то местечко в кустах.

Они шли туда молча. Веснушчатое лицо Питера Лорда было озабоченным и сердитым. Придя на место, Пуаро некоторое время стоял молча. Питер Лорд терпеливо смотрел на него в ожидании.

Неожиданно маленький сыщик с досадой вздохнул.

— На самом деле все так просто! Разве вы не видите, мой друг, роковую ошибку в ходе наших рассуждений? Согласно нашей версии, некто — предположительно какой-то человек, который был знаком с Мэри в Германии, — приехал сюда с твердым намерением убить ее. Но не спешите, мой друг, присмотритесь к тому, что видите! Воспользуйтесь хотя бы глазами, если уж разум, по-видимому, отказывается вам служить! Что вы видите отсюда? Окно, не так ли? Девушку, нарезающую хлеб для бутербродов. То есть Элинор Карлайл. Задумайтесь чуть-чуть над следующим: *каким образом, черт возьми, мог бы наблюдавший за ней человек догадаться, что она угостит этими бутербродами Мэри Джерард? Ведь об этом никто не знал, кроме самой Элинор Карлайл, — никто!* Ни Мэри Джерард, ни сестра Хопкинс!

Итак, что же из этого следует? Если человек стоял здесь, наблюдая, а потом влез в окно и отравил бутерброды, то что он мог подумать и в чем мог быть уверенным? Он подумал, естественно, *что эти бутерброды съест сама Элинор Карлайл!*

Глава 20

Пуаро постучал в дверь коттеджа сестры Хопкинс. Она открыла ему, дожевывая батскую булочку, и неприветливо спросила:

— Ну, мсье Пуаро, что вам нужно *на сей раз?*

— Можно войти?

Сестра Хопкинс весьма неохотно посторонилась, и Пуаро было позволено переступить порог. Она все же проявила гостеприимство и предложила ему чаю; минуту-другую спустя Пуаро в некотором смятении разглядывал чернильно-черный напиток в своей чашке.

— Только что заварила — такой чудесный и крепкий чай! — сказала сестра Хопкинс.

Пуаро осторожно размешал чай и героически отхлебнул глоток.

— Как вы думаете, зачем я к вам пожаловал? — спросил он.

— Не имею ни малейшего понятия. Лучше уж скажите мне сами. Я не мастер угадывать мысли.

— Я пришел, чтобы узнать от вас правду.

Сестра Хопкинс в гневе воздела к небу руки.

— Что все это значит, хотела бы я знать? Я всегда была правдивой женщиной! Ничего никогда не скрывала! Честно рассказала все о пропавшем пузырьке с морфином на следствии, хотя многие на моем месте помалкивали бы и не проронили ни словечка. Уж я-то хорошо знала, что буду наказана за халатность, потому что оставила свой чемоданчик без присмотра, хотя такое с каждым может случиться! Я за это уже получила взыскание, и, поверьте, это повредит моей профессиональной репутации. Но для меня не это главное! Я выполнила свой долг. Обо всем, что знала в связи с этим делом, я рассказала. И попросила бы вас, мсье Пуаро, оставить при себе всё ваши отвратительные намеки! Я рассказала обо всем открыто и правдиво, а если вы думаете, что это не так, то попросила бы вас сказать, откуда вы получили такие сведения! Я ничего не скрыла и готова под присягой заявить об этом в суде.

Пуаро даже не пытался ее прервать. Он прекрасно знал тактику обращения с разъяренной женщиной. Он позволил сестре Хопкинс выговориться и остыть, а потом заговорил сам — спокойно и мягко.

— Я вовсе не думаю, что вы скрыли что-нибудь связанное с преступлением, — сказал он.

— В таком случае я хотела бы узнать, что вам от меня нужно!

— Я хотел бы, чтобы вы рассказали мне правду не о смерти, а *о жизни* Мэри Джерард.

— Ах, так вот к чему вы клоните! — на мгновение растерявшись, произнесла сестра Хопкинс. — Но это же не имеет никакого отношения к убийству!

— Я и не говорил, что имеет. Я сказал, что вы утаиваете что-то, касающееся Мэри Джерард.

— А почему бы мне и не утаить, если это не имеет никакого отношения к преступлению?

Пуаро пожал плечами.

— А почему бы и не рассказать?

Лицо сестры Хопкинс густо покраснело.

— Просто из чувства порядочности, — сказала она. — Ведь все они теперь умерли — все, кого это касалось. А больше никому до этого нет дела!

— Возможно, что никому нет дела, если все это только ваши догадки. Но если у вас есть какие-то *достоверные данные...*

Сестра Хопкинс произнесла в раздумье:

— Я не очень хорошо поняла, что вы имеете в виду.

— Я помогу вам, — сказал Пуаро. — Мне намекала на это сестра О'Брайен, и я имел продолжительную беседу с миссис Слэттери, которая прекрасно помнит события, происшедшие более двадцати лет назад. Я подробно расскажу вам обо всем, что узнал. Итак, более двадцати лет назад между двумя людьми была любовная связь. Одним из них была миссис Уэлмен, которая к тому времени уже несколько лет была вдовой и была женщиной, способной любить глубоко и страстно. Другим был сэр Льюис Райкрофт, имевший большое несчастье быть женатым на женщине, у которой была неизлечимая психическая болезнь. По законам того времени он не мог получить развод, а леди Райкрофт, физическое здоровье которой было превосходным, могла прожить лет до девяноста. О связи этих двух людей, думаю, догадывались, но они вели себя скромно и соблюдали внешние приличия. А потом сэр Льюис был убит в сражении.

— И что же дальше? — спросила сестра Хопкинс.

— Предполагаю, — сказал Пуаро, — что после его смерти родился ребенок и что этим ребенком была Мэри Джерард.

— Вы, вижу, знаете об этом все, — сказала сестра Хопкинс.

— Это лишь мое предположение. Но у вас, возможно, имеются надежные доказательства, подтверждающие мою догадку.

Минуту-другую сестра Хопкинс сидела молча, нахмурившись, а потом вскочила, пересекла комнату, открыла ящик комода и достала оттуда конверт. Она протянула его через стол Пуаро.

— Я расскажу вам, как он попал в мои руки, — сказала она. — Заметьте, что у меня и раньше были кое-какие подозрения. Стоило лишь понаблюдать, как миссис Уэлмен смотрела на девушку, а в довершение услышать кое-какие сплетни! Да и старый Джерард говорил мне, когда был болен, что Мэри не его дочь. И вот, когда Мэри умерла, я заканчивала уборку сторожки и в одном из ящиков комода среди всяких вещей старика наткнулась на это письмо. Видите, что здесь написано?

Пуаро прочел надпись на конверте, сделанную выцветшими чернилами: *«Для Мэри. Переслать ей после моей смерти».*

— Эта надпись сделана давно, — сказал Пуаро.

— Это написано не старым Джерардом, — объяснила сестра Хопкинс. — Это написала мать Мэри, которая умерла четырнадцать лет назад. Она предназначала письмо для девочки, но старик спрятал его среди своих вещей, и Мэри так никогда его и не увидела, за что я просто благодарна судьбе! Она не смогла бы смотреть в глаза людям до конца своих дней, хотя сама она не сделала ничего дурного. — Немного помолчав, она добавила: — Сказать по правде, оно было запечатано, но, когда я его нашла, признаюсь вам, я его вскрыла и тут же прочитала, хотя, может быть, и не должна была этого делать. Но Мэри не было в живых, а я более или менее догадывалась о том, что было внутри конверта, и подумала тогда, что все это уже никого не касается. Но все равно не хотелось уничтожать письмо, так как я чувствовала, что это было бы неправильно. Вот, вы лучше прочтите его сами.

Пуаро вынул из конверта листок бумаги, исписанный мелким угловатым почерком.

«Здесь я написала всю правду на тот случай, если это когда-нибудь понадобится. Я была горничной у миссис Уэлмен в Хантербери, и она всегда была очень добра ко мне. Когда я попала в беду, она меня не оставила и, когда все уже было позади, снова взяла меня

363

в услужение; мой ребенок умер. Моя госпожа и сэр Льюис Райкрофт любили друг друга, но не могли пожениться, потому что он был женат, а жена его, бедная леди, была в сумасшедшем доме. Он был настоящим джентльменом и очень любил миссис Уэлмен. Он был убит, и вскоре после этого госпожа сказала мне, что у нее будет ребенок. Она поехала в Шотландию и взяла меня с собой. Там и родился ребенок — в Ардлочри. В то время мне снова стал писать Боб Джерард, который снял с себя всю ответственность и отвернулся от меня, когда я попала в беду. Мы договорились, что поженимся и станем жить в сторожке, а он будет считать, что это мой ребенок. Если мы будем жить при доме, то будет вполне естественно, если миссис Уэлмен проявит интерес к девочке, позаботится о том, чтобы дать ей образование и устроить ее в жизни. Госпожа считала, что будет лучше, если Мэри никогда не узнает правды. Миссис Уэлмен дала нам с мужем довольно большую сумму денег, хотя я помогла бы ей и без этого. С Бобом я жила вполне счастливо, но он так и не полюбил Мэри. Я держала язык за зубами и никогда никому не сказала об этом ни слова. Но мне кажется, что на случай моей смерти будет лучше написать обо всем этом черным по белому.

Элиза Джерард (урожденная Элиза Райли)».

Эркюль Пуаро глубоко вздохнул и сложил письмо. Сестра Хопкинс спросила с тревогой в голосе:

— Что вы собираетесь предпринять? Никого из них уже нет в живых! Что пользы ворошить старые истории? Миссис Уэлмен здесь все очень уважали; о ней не ходило никаких сплетен. И вдруг вытащить на свет такую скандальную историю! Это было бы жестоко. То же самое относится и к Мэри. Она была милой девушкой. Зачем кому-то знать, что она была незаконнорожденным ребенком? Пусть мертвые спокойно спят в своих могилах — вот что я скажу!

— Следует позаботиться о живых! — сказал Пуаро.

— Но все это не имеет никакой связи с убийством! — сказала сестра Хопкинс.

Эркюль Пуаро печально произнес:

— Ошибаетесь! Все это может иметь с ним самую тесную связь!

Он вышел из коттеджа, оставив сестру Хопкинс с открытым от недоумения ртом.

Он успел пройти некоторое расстояние, когда услышал позади нерешительные шаги догонявшего его человека. Пуаро остановился и оглянулся.

Это был Хорлик, младший садовник из Хантербери. Он был в страшном смущении и без конца вертел в руках свою кепку.

— Извините, сэр. Нельзя ли мне поговорить с вами?

Хорлик нервничал и делал судорожные глотательные движения.

— Пожалуйста. О чем же вы хотели поговорить?

Хорлик завертел кепку еще яростнее. Несчастный и смущенный, отводя глаза в сторону, он сказал:

— Это насчет той машины.

— Вы хотите что-то сказать о машине, которая в то утро стояла у задних ворот?

— Да, сэр. Доктор Лорд сказал сегодня утром, что это была не его машина, но это не так. *Это была машина доктора, сэр!*

— Вы знаете это наверняка?

— Да, сэр. Из-за номера. Ее номер — МСС-2022. Я обратил на него внимание. Видите ли, вся деревня знает этот номер, и мы всегда называем машину доктора «мисс Ту-Ту»! Я совершенно в этом уверен, сэр!

Чуть улыбнувшись, Пуаро заметил:

— Но доктор Лорд говорит, что уезжал в Уайтенбери в то утро.

С самым несчастным выражением лица Хорлик сказал:

— Да, сэр. Я это слышал. Но все-таки это была его машина. Могу поклясться в этом.

Пуаро мягко произнес:

— Спасибо, Хорлик. Возможно, именно это вам и придется сделать.

Глава 21

Элинор Карлайл не могла бы сказать с уверенностью, было ли в зале суда слишком жарко или слишком холодно. Иногда она чувствовала, как ее обдавала волна жара, но сразу же после этого начинался озноб.

Она не слышала, как закончил свою речь прокурор, вся уйдя мыслями в прошлое... все случившееся разворачивалось перед ней, начиная с того дня, когда пришло то отвратительное письмо, и кончая моментом, когда гладко выбритый полицейский офицер до ужаса четкой скороговоркой произнес:

— Вы — Элинор Катарин Карлайл? Я имею ордер на ваш арест по обвинению в отравлении Мэри Джерард, совершенном 27 июля сего года. Обязан предупредить вас, что все сказанное вами будет протоколироваться и может быть использовано в качестве доказательства в судебном процессе по вашему делу.

Ужасная, пугающая четкость речи. Она чувствовала, что как бы попала в хорошо отлаженную и смазанную машину... бесчеловечную, бесстрастную. И теперь она стоит здесь, выставленная на всеобщее обозрение, и тысячи глаз, небезразличных и не лишенных человеческих эмоций, наслаждаются этим зрелищем и злорадствуют.

Только присяжные заседатели не смотрели на нее. В смущении они усердно отводили глаза в сторону. *«Это потому, что скоро конец... они-то знают, какой приговор вынесут»*, — думала Элинор.

Свидетельские показания дает доктор Лорд. Тот ли это Питер Лорд, веснушчатый энергичный молодой врач, который был с ней так добр и так дружелюбен в Хантербери? Сейчас он был сух и официален. Был строго профессионален. Отвечал кратко и четко... Его вызвали по телефону в Хантербери-Холл... уже ничего нельзя было сделать, Мэри Джерард скончалась через несколько минут после его прибытия... по его мнению, смерть наступила в результате отравления морфином в одной из его наименее распространенных форм — «быстродействующей».

Для перекрестного допроса поднялся сэр Эдвин Балмер.

— Вы были постоянным лечащим врачом покойной миссис Уэлмен?

— Да.

— Во время ваших визитов в Хантербери в июне нынешнего года случалось ли вам видеть обвиняемую в обществе Мэри Джерард?

— Неоднократно.

— Что могли бы вы сказать об отношении обвиняемой к Мэри Джерард?

— Оно было весьма любезным и совершенно естественным.

Улыбнувшись чуть презрительно, сэр Эдвин Балмер спросил:

— И вам никогда не приходилось видеть каких-либо признаков «ревнивой ненависти», о которой здесь так много говорилось?

— Нет, — решительно ответил Питер Лорд.

«Но ведь он видел... видел, — подумала Элинор, — *он солгал ради меня. Он ведь все понял тогда...»*

После Питера Лорда вышел полицейский врач. Его показания были более подробными и заняли больше времени... Смерть наступила в результате отравления морфином в «быстродействующей» форме... «Не будет ли он любезен пояснить этот термин?» Он дал пояснения с видимым удовольствием... Смерть в результате отравления морфином может наступать по-разному. Чаще всего морфин вызывает сильное возбуждение, сопровождающееся сонливостью и гипнотическим состоянием, при этом зрачки суживаются. Несколько реже встречается «быстродействующая» форма, как ее называют французы. Тогда человек погружается в глубокий сон, вслед за которым очень быстро — примерно через десять минут — наступает смерть; зрачки при этом обычно бывают расширены.

В заседании суда был сделан перерыв, потом слушание дела возобновилось. Несколько часов длились показания судебно-медицинского эксперта. Доктор Алан Гарсиа, известный специалист по судебной медицине, сыпал научными терминами и со смаком повествовал о содержимом желудка. ...Хлеб, рыбный паштет, чай, присутствует морфин... Далее следовали россыпь научных терминов и целый ряд цифр, выраженных в десятичных дробях... Доза, принятая покойной, предположительно составляла около четырех гран. Смертельную дозу составляет один гран.

Поднялся со своего места сэр Эдвин, как всегда корректный и невозмутимый.

— Я хотел бы получить разъяснение. Вы не обнаружили в желудке ничего, кроме хлеба, масла, рыбного паштета, чая и морфина? Там не было никаких других пищевых продуктов?

— Никаких.

— Это означает, что покойная в течение продолжительного времени не ела ничего, кроме бутербродов и чая?

— Именно так.

— Удалось ли вам установить, в какую конкретную среду был введен морфин?

— Не вполне понимаю вопрос.

— Я его упрощу. Морфин мог быть введен в рыбный паштет или в хлеб, или в масло, намазанное на хлеб, или в чай, или в молоко, которое добавляли в чай?

— Разумеется.

— Есть ли какие-либо особые доказательства, что морфин был введен в рыбный паштет, а не во что-либо другое?

— Нет.

— Фактически морфин мог быть также принят отдельно, иначе говоря, без какой-либо среды вообще? Его можно было бы просто проглотить в виде таблеток?

— Да, конечно.

Сэр Эдвин уселся на свое место.

Перекрестный допрос продолжил сэр Сэмюэл Аттенбери.

— Тем не менее вы считаете, что, независимо от способа введения морфина, он был принят одновременно с другими пищевыми продуктами и напитками?

— Да.

— Благодарю вас.

Инспектор Брилл без запинки, как автомат, принес присягу. Он стоял по-военному, навытяжку, суровый и невозмутимый, и с натренированной легкостью скороговоркой излагал свои показания.

...Был вызван в дом... Обвиняемая сказала: «Это, должно быть, отравление недоброкачественным рыбным паштетом»... произвел обыск... один горшочек из-под рыбного паштета, вымытый, стоял на сушилке в буфетной... другой, наполовину заполненный... произвел дальнейший обыск кухни...

— Что вам удалось найти?

— В щели позади стола, между досками пола, я нашел маленький обрывок бумаги.

Обрывок бумаги был передан для осмотра присяжным заседателям.

— Как по-вашему, что это такое?

— Обрывок печатной этикетки... такие наклеиваются на пузырьки с морфином.

Адвокат неторопливо встал.

— Вы обнаружили этот обрывок в щели на полу?

— Да.

— Это обрывок этикетки?

— Да.

— Удалось ли вам найти остальную часть этикетки?

— Нет.

— Не нашли ли вы какого-нибудь стеклянного пузырька или бутылочки, на которых могла бы быть наклеена эта этикетка?

— Нет.

— В каком состоянии был этот обрывок бумаги, когда вы его нашли? Он был чистый или грязный?

— Он был совершенно свежий.

— Что вы имеете в виду, говоря «совершенно свежий»?

— На его поверхности была пыль с пола, но в остальном он был совершенно чистый.

— Не мог ли он проваляться там какое-то время?

— Нет, он попал туда совсем недавно.

— Значит, вы считаете, что он попал туда в тот самый день, когда вы его обнаружили, а не раньше?

— Да.

Сэр Эдвин с кряхтеньем опустился на место.

На свидетельском месте — сестра Хопкинс. Лицо ее раскраснелось и выражает уверенность в своей правоте.

«...Все равно, — думалось Элинор, — сестра Хопкинс не наводит такого ужаса, как инспектор Брилл». Именно отсутствие человеческих эмоций у инспектора Брилла внушало ощущение полной беспомощности. Он так явно был частью чудовищной машины! У сестры Хопкинс по крайней мере проявлялись человеческие чувства, пристрастия.

— Вас зовут Джесси Хопкинс?

— Да.

— Вы являетесь дипломированной районной медицинской сестрой и проживаете по адресу Роз-Коттедж, Хантербери?

— Да.

— Где вы находились 28 июня нынешнего года?

— Я была в Хантербери-Холл.

— Вы были приглашены туда?

— Да. У миссис Уэлмен случился удар... второй. Я пришла, чтобы помочь сестре О'Брайен, пока не найдут вторую сиделку.

— Вы брали с собой чемоданчик?

— Да.

— Расскажите присяжным заседателям, что в нем находилось.

— Бинты, перевязочный материал, шприц и некоторые лекарства, в том числе пузырек с гидрохлоридом морфина.

— Для какой цели вы брали с собой морфин?

— Одной из пациенток в деревне прописаны инъекции морфина, которые нужно делать утром и вечером.

— Что содержалось в пузырьке?

— Там было двадцать таблеток, каждая из которых содержала по полграна гидрохлорида морфина.

— Что вы сделали со своим чемоданчиком?

— Я оставила его в холле.

— Это было вечером 28 июня. Когда вы заглянули в чемоданчик в следующий раз?

— На следующее утро, около девяти часов, как раз перед уходом.

— Из чемоданчика что-нибудь исчезло?

— Исчез пузырек с морфином.

— Вы заявили о пропаже?

— Я сказала об этом сестре О'Брайен, которая ухаживала за больной.

— Чемоданчик был оставлен в холле, через который обычно проходили люди?

— Да.

Сэр Сэмюэл сделал паузу, а потом спросил:

— Вы были близко знакомы с умершей девушкой, Мэри Джерард?

— Да.

— Какого мнения вы были о ней?

— Она была милой... и добропорядочной девушкой.

— Была ли она жизнерадостной по характеру?

— Очень жизнерадостной.

— Не было ли у нее каких-либо неприятностей, о которых вы знали бы?

— Нет.

— Не была ли Мэри Джерард чем-либо обеспокоена перед смертью или не тревожилась ли она о своем будущем?

— Нет.

— У нее, по-видимому, не было причин для самоубийства?

— Никаких.

Оно все продолжалось дальше и дальше, это изобличающее Элинор повествование... Как сестра Хопкинс сопровождала Мэри в сторожку, как появилась Элинор в каком-то странном, возбужденном состоянии, как она пригласила их на бутерброды, как блюдо было предложено сначала Мэри... Как Элинор предложила перемыть посуду и как попросила далее сестру Хопкинс подняться с ней наверх и рассортировать одежду.

Рассказ часто прерывался замечаниями и возражениями со стороны сэра Эдвина Балмера.

«Все, что она говорит, — правда... и она сама этому верит, — думала Элинор. — Она убеждена, что это сделала я. И ведь каждое ее слово — правда — вот что самое ужасное. Все именно так и было».

Элинор еще раз оглядела зал и увидела лицо Эркюля Пуаро, глядевшего на нее задумчиво и... почти ласково. Он очень много знает и видит ее насквозь...

Кусочек картона с наклеенным на него обрывком этикетки был предъявлен свидетельнице.

— Вам известно, что это такое?

— Это обрывок этикетки.

— Не могли бы вы сказать присяжным заседателям, какой именно этикетки?

— Конечно... это часть этикетки с пузырька, содержащего лекарственное средство для подкожных инъекций: таблетки морфина по полграна вроде тех, которые у меня исчезли.

— Вы в этом уверены?

— Конечно уверена. Я узнаю этикетку с моего пузырька.

— Имеется ли на ней какая-нибудь особая пометка, которая позволяла бы вам утверждать, что это этикетка с потерянного вами пузырька? — спросил судья.

— Нет, милорд, но она, должно быть, с того самого пузырька.

— Фактически вы можете лишь утверждать, что она с пузырька, похожего на ваш?

— Конечно, именно это я и имею в виду.

В заседании суда был объявлен перерыв.

Глава 22

На следующий день заседание продолжилось. Перекрестный допрос вел сэр Эдвин Валмер. Теперь он отнюдь не выглядел благодушным. Он резко спросил:

— По поводу этого чемоданчика, о котором мы здесь так много слышали: 28 июня он был оставлен в главном холле Хантербери и пролежал там всю ночь?

— Да, — подтвердила сестра Хопкинс.

— Довольно безответственный поступок, не так ли?

Сестра Хопкинс покраснела.

— Да, я допустила небрежность.

— Вам часто приходилось оставлять опасные лекарственные средства там, где к ним может иметь доступ кто угодно?

— Нет, уверяю вас, нет.

— Нет? Но в данном случае вы поступили именно так?

— Да.

— И фактически любой человек, находившийся в доме, мог при желании взять морфин?

— Наверное, так.

— Никаких «наверное»! Да или нет?

— Да.

— Кому было известно, что у вас в чемоданчике есть морфин?

— Не знаю.

— Вы говорили о нем кому-нибудь?

373

— Нет.

— Таким образом, получается, что мисс Карлайл не могла знать о том, что там лежит морфин?

— Она могла заглянуть туда и увидеть.

— Однако это маловероятно, не так ли?

— Не знаю.

— В доме находились люди, которые скорее, чем мисс Карлайл, могли бы знать о морфине. Например, доктор Лорд. Ведь вы делали инъекции морфина по его предписанию, не так ли?

— Конечно.

— Мэри Джерард тоже знала, что у вас там лежит морфин?

— Нет, не знала.

— Но ведь она часто бывала у вас в коттедже?

— Не очень часто.

— Предполагаю, что она бывала там довольно часто и что скорее, чем кто-либо другой в доме, могла бы догадаться о том, что у вас в чемоданчике находится морфин.

— Я не согласна с этим.

Сэр Эдвин минутку помедлил.

— Утром вы сказали сестре О'Брайен о пропаже морфина?

— Да.

— Напоминаю вам, что в действительности вы сказали: «Я оставила морфин дома. Мне придется за ним возвращаться».

— Нет, я так не говорила.

— И вы не высказывали предположения, что морфин, возможно, был оставлен вами на каминной доске в коттедже?

— По правде говоря, когда я не могла его найти, то подумала, что, возможно, оставила его дома.

— Фактически вы не знали точно, что вы с ним сделали?

— Знала. Я положила его в чемоданчик.

— В таком случае почему утром 29 июня вы высказывали предположение, что оставили его дома?

— Потому что подумала, что так могло случиться.

— Обращаю ваше внимание на то, что вы очень небрежный человек.

— Я не согласна с этим. Я очень ответственно отношусь к своим словам.

— В день смерти Мэри Джерард, 27 июля, вы говорили о том, что укололись о шип розового куста?

— Не понимаю, какое это имеет отношение к смерти?

— Это имеет отношение к делу, сэр Эдвин? — спросил судья.

— Да, милорд, это важный элемент защиты, и я намерен просить свидетельницу доказать, что это заявление не было ложным.

Он возобновил вопросы:

— Вы по-прежнему утверждаете, что 27 июля укололи руку о розовый куст?

— Да! — Тон сестры Хопкинс стал вызывающим.

— Когда это случилось?

— Это случилось 27 июля, когда мы выходили из сторожки.

Сэр Эдвин с недоверием спросил:

— А что это был за розовый куст?

— Это были вьющиеся розы с алыми цветами, которые растут около сторожки.

— Вы в этом уверены?

— Я совершенно уверена в этом.

Сэр Эдвин сделал паузу, а затем спросил:

— Вы по-прежнему настаиваете на том, что морфин находился у вас в чемоданчике, когда вы 28 июня пришли в Хантербери? Предположим, что сестра О'Брайен выступит в качестве свидетеля и присягнет в том, что, по вашим словам, вы, возможно, оставили его дома?

— Он был у меня в чемоданчике. Я в этом уверена.

Сэр Эдвин вздохнул.

— Вас совсем не встревожила пропажа морфина?

— Нет, не встревожила.

— Ах так? Вас совершенно не смутил тот факт, что пропала большая доза опасного лекарственного средства?

— Мне и в голову не приходило, что его кто-то взял!

— Понятно. Вы просто не могли вспомнить, что вы с ним сделали?

— Вовсе нет. Он был в моем чемоданчике.

— Двадцать таблеток по полграна, то есть десять гран морфина! Этого достаточно, чтобы умертвить нескольких людей, не так ли?

— Да.

— И несмотря на это, вы не испытываете беспокойства... Вы даже не заявили о пропаже официально?

— Думала, что все обойдется.

— Обращаю ваше внимание на то, что, если морфин у вас действительно пропал, вы были обязаны, как сознательный человек, заявить о пропаже официально.

Сестра Хопкинс, лицо которой раскраснелось еще сильнее, сказала с вызовом:

— Ну что ж, я этого не сделала!

— Это, несомненно, является преступной халатностью с вашей стороны. Вы, по-видимому, крайне небрежно относитесь к своим обязанностям. Часто вам приходилось оставлять где попало опасные лекарственные средства?

— Никогда в жизни со мной этого не случалось.

Допрос в том же духе продолжался еще несколько минут. Для такого мастера своего дела, как сэр Эдвин, сестра Хопкинс — суетящаяся, с раскрасневшимся лицом, противоречащая сама себе — была легкой добычей.

— Это верно, что в четверг, 6 июля, покойная Мэри Джерард написала завещание?

— Да.

— Почему она это сделала?

— Потому что считала, что так нужно. Так оно и оказалось.

— Вы уверены, что она написала завещание не потому, что была в подавленном состоянии или что не чувствовала уверенности в своем будущем?

— Чепуха!

— Однако это говорит о том, что мысль о смерти была у нее в голове, что она размышляла на эту тему?

— Вовсе это не так. Просто она считала это правильным поступком.

— Это то самое завещание? Подписано Мэри Джерард и свидетелями — Эмили Биггс и Роджером Уэйдом, приказчиками из магазина готовой одежды. Покойная завещала все свое имущество Мэри Райли, сестре Элизы Райли?

— Совершенно верно.

Завещание было передано присяжным заседателям.

— Как вы думаете, имела ли Мэри Джерард какую-нибудь собственность, которую могла бы оставить по завещанию?

— В то время у нее ничего не было.

— Однако могло бы появиться в ближайшее время?

— Да.

— Вам известен тот факт, что мисс Элинор Карлайл предполагала передать Мэри значительную денежную сумму — две тысячи фунтов?

— Да.

— Мисс Карлайл не была обязана это делать? Это объяснялось лишь ее щедростью?

— Это правда, она поступила так по доброй воле.

— Но ведь если бы она ненавидела Мэри, о чем тут высказывались предположения, она, несомненно, не стала бы добровольно передавать ей крупную сумму денег?

— Может быть, и так.

— Что вы имеете в виду, отвечая таким образом?

— Ничего не имею в виду.

— Вот именно. А теперь такой вопрос: слышали ли вы какие-нибудь местные сплетни о Мэри Джерард и мистере Родерике Уэлмене?

— Он был влюблен в нее.

— У вас есть тому доказательства?

— Я просто знала об этом, вот и все.

— О, вы просто знали об этом! Боюсь, что это звучит не очень убедительно для присяжных заседателей.

Вы говорили однажды, что Мэри не хотела иметь с ним дела, потому что он был помолвлен с мисс Элинор, и что Мэри то же самое повторила ему в Лондоне?

— Она сама мне об этом рассказывала.

Перекрестный допрос продолжил сэр Сэмюэл Аттенбери:

— В тот момент, когда Мэри Джерард обсуждала с вами формулировку этого завещания, заглядывала ли в окно обвиняемая?

— Да, заглядывала.

— Что она сказала?

— Она сказала: «Так ты пишешь завещание, Мэри? Это забавно!» — и тут она рассмеялась. Хохотала и хохотала. И по-моему, — недоброжелательно добавила свидетельница, — именно в тот момент ей в голову пришла мысль об убийстве. Мысль о том, чтобы избавиться от девушки. В ту самую минуту она замышляла убийство!

Раздался резкий голос судьи:

— Ограничьтесь ответами на вопросы, которые вам задают. Последнюю часть ответа следует вычеркнуть из протокола!

Элинор подумала: *«Как удивительно! Когда кто-нибудь говорит правду, они это вычеркивают».*

Она едва удержалась от приступа истерического смеха.

На свидетельском месте — сестра О'Брайен.

— Заявляла ли вам о чем-нибудь сестра Хопкинс утром 29 июня?

— Да. Она сказала мне, что из ее чемоданчика исчез пузырек с гидрохлоридом морфина.

— Что вы предприняли?

— Помогала ей в поисках пузырька.

— Но вы не смогли найти его?

— Нет.

— Вы знали, что чемоданчик оставался в холле всю ночь?

— Да.

— Мистер Уэлмен и обвиняемая находились в доме, когда умерла миссис Уэлмен, то есть в ночь с 28 на 29 июня?

— Да.

— Расскажите нам об эпизоде, свидетельницей которого вы были 29 июня, то есть наутро после смерти миссис Уэлмен.

— Я видела мистера Родерика Уэлмена с Мэри Джерард. Он говорил, что любит ее, и пытался ее поцеловать.

— В то время он был помолвлен с обвиняемой?

— Да.

— Что произошло дальше?

— Мэри сказала, что ему должно быть стыдно говорить об этом, потому что он помолвлен с мисс Элинор.

— Как вы считаете, как относилась обвиняемая к Мэри Джерард?

— Она ее ненавидела. Она иногда так смотрела ей вслед, будто готова была уничтожить ее.

Вскочил сэр Эдвин.

Элинор подумала: *«Зачем они так спорят об этом? Разве это имеет какое-нибудь значение?»*

Сэр Эдвин приступил к перекрестному допросу:

— Вы подтверждаете, что сестра Хопкинс сказала вам, что, вероятно, оставила морфин дома?

— Видите ли, дело было так: после...

— Будьте любезны ответить на мой вопрос: говорила ли она, что, вероятно, оставила морфин дома?

— Да.

— И она действительно не была тогда этим встревожена?

— Нет, тогда не была.

— Потому что думала, что оставила морфин дома? Поэтому, естественно, она не испытывала беспокойства.

— Ей и в голову не могло прийти, что кто-нибудь взял его!

— Именно так. Ее воображение заработало только после смерти Мэри Джерард в результате отравления морфином!

Судья прервал его:

— Мне кажется, сэр Эдвин, что вы уже останавливались на этом аспекте вопроса, когда допрашивали предыдущую свидетельницу.

— Как будет угодно вашей милости.

— А теперь скажите, как относилась обвиняемая к Мэри Джерард, бывали ли между ними когда-нибудь ссоры?

— Нет, ссор не бывало.

— Мисс Карлайл всегда была хорошо расположена к девушке?

— Да. Только вот смотрела на нее как-то странно.

— Да, да, понятно. Но нельзя же на таком основании делать выводы! Вы, по-видимому, ирландка?

— Да.

— А ирландцам свойственно довольно живое воображение, не так ли?

Сестра О'Брайен взволнованно воскликнула:

— Каждое слово, которое я здесь сказала, — правда!

Свидетельские показания дает мистер Эббот, бакалейщик. Он растерян, не уверен в себе (хотя отчасти приятно взволнован чувством собственной значимости). Его показания не заняли много времени. ...Покупка двух горшочков рыбного паштета. ...Обвиняемая сказала: «Сейчас много случаев пищевого отравления рыбным паштетом». Она показалась ему возбужденной и несколько странной.

Дополнительных вопросов не последовало.

Глава 23

Вступительная речь защитника:

— Господа присяжные заседатели, если бы я хотел, то мог бы со всей определенностью утверждать, что обвинения, предъявленные моей подзащитной, не имеют под собой почвы. Бремя доказывания лежит на представителях обвинения, но, по моему мнению, — и я ничуть не сомневаюсь, также по вашему, — пока ими вообще ничего не доказано? Обвинитель утверждает, что Элинор Карлайл, завладев морфином (присвоить который имел равную возможность любой другой человек, находившийся в доме, к тому же большие сомнения вызывает вопрос о том, находился ли вообще морфин в доме), отравляет затем Мэри Джерард. Здесь обвинение зиждется исключительно на возможности. Со стороны обвинения была попытка доказать наличие мотива, но я утверждаю, что именно этого го представителям обвинения сделать не удалось. Поскольку, господа присяжные заседатели, мотива не существует! Обвинение пыталось выдвинуть в качестве мотива расторгнутую помолвку. Подумайте сами, много ли значит в наши дни расторгнутая помолвка? Если расторгнутую помолвку считать мотивом для убийства, то почему же, хочу вас спросить, убийства из-за этого не происходят у нас ежедневно? А данная помолвка, заметьте, не была следствием страстной любви; в основе этой помолвки лежали главным образом соображения семейного характера. Мисс Карлайл и мистер Уэлмен выросли вместе, они всегда нежно относились друг к другу, и эти отношения перешли постепенно в более теплую дружескую привязанность. Я намерен доказать вам, что их соединяло скорее дружеское, но отнюдь не страстное чувство. *(«О, Родди... Родди. Отнюдь не страстное чувство?»)*

Более того, помолвка была расторгнута по инициативе обвиняемой, а не мистера Уэлмена... Я утверждаю, что помолвка Элинор Карлайл с Родериком Уэлменом состоялась главным образом для того, чтобы сделать приятное старой миссис Уэлмен. Когда та умерла, обе стороны осознали, что их чувства не настолько сильны, чтобы стать основой для вступления в брак. Тем не менее они остались хорошими друзьями. К тому же Элинор Карлайл, унаследовавшая состояние своей тетушки, по доброте душевной планировала выделить **Мэри Джерард** значительную сумму денег. Именно той девушке, в отравлении которой ее обвиняют! Это же смехотворно!

Единственное, что говорит против Элинор Карлайл, — это обстоятельства, в которых произошло отравление.

Обвинитель, в сущности, заявил следующее: «Кроме Элинор Карлайл, никто не обладал подобной возможностью для убийства Мэри Джерард». Поэтому представители обвинения были вынуждены поспешно отыскивать приемлемый мотив. Но, как я уже говорил вам, они оказались не в состоянии найти мотив, поскольку никакого мотива и не было.

Далее, справедливо ли утверждение, что никто, кроме Элинор Карлайл, не мог убить Мэри Джерард? Нет, не справедливо. Есть вероятность, что кто-то отравил бутерброды, пока Элинор Карлайл ходила в сторожку. Есть еще и третья вероятность. Одно из основных правил судебно-процессуального кодекса гласит, что в том случае, когда можно доказать наличие альтернативной версии, которая является возможной и не противоречит свидетельским показаниям, обвиняемого следует оправдать. Я намерен доказать вам, что существовало еще одно лицо, которое имело не только такую же возможность отравить Мэри Джерард, но и значительно более серьезное основание для того, чтобы сделать это. Я намерен привести вам факты, доказывающие, что существовал еще один человек, который имел доступ к морфину и у которого были весьма серьезные основания для убийства Мэри Джерард, и могу доказать вам, что этот человек имел равную с обвиняемой возможность сделать это. Утверждаю, что ни один суд в мире не вынесет обвинительного приговора этой женщине, если против нее нет никаких улик, кроме наличия возможности, и когда можно доказать, что против другого человека говорит наличие у него не только возможности, но и неопровержимого основания. У меня имеются свидетели, которые докажут, что одним из свидетелей обвинения было допущено преднамеренное лжесвидетельство. Но сначала я предоставлю слово обвиняемой, чтобы она смогла рассказать вам свой вариант этой истории и чтобы вы сами убедились, насколько необоснованными являются предъявленные ей обвинения.

Ее привели к присяге. Она отвечала на вопросы сэра Эдвина тихим голосом. Судья подался вперед. Он попросил говорить громче.

Сэр Эдвин мягким и ободряющим голосом задавал вопросы, ответы на которые она отрепетировала.

— Вы любили Родерика Уэлмена?

— Очень любила. Он был мне как брат... или кузен. Я всегда считала его своим кузеном. Помолвка... логически вытекала из всей ситуации... удобно вступить в брак с человеком, которого знаешь всю свою жизнь...

— Наверное, ваши отношения нельзя было назвать, так сказать, страстной любовью?

(«Страстной любовью? О, Родди!»)

— Ну что вы... видите ли, ведь мы так давно знали друг друга...

— После смерти миссис Уэлмен между вами возникло некоторое отчуждение?

— Да.

— Чем вы это объясните?

— Мне кажется, что отчасти причиной был финансовый вопрос.

— Финансовый вопрос?

— Да. Родерик чувствовал себя неловко. Он считал, что окружающие могут подумать, что он женится на мне ради денег.

— Помолвка была расторгнута не из-за Мэри Джерард?

— Мне действительно казалось, что Родерик увлекся ею, но я не верила, что это было что-нибудь серьезное.

— Вас очень удручило бы, если бы это было нечто серьезное?

— О нет. Я просто сочла бы, что это неподходящая партия, и только.

— Теперь ответьте мне, мисс Карлайл: брали вы или не брали морфин из чемоданчика сестры Хопкинс 28 июня?

— Не брала.

— Имели ли вы когда-нибудь морфин в своем распоряжении?

— Никогда.

— Вы знали, что ваша тетушка не написала завещания?

— Нет. Я очень удивилась, узнав об этом.

— Не показалось ли вам, что вечером 28 июня ваша тетушка перед смертью пыталась высказать вам какое-то свое пожелание?

— Я поняла, что она не сделала никаких распоряжений относительно Мэри Джерард и тревожилась об этом.

— И для того чтобы выполнить ее волю, вы были готовы выделить Мэри Джерард значительную денежную сумму?

— Да, я хотела выполнить волю тети Лоры. И кроме того, была благодарна Мэри за ту доброту, которую она проявляла к моей тете.

— Вы приехали из Лондона в Мейденсфорд 26 июля и остановились в гостинице «Королевский герб»?

— Да.

— Какова была цель вашего приезда?

— Я продала дом, а человек, который его купил, хотел вступить в права владения как можно скорее. Я должна была разобрать личные вещи тети и вообще уладить все дела.

— По пути в Хантербери-Холл 27 июля вы купили некоторые пищевые продукты?

— Да. Подумала, что проще будет перекусить на скорую руку, чем возвращаться обедать в деревню.

— А затем вы направились в дом и разбирали там личные вещи вашей тетушки?

— Да.

— А после этого?

— Спустилась в буфетную и приготовила бутерброды. А потом пошла в сторожку и пригласила сестру Хопкинс и Мэри Джерард пообедать вместе со мной.

— Почему вы это сделали?

— Хотела избавить их от необходимости идти по жаре в деревню и возвращаться в сторожку.

— Это было фактически естественным проявлением доброго отношения с вашей стороны. Они приняли приглашение?

— Да, они пошли в дом вместе со мной.

— Где находились приготовленные вами бутерброды?

— Я оставляла их на блюде в буфетной.

— Окно там было раскрыто?

— Да.

— Кто угодно мог войти в буфетную в ваше отсутствие?

— Конечно.

— Если бы кто-нибудь наблюдал за вами снаружи, когда вы готовили бутерброды, что он мог бы подумать?

— Мне кажется, он подумал бы, что я готовлю бутерброды, чтобы перекусить.

— Никто не мог знать, что вместе с вами их будет есть кто-нибудь еще, не так ли?

— Нет. Мысль пригласить этих двух женщин пришла мне в голову только тогда, когда я увидела, как много у меня еды.

— Таким образом, если бы кто-нибудь проник в буфетную в ваше отсутствие и подсыпал морфин в один из бутербродов, он сделал бы это с намерением отравить вас?

— Наверное, так.

— Что было после того, как вы все вместе вошли в дом?

— Мы прошли в маленькую гостиную. Я принесла бутерброды и предложила их им обеим.

— Вы что-нибудь пили с бутербродами?

— Я пила воду. На столе было пиво, но сестра Хопкинс и Мэри предпочли чай. Сестра Хопкинс пошла в буфетную и заварила чай. Она принесла его на подносе, а Мэри разлила в чашки.

— А вы пили чай?

— Нет.

— Но его пили и сестра Хопкинс, и Мэри?

— Да.

— Что было дальше?

— Сестра Хопкинс вышла, чтобы выключить газовую плиту.

— И оставила вас наедине с Мэри Джерард?

— Да.

— Что было дальше?

— Несколько минут спустя я взяла поднос и блюдо из-под бутербродов и понесла их в буфетную. Там была сестра Хопкинс. Мы вместе с ней вымыли посуду.

— Сестра Хопкинс в это время была без нарукавников?

— Да. Она мыла посуду, а я вытирала.

— Сделали ли вы какое-нибудь замечание по поводу царапины на ее запястье?

— Я спросила, не укололась ли она чем-нибудь.

— Что она ответила?

— Она сказала: «Я укололась о вьющуюся розу около сторожки. Сейчас вытащу шип».

— Как она выглядела в это время?

— Мне показалось, что ей было жарко. Она обливалась потом, и лицо у нее было какого-то странного оттенка.

— Что было дальше?

— Мы поднялись по лестнице, и она помогла мне разобраться с тетиными вещами.

— Когда вы снова спустились вниз?

— Должно быть, это было час спустя.

— Где в это время находилась Мэри Джерард?

— Она сидела в маленькой гостиной. Она тяжело дышала и была без сознания. По распоряжению сестры Хопкинс я позвонила доктору. Он приехал как раз перед тем, как она умерла.

Сэр Эдвин театрально расправил плечи.

— *Мисс Карлайл, вы убили Мэри Джерард? (Теперь твоя реплика. Голова поднята, глаза смотрят прямо перед собой.)*

— Нет!

Сэр Сэмюэл Аттенбери. Сердце тяжело забилось. Ну вот... теперь она во власти врага! Не будет ни мягкости в голосе, ни вопросов, на которые она знала ответы.

Однако для начала он не был суров.

— Вы говорили нам, что были помолвлены с мистером Родериком Уэлменом?

— Да.

— Вы его любили?

— Очень любила.

— Можно ли считать, что вы были страстно влюблены в Родерика Уэлмена и что вы безумно ревновали его, потому что он полюбил Мэри Джерард?

— Нет! *(Достаточно ли возмущенно прозвучало это «нет»?)*

В голосе сэра Сэмюэла послышались грозные нотки.

— У меня есть основания считать, что вы умышленно планировали убрать эту девушку с дороги в надежде, что Родерик Уэлмен вернется к вам. Так ли это?

— Конечно нет. *(Надменно... несколько утомленно. Так будет лучше.)*

Вопрос следовал за вопросом, один коварнее другого, и каждый причинял боль. На некоторые из них она была готова ответить, некоторые заставали ее врасплох...

Ни на минуту не забывать свою роль! Ни разу не позволить себе расслабиться и ответить: «Да, я ее ненавидела... Да, я желала ей смерти... Да, все время, пока я готовила бутерброды, я представляла себе, как она умирает...»

Оставаться спокойной и холодной и отвечать по возможности кратко и бесстрастно...

Бороться...

Бороться за каждую пядь пути...

Кажется, закончилось... Этот ужасный человек опускается в кресло. И вот уже бархатный, вкрадчивый голос сэра Эдвина Балмера задает ей еще несколько вопросов. Легких, приятных вопросов, рассчитанных на то, чтобы рассеять любое неблагоприятное впечатление, которое она могла бы произвести во время перекрестного допроса.

Она возвратилась на скамью подсудимых. Сидела, испытующе вглядываясь в лица присяжных заседателей...

(Родди дает свидетельские показания. Родди стоит там, немного щурясь и ненавидя все происходящее. Родди, который выглядит как-то не вполне реально...

Но ведь ничего реального больше не осталось. Все вокруг несется вверх тормашками в дьявольском круговороте. Черное становится белым, верх оказывается низом, а восток — на западе... И я уже не Элинор Карлайл, я — «обвиняемая». И независимо от того, повесят ли меня или отпустят на свободу, ничто уже не будет таким же, как прежде. Если бы было хоть что-то... хоть что-то нормальное, за что можно было бы уцепиться...

Может быть, это лицо Питера Лорда с его веснушками и с его потрясающим свойством оставаться таким, как обычно?..)

А на какой стадии сейчас допрос, который ведет сэр Эдвин?

— Не скажете ли вы нам, каковы были чувства мисс Карлайл по отношению к вам?

Родди ответил, отчетливо произнося каждое слово:

— Я сказал бы, что она испытывала ко мне глубокую привязанность, но, безусловно, не страстную любовь.

— Вы считали свою помолвку удовлетворительной?

— О, вполне. У нас всегда было много общего.

— Не скажете ли вы присяжным заседателям, мистер Уэлмен, почему была расторгнута ваша помолвка?

— Понимаете ли, после смерти миссис Уэлмен нам пришлось столкнуться с некоторыми неожиданностями. Мне не давала покоя мысль, что я женюсь на богатой женщине, сам будучи без гроша в кармане. Фактически помолвка была расторгнута по взаимному согласию, и мы оба почувствовали некоторое облегчение.

— Теперь расскажите нам, каковы были ваши отношения с Мэри Джерард?

(О, Родди, бедный Родди! Как же тебе, должно быть, все это неприятно!)

— Я считал ее очень привлекательной.

— Вы были в нее влюблены?

— Немножко.

— Когда вы виделись с ней последний раз?

— Дайте подумать. Это было 5 или 6 июля.

В голосе сэра Эдвина зазвучала стальная нотка.

— Мне кажется, что вы виделись с ней после этой даты.

— Нет, я был за границей... в Венеции и Далмации.

— Когда вы возвратились в Англию?

— Как только получил телеграмму... дайте подумать... должно быть, 1 августа.

— Но, мне кажется, вы были в Англии 27 июля?

— Нет.

— Послушайте, мистер Уэлмен, не забывайте, что вы под присягой. Разве ваш паспорт не подтверждает, что вы возвратились в Англию 25 июля и уехали снова в ночь на 27 июля?

В голосе сэра Эдвина появилась едва заметная угроза. Элинор нахмурила брови и неожиданно перенеслась в действительность. Зачем адвокат запугивает своего собственного свидетеля?

Родерик заметно побледнел. Минуту-другую стоял молча, а потом с усилием произнес:

— По правде говоря, да, так оно и было.

— Вы виделись с Мэри Джерард 25 июля в ее лондонской квартире?

— Да.

— Вы просили ее выйти за вас замуж?

— Гм... да.

— Что она ответила?

— Она отказалась.

— Вы не богаты, мистер Уэлмен?

— Нет.

— И у вас довольно большие долги?

— Какое вам дело до этого?

— Разве вам не было известно, что мисс Карлайл в случае своей смерти завещала все свои деньги вам?

— Впервые слышу об этом.

— Были ли вы в Мейденсфорде утром 27 июля?

— Не был.

Сэр Эдвин сел.

Допрос продолжил прокурор.

— Вы утверждаете, что, по вашему мнению, обвиняемая не была в вас страстно влюблена?

— Именно так я и сказал.

— Вы благородный человек, мистер Уэлмен?

— Не понимаю, что вы имеете в виду.

— Если леди страстно любит вас, а вы ее не любите, то считали бы вы своим долгом скрыть этот факт?

— Конечно нет.

— В каком учебном заведении вы обучались, мистер Уэлмен?

— В Итоне.

Сэр Сэмюэл со спокойной улыбкой промолвил:

— У меня все.

— Альфред Джеймс Уоргрейв, вы являетесь специалистом по розам и проживаете в Эмсворте, Беркс?

— Да.

— Вы приезжали в Мейденсфорд 20 октября, чтобы осмотреть куст роз у сторожки в Хантербери-Холл?

— Да.

— Можете ли вы дать описание этого растения?

— Это вьющаяся роза сорта Lephyrine Droughin. Она цветет душистыми алыми цветами. У нее нет шипов.

— Можно ли уколоться о розу этой разновидности?

— Такая возможность исключена. Это растение не имеет шипов.

Дополнительных вопросов не последовало.

— Джеймс Артур Литтлдейл, вы являетесь дипломированным фармацевтом и работаете в оптовой фирме фармацевтических продуктов «Дженкинс и Хейл»?

— Да.

— Не скажете ли нам, что это за обрывок бумаги?

— Это часть одной из наших этикеток.

— Какой именно этикетки?

— Этикетки, которая наклеивается на пузырек с таблетками для подкожных инъекций.

— Можете ли вы совершенно точно определить по этому обрывку, что за лекарство содержалось в пузырьке, на который была наклеена данная этикетка?

— Да. С полной уверенностью могу сказать, что пузырек, о котором идет речь, содержал таблетки гидрохлорида апоморфина для подкожных инъекций, $1/_{20}$ грана каждая.

— Не гидрохлорида морфина?

— Нет.

— Почему не гидрохлорида морфина?

— На таких этикетках слово «морфин» было бы напечатано с прописной буквы «М». Если рассмотреть под лупой то, что здесь осталось от буквы «м», можно отчетливо увидеть, что это часть строчной буквы «м», а не прописной.

— Позвольте, пожалуйста, присяжным заседателям рассмотреть этот обрывок под лупой. У вас есть с собой этикетки, чтобы наглядно продемонстрировать, что вы имеете в виду?

Этикетки были переданы для осмотра присяжным заседателям.

Сэр Эдвин продолжил допрос:

— Вы говорите, что это была этикетка с пузырька, содержащего гидрохлорид апоморфина? Опишите нам, что такое гидрохлорид апоморфина.

— Его формула $C_{17}H_{17}NO_2$. Это производное морфина, получаемое путем омыления морфина нагреванием его с раствором соляной кислоты в запаянных трубках. При этом морфин теряет одну молекулу воды.

— Какими особыми свойствами обладает апоморфин?

— Апоморфин является самым быстродействующим и наиболее эффективным рвотным средством. Он действует через несколько минут, — спокойно объяснил мистер Литтлдейл.

— Таким образом, если кто-нибудь проглотил бы смертельную дозу морфина, а *через несколько минут ввел бы подкожно дозу гидрохлорида апоморфина,* то каков был бы результат?

— Почти немедленно последовала бы рвота, и морфин был бы выведен из организма.

— Значит, если два человека съели бы одинаково отравленные морфином бутерброды или *выпили бы отравленного морфином чаю из одного и того же чайника,* а затем один из них ввел бы себе подкожно дозу гидрохлорида апоморфина, каков был бы результат?

— У того человека, который сделал укол апоморфина, пища и напиток вместе с морфином были бы немедленно выведены из организма посредством рвоты.

— И этот человек не испытал бы никаких неприятных последствий?

— Нет.

Неожиданно по залу суда прокатилась волна возбуждения, и судье пришлось призвать к порядку.

— Вас зовут Амелия Мэри Седли и вы постоянно проживаете по адресу Окленд, Боонамба, Чарлз-стрит, 17?

— Да.

— Вы знаете миссис Дрейпер?

— Да, я знакома с ней более двадцати лет.

— Знаете ли вы ее девичью фамилию?

— Да. Я была на ее свадьбе. Ее звали Мэри Райли.

— Она уроженка Новой Зеландии?

— Нет, она приехала из Англии.

— Вы присутствовали на заседаниях суда с самого начала этого процесса?

— Да.

— Видели ли вы эту Мэри Райли... или Дрейпер... в помещении суда?

— Да.

— Где вы ее видели?

— Она давала свидетельские показания.

— Под каким именем?

— Джесси Хопкинс.

— И вы совершенно уверены, что Джесси Хопкинс является той женщиной, которую вы знали как Мэри Райли или Дрейпер?

— У меня нет никакого сомнения в этом.

В последних рядах зала произошло какое-то движение.

— Когда вы в последний раз видели Мэри Дрейпер, не считая сегодняшней встречи?

— Пять лет назад. Она уехала в Англию.

Сэр Эдвин, обращаясь к прокурору, сказал с легким поклоном:

— Ваши вопросы к свидетельнице, пожалуйста.

Сэр Сэмюэл с крайне растерянным лицом приступил к допросу:

— Я предполагаю, миссис... Седли, что вы, возможно, ошибаетесь.

— Я не ошибаюсь.

— Вас могло сбить с толку случайное сходство.

— Я очень хорошо знаю Мэри Дрейпер.

— Сестра Хопкинс является дипломированной районной медицинской сестрой.

— До замужества Мэри Дрейпер работала сестрой в больнице.

— Вы отдаете себе отчет в том, что обвиняете свидетельницу Королевского суда в даче ложных показаний?

— Я отвечаю за свои слова.

— Эдуард Джон Маршалл, в течение нескольких лет вы проживали в Окленде, Новая Зеландия, а в данное время проживаете в Дептфорде, Рэй-стрит, 14?

— Правильно.

— Вы знали Мэри Дрейпер?

— Я был знаком с ней в течение нескольких лет в Новой Зеландии.

— Видели ли вы ее сегодня в суде?

— Да. Она называла себя Хопкинс, но это, несомненно, миссис Дрейпер.

Судья поднял голову. Он заговорил негромким, отчетливым, резким голосом:

— Полагаю, что было бы желательно вновь попросить сюда свидетельницу Джесси Хопкинс.

Молчание, потом голос:

— Ваша милость, Джесси Хопкинс несколько минут назад покинула здание суда.

— Эркюль Пуаро!

Эркюль Пуаро прошел на свидетельское место, присягнул, подкрутил усы и, слегка наклонив голову, ждал вопросов.

Он сообщил свое имя, адрес и занятие.

— Пуаро, вам знаком этот документ?

— Разумеется.

— Каким образом он первоначально попал к вам в руки?

— Мне дала его районная сестра Хопкинс.

Сэр Эдвин сказал, обращаясь к судье:

— С вашего позволения, ваша милость, я зачитаю его вслух, а затем можно передать его присяжным заседателям.

Глава 24

Заключительная речь защитника:

— Господа присяжные заседатели, теперь вся ответственность лежит на вас. Вы должны решить, выйдет ли Элинор Карлайл свободной из здания суда. Если же, после того как вы заслушали свидетельские показания, вы по-прежнему считаете, что Элинор Карлайл отравила Мэри Джерард, ваш долг признать ее виновной.

Но если вам покажется, что такие же, а возможно, и более веские улики имеются против другого лица, то в таком случае ваш долг — освободить обвиняемую без дальнейшего промедления.

К настоящему моменту вам стало ясно, что факты, представленные по этому делу, выглядели вначале совсем иначе, нежели выглядят сейчас.

Вчера, после сенсационных свидетельских показаний мсье Эркюля Пуаро, я допросил ряд других свидетелей, подтвердивших неопровержимыми доказательствами тот факт, что Мэри Джерард была незаконнорожденной дочерью Лоры Уэлмен. Отсюда следует, что ближайшей кровной родственницей миссис Уэлмен являлась не ее племянница Элинор Карлайл, а ее незаконнорожденная дочь, которая носила имя Мэри Джерард. И именно Мэри Джерард унаследовала бы после смерти миссис Уэлмен огромное состояние. Вот в чем, господа, корень всей ситуации. Мэри Джерард имела право получить в наследство примерно двести тысяч фунтов, но самой Мэри об этом не было известно. Она не подозревала также, кем в действительности была эта Хопкинс. Вы можете подумать, господа, что у Мэри Райли, или Дрейпер, была какая-либо вполне законная причина сменить свое имя на Хопкинс. Если это так, то почему же она не сказала об этом открыто?

Нам известно лишь то, что по настоянию сестры Хопкинс Мэри Джерард написала завещание, оставив все свое состояние «Мэри Райли, сестре Элизы Райли». Нам известно, что сестра Хопкинс в силу своей профессии имела доступ к морфину и апоморфину и была хорошо осведомлена об их свойствах. Кроме того, было доказано, что сестра Хопкинс солгала, сказав, что уколола руку шипом розового куста, который шипов не имеет. Она солгала потому, что ей надо было *спешно объяснить происхождение царапины, сделанной только что иглой шприца.* Не забудьте также, что обвиняемая под присягой заявила, что, когда она вошла в буфетную к сестре Хопкинс, та выглядела нездоровой и ее лицо было зеленоватого оттенка — а это вполне понятно, если у нее только что была сильная рвота.

Я подчеркиваю еще один момент: если бы миссис Уэлмен прожила еще сутки, она написала бы завещание; по всей вероятности, она завещала бы Мэри Джерард значительную сумму, но не оставила бы ей все состояние, поскольку миссис Уэлмен была убеждена в том, что ее незаконнорожденная дочь будет более счастливой, оставаясь в других кругах общества.

В мои намерения не входит высказывать свое мнение относительно доказательств вины другого лица, и я упоминаю о них только лишь для того, чтобы показать, что это другое лицо имело такую же возможность и значительно более серьезное основание для убийства.

Смею утверждать, господа присяжные заседатели, что, если учесть все эти обстоятельства, обвинение против Элинор Карлайл становится беспредметным.

Из заключительной речи судьи Беддингфельда:

— ...Вы должны быть полностью убеждены в том, что Элинор Карлайл действительно дала смертельную дозу морфина Мэри Джерард 27 июля. Если же вы не убеждены в этом, вы должны оправдать обвиняемую.

Обвинитель утверждает, что единственным человеком, который имел возможность дать яд Мэри Джерард, была обвиняемая. Защита стремилась доказать, что имеются также и альтернативы. Выдвигалось предположение, что Мэри Джерард совершила самоубийство, но единственным подтверждением этой версии был тот факт, что Мэри Джерард незадолго до своей смерти написала завещание. Не имеется никаких подтверждений того, что она находилась в подавленном состоянии или была несчастна. Выдвигалась также версия о том, что морфин мог быть подсыпан в бутерброды каким-то человеком, который проник в буфетную в то время, когда Элинор Карлайл находилась в сторожке. В этом случае яд предназначался бы для Элинор Карлайл, а смерть Мэри Джерард была бы результатом просчета. Третья альтернативная версия, предложенная защитой, заключалась в предположении, что другое лицо имело такую же возможность подсыпать морфин и что в этом случае яд был добавлен в чай, а не в бутерброды. В поддержку этой версии защита вызвала свидетеля Литтлдейла, который заявил под присягой, что обрывок бумаги, найденный в буфетной, был частью этикетки с пузырька, содержащего таблетки гидрохлорида апоморфина, очень эффективного рвотного средства. Вам были представлены образцы обоих видов этикеток. Я считаю, что полиция допустила вопиющую небрежность, не подвергнув более тщательной проверке найденный обрывок и сделав неправильный вывод о том, что это — часть этикетки с пузырька, содержащего морфин.

Свидетельница Хопкинс заявила, что уколола запястье о розовый куст около сторожки. Свидетель Уоргрейв осмотрел этот куст. Эта разновидность роз шипов не имеет. Вам надлежит решить, в результате чего появилась царапина на запястье сестры Хопкинс и почему она была вынуждена солгать об этом.

Если прокурор убедил вас в том, что именно обвиняемая, а не кто-нибудь другой, совершила это преступление, вы должны признать ее виновной.

Если же альтернативная версия, предложенная защитой, является, по вашему мнению, возможной и не противоречит свидетельским показаниям, обвиняемая должна быть оправдана.

Я призываю вас обсудить вердикт со всем мужеством и прилежанием.

Присяжные заседатели один за другим вошли в зал суда.

— Господа присяжные заседатели, вы согласовали свой вердикт?

— Да.

— Посмотрите на обвиняемую на скамье подсудимых и скажите, виновна она или не виновна.

— *Не виновна.*

Глава 25

Ее вывели через боковую дверь.

Элинор увидела приветствовавших ее людей... Родди... сыщик с длинными усами...

Но она обратилась к Питеру Лорду:

— Я хочу уехать отсюда.

И теперь она сидела вместе с ним в плавно скользящем «даймлере», который быстро уносил их из Лондона.

Питер Лорд не говорил ей ни слова, и она наслаждалась благословенной тишиной.

С каждой минутой она уносилась все дальше и дальше... в новую жизнь.

Неожиданно Элинор нарушила молчание:

— Я... я хочу уехать куда-нибудь в спокойное место... где не будет *никаких... лиц.*

Питер Лорд спокойно ответил:

— Все уже организовано. Вы едете в санаторий. Спокойное место. Чудесный сад. Никто вам там не будет надоедать.

Она вздохнула.

— Именно этого я и хочу. — И подумала: «Он все понимает, потому что он врач».

Он действительно понимал все... и не занимал ее разговорами. Было так спокойно сидеть рядом с ним и уноситься от всего этого ужаса, из Лондона, в такое место, где она будет чувствовать себя в *безопасности*.

Она так хотела забыть все. Прошлое казалось теперь нереальным. Все забыто, исчезло, со всем покончено — со старой жизнью и прежними чувствами. Она ощущала себя новым, незнакомым, беззащитным созданием. Еще очень неопытным и начинающим жизнь сначала. И очень напуганным. Но как надежно она чувствовала себя рядом с Питером Лордом!

Они уже покинули пределы Лондона и проезжали по предместьям, когда она наконец сказала:

— Это все благодаря вам... только вам.

— Нет, благодарить следует Эркюля Пуаро. Этот человек — просто волшебник!

Но Элинор покачала головой и упрямо сказала:

— Нет, это все вы! Вы его заполучили и заставили сделать то, что он сделал!

Питер Лорд широко улыбнулся.

— Что правда, то правда, уж я его действительно заставил!

— Вы знали, что я не виновна, или сомневались в этом? — спросила Элинор.

— Полной уверенности у меня не было, — просто ответил Питер Лорд.

— Именно поэтому я чуть было не сказала «виновна» в самом начале, потому что, понимаете, я ведь думала об этом... именно об этом я думала, когда смеялась около коттеджа.

— Я это знал.

— Все кажется теперь таким странным... я была тогда как одержимая. В тот день, когда покупала паштет, а потом готовила бутерброды, я представляла себе, как подмешиваю в бутерброды яд, как Мэри ест их и умирает, а Родди возвращается ко мне.

— Некоторым людям помогает, когда они мысленно проигрывают такого рода эпизоды. Можно даже считать, что это полезно. Вместе с фантазией эта мысль уходит из сознания, подобно тому, как вместе с потом выводятся из организма вредные вещества, — сказал Питер Лорд.

— Вы, наверное, правы. Потому что все это вдруг ушло. Я имею в виду, что вдруг исчезла эта чернота, мрак. Когда Хопкинс упомянула о розовом кусте около сторожки, все вдруг вернулось на свои места и стало нормальным. — Затем, содрогнувшись от воспоминаний, она добавила: — Но когда мы вошли в маленькую гостиную и я увидела ее умирающей — наконец-то! — я подумала: велика ли разница между *мыслью об убийстве* и *самим убийством?*

— Огромная разница! — воскликнул Питер Лорд. — Мысль об убийстве в действительности не причиняет вреда. Только весьма недалекие люди могут считать, что думать об убийстве и *планировать* убийство — одно и то же. Это совсем не так. Если вы думаете об убийстве достаточно долго, вы неожиданно выходите на свет из этой черноты и начинаете понимать, что все это, в сущности, довольно глупо!

— Вы умеете успокоить человека, — сказала Элинор.

Питер Лорд довольно бессвязно пробормотал:

— Ничего подобного. Просто у меня есть здравый смысл.

На глаза Элинор неожиданно навернулись слезы, и она сказала:

— Время от времени... там, в суде... я смотрела на вас. И это придавало мне мужества. Вы выглядели таким... *обычным!* — Она рассмеялась и спросила: — Я допустила бестактность?

— Я вас понимаю, — сказал он. — Когда оказываешься в самой гуще кошмарных событий, единственная надежда — ухватиться за что-нибудь обычное. И вообще обычное — лучше всего. Я всегда так считал.

Она взглянула ему в лицо, и этот взгляд не отозвался в ней болью, как это всегда бывало при взгляде на Родди. Не было той острой смеси щемящей боли и радости. Наоборот, когда она смотрела на Питера Лорда, у нее возникало чувство теплоты и спокойствия.

«Какое же милое у него лицо, — подумала Элинор, — милое и смешное. И такое успокаивающее».

Наконец они остановились у ворот, от которых дорожка вилась вверх по склону к уютному белому домику на холме.

— Здесь вы будете в полной безопасности. Никто не потревожит вас, — сказал Питер Лорд.

Неожиданно для себя она положила руку на его плечо и спросила:

— А вы... вы приедете повидаться со мной?

— Конечно.

— И будете приезжать часто?

— Всякий раз, когда вам захочется меня видеть.

— Пожалуйста, приезжайте... как можно чаще, — сказала Элинор.

Глава 26

— Итак, вы убедились, мой друг, что ложь, которую мне преподносят, не менее полезна, чем правда, — изрек Эркюль Пуаро.

— Вам каждый в чем-нибудь лгал? — спросил Питер Лорд.

— О да! — кивнул Эркюль Пуаро. — По разным причинам, как вы понимаете. Один человек, который обязан был говорить правду, человек очень чуткий и щепетильный в том, что касается правды, — именно этот человек озадачил меня больше всех!

— Сама Элинор, — тихо сказал Питер Лорд.

— Именно так. Все улики подтверждали ее виновность. Однако сама она, при всей ее тонкости и требовательности, ничего не предпринимала, чтобы снять с себя это подозрение. Обвиняя себя если не в содеянном, то в желании это сделать, она была очень близка к тому, чтобы прекратить эту неприятную и унизительную борьбу и признать себя виновной в преступлении, которого не совершала.

— Немыслимо! — воскликнул Питер Лорд.

Пуаро покачал головой.

— Нет, это можно понять. Она сама себе вынесла приговор, потому что предъявляла к себе более высокие требования, чем подавляющее большинство людей.

— Это похоже на нее, — в раздумье сказал Питер Лорд.

Эркюль Пуаро продолжал:

— С самого начала, когда я приступил к своим расследованиям, всегда присутствовала определенная вероятность того, что Элинор Карлайл виновна в преступлении, в котором ее обвиняли. Однако я выполнил свои обязательства перед вами и нашел, что есть достаточные основания, чтобы выдвинуть обвинение против другого лица.

— Сестры Хопкинс?

— Нет, сначала это была не она. Первым, кто привлек мое внимание, был Родерик Уэлмен. В данном случае все также началось со лжи. Он сказал, что уехал из Англии 9 июля и возвратился 1 августа. Однако сестра Хопкинс случайно упомянула, что Мэри Джерард отказывала ему дважды: в Мейденсфорде, а затем, когда она виделась с ним в Лондоне. Вы выяснили для меня, что Мэри Джерард уехала в Лондон 10 июля, то есть *через день* после отъезда Родерика Уэлмена из Англии. Когда же Мэри Джерард разговаривала с Родериком Уэлменом в Лондоне? Я дал задание своему приятелю-взломщику и, ознакомившись с его помощью с паспортом Уэлмена, обнаружил, что в период с 25 по 27 июля он находился в Англии и что *умышленно скрыл этот факт*.

Я никогда не упускал из виду тот отрезок времени, в течение которого бутерброды оставались на блюде в буфетной, тогда как Элинор Карлайл находилась в сторожке. И я все время чувствовал, что в данном случае жертвой должна была бы стать не Мэри, а Элинор. Имелось ли у Родерика Уэлмена основание для убийства Элинор Карлайл? Да, имелось, и весьма существенное. Она написала завещание, оставляя ему все свое состояние, а путем искусных наводящих вопросов мне удалось выяснить, что Родерик Уэлмен мог узнать об этом факте.

— Так почему же вы решили, что он не виновен? — спросил Питер Лорд.

— Из-за того, что мне солгали еще раз! К тому же это была такая мелкая, ненужная ложь! Сестра Хопкинс сказала, что уколола руку о розовый куст и в ранке остался шип. Я осмотрел этот розовый куст, и *шипов на нем не было*. Стало ясно, что сестра Хопкинс солгала, причем ложь казалась настолько никчемной, что это привлекло мое внимание к данной особе.

У меня появились подозрения в отношении сестры Хопкинс. До тех пор она казалась мне вполне надежной свидетельницей, очень последовательной и решительно настроенной против обвиняемой, что естественно объяснялось ее привязанностью к умершей девушке. Однако, обратив внимание на эту глупую, бесцельную ложь, я подверг тщательному анализу поведение сестры Хопкинс и ее свидетельские показания и обнаружил кое-что такое, чего, увы, не заметил раньше. Сестра Хопкинс что-то знала о Мэри Джерард, и ей очень хотелось бы, чтобы это «что-то» стало известно!

Удивленный Питер Лорд сказал:

— Мне казалось, что все было как раз наоборот!

— Внешне это так и выглядело. Ей удалось очень хорошо сыграть роль человека, который что-то знает, но намерен молчать об этом. Однако, тщательно взвесив все, я убедился, что каждое ее слово на эту тему произносилось с диаметрально противоположной целью. Разговор с сестрой О'Брайен подтвердил справедливость моей догадки. Хопкинс весьма умно использовала романтически настроенную сестру О'Брайен, которая даже и не подозревала об этом.

Тогда стало ясно, что сестра Хопкинс ведет свою собственную игру. Я сопоставил эти два случая лжи — ее и Родерика Уэлмена. Может быть, в одном из этих случаев ложь имела какое-то невинное объяснение?

403

В случае Родерика Уэлмена я нашел ответ сразу же. Родерик Уэлмен, несомненно, человек болезненно-самолюбивый. Признание в том, что он не смог выполнить план своего пребывания за границей и был вынужден вернуться, чтобы увидеться с девушкой, которая не хотела иметь с ним дела, сильно уязвило бы его гордость. Поскольку он не находился поблизости от места преступления и ничего не знал об этом, он решил пойти по линии наименьшего сопротивления и избежать неприятностей (что для него весьма характерно!), ничего не сказав о своем поспешном приезде в Англию, и просто сообщил, что вернулся 1 августа, когда получил известие об убийстве.

Что касается лжи сестры Хопкинс, то можно ли было найти для нее какое-нибудь невинное объяснение? Чем больше я размышлял об этом, тем более странным это казалось мне. Зачем было сестре Хопкинс лгать относительно происхождения царапины на запястье? Что означает эта царапина?

Я начал последовательно задавать себе вопросы. Кому принадлежал морфин, который был украден? Сестре Хопкинс. Кто мог ввести этот морфин старой миссис Уэлмен? Сестра Хопкинс. Да, но зачем понадобилось привлекать внимание к факту его пропажи? На этот вопрос можно было бы ответить однозначно только в том случае, если сестра Хопкинс была виновна: потому что убийство... убийство Мэри Джерард было уже спланировано. И был выбран козел отпущения, оставалось только, чтобы этому козлу была *обеспечена возможность заполучить морфин.*

В эту схему укладывались и некоторые другие факты. Анонимное письмо, полученное Элинор. Оно было необходимо, чтобы неприязненно настроить Элинор по отношению к Мэри. Несомненно, предполагалось, что Элинор приедет и будет противостоять влиянию Мэри на миссис Уэлмен. Тот факт, что Родерик Уэлмен безумно влюбился в Мэри, был, конечно, совершенно непредвиденным обстоятельством, однако сестра Хопкинс весьма находчиво им воспользовалась. Для козла отпущения, Элинор, это была готовенькая превосходная мотивировка убийства.

Однако каковы же были *цели* этих двух убийств? Какое основание могло быть у сестры Хопкинс для убийства Мэри Джерард? Тут-то и начал проявляться проблеск света, пока еще весьма смутный. Сестра Хопкинс имела довольно большое *влияние* на Мэри и воспользовалась этим, чтобы заставить девушку *написать завещание*. По этому завещанию сестра Хопкинс ничего не получала. Бенефициаром была тетка Мэри, проживавшая в Новой Зеландии. И тут я вспомнил случайное замечание кого-то из жителей деревни о том, что тетка Мэри работала медицинской сестрой в больнице.

Теперь проблеск света стал значительно ярче. Стала проясняться схема преступления. Следующий шаг было сделать нетрудно. Я еще раз зашел к сестре Хопкинс. Мы оба прекрасно разыграли комедию. Под конец она позволила уломать себя и рассказала то, что намеревалась рассказать уже давно. Она, возможно, немного поторопилась, но уж очень удобный случай ей представился, и она не хотела его упускать. Итак, с мастерски разыгранной неохотой она извлекла письмо. А все дальнейшее, мой друг, уже не было для меня загадкой. Я знал! Это письмо выдавало ее с головой!

— Каким образом? — спросил Питер Лорд, наморщив лоб.

— Mon cher, на конверте была надпись: *«Для Мэри. Переслать ей после моей смерти»*. Но из содержания письма было совершенно ясно, что Мэри Джерард не должна узнать правду. Кое-что говорило также слово «переслать» (а не «передать») на конверте. Письмо было написано не Мэри *Джерард,* а другой Мэри. Элиза Райли написала всю правду своей сестре Мэри *Райли,* которая жила в Новой Зеландии.

И сестра Хопкинс вовсе не нашла это письмо в сторожке после смерти Мэри Джерард. Письмо хранилось у нее в течение многих лет. Она получила его в Новой Зеландии, куда оно было отправлено ей после смерти ее сестры. — Он помолчал. — Когда человек увидел истину глазами своего разума, все остальное уже не составляет труда. Скорость воздушного сообщения позволила присутствовать на процессе свидетельнице, которая хорошо знала Мэри Дрейпер в Новой Зеландии.

— Но, предположим, что вы ошиблись бы и сестра Хопкинс и Мэри Дрейпер оказались бы совершенно разными людьми, что было бы тогда? — спросил Питер Лорд.

Пуаро важно ответил:

— Я никогда не ошибаюсь!

Питер Лорд рассмеялся.

Эркюль Пуаро продолжал:

— Мой друг, у меня теперь имеются кое-какие сведения об этой Мэри Райли, или Дрейпер. Полиции Новой Зеландии не удалось собрать достаточно улик, чтобы предъявить ей обвинение, но там за ней уже велось наблюдение, когда она неожиданно уехала из страны. У нее была одна пациентка, старая леди, которая завещала «дорогой сестре Райли» кругленькую сумму и смерть которой несколько озадачила лечившего ее врача. Муж Мэри Дрейпер застраховал свою жизнь на значительную сумму и подписал страховое свидетельство в пользу жены; смерть его была скоропостижной, и ее причину установить не удалось. К несчастью для нее, он, написав чек на страховую компанию, забыл его отправить. На ее счету, возможно, есть и другие убийства. Совершенно очевидно, что это бессердечная и неразборчивая в средствах особа.

Можно представить себе, какую пищу ее предприимчивому уму дало письмо ее сестры, открывавшее перед ней такие возможности. Когда в Новой Зеландии для нее, как говорится, стало слишком жарко и она не могла там дольше оставаться, она вернулась сюда и снова стала работать медицинской сестрой под фамилией Хопкинс (это имя принадлежало одной из ее бывших коллег, умершей за границей). Ареной деятельности Хопкинс стал Мейденсфорд. Возможно, она попыталась бы прибегнуть к шантажу. Однако старая миссис Уэлмен была не такой женщиной, чтобы позволить себя шантажировать, и сестра Райли, или Хопкинс, весьма разумно отказалась от попытки предпринять что-либо в этом роде.

Несомненно, она навела справки и обнаружила, что миссис Уэлмен была очень богатой женщиной, а какое-нибудь слово, случайно оброненное миссис Уэлмен, подсказало ей, что старая леди не написала завещания. Поэтому в тот июньский вечер, когда сестра О'Брайен рассказала своей коллеге о том, что миссис Уэлмен просила пригласить к ней поверенного, Хопкинс не стала терять времени даром. Миссис Уэлмен должна была умереть, не оставив завещания, с тем чтобы ее незаконнорожденная дочь могла унаследовать ее деньги. К тому времени Хопкинс уже подружилась с Мэри Джерард и оказывала довольно сильное влияние на девушку. Теперь ей оставалось лишь убедить Мэри написать завещание и оставить все свое состояние сестре матери; Хопкинс сама очень тщательно проконтролировала формулировку этого завещания. Там не указывалась степень родства с Мэри, а было лишь написано: «Мэри Райли, сестре покойной Элизы Райли». Как только завещание было написано, Мэри была обречена. Хопкинс оставалось лишь подождать подходящего случая. Предполагаю, что эта особа уже спланировала способ убийства, включая использование апоморфина, чтобы обеспечить себе алиби. Возможно, она предполагала каким-то образом заманить Элинор в свой коттедж, но когда Элинор пришла в сторожку и пригласила их обеих к себе на бутерброды, Хопкинс сразу же смекнула, что ей представился исключительно удобный случай. Обстоятельства складывались так, что Элинор была бы практически неминуемо приговорена.

Питер Лорд медленно проговорил:

— Если бы не вы, она и была бы приговорена.

Эркюль Пуаро быстро возразил:

— Нет, мой друг, это вас она должна благодарить за спасение своей жизни.

— Меня? Но я не сделал ничего. Я пытался...

Он внезапно замолчал. Пуаро чуть заметно улыбнулся.

— Mais oui[1], вы очень старались, не так ли? Вы были очень нетерпеливы, потому что вам казалось, что дело не двигается с места. И к тому же вы боялись, что она все-таки окажется виновной. А поэтому вы со страшной наглостью лгали мне! Но, mon cher, вы лгали не очень искусно. В дальнейшем я вам рекомендую ограничиться лечением кори и коклюша и оставить в покое расследование преступлений.

Питер Лорд покраснел.

— Так вы знали об этом... с самого начала? — пробормотал он.

Пуаро сурово сказал:

— Вы привели меня за руку к просвету в кустах и помогли мне найти там немецкий спичечный коробок, который только что сами туда положили! C'est enfantillage![2]

Питер Лорд заморгал.

— Не сыпьте соль на рану! — простонал он.

Пуаро продолжал:

— Вы вступили в разговор с садовником и подвели его к тому, чтобы он сказал, что видел вашу машину у ворот, но потом вдруг изменили тактику и сделали вид, что это была вовсе не ваша машина. В довершение всего вы просто гипнотизировали меня взглядом, внушая, что какой-то незнакомец, должно быть, приезжал туда в то утро!

— Я вел себя как последний осел, — сказал Питер Лорд.

— А что вы делали в Хантербери в то утро?

Питер Лорд покраснел.

— Это был просто идиотский поступок. Я... услышал, что она приехала. Пошел к дому в надежде уви-

---

[1] Да, конечно *(фр.)*.
[2] Какое ребячество! *(фр.)*

деть ее. Я не собирался говорить с нею. Я... просто хотел увидеть ее. И с тропинки в кустах видел, как она нарезала хлеб в буфетной и мазала его маслом...

— Ну просто Шарлотта и поэт Вертер! Продолжайте, мой друг.

— Больше мне не о чем рассказывать. Я просто забрался в кусты и наблюдал за ней, пока она не ушла.

— Вы полюбили Элинор Карлайл с первого взгляда? — мягко спросил Пуаро.

— Думаю, что да.

Некоторое время они молчали. Потом Питер Лорд сказал:

— Ну, я надеюсь, что они с Родериком Уэлменом будут жить долго и счастливо.

— Мой друг, вы вовсе не надеетесь ни на что подобное! — заявил Пуаро.

— Почему вы так думаете? Она простит ему всю эту историю с Мэри Джерард. По правде говоря, с его стороны это было всего лишь сумасбродное увлечение.

— Надо смотреть глубже. Иногда жизнь складывается так, что между прошлым и будущим образуется глубокая пропасть. Когда человек прогулялся по долине смерти и возвратился туда, где светит солнце, он, mon cher, начинает жить заново. То, что было в прошлом, уже не удовлетворит его. — Он помолчал минутку, а затем продолжил: — Для Элинор Карлайл сейчас начинается новая жизнь, которую подарили ей вы, и никто иной.

— Нет.

— Да. Именно ваша напористость, ваша самонадеянная настойчивость заставила меня сделать то, о чем вы просили. Признайтесь же, разве не к вам она обратилась со словами благодарности?

Питер Лорд сказал задумчиво:

— Да, сейчас она испытывает благодарность... Она даже просила меня приезжать к ней как можно чаще...

— Конечно, потому что вы ей нужны!

— Но не так, как нужен он! — раздраженно воскликнул Питер Лорд.

Эркюль Пуаро покачал головой.

— Она никогда *не нуждалась* в Родерике Уэлмене. Она, конечно, любила его, со страданием, даже с отчаянием.

Лицо Питера Лорда стало суровым и мрачным.

— Меня она никогда так не полюбит, — сдавленным голосом произнес он.

— Возможно, так и не полюбит, — мягко произнес Пуаро. — Но вы ей нужны, мой друг, потому что только с вами она сможет начать свою жизнь сначала.

Питер Лорд промолчал.

Пуаро, голос которого стал очень добрым, произнес:

— Почему бы вам не посмотреть правде в глаза? Да, она любила Родерика Уэлмена. И что из этого? С вами же она *сможет стать счастливой*.

Хикори-дикори

Роман

Hickory, Dickory, Dock

Глава 1

Эркюль Пуаро не верил своим глазам: мисс Лемон, первоклассный секретарь, никогда не делала ошибок. Она никогда не болела, не уставала, всегда отличалась бодростью и собранностью. В ней не чувствовалось ни капли женственности. Это был прекрасно отлаженный механизм, идеальный секретарь. Мисс Лемон все на свете знала и все умела. Она и жизнь Эркюля Пуаро сумела наладить так, что все в ней шло гладко и без перебоев. Его девизом вот уже много лет служили слова «Порядок и метод». Благодаря идеальному слуге Джорджу и мисс Лемон, идеальному секретарю, в жизни Пуаро царил полный порядок. Все шло как по маслу и жаловаться было не на что.

И однако сегодня утром мисс Лемон сделала в самом обыкновенном письме три ошибки и, больше того, ничего не заметила! Это было как гром среди ясного неба.

— Мисс Лемон! — сказал Пуаро.

— Да, мсье Пуаро?

— В этом письме три ошибки.

Эркюль Пуаро протянул секретарю злополучное письмо. Он был настолько изумлен, что даже не мог сердиться. Невероятно, совершенно невероятно — но факт!

Мисс Лемон взяла бумажку и пробежала ее глазами. Впервые в жизни Пуаро увидел, как она покраснела:

зарделась до кончиков седых жестких волос, и румянец оказался ей совсем не к лицу.

— Боже мой! — воскликнула она. — Как же я умудрилась!.. Хотя... я знаю, в чем дело. Виновата моя сестра.

— Ваша сестра?

Новость за новостью. Пуаро даже в голову не приходило, что у мисс Лемон есть сестра. Равно как отец, мать и прочие родственники. Мисс Лемон была настолько похожа на автомат, что сама мысль о проявлении ею обычных человеческих эмоций казалась нелепой. Окружающие знали, что в свободное от работы время мисс Лемон предается разработке новой картотеки; она собиралась запатентовать это изобретение и таким образом увековечить свое имя.

— Ваша сестра? — недоверчиво переспросил Эркюль Пуаро.

— Да, — решительно подтвердила мисс Лемон. — По-моему, я никогда вам про нее не рассказывала. Она почти всю жизнь прожила в Сингапуре. Ее муж торговал каучуком...

Эркюль Пуаро понимающе закивал. Ему показалось вполне естественным, что сестра мисс Лемон провела большую часть жизни в Сингапуре. Для нее это вполне подходящее место. Сестры таких женщин, как мисс Лемон, частенько выходят замуж за сингапурских бизнесменов, чтобы дать возможность своим родственникам превратиться в роботов, которые верой и правдой служат хозяевам (а в часы досуга занимаются изобретением всяких картотек).

— Понятно, — сказал Пуаро. — Продолжайте.

И мисс Лемон продолжила свой рассказ:

— Четыре года тому назад она овдовела. Детей у нее нет. Вот я и присмотрела для нее уютную маленькую квартирку, за вполне умеренную плату... — (Мисс Лемон, естественно, была по плечу даже эта, практически неразрешимая, задача.) — Сестра моя неплохо обеспечена... правда, деньги сейчас обесценились, но запросы у нее небольшие, и, ведя хозяйство с умом, она вполне может прожить безбедно. — Помолчав, мисс Лемон стала рассказывать дальше. — Но ее тяготило одиночество. Англия ей чужда: у нее тут ни друзей, ни приятелей, да и заняться особо нечем. В общем, примерно полгода назад она сказала мне, что подумывает о работе.

— О работе?

— Ну да, ей предложили место экономки в студенческом пансионате. Хозяйка его, кажется наполовину гречанка, хотела нанять женщину, чтобы та вела хозяйство и управляла делами. Пансионат находится в старом доходном доме на Хикори-роуд. Вы, наверное, знаете.

Однако Пуаро не слышал о такой улице.

— Некогда это был весьма фешенебельный район, и дома там очень хорошие. Условия сестре создавали прекрасные: она получала спальню, гостиную и маленькую отдельную кухню.

Мисс Лемон опять умолкла.

— Так-так, — ободряюще сказал Пуаро, призывая ее продолжать. Впрочем, пока он не видел в ее рассказе ничего ужасного.

— У меня были сомнения, но сестра меня в конце концов убедила. Она не привыкла сидеть сложа руки, женщина она очень практичная и хозяйственная. Да и потом, она же не собиралась вкладывать туда свои капиталы. Это была работа по найму; денег, правда, больших ей платить не собирались, но она в них и не нуждалась, а работа казалась нетрудной. Ее всегда тянуло к молодежи, она понимала ее проблемы, а прожив столько лет на Востоке, разбиралась в национальной психологии и умела найти подход к иностранцам. Ведь в пансионате живут студенты из самых разных стран; большинство, конечно, англичане, но есть даже негры!

— Вот как! — сказал Эркюль Пуаро.

— Говорят, сейчас добрая половина нянечек в больницах — негритянки, и, насколько я знаю, они гораздо приятнее и внимательнее англичанок, — неуверенно произнесла мисс Лемон. — Но я отвлеклась. Мы обсудили ее план, и сестра устроилась на работу. Нам обеим не было дела до хозяйки. Миссис Николетис — женщина неуравновешенная; порою она бывает обворожительной, а иногда — увы! — совсем наоборот. То из нее денег клещами не вытянешь, а то она их буквально швыряет на ветер. Впрочем, будь она в состоянии сама вести свои дела, ей не понадобилась бы экономка. Сестра же моя не выносит капризов и не терпит, когда на ней срывают зло. Она — человек очень сдержанный.

Пуаро кивнул. В этом отношении сестра, вероятно, напоминала саму мисс Лемон, только помягче, конечно, — замужество, сингапурский климат сыграли свою роль, — однако явно столь же здравомыслящая.

— Стало быть, ваша сестра устроилась на работу? — спросил он.

— Да, она переехала на Хикори-роуд где-то полгода назад. Работа ей в общем-то нравилась, ей было интересно.

Эркюль Пуаро внимательно слушал, но история по-прежнему выглядела довольно скучно.

— Однако теперь она страшно обеспокоена. Просто места себе не находит.

— Почему?

— Видите ли, мсье Пуаро, ей не нравится, что там творится.

— А пансионат мужской или смешанный? — деликатно осведомился Пуаро.

— Ах, что вы, мсье Пуаро! Я совсем не это имела в виду. К трудностям такого рода она была готова, это естественно. Но понимаете, там начали пропадать вещи.

— Пропадать?

— Да. Причем вещи какие-то странные... И все так ненормально...

— Вы хотите сказать, что их крадут?

— Ну да.

— А полицию вызывали?

— Нет. Пока еще нет. Сестра надеется, что до этого не дойдет. Она так любит своих ребят... по крайней мере, некоторых... и ей хотелось бы уладить все тихо, так сказать, по-семейному.

— Что ж, — задумчиво произнес Пуаро, — я с ней согласен. Но мне непонятно, почему вы-то нервничаете? Из-за сестры, да?

— Не нравится мне это, мсье Пуаро. Совсем не нравится. Я не понимаю, что там происходит. Я не могу найти этому сколько-нибудь разумного объяснения, а ведь во всем должна быть своя логика.

Пуаро задумчиво кивнул.

Мисс Лемон всегда страдала отсутствием воображения, но логика у нее была.

— Может, это самое обычное воровство? Вдруг кто-нибудь из студентов страдает клептоманией?

— Сомневаюсь. Я прочитала статью о клептомании в «Британской энциклопедии» и в одной медицинской книге, — ответила мисс Лемон, бывшая на редкость добросовестным человеком, — по-моему, дело не в этом.

Эркюль Пуаро немного помолчал. Конечно, ему не хотелось забивать себе голову проблемами сестры мисс Лемон и копаться в страстях, разгоревшихся в многоязыковом пансионате. Но с другой стороны, его не устраивало, что мисс Лемон будет с ошибками печатать его письма. Поэтому он решил, что если и возьмется за расследование, то лишь для сохранения собственного спокойствия. В действительности же ему не хотелось признаваться, что в последнее время он как-то заскучал и готов был ухватиться за самое тривиальное дело.

— Вы не возражаете, мисс Лемон, — церемонно спросил Эркюль Пуаро, — если мы пригласим сюда завтра вашу сестру... скажем, на чашку чая? Вдруг я смогу ей чем-нибудь помочь?

— Вы так добры, мсье Пуаро! Мне, право, даже неловко! Сестра после обеда всегда свободна.

— Значит, договариваемся на завтра.

И Пуаро, не откладывая в долгий ящик, приказал верному Джорджу испечь к завтрашнему дню квадратные пышки, щедро политые маслом, приготовить аккуратные сандвичи и прочие лакомства, без которых не обходится ни одна английская чайная церемония.

Глава 2

Сходство между сестрами было поразительное. Правда, миссис Хаббард казалась более женственной, смуглой, пышной, носила не такую строгую прическу, но взгляд у этой круглолицей миловидной дамы был точь-в-точь таким же, каким буравила собеседника сквозь пенсне мисс Лемон.

— Вы очень любезны, мсье Пуаро, — сказала миссис Хаббард. — Просто очень. И чай у вас восхитительный. Я, правда, сыта, если не сказать больше, но еще от одного сандвича... Но только одного... пожалуй, не откажусь. Чаю? Ну, разве что полчашечки.

— Давайте допьем, — сказал Пуаро, — и приступим к делу.

Он приветливо улыбнулся и покрутил усы, а миссис Хаббард сказала:

— Знаете, а я именно таким вас и представляла по рассказам Фелисити.

Пуаро удивленно раскрыл рот, но, вовремя сообразив, что так зовут суровую мисс Лемон, ответил, что он ничуть не удивлен, мисс Лемон всегда точна в описаниях.

— Конечно, — рассеянно произнесла миссис Хаббард, потянувшись за очередным сандвичем. — Но Фелисити всегда была равнодушна к людям. А я — наоборот. Поэтому я сейчас так и волнуюсь.

— А вы можете объяснить, что вас конкретно волнует?

— Могу. Понимаете, если бы пропадали деньги... по мелочам... я бы не удивлялась. Или, скажем, украшения... это тоже вполне нормально... то есть для меня, конечно, ненормально, но для клептоманов или бесчестных людей вполне допустимо. Однако все не так просто. Я вам сейчас покажу список пропавших вещей, у меня все записано.

Миссис Хаббард открыла сумочку и, достав маленький блокнотик, начала читать:

«1. Выходная туфля (из новой пары).
  2. Браслет (дешевенький).
  3. Кольцо с бриллиантом (впоследствии найдено в тарелке с супом).
  4. Компактная пудра.
  5. Губная помада.
  6. Стетоскоп.
  7. Серьги.
  8. Зажигалка.
  9. Старые фланелевые брюки.
10. Электрические лампочки.
11. Коробка шоколадных конфет.
12. Шелковый шарф (найден разрезанным на куски).
13. Рюкзак (то же самое).
14. Борная кислота (порошок).
15. Морская соль.
16. Поваренная книга».

Эркюль Пуаро слушал затаив дыхание.

— Великолепно! — воскликнул он. — Да это просто сказка! — В восторге он перевел взгляд с сурового лица неодобрительно глядевшей на него мисс Лемон на добрую, расстроенную миссис Хаббард. — Я вас поздравляю, — сказал он от всей души.

— Но с чем, мсье Пуаро? — удивилась она.

— С прекрасной, уникальной в своем роде головоломкой.

— Не знаю, может быть, вы, мсье Пуаро, уловили в этом какой-нибудь смысл, но...

— Нет, это сплошная бессмыслица. Больше всего она напоминает игру, в которую меня втянули мои юные друзья на рождественские праздники. Кажется, она называлась «Три рогатые дамы». Каждый по очереди произносил: «Я ездил в Париж и купил...» — и прибавлял название какой-нибудь вещи. Следующий повторял его слова, добавляя что-то от себя. Выигрывал тот, кто без запинки повторял список, а вещи в нем встречались самые странные и нелепые, к примеру, там был кусок мыла, белый слон, стол с откидной крышкой, определенный вид уток. Вся трудность запоминания состоит в том, что предметы абсолютно не связаны между собой, это просто набор слов. Так же, как в вашем списке. Когда список достигал, скажем, двенадцати наименований, запомнить их в нужном порядке становилось почти невозможно. Проигравший получал бумажный рожок и в дальнейшем должен был говорить: «Я, рогатая дама, ездила в Париж» — и так далее. Получив три рожка, человек выбывал из игры. Победителем считался тот, кто оставался последним.

— Ручаюсь, что вы-то и вышли победителем, мсье Пуаро, — сказала мисс Лемон. Преданная секретарша безгранично верила в способности начальника.

Пуаро просиял:

— Вы угадали. Даже в самом странном наборе слов можно увидеть скрытый смысл, нужно только пофантазировать и попытаться связать воедино разрозненные предметы. Например, сказать себе так: «Этим мылом я мыл большого белого мраморного слона, который стоит на столе с откидной крышкой» — и так далее.

— Наверное, вы могли бы проделать нечто подобное и с моим списком? — В голосе миссис Хаббард звучало уважение.

— Безусловно. Дама в туфле на правую ногу надевает браслет на левую руку. Потом она пудрится, красит губы, идет обедать и роняет кольцо в тарелку с супом. Видите, я вполне могу запомнить ваш список. Однако нас интересует совсем другое. Почему украдены столь разные предметы? Есть ли между ними какая-то связь? Может, вор страдает какой-то манией? Первый этап нашей работы — аналитический. Мы должны тщательно проанализировать список.

Пуаро углубился в чтение, в комнате воцарилась тишина. Миссис Хаббард впилась в него взглядом, как ребенок, который глядит на фокусника, ожидая, что из его шляпы появится кролик или, по крайней мере, ворох разноцветных лент. Мисс Лемон же бесстрастно уставилась в одну точку — наверное, предаваясь размышлениям о своей картотеке.

Когда Пуаро наконец нарушил молчание, миссис Хаббард даже вздрогнула.

— Прежде всего мне бросилось в глаза, — сказал Пуаро, — что, как правило, пропадали недорогие вещи, порой сущие пустяки. Исключение составляют лишь стетоскоп и бриллиантовое кольцо. О стетоскопе пока говорить не будем, в данный момент меня интересует кольцо. Вы думаете, оно дорогое?

— Точно не знаю, мсье Пуаро. Там был один большой бриллиант и мелкая осыпь сверху и снизу. Насколько я понимаю, кольцо досталось мисс Лейн от матери. Она очень переживала из-за его пропажи, и все мы вздохнули с облегчением, когда оно нашлось в тарелке мисс Хобхауз. Мы решили, что это дурная шутка.

— И вполне возможно, так оно и было. На мой взгляд, кража и возвращение кольца весьма симптоматичны. Ведь из-за пропажи губной помады, компактной пудры или книги никто не будет обращаться в полицию. А из-за дорогого бриллиантового колечка будут. Дело, без сомнения, должно было дойти до полиции, и поэтому кольцо вернули.

— Но зачем же красть, если все равно придется отдавать? — наморщила лоб мисс Лемон.

— Действительно, — сказал Пуаро, — зачем? Однако сейчас мы не будем заострять на этом внимание. Я хочу как-то упорядочить пропавшие вещи, и кольцо в моем списке занимает первое место. Что собой представляет его хозяйка, мисс Лейн?

— Патрисия Лейн? Она очень милая девушка, пишет какой-то диплом... по истории или археологии... не помню.

— Она из богатой семьи?

— О нет. Денег у нее мало, но одевается она очень опрятно. Кольцо, как я говорила, принадлежало ее матери. У нее есть еще пара украшений, но вообще гардероб у нее небогатый, и в последнее время она даже бросила курить. Из экономии.

— Опишите мне ее, пожалуйста.

— Это вполне заурядная девушка, так сказать, ни то ни се. Аккуратная. Спокойная, воспитанная, но в ней нет изюминки. Она просто хорошая, порядочная девушка.

— Кольцо оказалось в тарелке мисс Хобхауз. Что собой представляет эта девушка?

— Валери? Смуглая, темноволосая. Умная, остра на язык. Работает в салоне красоты «Сабрина Фер», вы, наверное, знаете.

— А они дружат?

Миссис Хаббард задумалась.

— Пожалуй, да. Хотя у них мало общего. Впрочем, Патрисия со всеми ладит, однако не пользуется особой популярностью. А у Валери Хобхауз есть и враги, нельзя ведь безнаказанно смеяться над людьми, но есть и поклонники.

— Понятно, — сказал Пуаро.

Значит, Патрисия Лейн — девушка милая, но заурядная, а Валери Хобхауз — яркая личность... Он подвел итог размышлениям:

— Особенно интересен, на мой взгляд, диапазон пропаж. Есть мелочи, скажем: губная помада, бижутерия, компактная пудра... сюда же можно отнести и морскую соль, коробку конфет. На них вполне может польститься кокетливая, но бедная девушка. Но зачем ей стетоскоп? Его скорее украл бы мужчина, украл, чтобы продать или заложить в ломбард. Чей это стетоскоп?

— Мистера Бейтсона... это такой рослый добродушный юноша.

— Он изучает медицину?

— Да.

— А он очень рассердился, узнав о пропаже?

— Он был вне себя от бешенства, мсье Пуаро. Он — человек вспыльчивый и в минуты гнева способен наговорить кучу дерзостей, но потом быстро остывает. Он не может относиться спокойно к тому, что крадут его вещи.

— А неужели кто-нибудь может?

— Ну, как сказать... У нас живет мистер Гопал Рама, из Индии. Его ничем не проймешь. Он только улыбается, машет рукой и говорит, что материальное не представляет никакой ценности.

— А у него что-нибудь украли?

— Нет.

— Понятно. А кому принадлежали фланелевые брюки?

— Мистеру Макнабу. Они были очень ветхие, и все считали, что пора их выбросить, но мистер Макнаб очень привязан к своим старым вещам и никогда ничего не выбрасывает.

— Ну, вот мы и добрались до второго пункта моей классификации — до вещей, которые, по идее, не представляют для вора никакой ценности: старых фланелевых брюк, электрических лампочек, борной кислоты, морской соли... да, чуть не забыл поваренную книгу. Конечно, кто-нибудь и на них может польститься, но маловероятно. Кислоту, скорее всего, взяли по ошибке; лампочку, наверное, хотели вкрутить вместо перегоревшей, да позабыли... поваренную книгу могли взять почитать и, так сказать, «заиграли». Брюки могла взять уборщица.

— У нас две уборщицы, и обе — женщины очень честные. Я уверена, что они ничего не возьмут без спросу.

— Не буду спорить. Да, чуть не забыл про выходные туфли, вернее, про одну туфлю, из новой пары. Чьи они были?

— Салли Финч. Она из Америки, фулбрайтовская стипендиатка.

— А может, она куда-нибудь ее засунула и забыла? Ума не приложу, зачем кому-то понадобилась одна туфля.

— Нет, мы обыскали весь дом, мсье Пуаро. Понимаете, мисс Финч тогда собиралась в гости. Она надела вечерний туалет, и пропажа оказалась для нее настоящей трагедией — ведь других выходных туфель у неё нет.

— Значит, она была огорчена и раздосадована... М-да, возможно, все не так просто...

Помолчав немного, он заговорил вновь:

— У нас остались два последних пункта: разрезанный на куски рюкзак и шарф в столь же плачевном состоянии. Это явно сделано из мести, иначе объяснить нельзя. Кому принадлежал рюкзак?

— Рюкзаки есть почти у всех студентов; ребята часто путешествуют автостопом. И у многих рюкзаки одинаковы, из одного и того же магазина, и их трудно различить. Этот рюкзак принадлежал либо Леонарду Бейтсону, либо Колину Макнабу.

— А кто хозяйка шелкового шарфа, который тоже был разрезан на куски?

— Валери Хобхауз. Ей подарили его на Рождество; шарф был красивый, дорогой, изумрудно-зеленого цвета.

— Ага... Валери Хобхауз...

Пуаро закрыл глаза. Перед его мысленным взором проносился настоящий калейдоскоп вещей. Клочья шарфов и рюкзаков, поваренная книга, губная помада, соль для ванны, имена и беглые описания студентов. Нечто бессвязное, бесформенное. Странные происшествия и случайные люди. Но Пуаро прекрасно знал, что какая-то связь между ними существует. Может быть, каждый раз, встряхнув калейдоскоп, он будет получать разные картинки. Но одна из картинок непременно окажется верной... Вопрос в том, с чего начать...

Он открыл глаза:

— Мне надо подумать. Собраться с мыслями.

— Конечно, конечно, мсье Пуаро, — закивала миссис Хаббард. — Поверьте, мне так неловко причинять вам беспокойство!

— Никакого беспокойства вы мне не причиняете. Мне самому интересно. Но пока я буду думать, мы должны начать действовать. С чего? Ну, скажем... с туфельки, с вечерней туфельки. Да-да! С нее-то мы и начнем. Мисс Лемон!

— Я вас слушаю, мсье Пуаро! — Мисс Лемон тут же оторвалась от размышлений о своей картотеке, еще больше выпрямилась и механически потянулась за блокнотом и ручкой.

— Мисс Лемон постарается раздобыть оставшуюся туфлю. Вы пойдете на Бейкер-стрит, в бюро находок. Когда была потеряна туфля?

Миссис Хаббард подумала и ответила:

— Я точно не помню, мсье Пуаро. Месяца два назад. Но я узнаю у самой Салли Финч.

— Хорошо. — Он опять повернулся к мисс Лемон. — Отвечайте уклончиво. Скажите, что вы забыли туфлю в электричке — это больше всего похоже на правду — или в автобусе. Сколько автобусов ходит в районе Хикорироуд?

— Всего два.

— Хорошо. Если на Бейкер-стрит вам ничего не скажут, обратитесь в Скотленд-Ярд и скажите, что вы оставили ее в такси.

— Не в Скотленд-Ярд, а в бюро Лэмбет, — с деловым видом поправила его мисс Лемон.

Пуаро развел руками: «Вам виднее».

— Но почему вам кажется... — начала миссис Хаббард.

Пуаро не дал ей договорить:

— Давайте подождем, что ответят в бюро находок. Потом мы с вами, миссис Хаббард, решим, как быть дальше. Тогда вы подробно опишете мне ситуацию.

— Но уверяю вас, я вам все рассказала!

— О нет, позвольте с вами не согласиться. Люди в доме живут разные. *А* любит *В*, *В* любит *С*, а *Д* и *Е*, возможно, заклятые враги на почве ревности к *А*. Именно это меня будет интересовать. Чувства, переживания. Ссоры, конфликты, кто с кем дружит, кто кого ненавидит, всякие человеческие слабости.

— Поверьте, — натянуто произнесла миссис Хаббард, — я ничего такого не знаю. Я в такие дела не вмешиваюсь. Я просто веду хозяйство, обеспечиваю провизией...

— Но вам же небезразличны люди! Вы сами мне об этом говорили. Вы любите молодежь. И на работу пошли не ради денег, а для того, чтобы общаться с людьми. В пансионате есть студенты, которые вам симпатичны, а есть и такие, которые вам не очень нравятся, а может, и вовсе не нравятся. Вы должны рассказать мне об этом и вы расскажете! Ведь у вас на душе тревожно... причем вовсе не из-за пропавших вещей; вы вполне могли заявить о них в полицию.

— Что вы, миссис Николетис наверняка не захотела бы обращаться в полицию.

Пуаро продолжал, как бы не слыша:

— Но вас беспокоят не вещи, вы боитесь за человека! Да-да, именно за человека, которого считаете виновником или по крайней мере соучастником краж. Значит, этот человек вам дорог.

— Вы шутите, мсье Пуаро!

— Нисколько, и вы это знаете. Больше того, я считаю вашу тревогу обоснованной. Изрезанный шарф выглядит довольно зловеще. И рюкзак тоже. Все остальное может быть чистым ребячеством, но я в этом не уверен. Совсем не уверен!

Глава 3

Слегка запыхавшись, миссис Хаббард поднялась по лестнице дома номер 26 на Хикори-роуд и только было собралась открыть ключом свою квартиру, как входная дверь распахнулась, и по лестнице взлетел рослый огненно-рыжий юноша.

— Привет, ма! — сказал Лен Бейтсон (уж такая у него была манера называть миссис Хаббард). Этот добродушный юноша говорил на кокни[1] и, к счастью, был начисто лишен комплекса неполноценности. — Вы из города? Ходили прошвырнуться?

— Я была приглашена на чай, мистер Бейтсон. Пожалуйста, не задерживайте меня, я спешу.

— Какой замечательный труп я сегодня анатомировал! — сказал Лен. — Просто прелесть.

— До чего же вы гадкий, Лен! Разве можно так говорить? Прелестный труп... Боже мой! Меня даже замутило.

Лен Бейтсон захохотал так, что в холле задрожали стены.

— Селии ни слова, — сказал он. — Я проходил тут мимо аптеки и заглянул к ней. «Зашел, — говорю, — рассказать о покойнике». А она побледнела как полотно, и мне показалось, что она сейчас грохнется в обморок. Как вы думаете, почему, мама Хаббард?

— Ничего удивительного, — произнесла миссис Хаббард. — Вы кого угодно доконаете. Селия, наверное, подумала, что вы говорите о настоящем покойнике.

— То есть как о «настоящем»? А трупы в нашей анатомичке, по-вашему, что, синтетические?

Справа распахнули дверь, и выглянувший из комнаты длинноволосый, лохматый юнец ворчливо произнес:

— А, это ты! А я подумал, у нас тут вавилонское столпотворение, столько от тебя шума!

— Надеюсь, тебе это не действует на нервы?

— Не больше, чем обычно, — сказал Нигель Чэпмен и скрылся в комнате.

— Наше нежное создание! — насмешливо воскликнул Лен.

— Ради Бога, не задирайтесь! — попыталась его утихомирить миссис Хаббард. — Я люблю, когда люди в хорошем настроении и не ссорятся по пустякам.

Молодой великан с ласковой ухмылкой взглянул на нее с высоты своего роста:

---

[1] К о к н и — диалект, на котором говорят представители низших социальных слоев Лондона.

— Да плевать мне на Нигеля, ма.

В этот момент на лестнице показалась девушка:

— Миссис Хаббард, вас срочно разыскивает миссис Николетис. Она в своей комнате.

Миссис Хаббард вздохнула и пошла наверх. Высокая смуглая девушка, передавшая распоряжение хозяйки, отступила к стене, давая ей проход.

Лен Бейтсон спросил, снимая плащ:

— В чем дело, Валери? Мама Хаббард пошла жаловаться на наше поведение?

Девушка передернула худенькими точеными плечиками, спустилась вниз и пошла через холл.

— Это все больше походит на сумасшедший дом, — бросила она через плечо. Она двигалась с ленивой, вызывающей грацией манекенщицы.

Дом номер 26 на Хикори-роуд состоял на самом деле из двух корпусов. Они соединялись одноэтажной пристройкой, где помещались общая гостиная и большая столовая, а подальше находились две раздевалки и маленький кабинет. В каждую половину дома вела своя лестница. Девушки жили в правом крыле, а юноши — в левом, оно-то и было раньше отдельным домом.

Поднимаясь по лестнице, миссис Хаббард расстегнула воротник пальто. Вздохнув еще раз, она направилась в комнату миссис Николетис.

— Опять, наверное, не в духе, — пробормотала миссис Хаббард, постучалась и вошла.

В гостиной миссис Николетис было очень жарко. Электрокамин работал на полную мощность. Миссис Николетис, дородная смуглая женщина, все еще привлекательная, с огромными карими глазами и капризным ртом, курила, сидя на диване и облокотившись на грязноватые шелковые и бархатные подушки.

— А... Наконец-то! — Тон ее был прямо-таки прокурорским.

Миссис Хаббард, как истинная сестра мисс Лемон, и бровью не повела.

— Да, — отрывисто сказала она. — Вот и я. Мне доложили, что вы меня искали.

— Конечно искала. Ведь это чудовищно, просто чудовищно!

— Что чудовищно?

— Счета! Счета, которые мне из-за вас предъявляют! — Миссис Николетис, как заправский фокусник, достала из-под подушки кипу бумаг. — Мы что, гусиными печенками и перепелами кормим этих мерзавцев? У нас тут шикарный отель? Кем себя считают эти студентишки?

— Молодыми людьми с хорошим аппетитом, — ответила миссис Хаббард. — Мы им подаем завтрак и скромный ужин, пища простая, но питательная. Мы ведем хозяйство очень экономно.

— Экономно? Экономно?! И вы еще смеете так говорить? Я вот-вот разорюсь!

— Неправда, вы в накладе не остаетесь, миссис Николетис. Цены у вас высокие, и далеко не всякий студент может позволить себе здесь поселиться.

— Однако комнаты у меня не пустуют. У меня по три кандидата на место! И студентов направляют отовсюду, даже из посольств! Три кандидата на одну комнату — такое еще поискать надо!

— А ведь студенты к вам стремятся еще и потому, что здесь вкусно и сытно кормят. Молодым людям надо хорошо питаться.

— Ишь, чего захотели! А я, значит, оплачивай их жуткие счета?! А все кухарка с мужем, проклятые итальяшки! Они вас нагло обманывают.

— Что вы, миссис Николетис! Еще не родился такой иностранец, которому удастся обвести меня вокруг пальца!

— Тогда, значит, вы сами меня обворовываете.

Миссис Хаббард опять и бровью не повела.

— Вам следует поосторожнее выбирать выражения, — сказала она тоном старой нянюшки, журящей своих питомцев за особенно дерзкую проделку. — Так нельзя разговаривать с людьми, это может плохо кончиться.

— Боже мой! — Миссис Николетис театральным жестом швырнула счета в воздух, и они разлетелись по всей комнате. Миссис Хаббард, поджав губы, наклонилась и собрала бумажки.

— Вы меня бесите! — крикнула хозяйка.

— Возможно, но тем хуже для вас, — ответила миссис Хаббард. — Не стоит волноваться, от этого повышается давление.

— Но вы же не станете отрицать, что на этой неделе у нас перерасход?

— Разумеется. На этой неделе Люмпсон продавал продукты по дешевке, и я решила, что нельзя упускать такую возможность. Зато на следующей неделе расходов будет гораздо меньше.

Миссис Николетис надулась:

— Вы всегда выкрутитесь.

— Ну вот. — Миссис Хаббард положила аккуратную стопку счетов на стол. — О чем вы еще хотели со мной побеседовать?

— Салли Финч, американка, собирается от нас съехать. А я не хочу. Она ведь фулбрайтовская стипендиатка и может создать нам рекламу среди своих товарищей. Надо убедить ее остаться.

— А почему она собралась съезжать?

Миссис Николетис передернула могучими плечами:

— Охота мне забивать голову всякими глупостями! Во всяком случае, это были отговорки. Можете мне поверить. Я прекрасно чувствую, когда со мной неискренни.

Миссис Хаббард задумчиво кивнула. Тут она вполне соглашалась с миссис Николетис.

— Салли ничего мне не говорила, — ответила она.

— Но вы постараетесь ее убедить?

— Конечно.

— Да, если весь сыр-бор из-за цветных, индусов этих, негритосов... то лучше пусть они убираются. Все до единого! Американцы цветных не любят, а для меня гораздо важнее хорошая репутация моего пансионата среди американцев, а не среди всякого сброда. — Она театрально взмахнула рукой.

— Пока я здесь работаю, я не допущу расизма, — холодно возразила миссис Хаббард. — Тем более, что вы ошибаетесь. Наши студенты совсем не такие, и Салли, разумеется, тоже. Она частенько обедает с мистером Акибомбо, а он просто иссиня-черный.

— Тогда ей не нравятся коммунисты, вы знаете, как американцы относятся к коммунистам. А Нигель Чэпмен — стопроцентный коммунист!

— Сомневаюсь.

— Нечего сомневаться! Послушали бы вы, что он нес вчера вечером!

— Нигель может сказать что угодно, лишь бы досадить людям. Это его большой недостаток.

— Вы их так хорошо знаете! Миссис Хаббард, дорогая, вы просто прелесть! Я все время твержу себе: что бы я делала без миссис Хаббард? Я вам безгранично верю. Вы прекрасная, прекрасная женщина!

— Политика кнута и пряника, — сказала миссис Хаббард.

— Вы о чем?

— Да нет, я так... Я сделаю все, что от меня зависит.

Она вышла, не дослушав благодарных излияний хозяйки.

Бормоча про себя: «Сколько времени я с ней потеряла!.. Она кого хочешь сведет с ума...» — миссис Хаббард торопливо шла по коридору к себе.

Но в покое ее оставлять не собирались. В комнате ее ждала высокая девушка.

— Мне хотелось бы с вами поговорить, — произнесла девушка, поднимаясь с дивана.

Элизабет Джонстон, приехавшая из Вест-Индии, училась на юридическом факультете. Она была усидчива, честолюбива и очень замкнута. Держалась всегда спокойно, уверенно, и миссис Хаббард считала ее одной из самых благополучных студенток.

Она и теперь сохраняла спокойствие, темное лицо ее оставалось совершенно бесстрастным, но миссис Хаббард уловила легкую дрожь в ее голосе.

— Что-нибудь случилось?

— Да. Пожалуйста, пройдемте ко мне в комнату.

— Одну минуточку. — Миссис Хаббард сняла пальто и перчатки и пошла вслед за девушкой. Та жила на верхнем этаже. Элизабет Джонстон открыла дверь и подошла к столу у окна.

— Вот мои конспекты, — сказала она. — Результат долгих месяцев упорного труда. Полюбуйтесь, во что они превратились.

У миссис Хаббард перехватило дыхание.

Стол был залит чернилами. Все записи были густо перепачканы. Миссис Хаббард прикоснулась к конспектам. Чернила еще не просохли.

Она спросила, прекрасно понимая нелепость своих слов:

— Вы не знаете, чьих рук это дело?

— Нет. Это сделали, пока меня не было.

— Может быть, миссис Биггс...

Миссис Биггс работала уборщицей на этом этаже.

— Нет, это не миссис Биггс. Ведь чернила не мои. Мои стоят на полке возле кровати. Их не тронули. Кто-то сделал это нарочно, специально запасшись чернилами.

Миссис Хаббард была потрясена.

— Это очень злая, жестокая шутка.

— Да уж, приятного мало.

Девушка говорила спокойно, однако миссис Хаббард понимала, что должно твориться в ее душе.

— Поверьте, Элизабет, мне очень, очень неприятно, и я сделаю все, чтобы выяснить, кто так гадко обошелся с вами. Вы подозреваете кого-нибудь?

Девушка ответила не раздумывая:

— Вы обратили внимание на то, что чернила зеленого цвета?

— Да, я сразу это заметила.

— Мало кто пользуется зелеными чернилами. В нашем пансионате ими пишет только один человек — Нигель Чэпмен.

— Нигель? Неужели вы думаете, что Нигель способен на такое?

— Нет, вряд ли. Однако он пишет зелеными чернилами, и дома, и в университете.

432

— Придется учинить допрос. Мне очень н. .риятно, Элизабет, что такое могло произойти в нашем доме, но смею вас заверить: я доберусь до виновника. Может, это вас хоть чуточку утешит...

— Спасибо, миссис Хаббард. Насколько я знаю... это не первая неприятность у нас?

— Да, не первая...

Миссис Хаббард вышла от Элизабет и направилась к лестнице. Но внезапно остановилась и, вернувшись, постучалась в последнюю комнату в глубине коридора. «Войдите!» — послышался голос Салли Финч.

Комната была миленькой, да и сама Салли Финч, жизнерадостная рыженькая девушка, была очаровательной.

Она что-то писала, облокотившись о подушку, щека ее была слегка оттопырена. Салли протянула миссис Хаббард открытую коробку конфет и невнятно пробормотала:

— Мне из дома леденцы прислали. Угощайтесь.

— Благодарю, Салли. В другой раз. У меня сейчас нет настроения. — Миссис Хаббард помолчала. — Вы слышали, что стряслось у Элизабет Джонстон?

— У Черной Бесс?

Прозвище было не обидным, а ласковым, и сама Элизабет на него откликалась.

Миссис Хаббард рассказала о случившемся. Салли слушала, трепеща от негодования.

— Какая низость! Неужели кто-то мог так гадко обойтись с нашей Бесс? Ведь она всеобщая любимица. Она такая спокойная, и, хотя держится особняком и мало с кем общается, по-моему, у нее нет врагов.

— И мне так казалось.

— Это все из одной серии. Вот поэтому я...

— Что вы? — переспросила миссис Хаббард, видя, что девушка резко оселась.

— Поэтому я хочу уехать. Миссис Ник, наверное, вам уже сказала?

— Да, она очень переживает. Она считает, что вы скрыли от нее истинную причину вашего решения.

— Конечно скрыла. Она бы взбеленилась. Но вам я скажу: мне не нравится, что здесь происходит. Сначала странная история с моей туфлей; потом кто-то разрезал шарф Валери... потом рюкзак Лена... Воровство — дело понятное, не так уж и много вещей украли, да и вообще такие случаи не новость. Приятного тут, конечно, мало, но в принципе это нормально... А вот в этих происшествиях есть что-то ненормальное. — Она на мгновение умолкла, а потом неожиданно улыбнулась. — Знаете, Акибомбо в панике. Он кажется таким образованным и культурным, но чуть копни — и выяснится, что он недалеко ушел от своих предков, веривших в колдовство.

— Полно вам! — строго сказала миссис Хаббард. — Терпеть не могу такие разговоры, все это бредни и предрассудки. Просто кто-то решил попортить другим кровь.

Салли улыбнулась и стала похожа на кошку.

— И все же меня не покидает чувство, что этот кто-то не совсем обычный человек.

Миссис Хаббард спустилась вниз и направилась в гостиную на первом этаже. В комнате находились четверо. Валери Хобхауз примостилась на диване, перекинув через подлокотник тонкие, стройные ноги. Нигель Чэпмен устроился за столом, положив перед собой увесистый том. Патрисия Лейн облокотилась о камин, а только что вошедшая девушка в плаще снимала с головы вязаную шапочку. Девушка была миниатюрной, миловидной, с широко поставленными карими глазами и полуоткрытым ротиком, придававшим ее лицу вечно испуганное выражение.

Валери вытащила сигарету изо рта и певуче произнесла:

— Привет, ма! Ну как, удалось вам укротить разъяренную тигрицу, нашу достопочтенную хозяйку?

— А что, она вышла на тропу войны? — спросила Патрисия Лейн.

— Еще как вышла! — усмехнулась Валери.

— У нас большие неприятности, — сказала миссис Хаббард. — Мне нужны вы, Нигель.

— Я? — Нигель поднял на нее глаза и закрыл книгу. Его узкое недоброе лицо внезапно озарилось озорной, но удивительно приятной улыбкой. — А что я такого сделал?

— Надеюсь, что ничего, — ответила миссис Хаббард. — Но чернила, которыми кто-то нарочно залил конспекты Элизабет Джонстон, зеленого цвета. А вы всегда пишете зелеными чернилами.

Он уставился на нее, улыбка сползла с его лица.

— И что из этого?

— Какой кошмар! — воскликнула Патрисия Лейн. — Делать тебе нечего, Нигель. Я тебя предупреждала: нечего шокировать людей, неужели ты не можешь писать обычными синими чернилами?

— А я люблю выпендриваться, — ответил Нигель. — Хотя, наверное, сиреневые еще лучше. Надо будет попытаться достать... Вы не шутите насчет конспектов?

— Я говорю вполне серьезно. Это ваших рук дело?

— Естественно, нет. Я люблю повредничать, но на такую пакость я не способен... тем более по отношению к Черной Бесс, которая никогда не лезет в чужие дела, не в пример некоторым, не буду указывать пальцем. Хотел бы я знать, где мои чернила? Я как раз вчера вечером заправлял ручку. Обычно я ставлю их сюда.

Он встал и подошел к полке.

— Ага, вот они. — Нигель взял в руки пузырек и присвистнул. — Вы правы. Тут осталось на донышке, а ведь вчера пузырек был почти полный.

Девушка в плаще тихонько ахнула:

— О Господи! Как неприятно!

Нигель повернулся к ней и обвиняюще произнес:

— У тебя есть алиби, Селия?

Девушка опять ахнула:

— А почему я? И вообще, я целый день была в больнице и не могла...

— Перестаньте, Нигель, — вмешалась миссис Хаббард. — Не дразните Селию.

Патрисия Лейн сердито воскликнула:

— Не понимаю, почему вы обвиняете Нигеля? Только потому, что конспекты залили его чернилами?

— Ишь, как она защищает своего несмышленыша, — ехидно вставила Валери.

— Но это вопиющая несправедливость...

— Поверьте, я тут абсолютно ни при чем, — серьезно оправдывалась Селия.

— Да никто тебя и не подозревает, детка, — раздраженно перебила ее Валери. — Но как бы там ни было, — она обменялась взглядом с миссис Хаббард, — все это зашло далеко. Надо что-то делать.

— Надо что-то делать, — мрачно подтвердила миссис Хаббард.

Глава 4

— Взгляните, мсье Пуаро.

Мисс Лемон положила перед ним небольшой коричневый сверток. Он развернул бумагу и оценивающе оглядел изящную серебряную туфельку.

— Она была в бюро находок на Бейкер-стрит, как вы и предполагали.

— Это облегчает дело, — сказал Пуаро, — и подтверждает кое-какие мои догадки.

— Совершенно верно, — поддакнула мисс Лемон, начисто лишенная любопытства. Но зато родственных чувств она не была лишена и поэтому попросила: — Мсье Пуаро, пожалуйста, если вас не затрудит, то прочитайте письмо моей сестры. У нее есть кое-какие новости.

— Где оно?

Мисс Лемон протянула ему конверт, и, дочитав последнюю строчку, он тут же велел ей связаться с сестрой по телефону. Как только миссис Хаббард ответила, Пуаро взял трубку:

— Миссис Хаббард?

— Да, это я, мсье Пуаро. Я вам очень благодарна за то, что вы быстро позвонили. Я была ужасно...

— Откуда вы говорите? — прервал ее Пуаро.

— Как откуда? Из пансионата... Ах, ну конечно, понимаю... Я у себя в гостиной.

— У вас спаренный телефон?

— Да, но в основном все пользуются телефоном, стоящим в холле.

— Нас могут подслушать?

— Никого из студентов сейчас нет. Кухарка пошла в магазин. Жеронимо, ее муж, очень плохо понимает по-английски. Правда, есть еще уборщица, но она туговата на ухо и наверняка не станет подслушивать.

— Прекрасно. Значит, я могу говорить свободно. У вас бывают по вечерам лекции или кино? Ну, словом, какие-нибудь развлечения?

— Иногда мы устраиваем лекции. Недавно к нам приходила мисс Бэлтраут, показывала цветные слайды. Но сегодня нас приглашали в японское посольство, так что, боюсь, многих студентов не будет дома.

— Ага. Значит, так: сегодня вечером вы устроите лекцию мсье Эркюля Пуаро, начальника вашей сестры. Он расскажет о наиболее интересных преступлениях, которые ему довелось расследовать.

— Это, конечно, весьма интересно, но вы думаете...

— Я не думаю, я уверен!

Вечером, придя в гостиную, студенты увидели на доске возле двери объявление:

«Мсье Эркюль Пуаро, знаменитый частный детектив, любезно согласился прочитать сегодня лекцию о теории и практике расследования преступлений. Мсье Пуаро расскажет о наиболее интересных делах, которые ему пришлось вести».

Реакция студентов была самой различной. Со всех сторон раздавались реплики:

— Никогда о нем не слышал...

— Ах, постойте, постойте, я что-то слыхал... да-да, мне рассказывали про мужчину, которого приговорили к смертной казни за убийство уборщицы, и вроде бы этот детектив в самый последний момент его спас, потому что нашел настоящего убийцу...

— Зачем нам это?..

— А по-моему, очень даже забавно...

— Колин, наверное, будет в восторге. Он помешан на психологии преступников...

— Ну, я бы этого не сказал, но все равно интересно побеседовать с человеком, который близко общается с преступниками.

Ужин был назначен на половину восьмого, и, когда миссис Хаббард вышла из своей гостиной (где она угощала почетного гостя шерри-бренди) в сопровождении небольшого человечка средних лет с подозрительно черными волосами и густыми усами, которые он то и дело подкручивал с довольным видом, большинство студентов уже сидело за столом.

— Вот наши питомцы, мсье Пуаро. Хочу вам представить, ребята, мсье Эркюля Пуаро, который любезно согласился побеседовать с нами после ужина.

После обмена приветствиями Пуаро сел на место, указанное ему миссис Хаббард, и, казалось, был занят только тем, чтобы не замочить усы в превосходном итальянском супе минестрони, поданном маленьким шустрым слугой-итальянцем.

Потом принесли обжигающе горячие спагетти с фрикадельками, и тут девушка, сидевшая справа от Пуаро, робко спросила:

— А правда, что сестра миссис Хаббард работает с вами?

Пуаро повернулся к ней:

— Конечно правда. Мисс Лемон уже много лет работает у меня секретарем. Лучших мастеров своего дела я не встречал. Я даже немного ее побаиваюсь.

— Понятно. А я думала...

— Что вы думали, мадемуазель?

Он отечески улыбнулся, мысленно давая ей краткую характеристику: хорошенькая, чем-то озабочена, не очень сообразительна, напугана...

Он сказал:

— Можно узнать, как вас зовут и где вы учитесь?

— Меня зовут Селия Остин. Я не учусь, а работаю фармацевтом в больнице Святой Екатерины.

— Интересная работа?

— Не знаю... Вообще-то интересная... — Голос ее звучал не очень уверенно.

— А остальные ребята чем занимаются? Мне бы хотелось побольше узнать о них. Я думал, что здесь живут иностранные студенты, но оказывается, англичан гораздо больше.

— Некоторых иностранцев сейчас нет, например мистера Чандры Лала и Гопала Рамы, они из Индии... Да! Еще не видно мисс Рейнджир, она голландка, и мистера Ахмеда Али, он египтянин и помешан на политике.

— А кто сидит за столом? Расскажите мне о них, пожалуйста.

— Слева от миссис Хаббард сидит Нигель Чэпмен. Он изучает историю средних веков и итальянский язык в университете. Рядом с ним Патрисия Лейн, в очках. Она пишет диплом по археологии. Высокий рыжий парень — Лен Бейтсон, врач, а смуглая девушка — Валери Хобхауз, она работает в салоне красоты. Ее сосед — Колин Макнаб, будущий психиатр.

Когда она говорила о Колине, голос ее слегка дрогнул. Пуаро метнул на нее быстрый взгляд и увидел, что она покраснела.

Он отметил про себя: «Ага, значит, она влюблена и не может скрыть своих чувств».

Он заметил, что юный Макнаб не обращал на нее никакого внимания, а увлеченно беседовал с рыжеволосой хохотушкой, сидевшей с ним рядом за столом.

— Это Салли Финч. Фулбрайтовская стипендиатка. А возле нее — Женевьев Марико. Она вместе с Рене Холлем изучает английский. Маленькая светленькая девочка — Джин Томлинсон, она тоже работает в больнице Святой Екатерины. Она физиотерапевт. Негра зовут Акибомбо. Он из Западной Африки, отличный парень. Последней с той стороны сидит Элизабет Джонстон, она учится на юридическом. А справа от меня два студента из Турции, они приехали неделю назад и совсем не говорят по-английски.

— Спасибо. И как же вы между собой ладите? Ссоритесь, наверное?

Серьезность вопроса снималась игривым тоном.

Селия ответила:

— О, мы так заняты, что нам некогда ссориться, хотя...

— Хотя что, мисс Остин?

— Нигель... тот, что сидит рядом с миссис Хаббард... обожает поддразнивать людей, злить их. А Лен Бейтсон злится. Он тогда бывает просто страшен. Но вообще-то он очень добрый.

— А Колин Макнаб тоже сердится?

— О нет, что вы! Колин только посмеивается над Нигелем.

— Понятно. А девушки между собой ссорятся?

— Нет-нет, мы очень дружим. Женевьев, правда, порой обижается. Я думаю, это национальная черта: французы, по-моему, очень обидчивые... Ой... я... я не то хотела сказать, простите меня...

Селия не знала, куда деваться от смущения.

— Ничего, я не француз, а бельгиец, — серьезно успокоил ее Пуаро. И тут же, не давая Селии опомниться, перешел в наступление: — Так о чем же вы думали, мисс Остин? Помните, вы сказали вначале...

Она нервно скатала хлебный шарик:

— Да просто... понимаете... у нас недавно были неприятности... вот я и подумала, что миссис Хаббард... но это ужасная чушь, не обращайте внимания...

Пуаро не стал допытываться. Он повернулся к миссис Хаббард и включился в ее диалог с Нигелем Чэпменом, который высказал спорную мысль о том, что преступление — это одна из форм искусства и настоящие подонки общества — полицейские, поскольку они выбирают эту профессию из скрытого садизма. Пуаро потешался, глядя, как молодая женщина в очках, сидевшая рядом с Нигелем, отчаянно пытается сгладить неловкость, а Нигель не обращает на нее абсолютно никакого внимания.

Миссис Хаббард мягко улыбалась.

— У молодежи сейчас на уме только политика и психология, — сказала она. — Мы были куда беспечнее. Мы любили танцевать. Если скатать ковер в гостиной, там вполне можно устроить танцзал и плясать до упаду, но вам это и в голову не приходит.

Селия рассмеялась и лукаво сказала:

— А ведь ты любил танцевать, Нигель. Я даже танцевала с тобой однажды, хотя ты, наверное, не помнишь.

— Ты — со мной? — недоверчиво спросил Нигель. — Где?

— В Кембридже, на празднике Весны.

— Ах, весна, весна! — Нигель махнул рукой, как бы открещиваясь от ошибок молодости. — В юности чего только не бывает. К счастью, это скоро проходит.

Нигелю явно было не больше двадцати пяти. Пуаро улыбнулся в усы.

Патрисия Лейн серьезно произнесла:

— Понимаете, миссис Хаббард, мы так заняты... надо ходить на лекции и вести конспекты, так что на всякие глупости просто не остается времени.

— Но молодость ведь у человека одна, — возразила миссис Хаббард.

Отведав на десерт шоколадного пудинга, все отправились в гостиную, и каждый налил себе кофе из кофейника, стоявшего на столе. Пуаро предложил начать лекцию. Турки вежливо откланялись, а остальные расселись по местам, выжидающе глядя на гостя.

Пуаро встал и заговорил, как всегда, спокойно и уверенно. Звук его собственного голоса воодушевлял его, и он непринужденно проболтал минут сорок пять, пересыпая свою речь примерами из практики и стараясь слегка сгустить краски. Он, конечно, валял дурака, но весьма искусно.

— Так вот, стало быть, — закончил он, — я сказал этому бизнесмену, что он напоминает мне одного льежского фабриканта, владельца мыловаренного завода, который отравил супругу, чтобы жениться на красивой блондинке, своей секретарше. Я сказал об этом вскользь, но эффект был потрясающим. Он тут же отдал мне деньги, да-да, те самые, которые у него украли, а я нашел! Сидит передо мной бледный, а в глазах — ужас. Я ему говорю: «Я отдам их благотворительному обществу». А он мне: «Поступайте, как вам заблагорассудится». Ну что ж, тогда я советую ему: «Вам, мсье, надо быть очень, очень осторожным». Он молча кивает и утирает пот со лба. Он перепугался насмерть, а я... я спас ему жизнь. Потому что теперь, как бы он ни сходил с ума по своей блондинке-секретарше, он никогда не попытается отравить свою глупую, вздорную жену. Лучшее лечение — это профилактика. Надо предупреждать преступления, а не сидеть сложа руки и ждать у моря погоды.

Он поклонился и развел руками.

— Ну, вот и все: я, наверное, вконец утомил вас.

Раздались бурные аплодисменты. Пуаро еще раз поклонился, но не успел сесть на место, как Колин Макнаб вынул трубку изо рта и спросил:

— А теперь вы, может быть, скажете нам, зачем вы на самом деле сюда пожаловали?

На мгновение воцарилась тишина, потом Патрисия укоризненно воскликнула:

— Колин!

— Но это же и дураку понятно! — Колин презрительно посмотрел вокруг. — Мсье Пуаро прочитал нам забавную лекцию, но, естественно, он пришел сюда не ради этого. Он же пришел по делу! Неужели вы думали, мсье Пуаро, что вам удастся нас провести?

— Ты говори только за себя, Колин, — возразила Салли.

— Но ведь я прав!

Пуаро опять шутливо развел руками:

— Увы, я должен признаться, что наша милая хозяйка действительно сообщила мне о некоторых причинах ее... беспокойства.

Лен Бейтсон вскочил на ноги, лицо его исказилось от злости.

— Послушайте! Что здесь происходит? Это все что, подстроено?

— А ты только сейчас догадался, Бейтсон? — промурлыкал Нигель.

Селия испуганно ахнула и воскликнула:

— Значит, я не ошиблась!

Но тут раздался властный, решительный голос миссис Хаббард:

— Я попросила мсье Пуаро прочитать лекцию, однако я хотела также рассказать ему о наших неприятностях и попросить совета. Я понимала, что нужно действовать, и передо мной стоял выбор: обратиться либо к мсье Пуаро, либо в полицию.

Мгновенно разразилась буря. Женевьев истошно завопила по-французски:

— Какой позор, какая низость связываться с полицией!

Кто-то с ней спорил, кто-то соглашался. В конце концов Лен Бейтсон, воспользовавшись минутным затишьем, решительно предложил:

— Давайте послушаем, что скажет о наших делах мсье Пуаро.

— Я сообщила мсье Пуаро все факты, — поспешно вставила миссис Хаббард. — И надеюсь, что, если он захочет вас кое о чем расспросить, вы не откажетесь.

— Благодарю, — поклонился ей Пуаро. А потом, как фокусник, вытащил вечерние туфли и преподнес их Салли Финч. — Это ваши туфли, мадемуазель?

— М-мои... а откуда... откуда вы взяли вторую? Она же пропала!

— И попала в бюро забытых вещей на Бейкер-стрит.

— Но почему вы решили обратиться туда, мсье Пуаро?

— О, до этого несложно было додуматься. Кто-то взял туфельку из вашей комнаты. Зачем? Естественно, не для того, чтобы носить или продать. В доме наверняка обыщут каждый закоулок, а значит, похитителю нужно спрятать ее где-нибудь в другом месте или уничтожить. Но уничтожить туфлю не так-то просто. Легче всего завернуть ее в бумагу и оставить в часы пик в автобусе или в электричке, скажем, положить под сиденье. Такая догадка сразу пришла мне в голову и впоследствии подтвердилась. А раз она подтвердилась, то, значит, мои подозрения оказались небеспочвенными: туфля была украдена, дабы... как выразился один английский поэт, «досадить, потому что это обидно».

Послышался короткий смешок Валери:

— Ну, теперь тебе, Нигель, не отпереться. Попался, моя радость?

Нигель сказал, самодовольно ухмыляясь:

— Если башмак тебе впору — носи его!

— Чепуха! — возразила Салли. — Нигель не брал мою туфлю.

— Конечно не брал! — сердито выкрикнула Патрисия. — Как может даже в голову такое прийти?

— Может или не может — не знаю, — сказал Нигель. — Но я тут ни при чем... впрочем, то же скажут про себя и все остальные.

Казалось, Пуаро ждал этих слов, как актер ждет нужной реплики. Он задумчиво взглянул на зардевшегося Лена Бейтсона, потом перевел испытующий взгляд на других студентов:

— Мое положение весьма щекотливо. Я в вашем доме гость. Миссис Хаббард пригласила меня провести приятный вечер, только и всего. И конечно, я пришел, дабы вернуть мадемуазель ее прелестные туфельки. Что же касается прочих дел... — Он помолчал. — Мсье Бейтсон, если не ошибаюсь, хотел узнать мое мнение о... м-м... ваших проблемах. Но думаю, с моей стороны было бы бестактно вмешиваться в ваши дела... если, конечно, вы сами меня не попросите.

Мистер Акибомбо решительно закивал курчавой черной головой.

— Это очень, очень правильно, — сказал он. — Настоящая демократия — это когда вопрос постановляется на голосование.

Салли Финч раздраженно повысила голос:

— Ерунда! Мы не на собрании. Давайте не будем канителиться и послушаем, что нам посоветует мсье Пуаро.

— Совершенно с тобой согласен, — поддакнул Нигель.

Пуаро кивнул.

— Прекрасно, — сказал он. — Раз вы все спрашиваете моего совета, я скажу: на мой взгляд, миссис Хаббард или миссис Николетис следует немедленно обратиться в полицию. Нельзя терять ни минуты!

Глава 5

Подобного заявления, безусловно, никто не ожидал. Оно даже не вызвало протеста и комментариев: просто в комнате вдруг воцарилась гробовая тишина.

Воспользовавшись всеобщим замешательством, миссис Хаббард торопливо пожелала студентам спокойной ночи и увела Пуаро к себе.

Она зажгла свет, закрыла дверь и усадила Пуаро в кресло возле камина. Ее доброе лицо было напряженным и озабоченным. Она предложила гостю сигарету, но Пуаро вежливо отказался, объяснив, что предпочитает курить свои. Он протянул ей пачку, но она рассеянно проронила, что не курит.

Миссис Хаббард села напротив гостя и после легкой заминки произнесла:

— Наверное, вы правы, мсье Пуаро. Мы должны были вызвать полицию, особенно после истории с конспектами. Но вряд ли вам стоило так... прямо говорить об этом.

— Вы думаете? — спросил Пуаро, закуривая маленькую сигаретку и провожая взглядом колечки дыма. — По-вашему, я должен был покривить душой?

— Как вам сказать... я, конечно, ценю честность и прямоту, но в данном случае не следовало действовать открыто, можно было потихоньку пригласить сюда по-

445

лицейского и побеседовать с ним конфиденциально. Ведь теперь человек, натворивший столько глупостей, предупрежден об опасности.

— Наверное, да.

— Не наверное, а наверняка, — довольно резко возразила миссис Хаббард. — И сомневаться тут нечего. Даже если это кто-то из прислуги или из студентов, не присутствовавших сегодня на лекции, все равно до них дойдут слухи. Так всегда бывает.

— Вы правы, именно так всегда и бывает.

— И потом, вы не подумали о миссис Николетис. Бог знает, как она к этому отнесется. Ее реакцию невозможно предугадать.

— Что ж, будет любопытно посмотреть на ее реакцию.

— И конечно, без ее согласия мы не можем обращаться в полицию... Ой, кто это?

Раздался резкий, властный стук в дверь. Не успела миссис Хаббард раздраженно крикнуть: «Войдите!» — как в дверь опять постучали, и на пороге вырос суровый Колин Макнаб с трубкой в зубах.

Вытащив трубку изо рта и прикрыв за собой дверь, он сказал:

— Извините, но мне очень нужно поговорить с вами, мсье Пуаро.

— Со мной? — невинно воззрился на него Пуаро.

— Да-да, с вами, — мрачно подтвердил Колин.

Он взял неуклюжий стул и уселся напротив Эркюля Пуаро.

— Вы прочитали нам сегодня любопытную лекцию, — снисходительно начал он. — И я не отрицаю, что вы — человек опытный, так сказать, собаку съевший на этом деле. Однако, простите меня, но ваши методы и идеи давно устарели.

— Колин! Колин! — зардевшись, воскликнула миссис Хаббард. — Вы удивительно бестактны.

— Я не собираюсь никого обижать, мне просто хочется поговорить откровенно. Ваш кругозор, мсье Пуаро, ограничивается лишь «преступлением и наказанием».

— По-моему, это вполне естественный ход событий, — возразил Пуаро.

— Вы узко понимаете юриспруденцию... более того, сами ваши законы давно устарели. Сейчас даже юристы не могут не считаться с новыми, современными теориями о мотивах преступления. Нет ничего важнее мотивов, мсье Пуаро.

— Но позвольте, — воскликнул Пуаро, — в таком случае я — сторонник той же концепции, выражаясь вашим современным научным языком!

— Тогда вы должны разобраться в причинах событий, происходящих у нас, чтобы понять, почему это случилось.

— Но я по-прежнему разделяю вашу точку зрения. Конечно, мотивы важнее всего.

— Ведь на все существуют свои причины, и, возможно, человек, совершающий тот или иной неблаговидный поступок, полностью себя оправдывает.

Тут миссис Хаббард не выдержала и с негодованием воскликнула:

— Что за чушь!

— Вы глубоко заблуждаетесь, — слегка повернулся к ней Колин. — Нужно учитывать психологическую подоплеку поступков.

— Психологическая дребедень, — отрезала миссис Хаббард. — Терпеть не могу эти глупости!

— Потому что вы ничего не знаете о психологии, — сурово ответствовал Колин и вновь обратился к Пуаро: — Данные проблемы меня чрезвычайно интересуют. Я сейчас стажируюсь на кафедре психологии и психиатрии. Мы анализируем самые сложные, парадоксальные случаи, и уверяю вас, мсье Пуаро, что невозможно подходить к преступнику только с мерками первородного греха или сознательного нарушения законов страны. Надо понять, в чем корень зла, если вы действительно хотите наставлять молодых преступников на путь истинный. Таких теорий в ваше время не было, и наверняка вам сложно их принять.

— Воровство все равно остается воровством, как его ни объясняй, — упрямо сказала миссис Хаббард.

Колин раздраженно нахмурился.

Пуаро терпеливо произнес:

— Мои взгляды, несомненно, устарели, но я охотно вас выслушаю, мистер Макнаб.

Колин был приятно удивлен.

— Это вы хорошо сказали, мсье Пуаро. Значит, так: я постараюсь вам объяснить как можно проще.

— Благодарю, — кротко сказал Пуаро.

— Удобнее всего начать с туфель, которые вы вернули сегодня Салли Финч. Как вы помните, была украдена одна туфля. Всего одна.

— Да, и помнится, меня это поразило, — сказал Пуаро.

Колин Макнаб подался вперед, его красивое, но холодное лицо оживилось.

— Но истинный смысл происходящего конечно же ускользнул от вас! А ведь история с туфелькой — превосходная, наглядная иллюстрация современных теорий. Мы имеем дело с ярко выраженным «комплексом Золушки». Вам, вероятно, знакома сказка о Золушке?

— Лишь во французском варианте.

— Золушка, бесплатная поденщица, сидит у очага; ее сестры, разодетые в пух и прах, собираются на бал в королевский дворец. Фея, крестная Золушки, тоже отправляет девушку на бал. Когда часы бьют полночь, ее наряд превращается в лохмотья, и она поспешно убегает из дворца, теряя по дороге башмачок. Стало быть, мы имеем дело с человеком, который мысленно отождествляет себя с Золушкой (разумеется, подсознательно). Тут налицо и фрустрация[1], и зависть, и комплекс неполноценности. Девушка крадет туфельку. Почему?

— Девушка?

---

[1] Ф р у с т р а ц и я — психическое состояние, дезорганизация сознания и деятельности личности, вызванное объективно непреодолимыми и неоправдываемыми препятствиями к желанной цели.

— Ну конечно! — укоризненно произнес Колин. — Это и дураку понятно.

— Ну, знаете, Колин! — воскликнула миссис Хаббард.

— Пожалуйста, продолжайте, — вежливо сказал Пуаро.

— Возможно, она и сама толком не знает, почему она это делает, но ее подсознательное желание вполне понятно. Она хочет быть принцессой, хочет, чтобы принц ее заметил и полюбил. Важно и то, что она крадет туфельку у симпатичной девушки, которая как раз собирается на вечеринку. — Трубка Колина давно погасла; он помахивал ею, все больше воодушевляясь. — А теперь рассмотрим некоторые другие события. Девушка, как сорока, крадет безделушки, так или иначе связанные с понятием женской привлекательности: компактную пудру, губную помаду, серьги, браслет, кольцо. Любая из краж имеет двойную подоплеку. Девушка хочет, чтобы ее заметили. И даже наказали — такое желание нередко наблюдается у малолетних преступников. Это не воровство в обычном смысле слова. Такими людьми движет вовсе не жажда обогащения, а нечто иное. Из тех же самых побуждений богатые женщины, бывает, крадут в магазине вещи, которые они вполне могут купить.

— Глупости! — яростно возмутилась миссис Хаббард. — Просто есть люди без стыда и совести, вот и вся премудрость!

— Однако среди украденных вещей было бриллиантовое кольцо, — сказал Пуаро, не обращая внимания на миссис Хаббард.

— Его вернули.

— Но неужели, мистер Макнаб, вы и стетоскоп причисляете к женским безделушкам?

— О, история со стетоскопом затрагивает еще более глубокие уровни подсознания. Не очень привлекательные женщины могут сублимироваться, добиваясь успехов в профессиональной деятельности.

— А поваренная книга?

— Символ дома, семейной жизни, мужа.

— А борная кислота?

Колин раздраженно поморщился:

— Бог с вами, мсье Пуаро! Ну кому нужна борная кислота? Зачем ее красть?

— Вот этого я и не могу понять. Мистер Макнаб, у меня создалось впечатление, что у вас на все готов ответ. В таком случае объясните мне смысл исчезновения старых фланелевых брюк — ваших брюк, если я не ошибаюсь.

Колин впервые смутился. Он покраснел и, кашлянув, произнес:

— Я мог бы вам объяснить, но это довольно сложно и... неловко.

— Понятно, вы не хотите ставить меня в неловкое положение! — Пуаро внезапно подался вперед и похлопал молодого человека по коленке: — А чернила, которыми залили конспекты, а шарф, изрезанный на мелкие кусочки, — вы и к этому относитесь спокойно?

Куда только девался благодушный, менторский тон Колина!

— Нет, — сказал он. — Поверьте, я встревожен. Дело серьезное. Девушку нужно лечить, причем срочно. Однако этим должны заниматься врачи, а не полиция. Ведь бедняжка сама не ведает, что творит. Она совершенно запуталась. Если бы я...

— Значит, вам известно, кто она? — прервал его Пуаро.

— Скажем, у меня есть основания подозревать коекого.

Пуаро пробормотал, как бы подводя итог рассуждениям:

— Девушка, не имеющая особого успеха у мужчин. Робкая. Привязчивая. Не очень быстро соображающая. Неудовлетворенная жизнью и одинокая. Девушка...

В дверь постучали. Пуаро замолк. Стук повторился.

— Войдите! — крикнула миссис Хаббард.

Дверь открылась, и в комнату вошла Селия Остин.

— Ага, — кивнул Пуаро. — Так я и думал: мисс Селия Остин.

Селия с тоской посмотрела на Колина.

— Я не знала, что ты здесь, — сказала она прерывающимся голосом. — Я пришла, чтобы...

Она глубоко вздохнула и кинулась к миссис Хаббард.

— Пожалуйста, прошу вас, не вызывайте полицию! Это я виновата. Вещи брала я. Не знаю почему. Сама не понимаю. Я не хотела. На меня вдруг что-то нашло. — Она обернулась к Колину: — Теперь ты знаешь, на что я способна... и, наверное, даже видеть меня не захочешь. Я знаю, я — ужасная.

— Вовсе нет, с чего ты взяла? — сказал Колин. Его бархатный голос был теплым и ласковым. — Ты просто немножко запуталась, вот и все. Это такая болезнь... от искаженного восприятия действительности. Доверься мне, Селия, и я быстро тебя вылечу.

— Да, Колин? Правда?

Селия глядела на него с нескрываемым обожанием.

Он отеческим жестом взял ее за руку:

— Но теперь все будет хорошо, и тебе не придется нервничать. — Он поднялся со стула и жестко посмотрел на миссис Хаббард. — Я надеюсь, — сказал он, — что больше не будет никаких разговоров про полицию. Ничего действительно ценного украдено не было, а все, что Селия взяла, она вернет.

— Браслет и пудру я вернуть не могу, — встревоженно перебила его Селия. — Я их выбросила в туалет. Но я куплю новые.

— А стетоскоп? — спросил Пуаро. — Куда вы дели стетоскоп?

Селия покраснела:

— Никакого стетоскопа я не брала. Зачем мне старый дурацкий стетоскоп? — Она зарделась еще больше. — И я не заливала чернилами конспекты Элизабет. Я не способна на такую пакость.

— Но шарфик мисс Хобхауз вы все-таки разрезали на мелкие кусочки, мадемуазель.

Селия смутилась и, запинаясь, ответила:

— Это совсем другое. Я хочу сказать, что Валери на меня не обиделась.

— А рюкзак?

— Я его не трогала. Но тот, кто его разрезал, сделал это просто со зла.

Пуаро взял реестр украденных вещей, который он переписал из блокнота миссис Хаббард.

— Скажите мне, — произнес он, — и я надеюсь, что теперь-то вы скажете правду: что вы взяли из этого списка?

Селия взглянула на листок и тут же ответила:

— Я ничего не знаю про рюкзак, электрические лампочки, борную кислоту и морскую соль, а кольцо я взяла по ошибке. Как только я осознала, что оно дорогое, я его вернула.

— Понятно.

— Я не хотела поступать бесчестно. Я просто...

— Просто — что?

Взгляд Селии стал затравленным.

— Не знаю... правда не знаю... У меня в голове такая каша...

Колин властно вмешался:

— Я буду вам очень признателен, если вы оставите Селию в покое. Обещаю, что это больше не повторится. Отныне я полностью отвечаю за Селию.

— О, Колин, какой ты хороший!

— Я хочу, чтобы ты побольше рассказала мне о своей жизни, о детстве. Ведь твои отец и мать не очень ладили между собой?

— Да, это был сплошной кошмар... моя семья...

— Так я и думал. А...

Миссис Хаббард резко прервала его, заявив:

— Хватит, замолчите. Я рада, что вы, Селия, пришли и во всем сознались. Вы причинили нам много беспокойства и неприятностей, и вам должно быть стыдно. Но я верю, что вы не проливали чернила на конспекты Элизабет. Это на вас совершенно не похоже. А теперь уходите оба. Я от вас устала.

Когда дверь за ними закрылась, миссис Хаббард глубоко вздохнула:

— Ну, что вы обо всем этом думаете?

В глазах Пуаро заплясали искорки.

— По-моему, мы присутствовали при объяснении в любви... на современный лад.

Миссис Хаббард возмущенно взмахнула рукой:

— Господь с вами!

— Другие времена, другие нравы, — пробормотал Пуаро. — В моей юности молодые люди давали почитать девушкам теософские труды и обсуждали «Синюю птицу» Метерлинка. Мы были сентиментальны и романтичны. Теперь же юноши с девушками сходятся на почве комплексов и неустроенной жизни.

— Полный бред, — сказала миссис Хаббард.

Пуаро покачал головой:

— Почему бред? У них тоже есть нравственные устои, но беда в том, что молодые ученые-правдолюбцы типа Колина видят вокруг одни только комплексы и трудное детство своих подопечных и считают их жертвами.

— Отец Селии умер, когда ей было четыре года, — сказала миссис Хаббард. — Она росла с матерью, женщиной глуповатой, но милой, и детство у нее было вполне нормальным.

— Но у нее хватит ума не рассказывать этого юному Макнабу. Она будет говорить то, что ему хочется услышать. Она слишком сильно в него влюблена.

— Неужели вы верите во всю эту чушь, мсье Пуаро?

— Я не верю в то, что у Селии «комплекс Золушки», равно как и в то, что она воровала, не ведая, что творит. На мой взгляд, она крала, желая привлечь внимание честного Колина Макнаба, и вполне в этом преуспела. Если бы она была всего только хорошенькой, но застенчивой, обычной девушкой, он, скорее всего, никогда не обратил бы на нее внимания. По-моему, — сказал Пуаро, — девушка готова горы сдвинуть с места, лишь бы округлить молодого человека.

— Никогда бы не подумала, что у нее хватит на это мозгов, — сказала миссис Хаббард.

Пуаро не ответил. Он сидел нахмурившись, а миссис Хаббард продолжала:

— Значит, мы с вами попали пальцем в небо. Умоляю, простите меня, мсье Пуаро, за то, что я докучала вам такими пустяками! Но, слава Богу, все позади.

— Нет-нет, — покачал головой Пуаро. — Думаю, конец еще не близок. Мы выяснили кое-что, лежавшее на поверхности. Немногое осталось невыясненным, и у меня создается впечатление, что дело серьезное, очень серьезное.

Миссис Хаббард покраснела:

— Неужели, мсье Пуаро? Вы действительно так думаете?

— Мне так кажется... Простите, мадам, нельзя ли мне поговорить с мисс Патрисией Лейн? Я хочу поглядеть на кольцо, которое пытались у нее украсть.

— Конечно, о чем речь! Я сейчас же ее позову. А мне надо поговорить с Леном Бейтсоном.

Вскоре явилась Патрисия Лейн. Она вопросительно глядела на Пуаро.

— Извините, что отрываю вас от дел, мисс Лейн.

— Ничего, ничего. Я ничем не занималась. Миссис Хаббард сказала, что вы хотели взглянуть на кольцо. — Она сняла с пальца кольцо и протянула его Пуаро. — Бриллиант действительно крупный, но оправа старомодная. Кольцо подарил моей маме отец в честь помолвки.

Пуаро кивнул, рассматривая кольцо.

— А она жива, ваша матушка?

— Нет. Мои родители умерли.

— Мне очень жаль.

— Да, они были хорошими людьми, но, увы, я никогда не ощущала с ними особенной близости. Потом я раскаивалась. Маме хотелось иметь веселую, хорошенькую дочку, которая любила бы наряжаться и вести светскую жизнь. Она очень переживала, когда я стала археологом.

— А вы с детства были очень серьезной?

— Да, пожалуй. Ведь жизнь так коротка, и надо успеть в ней чего-то добиться.

Пуаро задумчиво посмотрел на нее.

Патрисии Лейн было, по его мнению, лет тридцать. Она почти не пользовалась косметикой, лишь слегка, очень аккуратно, подкрашивала губы. Пепельные волосы зачесаны назад, прическа самая что ни на есть простая. Спокойные, милые голубые глаза серьезно смотрят из-за очков.

«Никакой изюминки, Боже мой! — воскликнул про себя Пуаро. — А одежда-то, одежда! Как это говорится: из бабушкиных сундуков! Какое точное выражение!»

Во взгляде его сквозило неодобрение. Ровный вежливый голос Патрисии казался ему утомительным. «Эта девушка, конечно, умная и образованная, — подумал он, — но, увы, с каждым годом она будет становиться все большей занудой. А к старости... — На мгновение ему вспомнилась графиня Вера Русакова. Что за роскошная, экзотическая женщина, даже на закате своих лет! А современные девицы... — Впрочем, может, я просто старею, — сказал себе Пуаро. — Даже эта девушка может кому-нибудь казаться истинной Венерой».

Но только не ему.

А Патрисия продолжала:

— Мне действительно неприятно, что Бесс, ну... мисс Джонстон так пострадала. По-моему, зеленые чернила взяли специально, чтобы скомпрометировать Нигеля. Но уверяю вас, мсье Пуаро, Нигель никогда не сделал бы ничего подобного!

— А! — Пуаро взглянул на нее с интересом. Она покраснела и оживилась.

— Нигеля трудно понять, — откровенно сказала она. — Ведь у него было трудное детство.

— Мой Бог, опять та же песня!

— Простите, что вы сказали?

— Нет-нет, ничего. Так вы говорили...

— О Нигеле. С ним нелегко ладить. Он совершенно не признает авторитетов. Он умен, это редкостного ума человек, но порою он ведет себя не очень правильно. Он любит насмешничать. И слишком высокомерен, чтобы оправдываться или выгораживать себя. Даже если его все будут подозревать в том, что он залил чернилами конспекты, он не станет оправдываться, а просто скажет: «Пусть думают, если им хочется». А это страшно глупо.

— Вы давно его знаете?

— Нет, примерно год. Мы познакомились во время поездки по замкам Луары. Он заболел гриппом, а потом подхватил воспаление легких, и я его выхаживала. У него очень хрупкое здоровье, и он себя совсем не бережет. Он такой независимый, но в каких-то вопросах — сущий младенец, которому нужна нянька.

Пуаро вздохнул. Он вдруг страшно устал от любви... Сначала Селия, глядевшая на Колина преданными собачьими глазами. А теперь Патрисия, этакая безгрешная мадонна. Конечно, без любви жить нельзя; молодые люди должны выбирать своих суженых, но он, Пуаро, к счастью, уже далек от этого.

Он встал:

— Вы позволите мне, мадемуазель, взять ваше кольцо? Завтра я его обязательно верну.

— Конечно, возьмите, — чуть удивленно ответила Патрисия.

— Вы очень любезны. И прошу вас, мадемуазель, будьте осторожны.

— Осторожна? Но почему?

— Если бы я знал! — сказал Эркюль Пуаро.

Он был по-прежнему встревожен.

Глава 6

Следующий день миссис Хаббард прожила как в кошмарном сне. Утром, когда она встала, ей показалось, что у нее гора с плеч свалилась. Снедавшие ее сомнения по поводу недавних событий наконец рассеялись. Во всем оказалась виновата глупая девчонка и ее глупые современные взгляды, которых миссис Хаббард просто не выносила. И отныне в доме вновь воцарится порядок.

Но, спустившись в благодушном настроении к завтраку, миссис Хаббард поняла, что, как и раньше, живет на вулкане. Студенты словно сговорились и вели себя в то утро просто из рук вон плохо, правда каждый на свой лад.

Мистер Чандра Лал, узнав о диверсии, учиненной в комнате Элизабет, весь кипел и тараторил без умолку.

— Притеснение, — шипел он, брызгая слюной, — это явное притеснение со стороны европейцев! Они презирают людей других рас, они полны предрассудков. Случай с Элизабет — типичнейшее проявление расизма.

— Успокойтесь, мистер Лал, — сухо сказала миссис Хаббард. — Ваши обвинения необоснованны. Никому не известно, кто это сделал и по какой причине.

— Разве, миссис Хаббард? А я думал, что Селия пришла к вам и покаялась, — удивилась Джин Томлинсон. — Я так обрадовалась, узнав об этом! Мы должны быть к ней милосердны.

— Фу, как ты набожна, Джин! — сердито воскликнула Валери Хобхауз.

— По-моему, так говорить жестоко.

— «Покаялась!» — передразнил Нигель, передернув плечами. — Мерзейшее слово.

— Не понимаю, почему тебе не нравится. Оно в ходу среди членов Оксфордской общины[1], и...

— Что ты городишь? Неужели ты решила попотчевать нас на завтрак Оксфордской общиной?

— Что происходит, ма? Неужели Селия действительно воровка? Значит, она поэтому не вышла сегодня к завтраку?

---

[1] О к с ф о р д с к а я о б щ и н а — религиозное движение; члены общины выступают за публичное покаяние в грехах, нередко принимают активное участие в политической и общественной жизни.

— Простите, я не понимаю, — сказал Акибомбо.

Но ввести его в курс дела никто не удосужился. Всем не терпелось высказать свое мнение.

— Бедняжка, — гнул свою линию Лен Бейтсон. — Она что, сидела без денег?

— А знаете, я ничуть не удивилась, — с расстановкой сказала Салли. — Я все время подозревала...

— Но неужели Селия залила мои конспекты? — недоверчиво спросила Элизабет Джонстон. — Удивительно, просто не верится.

— Селия не прикасалась к вашим конспектам, — сказала миссис Хаббард. — Я прошу вас немедленно прекратить дискуссию. Я собиралась спокойно рассказать вам обо всем попозже, но...

— Но Джин вчера вечером подслушала ваш разговор, — сказала Валери.

— Я не подслушивала. Просто я случайно...

— Да говори уж начистоту, Бесс, — перебил Нигель. — Ты прекрасно знаешь, кто пролил чернила. Ведь мерзавец Нигель сам сознался, что залил твои конспекты чернилами из своего пузырька. Стало быть, это моя работа!

— Он не виноват, он притворяется! Нигель, ну зачем ты валяешь дурака?

— А ведь на самом деле я попытался проявить благородство и выгородить тебя, Пат. Не ты ли вчера утром просила у меня чернила?

— Простите, я не понимаю, — сказал Акибомбо.

— А тебе и не нужно понимать, — ответила Салли. — На твоем месте я бы сидела и помалкивала.

Мистер Чандра Лал подскочил как ужаленный:

— А потом вы спрашиваете, почему в мире царит насилие? И почему Египет претендует на Суэцкий канал?

— Черт побери! — заорал Нигель и грохнул чашку о блюдце. — Сперва Оксфордская община, теперь политика! Не дают спокойно позавтракать! Я ухожу.

Он злобно отшвырнул стул и вылетел из комнаты.

— На улице холодно, ветер! Надень пальто! — кинулась вслед за ним Патрисия.

— Кудах-та-тах! — язвительно заквохтала Валери. — У нее скоро вырастут перышки.

Француженка Женевьев, еще недостаточно хорошо знавшая английский, чтобы понимать такой бурный речевой поток, внимательно слушала Рене, который переводил ей на ухо, о чем говорят за столом. Внезапно она вскричала по-французски срывающимся голосом:

— C'est cette petite qui m'a volé mon compact? Ah, par example! J'irai a police. Je ne supporterai pas une pareille...[1]

Колин Макнаб уже давно пытался вставить свое веское слово, но его глубокий снисходительный бас утонул во всеобщем шуме и гаме. Тогда он перестал церемониться и со всего размаху стукнул кулаком по столу, да так, что тут же воцарилось молчание. Вазочка с мармеладом слетела со стола и разбилась.

— Замолчите вы, наконец, и дайте сказать мне! В жизни не встречал такого вопиющего невежества и злобы! Вы хотя бы чуточку разбираетесь в психологии? Поверьте, девушка не виновата. Она переживала тяжелый эмоциональный кризис; с ней надо обращаться крайне бережно и заботливо, иначе она останется калекой на всю жизнь. Я вас предупреждаю: с ней надо обращаться бережно, именно это ей сейчас необходимо.

— Постой-постой, — звонким занудливым голосом сказала Джин. — Я с тобой, конечно, согласна насчет бережного обращения с Селией, но все равно мы же не можем ей потакать! Я хочу сказать, потакать воровству!

— Воровству! — повторил Колин. — Но это не воровство. Черт побери, меня от вас тошнит... от всех.

— Интересная пациентка, да, Колин? — усмехнулась Валери.

— Для исследователя, интересующегося проблемами мышления, — безусловно.

---

[1] В чем дело? Значит, эта малышка украла у меня компактную пудру? Ничего себе! Я пойду в полицию. Я не потерплю ничего подобного... *(фр.)*

— Конечно, у меня она ничего не украла, — начала Джин, — но я думаю...

— У тебя-то она, естественно, ничего не взяла, — сурово оборвал ее Колин. — Но вряд ли бы ты обрадовалась, узнав почему.

— Не понимаю, о чем ты...

— Да брось, Джин, — сказал Лен Бейтсон. — Хватит пререкаться. Мы с тобой опаздываем.

Они ушли.

— Скажи Селии, пусть не вешает носа, — бросил Лен через плечо Колину.

— Я хочу выразить официальный протест, — заявил мистер Чандра Лал. — У меня выкрали борную кислоту, которая крайне необходима для моих глаз, воспаляющихся от упорных занятий.

— Вы тоже опоздаете, мистер Лал, — твердо сказала миссис Хаббард.

— Мой преподаватель сам не отличается пунктуальностью, — мрачно ответил мистер Чандра Лал, но пошел к двери. — И потом, он ведет себя неразумно и некорректно, когда я задаю ему глубоко научные вопросы...

— Mais il faut quell me le rende, compact[1], — сказала Женевьев.

— Вы должны говорить по-английски, Женевьев. Вы никогда не выучите язык, если, волнуясь, будете переходить на французский. Кстати, вы обедали в это воскресенье в пансионате и не заплатили мне.

— Ах, я оставила кошелек в комнате. Я заплачу вечером... Viens, Renè, nous serons en retard[2].

— Простите, — сказал Акибомбо, умоляюще глядя вокруг, — я не понимаю.

— Пойдем, Акибомбо, — сказала Салли. — Я тебе все объясню по дороге в институт.

Она ободряюще кивнула миссис Хаббард и увела с собой сбитого с толку Акибомбо.

---

[1] Но пусть она вернет мне пудру *(фр.).*
[2] Пошли, Рене, мы опоздаем *(фр.).*

— О Боже! — глубоко вздохнула миссис Хаббард. — И что меня дернуло пойти на эту работу?

Валери, единственная, кто оставался в комнате, дружески улыбнулась ей.

— Не переживайте, мама Хаббард, — сказала она. — У ребят нервы на взводе, но, к счастью, все выяснилось.

— Надо сказать, я была просто потрясена.

— Чем? Тем, что виновата Селия?

— Да. А вы разве не удивились?

Валери как-то рассеянно ответила:

— Да нет, это было довольно ясно.

— Неужели вы ее подозревали?

— Кое-что казалось мне подозрительным. Но как бы там ни было, она своего добилась — заполучила Колина.

— Да, но, по-моему, в этом есть что-то недостойное.

— Ну, не пистолетом же ему угрожать! — рассмеялась Валери. — А коли так, то почему бы не прикинуться клептоманкой? Не переживайте, мамочка. И ради всего святого, заставьте Селию вернуть Женевьев пудру, а то она нас со света сживет.

Миссис Хаббард вздохнула:

— Нигель разбил свое блюдце, а вазочка с мармеладом разлетелась вдребезги.

— Кошмар, а не утро, да? — сказала Валери и направилась к двери.

Потом из холла донесся ее радостный голос:

— Доброе утро, Селия. Тучи рассеялись. Твои прегрешения стали известны, и тебе даровано прощение, ибо так велела милосердная Джин. Что касается Колина, то он сражался как лев, защищая твою честь.

В столовую вошла Селия. Глаза ее были заплаканы.

— Ох, миссис Хаббард...

— Вы очень опаздываете, Селия. Кофе остыл, да и еды почти не осталось.

— Я не хотела ни с кем встречаться.

— Я поняла. Но рано или поздно вам придется встретиться.

461

— Да, конечно. Но я подумала, что... вечером будет легче. И разумеется, я здесь больше оставаться не могу. Я уеду в конце недели.

Миссис Хаббард нахмурилась:

— А по-моему, зря. Вам сначала будет неловко, это вполне естественно. Но ребята у нас благородные... большинство... И конечно, следует как можно скорее возместить убытки.

Селия радостно подхватила:

— Да-да, я принесла чековую книжку и как раз хотела с вами посоветоваться. — Она опустила глаза. В руках ее была чековая книжка и конверт. — Я написала вам письмо на случай, если не застану вас, хотела извиниться и положить в конверт чек, чтобы вы могли раздать ребятам деньги... Но у меня кончились чернила.

— Мы с вами составим список вещей.

— Я уже составила. По-моему, тут все правильно. Но я не знаю, как лучше сделать: купить новые вещи или отдать за них деньги.

— Я подумаю, сразу мне трудно ответить.

— Но давайте я оставлю вам чек, мне так будет спокойнее.

Миссис Хаббард чуть было не сказала: «Неужели? А с какой стати ты должна успокоиться?»

Однако, вспомнив, что студенты часто сидят на мели, решила, что так, пожалуй, будет лучше. И потом, это утихомирит Женевьев, ведь иначе она закатит скандал миссис Николетис, хотя без скандала все равно не обойтись.

— Ладно. — Миссис Хаббард пробежала глазами список. — Мне трудно сразу определить, сколько это стоит...

— Давайте примерно прикинем, и я выпишу чек. А потом вы спросите у ребят, и если я заплатила лишнее, то вернете мне остаток, а если будет мало, я еще доплачу.

— Хорошо. — Миссис Хаббард нарочно назвала завышенную сумму, но Селия даже не пикнула. Она открыла чековую книжку.

— Черт побери эту ручку! — Селия подошла к полкам, куда студенты клали всякие мелочи. — Никаких чернил, только зеленая нигелевская гадость. Ладно, заправлю ими. Надеюсь, Нигель не будет возражать. Не забыть бы сегодня купить по дороге чернила...

Она заправила ручку, вернулась к столу и выписала чек.

Протягивая его миссис Хаббард, она взглянула на часы:

— Я опаздываю. Пожалуй, я не буду завтракать.

— Нет-нет, съешьте хоть что-нибудь, Селия... хотя бы бутерброд, нельзя идти на работу голодной... Да-да, я вас слушаю?

В комнату вошел Жеронимо, слуга-итальянец, он бурно жестикулировал, и его высохшее обезьянье лицо забавно морщилось.

— Падрона, она только приходила. Она хотела вас видеть. Она совсем сумасшедшая, — добавил он, сопроводив последние слова выразительным жестом.

— Иду, иду!

Миссис Хаббард поспешно пошла к двери, а Селия, схватив булку, торопливо принялась отрезать кусок.

Миссис Николетис металась по комнате, точь-в-точь как тигр в зоопарке перед кормлением.

— Что я слышу? — накинулась она на миссис Хаббард. — Вы бегали в полицию? Тайком от меня? Да что вы о себе мните? Боже мой, что мнит о себе эта женщина?

— Я не бегала в полицию.

— Лжете.

— Миссис Николетис, вы не смеете разговаривать со мной в таком тоне!

— Ах-ах, простите! Конечно, во всем виновата я. Как всегда. Вы все делаете правильно. Только подумать: полиция в моем приличном доме!

— Ну, это нам не впервой, — возразила миссис Хаббард, вспомнив несколько неприятных инцидентов. — У вас был студент из Вест-Индии, который оказался сутенером и...

— Ага! Вы меня попрекаете? Значит, я виновата в том, что мои постояльцы водят меня за нос, живут по фальшивым документам и потом их разыскивает полиция, подозревая в убийстве? И вы еще смеете меня попрекать, меня, претерпевшую из-за них столько мук!

— Неправда, я вовсе вас не попрекаю. Я просто сказала, что полиция здесь не новость, при таком скоплении студентов это, осмелюсь заметить, неизбежно. Но тем не менее на этот раз никто не «бегал в полицию». Просто вчера с нами ужинал один частный детектив, очень опытный человек. Он прочитал студентам интересную лекцию по криминалистике.

— Очень нужна студентам ваша криминалистика! Они сами кого угодно просветят. В кражах, диверсиях и всяких гадостях они и сами крупные специалисты! А помочь, реально помочь, никто не хочет.

— Я как раз и пыталась помочь.

— Ну да, вы рассказали вашему приятелю всю подноготную здешней жизни. Вы суетесь не в свое дело!

— Вы не правы. Я отвечаю за спокойствие в доме. И я рада сообщить вам, что все утряслось. Одна из студенток призналась, что в пропаже большей части вещей повинна она.

— Ах, мерзавка! — воскликнула Николетис. — Чтоб ее духу тут не было!

— Она сама собирается от нас съехать и хочет возместить убытки.

— Ну и что? Все равно мой прекрасный дом навеки опорочен. Никто не захочет у нас жить! — Миссис Николетис села на диван и разрыдалась. — Никто меня не жалеет, — всхлипывала она. — Как со мной гадко обращаются! Всем на меня наплевать! Никто со мной не считается. Умри я завтра, никто не прольет ни слезинки...

Мудро не отреагировав на последнее заявление, миссис Хаббард вышла из комнаты.

«Боже всемогущий, даруй мне хоть минуту покоя!» — взмолилась она про себя и пошла на кухню к Марии.

Мария держалась замкнуто и отчужденно. В воздухе так и витало слово «полиция».

— Во всем обвинят меня. Меня и Жеронимо — бедняков. Разве можно ждать правосудия на чужбине? Нет, я не могу приготовить ризлетто, этот рис не подходит. Я лучше сделаю спагетти.

— Мы вчера на ужин ели спагетти.

— Не важно. У меня на родине едят спагетти каждый день, каждый Божий день. Тесто еще никому не повредило.

— Да, но теперь-то вы в Англии.

— Хорошо, тогда я приготовлю жаркое. По-английски. Вы его не любите, но я все равно приготовлю; мясо будет совсем неподжаристым, светлым, на сломанных ребрах, а лук я не обжарю, а сварю...

Мария говорила так зловеще, что миссис Хаббард показалось, будто речь идет о каком-то зверском убийстве.

— Ладно, готовьте что хотите, — сердито произнесла она, уходя из кухни.

Но к шести часам вечера миссис Хаббард вновь обрела прежнюю деловитость. Она оставила кое-кому из студентов записки с просьбой зайти к ней перед ужином и, когда они явились, рассказала им о предложении Селии. Ребята восприняли его благосклонно. Даже Женевьев смягчилась, узнав, как дорого оценила Селия ее пудру, и радостно сказала, что все «предано забвению». А потом глубокомысленно добавила:

— У всякого бывают такие нервные кризисы. Селия богата, ей незачем красть. Нет, она, конечно, была не в себе. Мсье Макнаб прав.

Когда прозвучал гонг, созывавший студентов к столу, и миссис Хаббард спустилась вниз, Лен Бейтсон отвел ее в сторону.

— Я подожду Селию в холле, — сказал он, — и приведу в столовую. Пусть она видит, что все в порядке.

— Вы очень любезны, Лен.

— Да что вы, мама Хаббард!

И действительно, когда подавали суп, из коридора донесся громовой голос Лена:

— Пошли, пошли, Селия. Все будут рады тебя увидеть.

Нигель язвительно пробормотал, глядя в тарелку:

— Какие мы сегодня добренькие!

Но больше глумиться не стал и приветственно помахал Селии, которую Лен обнимал за плечи могучей ручищей.

Студенты оживленно заговорили на разные темы, стараясь как можно чаще вовлекать в разговор Селию.

Но в конце концов показное благодушие сменилось неловким молчанием. И тут Акибомбо просиял, повернулся к Селии и, наклонившись над столом, произнес:

— Теперь мне объяснили, я раньше не понимал. Ты очень умно воровала. Никто долго не догадывался. Очень умно.

Салли выдохнула:

— Ну, Акибомбо, ты меня доконаешь! — И, не в силах сдержаться от хохота, выбежала в холл. Все рассмеялись от души.

Колин Макнаб опоздал. Он вел себя сдержанно и еще более отчужденно, чем обычно. Когда ужин подходил к концу, но студенты еще не начали расходиться, он встал и смущенно промямлил:

— Я сейчас ухожу, у меня дела. Но я хотел перед уходом сказать... В общем... мы с Селией решили пожениться, через год, когда у меня кончится стажировка.

Он стоял, красный от смущения, жалкий, а вокруг раздавались поздравления и насмешливое улюлюканье друзей; наконец, страшно сконфуженный, он удалился. Селия же зарделась, но сохраняла спокойствие.

— Ну вот, еще одного хорошего парня округлили, — вздохнул Лен Бейтсон.

— Я так рада, Селия! — сказала Патрисия. — Надеюсь, ты будешь счастлива.

— Наконец-то на нас снизошла благодать, — сказал Нигель. — Завтра купим кьянти и выпьем за здоровье жениха и невесты. Но почему наша драгоценная Джин так мрачна? Ты что, противница брака?

— Не говори глупостей, Нигель.

— Я всегда считал, что брак гораздо лучше свободной любви. Ты разве со мной не согласна? Особенно для детей. Не очень-то приятно, когда в графе «отец» стоит прочерк.

— Но мать не должна быть слишком молодой, — вмешалась Женевьев. — Так нам говорили на занятиях по физиологии.

— Ну ты даешь! — воскликнул Нигель. — Уж не считаешь ли ты Селию несовершеннолетней? Она вполне зрелая свободная белая женщина.

— Более обидного высказывания не придумаешь! — возмутился мистер Чандра Лал.

— Да нет, мистер Лал, вы неправильно поняли, — сказала Патрисия. — Это просто идиома. Она ничего не значит.

— Я не понимаю, — сказал Акибомбо. — Если выражение ничего не значит, зачем его употреблять?

Внезапно в разговор вмешалась Элизабет Джонстон, в ее голосе звучало легкое раздражение.

— Порою люди говорят вроде бы ничего не значащие фразы, но на самом деле их слова полны скрытого смысла. Нет-нет, я говорю не об этом американизме. Я о другом. — Она обвела взглядом сидящих за столом. — О том, что случилось вчера.

— В чем дело, Бесс? — резко спросила Валери.

— Не надо, — сказала Селия. — Я думаю... я уверена, что завтра все выяснится. Правда-правда. И история с конспектами и с рюкзаком. Все выяснится, если только... человек, который это сделал, признается, как призналась я.

Она говорила искренне, лицо ее пылало, и кое-кто из студентов посмотрел на нее с интересом.

Валери произнесла, коротко хохотнув:

— И все мы будем жить долго и счастливо.

После чего студенты встали и направились в гостиную. Каждый хотел услужить Селии и подать ей кофе. Потом включили радио, часть студентов разошлась по своим делам, кто-то пошел заниматься, и в конце концов обитатели дома (вернее, двух домов) на Хикори-роуд отправились спать.

День выдался страшно долгий и утомительный, думала миссис Хаббард, блаженно растягиваясь на постели.

— Но слава Богу, — сказала она себе, — все позади.

Глава 7

Мисс Лемон опаздывала крайне редко, а вернее сказать, не опаздывала никогда. Ни туман, ни буря, ни эпидемии гриппа или дорожные происшествия не могли помешать этой удивительной женщине вовремя прийти на работу. Но в то утро мисс Лемон вместо десяти прибежала, запыхавшись, в пять минут одиннадцатого. Она рассыпалась в извинениях и была какая-то встрепанная.

— Ради Бога, простите меня, мсье Пуаро, мне правда очень неловко. Я как раз собиралась выходить, но тут позвонила сестра.

— Надеюсь, с ней все в порядке?

— Как вам сказать...

Пуаро выжидающе посмотрел на мисс Лемон.

— Она безумно расстроена, просто безумно. Одна из студенток покончила с собой.

Пуаро молча уставился на нее. Потом что-то пробормотал себе под нос.

— Простите, мсье Пуаро?

— Как зовут девушку?

— Селия Остин.

— От чего она умерла?

— Говорят, отравилась морфием.

— Может, это несчастный случай?

— Нет-нет, кажется, она оставила записку.

Пуаро тихо сказал:

— Этого я не ожидал. Не этого... Но все равно что-то должно было случиться. — Он поднял глаза на мисс Лемон, застывшую с карандашом в руках и блокнотом наготове. Пуаро вздохнул и покачал головой: — Нет, разберите-ка лучше утреннюю почту. Просмотрите письма и ответьте, кому сможете. А я отправлюсь на Хикори-роуд.

Жеронимо впустил Пуаро в дом и, узнав в нем гостя, приходившего два дня назад, заговорщически зашептал, торопливо глотая слова:

— А, это вы, синьор... У нас беда... большая беда. Маленькая синьорина... ее нашли утром в постели мертвую. Сначала приходил доктор. Он качал головой. Теперь пришел инспектор полиции. Он наверху с синьора и падрона. Почему бедняжка решила убить себя? Вчера вечером было так весело, была помолвка.

— Помолвка?

— Да. С мистер Колин, вы знаете, такой большой, темный, всегда курит трубка.

— Понятно.

Жеронимо открыл дверь в гостиную и, впустив туда Пуаро, сказал еще более таинственно:

— Вы будете здесь, хорошо? Когда полиция уходит, я скажу синьора, что вы здесь. Ладно?

Пуаро кивнул, и Жеронимо ушел. Оставшись один, Пуаро, который не отличался особой щепетильностью, как можно тщательнее осмотрел комнату и начал рыться на полках, где хранились личные вещи студентов. Но ничего интересного не обнаружил.

Наверху миссис Хаббард беседовала с инспектором Шарпом, который задавал ей вопросы тихим, извиняющимся голосом. Инспектор, вальяжный мужчина, на первый взгляд казался воплощением кротости.

— Я понимаю, что вы огорчены и нервничаете, — утешающе сказал он. — Но, как вам, наверное, уже сообщил доктор Коулз, мы производим дознание и поэтому хотим, так сказать, воссоздать верную картину событий. В последнее время девушка была расстроенной и подавленной, да?

— Да.

— Из-за несчастной любви?

— Не совсем, — замялась миссис Хаббард.

— Будет лучше, если вы мне все расскажете, — убеждающе произнес инспектор Шарп. — Повторяю, мы хотим воссоздать реальный ход событий. У нее были основания, хоть какие-нибудь, чтобы покончить с собой? Может, она была беременна?

— Нет-нет, ничего подобного. А замялась я потому, что девочка тут натворила глупостей, и я думала, что, может, не стоит теперь ворошить старое.

Инспектор Шарп кашлянул.

— Обещаю, что мы будем очень тактичны. Коронер наш — человек опытный. Но мы должны знать, что случилось.

— Да, конечно, вы правы. Дело в том, что месяца три назад... может, чуть больше, в доме стали пропадать вещи... мелочь... ничего особенного.

— То есть безделушки, украшения, нейлоновые чулки? А деньги?

— Нет, деньги, насколько мне известно, не пропадали.

— И виноватой оказалась эта девушка?

— Да.

— Вы поймали ее с поличным?

— Не совсем. За день до ее... смерти к нам приходил на ужин один мой друг, мсье Эркюль Пуаро, не знаю, слышали вы о нем или нет...

Инспектор Шарп оторвался от записной книжки. Глаза его расширились. Имя Пуаро ему о многом говорило.

— Мсье Пуаро? — переспросил он. — Неужели? Интересно, очень интересно.

— Он прочитал после ужина краткую лекцию, а потом зашла речь о кражах. И тогда он во всеуслышание посоветовал мне обратиться в полицию.

— Прямо так и сказал?

— А вскоре Селия пришла и во всем созналась. Она была очень расстроена.

— На нее хотели подать в суд?

— Нет. Она собиралась возместить убытки, и ребята ее простили.

— Она что, бедствовала?

— Нет. Она работала фармацевтом в больнице Святой Екатерины, неплохо зарабатывала и, по-моему, даже имела кое-какие сбережения. Она жила лучше большинства студентов.

— Значит, воровать ей было незачем и все же она воровала? — переспросил инспектор, продолжая записывать.

— Очевидно, она была клептоманкой, — ответила миссис Хаббард.

— Ну да, так принято говорить. Но на деле выходит, что люди эти все равно воры, хотя воруют просто так, из любви к искусству.

— Вы к ней, по-моему, несправедливы. Понимаете, тут замешан один молодой человек.

— Ах вот как! И он от нее отвернулся?

— О нет, как раз наоборот! Он горячо ее защищал и, между прочим, вчера вечером, после ужина, объявил о своей помолвке с Селией.

Брови инспектора Шарпа удивленно поползли вверх.

— И после этого она ушла к себе и приняла морфий? Вам не кажется это абсурдным?

— Кажется. Я не могу этого понять.

Миссис Хаббард горестно, в мучительных раздумьях наморщила лоб.

— И тем не менее дело довольно ясное. — Шарп кивнул, указывая на маленький оборванный клочок бумаги, лежавший между ними на столе.

«Дорогая миссис Хаббард, — говорилось в записке, — поверьте, я очень раскаиваюсь, и мне кажется, у меня только один выход».

— Подписи нет, но ведь это ее почерк?

— Да, ее.

Миссис Хаббард произнесла последние слова нерешительно и, нахмурившись, посмотрела на клочок бумаги. Почему ее не покидает чувство, что тут дело нечисто?

— Единственный отпечаток пальцев, оставшийся на записке, несомненно, принадлежит Селии, — сказал инспектор. — Морфий был в небольшом флаконе с наклейкой больницы Святой Екатерины, а вы мне говорили, что она там работала фармацевтом. Она имела доступ к шкафчику с ядами и, очевидно, взяла морфий оттуда. Скорее всего, она принесла морфий вчера, когда у нее созрела мысль о самоубийстве.

— Нет-нет, не верю. Это нелепо. Она была так счастлива вчера вечером!

— Стало быть, когда она пошла к себе, ее настроение изменилось. Может, в ее прошлом таилось что-то такое, о чем вы не знаете. И она боялась разоблачения. А она была сильно влюблена в этого юношу... как, кстати, его зовут?

— Колин Макнаб. Он проходит стажировку в больнице Святой Екатерины.

— А, значит, он врач? Гм... И работает в больнице Святой Екатерины?

— Селия его очень любила. Думаю, больше, чем он ее. Он довольно эгоцентричный молодой человек.

— Ну, тогда, наверное, в этом все и дело. Она считала себя недостойной его или, допустим, не рассказала ему всей правды о своей прошлой жизни. Она была совсем юной, да?

— Ей было двадцать три года.

— В этом возрасте они такие идеалисты, относятся к любви очень серьезно. Да, боюсь, дело в этом. Жаль. — Он встал со стула. — К сожалению, нам придется предать дело гласности, но мы постараемся умолчать о подробностях. Благодарю вас, миссис Хаббард, за исчерпывающую информацию. Насколько я понял, мать девушки умерла два года назад, и у Селии Остин осталась только пожилая тетушка, проживающая в Йоркшире. Мы с ней свяжемся.

Он взял со стола клочок бумаги, испещренный неровными, как бы задыхающимися от волнения буквами.

— Тут что-то нечисто, — внезапно произнесла миссис Хаббард.

— Нечисто? В каком смысле?

— Не знаю... но мне все время кажется, что я вот-вот пойму... Боже мой, что же это?

— А вы уверены, что письмо написано ею?

— Да нет, не в этом дело. — Миссис Хаббард надавила пальцами на веки. — Я сегодня страшно туго соображаю, — извиняющимся тоном добавила она.

— Конечно, вы так устали, — мягко проговорил инспектор. — Надеюсь, что сегодня мне не придется вас больше утруждать.

Инспектор Шарп открыл дверь и чуть не упал на Жеронимо, прильнувшего к замочной скважине.

— Привет! — любезно сказал инспектор Шарп. — Значит, подслушиваем, да?

— Нет-нет, — ответил Жеронимо с видом оскорбленной добродетели. — Я никогда не слушаю, никогда! Я просто приносил известие.

— Ах вот как! И о чем же ваше известие?

— Только то, что внизу стоит джентльмен и он хочет видеть ла синьора Хаббард, — угрюмо пробормотал Жеронимо.

— Понятно. Ну что ж, сынок, иди скажи ей.

Инспектор пошел было по коридору, но вдруг решил последовать примеру итальянца и, резко повернувшись, на цыпочках неслышно вернулся назад. Кто знает, правду ли сказал маленький человечек с обезьяньим лицом?

Когда инспектор подошел к двери, Жеронимо как раз говорил:

— Джентльмен, который приходил на ужин та ночь, джентльмен с усами хочет видеть синьора.

— А? Что? — рассеянно откликнулась миссис Хаббард. — Ах да, спасибо, Жеронимо. Я сейчас бегу.

— Ага, усатый джентльмен! — усмехнулся про себя Шарп. — Держу пари, я знаю, о ком речь.

Он спустился вниз и вошел в гостиную.

— Приветствую вас, мсье Пуаро! Сколько лет, сколько зим!

Пуаро без тени смущения поднялся с колен — он рылся на нижней полке возле камина.

— Кого я вижу? Неужели инспектор Шарп? Но вы раньше работали в другом участке.

— Меня перевели два года назад. Помните то дело в Крейз-Хилл?

— Как не помнить! Столько воды с тех пор утекло... Вы, правда, по-прежнему молоды, инспектор...

— Да будет вам, будет...

— А я вот совсем стариком стал. Эх! — вздохнул Пуаро.

— Но порох в пороховницах еще остался, не так ли, мсье Пуаро?

— В каком смысле?

— Ну, неспроста же вы приходили сюда позавчера вечером читать лекцию по криминалистике!

Пуаро улыбнулся:

— О нет, все было очень просто. Миссис Хаббард — она здесь работает — приходится сестрой моей достопочтенной секретарше, мисс Лемон. Она-то и попросила меня...

— Прийти сюда и разобраться, что к чему, а вы согласились, да?

— Совершенно верно.

— Но почему? Вот что мне хочется узнать. Что тут было особенного?

— Такого, что могло меня заинтересовать?

— Вот именно. Сами посудите: глупых девчонок, ворующих по мелочам, можно встретить сплошь и рядом. Это для вас слишком мелко, мсье Пуаро.

Пуаро покачал головой:

— Все далеко не так просто.

— Но почему? В чем сложность?

Пуаро сел на стул и, слегка поморщившись, стряхнул пыль со штанин.

— Если бы я знал, — просто ответил он.

Шарп нахмурился:

— Не понимаю.

— Я тоже... Видите ли... украденные вещи, — Пуаро покачал головой, — представляют собой бессмысленный набор предметов, между ними нет никакой связи. Это похоже на ряд следов, причем разных. Совершенно отчетливо видны следы «глупой девчонки», как вы изволили выразиться... Но ими картина не исчерпывается. Другие события, которые, по идее, следовало бы связать с Селией Остин, упорно выпадают из общей картины. Они вроде бы бессмысленны, бесцельны. И в них чувствуется злой умысел, а Селия была совсем не злой девушкой.

— Она была клептоманкой?

— Я бы не сказал.

— Ну, тогда мелкой воровкой?

— Нет. На мой взгляд, воруя мелочи, она пыталась привлечь к себе внимание одного молодого человека.

— Колина Макнаба?

— Да. Она была безумно в него влюблена. А он ее не замечал. И вот милая, симпатичная, хорошо воспитанная девочка прикинулась воровкой. Игра оказалась беспроигрышной. Колин Макнаб тут же на нее... как это говорят... клюнул.

— Ну, стало быть, он законченный идиот.

— Отнюдь. Он просто выдающийся психолог.

— А-а, — протянул инспектор Шарп. — Так вот какого он поля ягода! Теперь я понимаю... — На его лице мелькнула слабая улыбка. — А девчонка ловка, ловка!

— Да, и это невероятно, — сказал Пуаро и еще раз задумчиво повторил: — Невероятно.

Инспектор Шарп насторожился:

— Что вы хотите сказать, мсье Пуаро?

— Мне пришло в голову... и до сих пор кажется, что она не сама додумалась до такой хитрости.

— Но зачем кому-то понадобилось вмешиваться в ее дела?

— Откуда мне знать? Может, из альтруизма. Или по какой-то другой причине. Это покрыто мраком неизвестности.

— А кто, как вы думаете, мог подать ей мысль о кражах?

— Не знаю... хотя... впрочем, вряд ли...

— Но я никак не пойму, — принялся размышлять вслух Шарп, — если ее хитроумные планы удались, то какого черта ей было кончать с собой?

— Ответ прост: у нее не было на то ни малейших оснований.

Мужчины переглянулись, и Пуаро тихо спросил:

— А вы уверены, что произошло самоубийство?

— Ну, это ясно как Божий день. Никаких оснований предполагать что-либо иное нет...

Дверь открылась, и вошла миссис Хаббард. Щеки ее пылали, вид у нее был торжествующий. Она шла выставив вперед подбородок, готовая ринуться в бой.

— Поняла! — победоносно воскликнула она. — Доброе утро, мсье Пуаро. Инспектор, я поняла! Меня вдруг озарило. Знаете, почему записка мне казалась странной? Селия не могла ее написать, никак не могла!

— Но почему, миссис Хаббард?

— Потому что она написана обычными синими чернилами. А Селия заправила ручку зелеными, вон теми. — Миссис Хаббард кивком указала на полку. — Это было вчера утром, во время завтрака.

Преобразившийся на глазах инспектор Шарп быстро вскочил и вышел из гостиной. Через мгновение он появился вновь.

— Вы правы, — сказал он. — Я проверил, и действительно — единственная ручка, которую нашли в комнате девушки, та, что лежала возле кровати, заправлена зелеными чернилами. А они...

Миссис Хаббард продемонстрировала ему почти пустой пузырек. А потом четко и ясно рассказала о том, что произошло тогда в столовой.

— Я уверена, — закончила она, — что клочок бумаги, который считали запиской, был вырван из письма. Того, что Селия написала мне вчера, а я его так и не прочла.

— А что она с ним сделала? Вы не помните?

Миссис Хаббард покачала головой:

— Я оставила ее одну и ушла, у меня было много дел. Должно быть, она положила письмо в столовой и забыла о нем.

— А кто-то нашел и прочитал... кто-то... — Инспектор осекся. — Вы понимаете, что это значит? — спросил он. — У меня никак не шел из головы этот обрывок. Ведь в комнате было полно бумаги, и гораздо естественнее было бы написать предсмертную записку на целом листе. Значит, кто-то счел возможным использовать клочок письма, чтобы внушить всем мысль о самоубийстве девушки.

Он помолчал и медленно продолжил:

— А это значит, что произошло...

— Убийство, — сказал Эркюль Пуаро.

Глава 8

Хотя Пуаро и не одобрял английский обычай пить чай в пять часов дня, считая, что это нарушает правильный режим питания, но для гостей он все-таки чай устраивал.

Запасливый Джордж извлек по торжественному случаю большие чашки, коробку лучшего индийского чая, а также водрузил на стол тарелку с горячими маслеными пышками, хлеб, джем и большой кусок воздушного ароматного кекса.

Все это было подано для услады инспектора Шарпа, который с довольным видом откинулся на спинку стула, попивая третью чашку чаю.

— Вы не сердитесь на меня за то, что я свалился вам как снег на голову, мсье Пуаро? Студенты начнут возвращаться в общежитие через час, и я решил пока что заскочить к вам. Мне нужно будет всех допросить, а, честно говоря, меня это мало привлекает. Вы с ними общались тогда, вечером, вот я и подумал: может, вы кое-что мне расскажете, хотя бы про иностранцев?

— Вы считаете, что я хорошо разбираюсь в иностранцах? Но, мой дорогой, среди них не было ни одного бельгийца!

— Бельгийца? Ах да, конечно! Вы хотите сказать, что раз вы — бельгиец, то все прочие для вас такие же иностранцы, как и для меня. Но думаю, вы не совсем правы. Наверное, вы все-таки лучше меня разбираетесь в европейцах, хотя индусы и африканцы для вас, возможно, тоже загадка.

— Вы бы лучше обратились к миссис Хаббард. Она несколько месяцев тесно общалась с ребятами, а она-то прекрасно разбирается в людях.

— Да, она очень умна и проницательна. На нее можно положиться. Еще мне предстоит побеседовать с хозяйкой пансионата. Утром ее не было. Ей принадлежит несколько таких пансионатов и студенческих клубов. Похоже, она не пользуется особой любовью студентов.

Пуаро немного помолчал, а потом спросил:

— Вы ходили в больницу Святой Екатерины?

— Ходил. Главный фармацевт вел себя весьма любезно. Он был потрясен и расстроен, узнав про Селию.

— Что он о ней говорил?

— Она проработала там без малого год, и ее очень любили. Он сказал, что девушка была медлительной, но к работе относилась добросовестно. — Помолчав, инспектор добавил: — Как мы и подозревали, морфий попал в пансионат из больницы.

— Правда? Это интересно... и довольно странно.

— Это был тартрат морфия. Хранили его в фармакологическом отделении, в шкафчике с ядами, на верхней полке — среди редко употребляющихся лекарств. Сейчас больше в ходу инъекции, и поэтому гидрохлорид морфия более популярен, чем тартрат. Похоже, на лекарства существует такая же мода, как и на все остальное. Доктора в этом смысле как стадо баранов. Стоит одному объявить какое-нибудь лекарство панацеей, как остальные ни о чем другом и слышать не хотят. Конечно, заведующий мне этого не говорил, я сам так считаю. Там же, на верхней полке, хранятся лекарства, которые пользовались когда-то большим спросом, а теперь уже давно не прописывают.

— Значит, исчезновение маленького пыльного флакончика заметили бы не сразу?

— Совершенно верно. Переучет проводится не часто, в последнее время тартрат морфия лежит без дела. Пузырька не хватились бы до очередной ревизии, если бы, конечно, он не понадобился раньше. У всех трех фармацевтов есть ключи от шкафа с ядами и от шкафа, где хранятся особо опасные лекарства. Когда им нужно лекарство, они отпирают шкаф, а в напряженные дни (то есть практически ежедневно) лекарства требуются постоянно, и поэтому шкафы не запираются до самого конца рабочего дня.

— Кто, кроме Селии, имел к ним доступ?

— Еще две женщины-фармацевта, однако они не имеют никакого отношения к Хикори-роуд. Одна из них работает в больнице уже четыре года; вторая пришла несколько недель тому назад, раньше работала в Девоне, тоже в больнице, послужной список у нее хороший. Кроме того, есть три старших провизора, проработавших в больнице Святой Екатерины много лет. Все они имеют, так сказать, законный доступ к лекарствам. Есть еще старуха поломойка. Она убирает в аптеке с девяти до десяти часов утра и могла бы стащить флакончик из шкафа, улучив момент, когда девушки отпускали лекарства покупателям или готовили препараты для стационарных больных. Но она в больнице уже давно, и вряд ли это ее рук дело. Санитар тоже заходит за лекарствами, и конечно же он мог потихоньку взять флакончик, но это тоже маловероятно.

— А кто из посторонних бывает в отделении?

— Тьма народу. В кабинет главного провизора надо идти через аптеку; торговые агенты крупных аптек, отпускающих лекарства оптом, тоже идут через фармакологию в подсобные помещения. И конечно, к служащим заходят друзья, не часто, но все равно заходят.

— Это уже обнадеживает. Кто в последнее время заходил к Селии Остин?

Шарп заглянул в записную книжку:

— В прошлый вторник заходила девушка, Патрисия Лейн. Она договорилась с Селией пойти в кино после работы.

— Патрисия Лейн, — задумчиво повторил Пуаро.

— Она пробыла там всего пять минут и не подходила к шкафу с ядами, стояла возле окошечка, разговаривая с Селией и ее сослуживицей. Да, еще приходила темнокожая девушка, недели две тому назад, очень грамотная, по мнению сослуживиц Селии. Она интересовалась их работой, задавала вопросы и записывала ответы. Прекрасно говорила по-английски.

— Наверное, это Элизабет Джонстон. Она, вы говорите, интересовалась работой фармацевтов?

— Это был день открытых дверей для Уэлферской клиники. Она интересовалась, как проходят подобные мероприятия, и спрашивала, что прописывают детям при диарее и кожных инфекциях.

Пуаро кивнул:

— Кто еще?

— Больше они никого не вспомнили.

— А врачи заходят в аптеку?

Шарп ухмыльнулся:

— Постоянно. По делу и просто так. Иногда приходят уточнить какую-нибудь формулу или посмотреть, что есть на полках.

— Ага, посмотреть?

— Я уже об этом думал. Бывает, они советуются, чем можно заменить препарат, вызывающий у пациентов аллергию или плохо действующий на пищеварение. Порою врач просто забегает поболтать, когда выдается свободная минутка. А бывает, придет с похмелья попросить аспирин или вегенин, а то и просто зайдет пофлиртовать с девушкой, если та не против. Ничто человеческое им не чуждо. Так что мы с вами, похоже, ищем иголку в стоге сена.

Пуаро сказал:

— Если мне не изменяет память, некоторые студенты с Хикори-роуд тоже имеют отношение к больнице

Святой Екатерины. Во-первых, этот рыжий парень... как его... Бейтс... Бейтмен...

— Леонард Бейтсон. Вы правы. Кроме того, Колин Макнаб проходит там стажировку. А в физиотерапевтическом отделении работает Джин Томлинсон.

— И все они, очевидно, частенько заходили в аптеку?

— Да, и хуже всего то, что никто не помнит, когда именно. Они там примелькались. Кстати, Джин Томлинсон дружна со старшим фармацевтом.

— Плохи наши дела, — вздохнул Пуаро.

— Еще как плохи! Ведь любой из служащих мог заглянуть в шкафчик и сказать: «И зачем вам столько мышьяковых препаратов? Это уже вчерашний день!» Или что-нибудь в том же духе. И никто бы не насторожился, и через минуту забыли бы о его словах.

Помолчав, Шарп добавил:

— Мы подозреваем, что кто-то подсыпал Селии Остин морфий, после чего поставил флакончик возле ее кровати и положил рядом обрывок ее же письма, чтобы создать впечатление самоубийства. Но почему, мсье Пуаро, почему?

Пуаро пожал плечами.

Шарп продолжал:

— Сегодня утром вы намекнули, что кто-то мог внушить Селии Остин мысль о краже безделушек.

Пуаро смущенно заерзал на стуле:

— Это была лишь смутная догадка. Просто мне казалось, что сама она вряд ли додумалась бы.

— Кто же это мог быть?

— Насколько я понимаю, ума на это хватило бы лишь у трех студентов. Леонард Бейтсон достаточно эрудирован. Он знает, как Колин любит носиться с «неустойчивыми личностями», и мог, якобы в шутку, предложить свой план Селии и руководить ее действиями. Но подобные игры ему скоро бы надоели — если, разумеется, он играл бы в них лишь «из любви к искусству». Впрочем, возможно, мы его совсем не знаем; это никогда не надо сбрасывать со счетов. Нигель Чэпмен любит поозорничать, у него язвительный склад ума, и он мог с удовольствием, без всякого зазрения совести, разыграть комедию. Это взрослый «трудный ребенок». Третий же «умник» — молодая особа по имени Валери Хобхауз. Она сообразительна, у нее современные взгляды на жизнь, и, наверное, она достаточно поднаторела в психологии, чтобы предугадать реакцию Колина. Симпатизируя Селии, она могла решить, что не грех обвести Колина вокруг пальца.

— Леонард Бейтсон, Нигель Чэпмен, Валери Хобхауз, — повторил Шарп, делая пометки в блокноте. — Благодарю за информацию. Я запомню и постараюсь выяснить. А что вы думаете об индусах? Один из них учится на медицинском.

— Он с головой погружен в политику и страдает манией преследования, — ответил Пуаро. — До Селии ему дела нет, да и она не послушалась бы его совета.

— Больше вы ничем не можете мне помочь, мсье Пуаро? — спросил Шарп, вставая и закрывая блокнот.

— Боюсь, что ничем. Однако мне хотелось бы тоже участвовать в расследовании. Надеюсь, вы не будете возражать, друг мой?

— Отнюдь. С какой стати?

— Я постараюсь внести свою лепту, лепту дилетанта. Думаю, что я могу действовать лишь в одном направлении.

— В каком же?

— Я должен разговаривать с людьми. Это единственный путь. Все убийцы, с которыми мне приходилось сталкиваться, были очень болтливы. По моему убеждению, сильный молчаливый человек редко совершает убийство, а если все-таки убивает, то убивает внезапно, сгоряча, и улики всегда налицо. А изощренный, коварный преступник обычно так собой доволен, что рано или поздно проговаривается и выдает себя. Беседуйте с ними по душам, мой друг, не ограничивайтесь сухим допросом. Просите у них совета, помощи, не отмахивайтесь от их подозрений. Впрочем, упаси меня Бог, я вовсе не собираюсь вас учить! Я прекрасно знаю, что вы — мастер своего дела.

Шарп мягко улыбнулся.

— Да, — сказал он, — я всегда считал, что, располагая людей к себе, добиваешься гораздо больших результатов.

Пуаро согласно закивал, и оба улыбнулись.

Шарп поднялся.

— В принципе каждый из них — потенциальный убийца, — медленно сказал он.

— Пожалуй, — бесстрастно ответил Пуаро. — Леонард Бейтсон — человек вспыльчивый. Он мог убить в припадке гнева. Валери Хобхауз умна и способна разработать хитроумный план. Нигель Чэпмен инфантилен и не знает чувства меры. Француженка, живущая в общежитии, вполне может убить из-за денег, но лишь из-за больших. У Патрисии Лейн гипертрофированы материнские инстинкты, а такие женщины весьма безжалостны. Американка Салли Финч весела и жизнерадостна, однако она лучше других умеет притворяться. Джин Томлинсон — воплощенная добродетель и милосердие, но мы не раз встречали убийц, которые с искренним рвением посещали воскресную школу. Девушка из Вест-Индии, Элизабет Джонстон, пожалуй, умнее всех в доме. Ее эмоции полностью подчинены разуму, это опасно. Еще там есть очаровательный молодой африканец; мотивов его действий нам с вами никогда не постичь. И последний, Колин Макнаб, — психолог. А сколько врачей сами нуждаются в лечении!

— Помилуйте, Пуаро! У меня голова идет кругом. Неужели на свете нет человека, не способного на убийство?

— Чем больше живу, тем больше в этом убеждаюсь, — ответил Эркюль Пуаро.

Глава 9

Инспектор Шарп вздохнул, откинулся на спинку стула и вытер платком лоб. Он уже побеседовал с возмущенной плаксивой француженкой, с высокомерным и замкнутым молодым французом, с флегматичным, подозрительным голландцем и болтливым, агрессивным египтянином. Потом перекинулся парой фраз с двумя нервными турками, которые ни слова не понимали по-английски, и с очаровательным студентом из Ирака. Инспектор был абсолютно уверен, что никто из них не имеет к смерти Селии Остин никакого отношения и помочь ему не может. На прощанье он постарался их ободрить и сейчас намеревался быстренько распрощаться с мистером Акибомбо.

Молодой студент из Западной Африки глядел на него, сверкая белозубой улыбкой; взгляд у него был по-детски жалобным.

— Я хотел бы помочь, поверьте, — сказал он. — Мисс Селия всегда вела со мной очень хорошо. Она давала мне один раз вкусный коробка конфет, которые я никогда не пробовал. Мне кажется, очень грустно, что ее убивали. Может, это кровный месть? Или, может, ее папа или дяди приходили и убивали ее, потому что слушали ложный истории о том, что у нее было плохое поведение?

Инспектор Шарп постарался его уверить, что дело совсем не в этом. Молодой человек грустно покачал головой:

— Тогда я не знаю, почему так происходило, — сказал он. — Я не вижу, почему кто-то в этом доме захотел причинить ей ущерб. Но если вы дадите мне кусочек ее волосы или ногти, — продолжал он, — я, возможно, что-нибудь обнаружу при помощи старый метод. Он не научный и не современный, но его очень часто употребляют у меня на родине.

— Большое спасибо, мистер Акибомбо, но я думаю, это не понадобится. Мы... м-м... предпочитаем другие способы.

— Конечно, сэр, я понимаю. Это несовременно. Это не атомный век. Дома новые полицейские тоже так не делают, это только старики в джунгли. Я уверен, что новые методы гораздо более эффективнее и вы достигнете полный успех. — Мистер Акибомбо вежливо откланялся и удалился.

Инспектор Шарп пробормотал про себя:

— Я тоже искренне надеюсь, что мы добьемся успеха, хотя бы для того, чтобы поддержать наш престиж.

Следующим на очереди был Нигель Чэпмен, и он сразу попытался взять инициативу в свои руки.

— Уму непостижимая история, правда? — спросил он. — А представьте себе, мне с самого начала казалось, что вы бродите в потемках, поддерживая версию самоубийства. И надо признаться, мне даже польстило, что вся загвоздка оказалась в моих чернилах, которыми Селия заправила ручку. Этого убийца, конечно, не мог предугадать. У вас, наверное, уже есть гипотезы насчет мотивов преступления?

— Не вы, а я буду задавать вопросы, мистер Чэпмен, — сухо возразил инспектор.

— О, конечно, конечно! — легкомысленно воскликнул Нигель и махнул рукой. — Я просто хотел сэкономить время и сразу перейти к делу. Но, видно, без анкетных данных не обойтись. Имя: Нигель Чэпмен. Возраст: двадцать пять лет. Место рождения: кажется, Нагасаки... забавно звучит, не правда ли? Чего моих родителей туда занесло — ума не приложу. Наверное, они были в кругосветном путешествии. Но надеюсь, я не должен обязательно считаться японцем? Я пишу диплом по бронзовому веку и истории средних веков в Лондонском университете. Что вы еще хотите узнать?

— Ваш домашний адрес, мистер Чэпмен.

— Я — человек без адреса, уважаемый сэр. У меня есть папа, но мы с ним в ссоре, и поэтому его дом — уже не мой дом. Так что пишите мне на Хикори-роуд, а счета присылайте на Лиденхолл-стрит: так, по-моему, говорят случайным попутчикам, надеясь никогда их больше не увидеть.

Нигель куражился вовсю, но инспектор Шарп словно не замечал его кривляний. Он встречал таких Нигелей раньше и не без оснований думал, что его наглость служит своего рода самозащитой, а в действительности Нигель нервничает, что вполне понятно, когда тебя допрашивают в связи с убийством.

— Вы хорошо знали Селию Остин? — спросил инспектор.

— Трудный вопрос вы мне задали, сэр. Я ее прекрасно знал, поскольку видел каждый день и отношения у нас были нормальные. Но на самом деле я ее не знал совершенно. Впрочем, это понятно. Я считал ее пустым местом, да и она меня, по-моему, недолюбливала.

— За что?

— Ну... ей не нравилось мое чувство юмора. И потом, я же не такой угрюмый грубиян, как Колин Макнаб. Кстати сказать, грубость — прекрасное оружие для завоевания женских сердец.

— Когда вы в последний раз видели Селию Остин?

— Вчера за ужином. Мы все протянули ей руку братской помощи. Колин встал, мекал-бекал, а потом, заикаясь и умирая от стыда, признался, что они помолвлены. Мы его немного подразнили и отпустили с Богом.

— Это было в столовой или в гостиной?

— В столовой. Мы перешли в гостиную после, а Колин смотался по делам.

— Значит, все остальные пили кофе в гостиной?

— Да, если эту бурду можно назвать кофе, — сказал Нигель.

— А Селия Остин пила?

— По-моему, да. Я не обращал внимания, но, наверное, пила.

— А кто ей наливал кофе? Случайно, не вы?

— С ума сойти, как гипнотически действует на человека допрос! Стоило вам спросить и поглядеть на меня испытующим взглядом, как мне сразу показалось, что именно я подал Селии чашку, всыпав туда предварительно порядочную порцию стрихнина, или чем там ее отравили. Вы, наверное, обладаете даром внушения, мистер Шарп, но, по правде говоря, я и близко не подходил к Селии и, если уж совсем начистоту, даже не обращал внимания, пьет она кофе или нет. И хотите — верьте, хотите — нет, но я никогда не питал нежных чувств к Селии, и весть о ее помолвке с Колином Макнабом не пробудила во мне никакой жажды мести.

— Я отнюдь не пытаюсь на вас воздействовать, мистер Чэпмен, — мягко возразил Шарп. — И если я не ошибаюсь, дело тут не в любовных интригах; просто кто-то хотел убрать Селию со своего пути. Как вы думаете, почему?

— Понятия не имею, инспектор. Я сам поражен, ведь Селия была из тех, кто мухи не обидит... ну, вы понимаете. Соображала она туго, была жуткой занудой, но в общем хорошей девчонкой. Таких, по-моему, не убивают.

— А вы удивились, узнав, что она виновата в... пропаже вещей, кражах и так далее?

— Еще бы! Я был просто потрясен.

— А может, это вы подучили ее?

Удивление Нигеля было, пожалуй, вполне искренним.

— Я? Подучил ее? Но зачем?

— Мало ли зачем. У некоторых людей довольно странное чувство юмора.

— Ну, знаете, может быть, я глуп, но я не нахожу ничего смешного в дурацкой истории с кражами!

— Значит, вы не хотели таким образом подшутить?

— Я не воспринимаю это как шутку. По-моему, подоплека краж была чисто психологической.

— Итак, вы утверждаете, что Селия Остин была клептоманкой?

— А вы хотите предложить другое объяснение?

— Боюсь, что вы не очень осведомлены, что такое клептомания, мистер Чэпмен.

— Но я лично другого объяснения не вижу.

— А как вы думаете, мог кто-нибудь натолкнуть мисс Остин на мысль о воровстве как средстве привлечения внимания Колина Макнаба?

В глазах Нигеля промелькнул озорной огонек.

— Очень забавная версия, инспектор, — одобрительно сказал он. — А знаете, вообще-то возможно. Колин как пить дать попался бы на удочку. — Некоторое время Нигель с удовольствием смаковал эту мысль. Но потом печально покачал головой. — Нет, Селия не стала бы играть, — сказал он. — Она была девушкой серьезной и не стала бы насмехаться над Колином. Она была влюблена в него по уши.

— А вы не задумывались над тем, что происходит в пансионате, мистер Чэпмен? Ну, к примеру, кто залил чернилами конспекты мисс Джонстон?

— Если вы подозреваете меня, инспектор, то это неправильно. Конечно, на меня падает подозрение, потому что конспекты залили моими чернилами, но я считаю это чистейшей провокацией.

— В каком смысле?

— В том, что взяли именно мои чернила. Кто-то хотел мне подложить свинью. Тут полно таких доброжелателей.

Инспектор пронзительно взглянул на Никеля:

— Что вы конкретно имеете в виду?

Но Нигель тут же залез в свою скорлупу и не пожелал ничего объяснять.

— Да ничего особенного... просто когда стольким людям приходится существовать под одной крышей, все их недостатки вылезают наружу.

Следующим в списке инспектора значился Леонард Бейтсон. С Леном ему пришлось еще труднее, чем с Нигелем.

— Хорошо! — горячо воскликнул он, когда инспектор покончил с обычными формальностями. — Допустим, я наливал Селии кофе и протягивал чашку. И что из этого?

— Стало быть, вы утверждаете, что вы налили ей кофе?

— Да. По крайней мере, я налил его из кофейника и поставил чашку возле Селии. И можете мне не верить, но морфия там не было.

— А вы не видели, выпила она кофе или нет?

— Не видел. Мы разбрелись по гостиной, и я сразу увлекся спором с одним из студентов. Так что я не заметил, выпила она кофе или нет. Она тогда разговаривала с кем-то другим.

— Ясно. То есть, по-вашему, любой из присутствующих мог подсыпать ей в чашку морфия?

— Да вы попробуйте подсыпать что-нибудь в чашку у всех на виду! Вас сразу заметят.

— Ну, не обязательно, — возразил Шарп.

Лен агрессивно выкрикнул:

— Да какого черта мне было травить бедную девочку? Я ничего не имел против нее!

— Я не говорю, что вы хотели ее отравить.

— Она сама выпила морфий. Сама отравилась. Другого объяснения нет.

— Мы считали бы точно так же, если бы не подложная записка.

— Какой, к черту, подлог! Разве это не ее почерк?

— Это лишь клочок письма, написанного рано утром.

— Но ведь она могла оторвать его и оставить вместо записки!

— Помилуйте, мистер Бейтсон! Если самоубийца хочет оставить записку, он берет ручку и пишет, а не отрывает клочок старого письма с подходящей фразой.

— Не знаю, не знаю... Люди часто делают глупости.

— Ну а где же само письмо?

— Откуда мне знать. Это ваши заботы. Я за вас, что ли, работать должен?

— Мы работаем, не беспокойтесь. А вам я бы посоветовал отвечать на мои вопросы повежливее.

— Что вы от меня хотите? Я девушку не убивал, мне незачем было ее убивать.

— Она вам нравилась?

Лен ответил, немного успокоившись:

— Очень. Она была славной девочкой. Глуповатой, но милой.

— А когда она призналась в кражах, вы ей поверили?

— Конечно, она же сама сказала. Но я был удивлен.

— Вы не думали, что она способна на воровство?

— Н-нет... Вообще-то нет. — Видя, что ему не надо больше защищаться, Леонард перестал вести себя агрессивно и охотно разговорился на тему, которая его явно интересовала. — Она была не похожа на клептоманку, — сказал он. — И на воровку тоже.

— А может, ее поведение объясняется чем-то другим?

— Другим? Но чем же?

— Ну, допустим, она хотела вызвать интерес Колина Макнаба.

— Вам не кажется, что это притянуто за уши?

— Но он же обратил на нее внимание!

— Да, конечно. Старина Колин просто помешан на всякой психопатии.

— Вот видите. Если Селия Остин это знала...

Лен покачал головой:

— Ошибаетесь. Она никогда не додумалась бы до такого... Ну, до такого плана. Она не разбиралась в психологии.

— Но вы-то разбираетесь?

— К чему вы клоните?

— Может, из чисто дружеских побуждений, вы научили ее, как вести себя?

Лен хохотнул:

— Тоже мне нашли дурака! Да вы в своем уме, инспектор?

Инспектор переменил тему разговора:

— Как вы считаете, конспекты Элизабет Джонстон испортила Селия?

— Нет. Селия сказала, что она не виновата, и я ей верю. Она, в отличие от других, никогда не конфликтовала с Бесс.

— А кто конфликтовал и почему?

— Понимаете, Элизабет любит ставить людей на место. — На мгновение Лен задумался, потом продолжал. — Стоит кому-нибудь за столом сморозить глупость, как тут же раздается педантичный голос Элизабет: «Боюсь, это не подтверждается фактами. По хорошо проверенным статистическим данным...» И пошло-поехало. Многих ее манера выводит из себя, особенно тех, у кого язык без костей, как у Нигеля Чэпмена.

— А, помню, помню... Нигель Чэпмен.

— Кстати, конспекты залиты его чернилами.

— Значит, вы считаете, что это сделал Нигель?

— По крайней мере, такая возможность не исключена. Он довольно злобный малый и, по-моему, расист. Единственный из всех нас.

— А кого еще раздражала педантичность мисс Джонстон и ее привычка учить других?

— Колин Макнаб частенько на нее злился, да и Джин Томлинсон она пару раз задевала.

Шарп задал вразнобой еще несколько вопросов, но Лен больше не сообщил ничего путного. Потом инспектор вызвал Валери Хобхауз.

Валери держалась холодно, церемонно и настороженно. Выдержки и самообладания у нее было куда больше, чем у мужчин. Она сказала, что прекрасно относилась к Селии. Та была не очень умна и чересчур романтична, недаром она так влюбилась в Колина Макнаба.

— Вы думаете, она была клептоманкой?

— Наверное. Я в этом не очень разбираюсь.

— А может, кто-то подучил ее?

Валери пожала плечами:

— Чтобы округ Колина, этого напыщенного болвана?

— Вы хватаете мою мысль на лету, мисс Хобхауз. Совершенно верно. Уж не ваша ли это была идея?

Валери, казалось, была позабавлена.

— Вряд ли, уважаемый сэр, особенно если учесть, что при этом пострадал мой шарф. Я не такая альтруистка.

— Но вы думаете, ее могли подучить?

— Маловероятно. По-моему, Селия вела себя вполне естественно.

— Естественно? В каком смысле?

— Знаете, я начала подозревать ее после скандала с туфлей Салли. Она ревновала Салли к Колину. Я говорю о Салли Финч. Она, безусловно, самая симпатичная девушка в пансионате, и Колин явно выделял ее из остальных. Когда перед вечеринкой туфля исчезла и Салли пришлось надеть старое черное платье и черные туфли, Селия просто облизывалась от удовольствия, как кошка, наевшаяся сметаны. Но подозревать ее в краже всей этой дребедени... браслетов, пудры... мне и в голову не приходило.

— А кого же вы подозревали?

Валери передернула плечом:

— Не знаю. Уборщиц, наверное.

— А кто изрезал рюкзак?

— Рюкзак? Ах да, совсем забыла. Это уж совсем какая-то дурь.

— Вы ведь давно здесь живете, мисс Хобхауз?

— Да. Я, пожалуй, самый старый квартирант. Я прожила тут два с половиной года.

— Значит, вы лучше других знаете ребят, живущих здесь?

— Ну, наверное.

— У вас есть какие-нибудь соображения по поводу смерти Селии Остин? Что могло послужить мотивом преступления?

Валери отрицательно покачала головой. Лицо ее посерьезнело.

— Понятия не имею, — сказала она. — Это просто кошмар. Я не представляю, кто мог хотеть смерти Селии. Она была милой, безобидной девочкой, мы как раз накануне узнали о ее помолвке и...

— Ну-ну, продолжайте. Что «и»? — допытывался инспектор.

— Я не знаю, но может, причина в этом, — с расстановкой сказала Валери. — В том, что она собиралась замуж. Ее ждала счастливая жизнь... Но тогда среди нас... сумасшедший?

Она поежилась. Шарп пристально посмотрел на нее.

— Да, — сказал он, — это не исключено. А кто, на ваш взгляд, — продолжал он, — мог испортить записи Элизабет Джонстон?

— Не знаю. Это тоже страшная подлость. Но я ни секунды не сомневалась, что Селия тут ни при чем.

— Вы никого не подозреваете?

— Да нет... Особо никого...

— И все же?

— Неужели вам интересны мои досужие домыслы, инспектор?

— Мне все интересно. И не беспокойтесь, это останется между нами.

— Ну, если вы настаиваете... Я, конечно, могу ошибаться, но мне кажется, это дело рук Патрисии Лейн.

— Неужели? Вот так новость! Никогда бы не подумал! Она мне показалась такой уравновешенной, милой девушкой...

— Я ничего не утверждаю. Но мне кажется, она на это способна.

— Почему?

— Патрисия недолюбливает Черную Бесс. Та частенько ставит на место ее обожаемого Нигеля, когда тот зарывается. Он, знаете ли, часто с умным видом болтает глупости.

— Но почему она, а не сам Нигель?

— Нигель не стал бы связываться, и, потом, он никогда бы не взял свои чернила. Он не так глуп. А вот Патрисия могла сглупить, совершенно не подумав, что она компрометирует своего драгоценного Нигеля.

— Но с другой стороны, кто-то мог из чувства мести попытаться скомпрометировать Нигеля Чэпмена.

— Возможно, и так.

— У него есть недоброжелатели?

— О да. Во-первых, Джин Томлинсон. С Леном Бейтсоном они тоже частенько цапаются.

— Каким образом, по вашему мнению, Селии Остин могли подсыпать морфий?

— Я долго ломала голову. Конечно, сначала я подумала, что его подсыпали в кофе, это как бы самоочевидно. Мы все толклись в гостиной, Селия поставила чашку на маленький столик, рядом с собой; она всегда ждала, пока кофе остынет, пила почти холодный.

Наверное, человек с железными нервами мог улучить момент и бросить таблетку, но это страшно рискованно. Его могли уличить.

— Морфий был не в таблетках, — сказал инспектор Шарп.

— Да? А в чем? В порошке?

— В порошке.

Валери нахмурилась:

— Тогда это вообще маловероятно.

— А куда, кроме кофе, могли подсыпать яд?

— Иногда она перед сном пила горячее молоко. Но в тот вечер... по-моему, нет.

— Вы не расскажете поточнее, что произошло тогда в гостиной?

— Ну, мы сидели, разговаривали. Кто-то включил радио. Мальчики почти все ушли. Селия пошла спать очень рано, и Джин Томлинсон тоже. А мы с Салли засиделись допоздна. Я писала письма, а Салли что-то зубрила. По-моему, я отправилась спать позже всех.

— Вечер был самый обычный, да?

— Ничего особенного, инспектор.

— Благодарю вас, мисс Хобхауз. Вы не пригласите сюда мисс Лейн?

Патрисия Лейн волновалась, но не слишком. Ничего принципиально нового она не сообщила. На вопрос Шарпа о конспектах Элизабет Джонстон Патрисия ответила, что вина, несомненно, лежит на Селии.

— Однако она горячо это отрицала, мисс Лейн.

— Ну конечно отрицала, — сказала Патрисия. — Наверняка ей было стыдно. Но вкупе со всем остальным это представляет стройную картину, не так ли?

— Знаете, у меня вообще пока не создается впечатления стройной картины, мисс Лейн.

— Я надеюсь, — покраснев, произнесла Патрисия, — что вы не подозреваете Нигеля. Конечно, чернила были его, но это полнейший абсурд, Нигель никогда не стал бы брать свои чернила. Он не так глуп. И вообще он не виноват.

— Но у него же бывали конфликты с мисс Джонстон?

— О, Элизабет бывала порою просто несносной, но он не обижался. — Патрисия Лейн подалась вперед и горячо произнесла: — Я хочу вам кое-что объяснить про Нигеля Чэпмена. Понимаете, он сам — свой злейший враг. Он производит впечатление тяжелого человека и многих настраивает против себя. Он груб, язвителен, любит насмешничать, а людей это задевает, и они начинают к нему плохо относиться. Но на самом деле он другой. Он застенчивый, несчастный. Он очень хочет, чтобы его любили, но из чувства противоречия сам себе вредит и делает все наперекосяк.

— Да, — сказал инспектор Шарп, — бедняга.

— Но такие люди ничего не могут с собой поделать. Сказывается их тяжелое детство. Нигелю очень несладко жилось в доме. Отец у него — человек грубый, суровый, он никогда не понимал Нигеля. И ужасно обращался с его матерью. После ее смерти они крупно поссорились; Нигель ушел из дома, и отец заявил, что не даст ему больше ни пенса, пускай сам перебивается как может. Нигель сказал, что ему от отца ничего не нужно и он не примет его помощи, даже если отец сам будет предлагать. Мать завещала ему небольшую сумму денег, и после ее смерти он не писал отцу и не пытался с ним увидеться. Конечно, мне очень грустно, что у них так получилось, но вообще-то его отец — неприятный человек. Не сомневаюсь, что Нигель из-за него стал таким озлобленным и неуживчивым. После смерти матери о нем никто не заботился. А у него довольно хрупкое здоровье, хотя интеллекту его можно позавидовать. Он обделен судьбой и просто не может проявить свои лучшие качества.

Патрисия Лейн закончила свой долгий, страстный монолог. Щеки ее пылали, дыхание прерывалось. Инспектор Шарп задумчиво глядел на нее. Ему не раз приходилось сталкиваться с такими девушками. «Она влюблена в парня, — подумал он. — А тот на нее плюет, но, видно, не против, когда с ним нянчатся. Папаша, конечно, не сахар, но мать тоже хороша, испортила сына безмерной любовью и еще больше усугубила конфликт с отцом. Все это — старая песня... А вдруг Нигелю Чэпмену нравилась Селия Остин? Вряд ли, конечно... Но вдруг? Патрисия Лейн, вероятно, очень бы страдала, — сказал себе инспектор. — Но неужели настолько, чтобы так жестоко отомстить? Чтобы убить Селию? Наверняка нет... тем более, что после помолвки Селии с Колином Макнабом этот мотив явно отпадал». Он отпустил Патрисию Лейн и вызвал Джин Томлинсон.

Глава 10

Мисс Томлинсон оказалась строгой молодой женщиной двадцати семи лет, блондинкой, с правильными чертами лица и поджатыми тонкими губами. Она села и натянуто сказала:

— Я вас слушаю, инспектор. Что я могу для вас сделать?

— Что вы можете сообщить о трагедии, разыгравшейся в пансионате?

— Это ужасно. Просто ужасно, — сказала Джин. — Сама по себе мысль о самоубийстве Селии была страшной, а теперь, когда подозревают, что произошло убийство... — Она умолкла и грустно покачала головой.

— Мы абсолютно уверены, что ее отравили, — сказал Шарп. — Как вы думаете, где мог убийца взять яд?

— Наверное, в больнице Святой Екатерины, где она работала. Но тогда это больше похоже на самоубийство.

— Убийца на это и рассчитывал, — сказал инспектор.

— Но кто, кроме Селии, мог взять яд?

— Очень многие, — сказал инспектор. — Надо было лишь задаться целью. Даже вы, мисс Томлинсон, могли заполучить его, если бы захотели.

— Как вы смеете, инспектор! — Джин задохнулась от возмущения.

— Но ведь вы частенько захаживали в ап..ку, мисс Томлинсон?

— Я ходила повидаться с Милред Кейри. Но у меня и в мыслях не было воровать яды!

— Но если бы вы захотели, вы могли бы?

— Я не могла бы сделать ничего подобного!

— Не надо, не горячитесь, мисс Томлинсон. Допустим, что ваша подруга расфасовывает лекарства для больных, а другая девушка стоит у окошечка и занимается клиентами. Ведь в аптеке нередко бывает только два фармацевта. И значит, вы можете незаметно проскользнуть за шкаф, который перегораживает комнату, взять тихонько флакончик, положить его в карман, и аптекарям даже в голову не придет вас подозревать.

— Мне очень обидно слышать ваши слова, инспектор Шарп. Это... это грязное обвинение!

— Но я вас не обвиняю, мисс Томлинсон. Ничуть не обвиняю. Вы меня неправильно поняли. Просто вы сказали, что это невозможно сделать, а я вам доказал обратное. Я вовсе не утверждаю, что так было в действительности. Сами посудите, — добавил он, — какие у меня на то основания?

— Вот именно. Вы, наверное, не знаете, но мы с Селией были подругами.

— Масса отравителей была друзьями своих жертв. Помните пресловутый вопрос: «Когда твой друг тебе недруг?»

— Но между нами не было размолвок. Я очень любила Селию.

— Вы подозревали ее в происходивших кражах?

— О нет, что вы! Я была потрясена. Я всегда считала Селию высоконравственной девушкой. Я и представить себе не могла, что она такая.

— Но клептомания, — сказал Шарп, пристально глядя на Джин, — это болезнь.

Джин еще больше поджала губы. Потом разомкнула их и процедила:

— Не могу сказать, что разделяю ваше мнение, инспектор. Я придерживаюсь старомодных взглядов и считаю, что воровство — это воровство.

— По-вашему, Селия крала просто потому, что ей хотелось заполучить чужие вещи?

— Разумеется.

— Значит, она была человеком без стыда и совести?

— Боюсь, что так.

— М-да! — сказал инспектор Шарп, качая головой. — Нехорошо.

— Увы, разочаровываться в людях всегда грустно.

— Насколько я понимаю, тогда зашла речь о полиции?

— Да. И по-моему, надо было ее вызвать.

— Даже когда Селия призналась?

— Я думаю, да. Я не считаю, что такие поступки должны сходить людям с рук.

— То есть нечего покрывать воров, приписывая им клептоманию, да?

— Ну... примерно так.

— А вместо этого все кончилось хорошо, и мисс Остин уже слышала свадебные колокола.

— Ну, от Колина Макнаба всего можно ожидать, — злобно ответила Джин Томлинсон. — Я уверена, что он — атеист. И вообще он — скептик и циник, очень неприятный молодой человек. Не удивлюсь, если выяснится, что он — коммунист!

— Неужели? — воскликнул инспектор Шарп и покачал головой. — Ай-ай-ай.

— Я глубоко убеждена, что он поддерживал Селию потому, что для него частная собственность не священна. Он, видно, считает, что чужое брать не зазорно.

— Но все-таки, — возразил инспектор, — мисс Остин сама призналась в кражах.

— После того, как ее уличили, — резко отпарировала Джин.

— Кто ее уличил?

— Ну, этот, мистер... как его звали... Пуаро, который приходил к нам.

— А почему вы решили, что он ее уличил? Он ничего подобного не говорил. Он просто посоветовал вызвать полицию.

— Ну, значит, он дал ей понять, что знает. И, увидев, что игра проиграна, она поспешила покаяться.

— А как насчет конспектов Элизабет Джонстон? Она и в этом созналась?

— Честно говоря, не знаю. Наверное.

— Ошибаетесь, — сказал Шарп. — Она упорно настаивала на своей непричастности к этому делу.

— Ну, может быть. Пожалуй, здесь она действительно не виновата.

— На ваш взгляд, тут замешан Нигель Чэпмен?

— Да нет. Скорее Акибомбо.

— Правда? Почему?

— Из зависти. Цветные вообще страшно завистливы и истеричны.

— Интересно... А когда вы в последний раз видели Селию Остин?

— В пятницу вечером, после ужина.

— Кто пошел спать раньше: она или вы?

— Я.

— Вы не заходили потом к ней в комнату?

— Нет.

— А кто, по-вашему, мог подсыпать ей в кофе морфий — если, конечно, его подсыпали в кофе?

— Понятия не имею.

— Скажите, а никто из студентов не держал морфий в общежитии?

— Да нет... наверное, нет.

— Вы как-то нерешительно отвечаете, мисс Томлинсон.

— Я просто подумала... Понимаете, тут был один глупый спор.

— Какой спор?

— Однажды наши мальчики поспорили...

— О чем же?

— Они спорили об убийствах, о том, каким способом можно убить человека. И в частности, о ядах.

— А кто участвовал в споре?

— По-моему, начали его Колин с Нигелем, потом к ним присоединился Лен Бейтсон... да, еще там была Патрисия.

— Вы не могли вы вспомнить поточнее, о чем они говорили? Как возник спор?

Джин Томлинсон немного подумала.

— По-моему, сначала они спорили об отравлениях... дескать, яд достать трудно, и убийца обычно попадается либо при попытке купить яд, либо потом полиция нападает на его след. А Нигель сказал, что вовсе не обязательно. Он утверждал, что может достать яд тремя различными способами и ни одна живая душа ничего не узнает. Лен Бейтсон сказал, что Нигель болтает чепуху, а Нигель возразил, что готов доказать свою правоту на деле. Пат, естественно, поддержала Нигеля — она сказала, что и Лен, и Колин... да и Селия тоже могут раздобыть яд в больнице. Но у Нигеля на уме было совсем другое. Он сказал, что Селия не может незаметно стащить препарат из аптеки. Рано или поздно его хватятся и поймут, как он исчез. Но Пат с ним не согласилась; ведь Селия может, сказала она, вылить содержимое пузырька и налить туда что-нибудь другое. Колин засмеялся и сказал, что пациенты забросают врачей жалобами. Но Нигель, оказывается, не собирался прибегать к особым ухищрениям. Он сказал, что хотя он и не имеет прямого доступа к лекарствам — ведь он не врач и не фармацевт, однако все равно ему ничего не стоит достать яд тремя различными способами. Тут Лен Бейтсон сказал: «Ну, допустим, а какими?» А Нигель ему в ответ: «Сейчас я этого не скажу, но давай поспорим, что через три недели я продемонстрирую тебе три пузырька со смертельными ядами». А Лен сказал: «Я готов поспорить на пять фунтов, что у тебя ничего не выйдет».

— И что дальше? — спросил инспектор, видя, что Джин умолкла.

— Разговоры о ядах на какое-то время прекратились, но однажды вечером — мы сидели в гостиной — Нигель сказал: «Ну что ж, ребята, я свое слово сдержал». И положил на стол упаковку таблеток гиосцина, пузырек с настойкой наперстянки и маленький флакончик с тартратом морфия.

500

Инспектор отрывисто произнес:

— Флакончик с тартратом морфия? На нем была наклейка? А на других ядах?

— Я не заметила, но, по-моему, там не было больничных этикеток.

— И что произошло дальше?

— Разумеется, начались разговоры. Лен Бейтсон сказал: «Учти, что, если теперь ты кого-нибудь убьешь, тебя найдут в два счета». А Нигель ответил: «Ошибаешься. Я не медик, к больницам отношения не имею, так что никому и в голову не придет меня подозревать. Тем более, что я эти яды не покупал». А Колин Макнаб вынул трубку изо рта и произнес: «Да тебе бы никто и не продал без рецепта». В общем, они попререкались, но в конце концов Лен признал себя побежденным. «Правда, сейчас у меня нет денег, но я заплачу, не сомневайся, — сказал он и добавил: — А что мы будем делать с вещественными доказательствами твоей правоты?» Нигель усмехнулся и ответил, что лучше выбросить их от греха подальше, и тогда они вытряхнули таблетки и бросили их в огонь. Порошок морфия они тоже сожгли, а настойку наперстянки вылили в туалет.

— А куда они дели пузырьки?

— Не знаю. Наверное, выкинули в корзину для мусора.

— А яды они точно уничтожили?

— Да, конечно. Я своими глазами видела.

— Когда это случилось?

— Недели две тому назад... примерно...

— Понятно. Спасибо, мисс Томлинсон.

Однако Джин уходить не торопилась, ей явно хотелось узнать побольше.

— Вы думаете, то, что я рассказала, важно?

— Не знаю, вполне может быть.

Какое-то время инспектор Шарп сидел задумавшись. Потом опять вызвал Нигеля Чэпмена.

— Мисс Джин Томлинсон сделала весьма интересное заявление, — сказал он.

— Да? И против кого же вас настраивала наша дорогая Джин? Против меня?

— Она рассказала мне любопытную историю о ядах... связанную с вами, мистер Чэпмен.

— Да вы что? Какое я имею отношение к ядам?

— Значит, вы отрицаете, что несколько недель назад держали пари с мистером Бейтсоном, утверждая, что можете тайком от всех раздобыть яд?

— Ах, вы об этом! — Нигеля внезапно озарило. — Да-да, конечно! А я, признаться, совсем забыл, вот умора! Я даже не помнил, что Джин была тогда с нами. А вы придаете значение нашему спору?

— Пока не знаю. Стало быть, мисс Томлинсон сказала правду?

— Ну конечно, мы тогда спорили. Колин с Леном рассуждали с таким умным видом, ни дать ни взять великие специалисты. А я возьми и брякни, что стоит чуть-чуть пошевелить мозгами, и любой дурак может достать яду — хоть до отвалу... Я сказал, что могу придумать три разных способа, как достать яды, и докажу на деле, что не зря болтаю языком.

— И приступили к делу?

— Так точно, инспектор.

— И какие же методы вы разработали, мистер Чэпмен?

Нигель слегка наклонил голову набок.

— Вы хотите, чтобы я скомпрометировал себя перед лицом закона? — спросил он. — Но тогда вы обязаны предупредить меня, что идет официальный допрос.

— До этого пока не дошло, мистер Чэпмен. Но разумеется, вам незачем себя компрометировать, как вы изволили выразиться. Вы вправе не отвечать на мои вопросы.

— Да нет, я, пожалуй, лучше отвечу. — Нигель явно обдумывал, как ему поступить; на его губах играла слабая улыбка. — Конечно, — сказал он, — мои действия были противозаконны. И если вы сочтете нужным, вы вполне можете привлечь меня к ответственности. Но с другой стороны, вы расследуете убийство, и если история с ядами имеет какое-то отношение к смерти бедняжки Селии, то, наверное, лучше рассказать вам правду.

— Вы рассуждаете весьма здраво. Так какие же три метода вы разработали?

— Видите ли, — Нигель откинулся на спинку стула, — в нашей прессе часто появляются сообщения о том, что сельские врачи ездят по своему округу, осматривая пациентов, и по дороге теряют ядовитые лекарства. Это может привести к трагическим последствиям, предупреждают газеты.

— Так.

— Ну, вот мне и пришла в голову одна простая мысль: надо отправиться в деревню и, когда местный лекарь будет объезжать своих подопечных, следовать за ним как тень, а при удобном случае заглянуть к нему в чемоданчик и позаимствовать нужное лекарство. Ведь чемоданчик нередко оставляется в машине — не на всякого больного врач будет тратить лекарства.

— И что дальше?

— Да, собственно говоря, ничего. Это и был способ номер один. Сначала я охотился за одним врачом, потом за другим и наконец напал на растяпу. И достать яд оказалось проще пареной репы. Он оставил машину за фермой, в совершенно безлюдном месте. Я открыл дверцу, порылся в чемоданчике и выудил оттуда упаковку гиосцина.

— Ясно. А второй яд?

— Достать его мне помогла сама Селия. Невольно, конечно. Она была — я вам уже говорил — туповата и не заподозрила подвоха. Я заморочил ей голову всякими латинскими названиями, а потом спросил, умеет ли она выписывать рецепты, как настоящие доктора. Выпиши мне, например, — сказал я, — настойку наперстянки. И она выписала, святая простота. Так что мне осталось лишь разыскать в справочнике фамилию врача, живущего на окраине Лондона, и поставить его инициалы и неразборчивую подпись. После чего я отправился с рецептом в одну из центральных аптек, где фармацевты не знают этого врача, и мне спокойно продали нужное лекарство. Наперстянку прописывают в больших дозах при сердечно-сосудистых заболеваниях, а рецепт у меня был на бланке отеля.

— Весьма остроумно, — сухо заметил инспектор Шарп.

— Я чувствую по вашему тону, что мне не миновать тюрьмы! Вы так сурово со мной говорите!

— Расскажите о третьем способе.

Нигель долго молчал, а потом сказал:

— Но я хочу сначала узнать, в чем меня можно обвинить?

— Первый метод, когда вы «позаимствовали» таблетки из чемоданчика, квалифицируется как воровство, — сказал инспектор Шарп. — А подделка рецепта...

— Но какая же это подделка? — перебил его Нигель. — Я ведь не наживался на фальшивых рецептах, да и подписи, строго говоря, не подделывал. Сами посудите, если я пишу на рецепте «Х.Р. Джеймс», я же не подделываю подпись какого-то определенного человека. — Он улыбнулся недоброй улыбкой. — Понимаете, к чему я клоню? Меня голыми руками не возьмешь. Если вы решите ко мне прицепиться, я буду защищаться. Но с другой стороны...

— Что «с другой стороны», мистер Чэпмен?

Нигель воскликнул неожиданно страстно:

— Я — противник насилия! Противник жестокости, зверства, убийств! Какому подлецу пришло в голову убить бедняжку Селию! Я очень хочу вам помочь, но как? От рассказа о моих мелких прегрешениях, наверное, мало толку.

— Полиция имеет довольно большую свободу выбора, мистер Чэпмен. Она может квалифицировать определенные поступки как... м-м... противозаконные, а может отнестись к ним как к безобидным шалостям, легкомысленным проделкам. Я верю, что вы хотите помочь найти убийцу девушки. Так что, пожалуйста, расскажите о вашем третьем методе.

504

— Мы подошли к самому интересному, — сказал Нигель. — Это было, правда, более рискованно, зато в тысячу раз интереснее. Я бывал у Селии в аптеке и хорошо там ориентировался.

— Так что «позаимствовать» флакончик из шкафа не составило для вас труда?

— Нет-нет, вы меня низко цените! Такой способ слишком примитивен. И потом, если бы я действительно замыслил убийство, то есть украл бы яд, чтобы действительно кого-то прикончить, меня наверняка бы нашли. А так я не показывался в аптеке примерно полгода и был вне подозрений. Нет, план у меня был другой: я знал, что в пятнадцать минут двенадцатого Селия идет в заднюю комнату пить кофе с пирожными. Девушки ходят пить кофе по очереди, по двое. Я знал, что у них появилась новенькая, которая не знает меня в лицо. Поэтому я подгадал, когда никого, кроме нее, не было, нацепил белый халат, повесил на шею стетоскоп и заявился в аптеку. Новенькая стояла у окошечка, отпускала клиентам лекарства. Войдя, я прямиком направился к шкафу с ядами, взял флакончик, обогнул шкаф, спросил девушку: «В какой у нас концентрации адреналин?» Она ответила, я кивнул, потом попросил у нее пару таблеток вегенина, сказав, что я со страшного похмелья. Она была абсолютно уверена, что я студент-практикант или учусь в ординатуре. Это были детские шуточки. Селия так и не узнала о моем визите.

— А где вы раздобыли стетоскоп? — с любопытством спросил инспектор Шарп.

Нигель неожиданно ухмыльнулся:

— Да у Лена Бейтсона позаимствовал.

— В пансионате?

— Да.

— Так вот кто взял стетоскоп! Значит, Селия тут ни при чем.

— Естественно, нет! Вы видели когда-нибудь клептоманок, ворующих стетоскопы?

— А куда вы его потом дели?

— Мне пришлось его заложить, — извиняющимся тоном произнес Нигель.

— Бейтсон очень расстраивался?

— Ужасно. Однако я не мог ему рассказать — ведь мне пришлось бы открыть производственные тайны, а этого я делать не собирался. Но зато, — радостно добавил Нигель, — я недавно сводил его в ресторан, и мы с ним отлично повеселились.

— Вы очень легкомысленный юноша, — сказал инспектор Шарп.

— Эх, жалко, вы их тогда не видели! — воскликнул Нигель, расплываясь в улыбке. — Представляете, какие у них были рожи, когда я положил на стол три смертельных яда и сказал, что стащил их совершенно безнаказанно!

— Стало быть, — уточнил инспектор, — вы имели возможность отравить человека тремя различными ядами и напасть на ваш след было никак нельзя?

Нигель кивнул.

— Совершенно верно, — сказал он. — При сложившихся обстоятельствах делать такое признание не очень приятно. Но, с другой стороны, яды были уничтожены две недели назад или даже больше.

— А вдруг вы ошибаетесь, мистер Чэпмен?

Нигель удивленно воззрился на инспектора:

— Что вы имеете в виду?

— Как долго лекарства хранились у вас?

Нигель подумал.

— Упаковка гиосцина — дней десять. Морфий — примерно четыре дня. А настойку наперстянки я достал в тот же день, когда показал лекарства ребятам.

— Где вы хранили препараты?

— В ящике комода, под носками.

— Кто-нибудь знал об этом?

— Нет-нет, что вы!

Какая-то тень сомнения, однако, промелькнула в его голосе, но инспектор Шарп не стал сразу же допытываться, в чем дело, а просто учел на будущее.

— Вы никому не рассказывали о своих планах? О том, каким образом вы собирались добыть препараты?

— Нет... вообще-то нет.

— Что значит «вообще-то», мистер Чэпмен?

— Понимаете, я хотел рассказать Пат, но потом подумал, что она будет меня осуждать. У нее очень строгие принципы, и я не стал с ней связываться.

— Вы решили не рассказывать ей ни о чем: ни о краже препарата из машины, ни о подделке рецепта, ни о морфии?

— Да нет, потом я рассказал ей про настойку, про то, как написал рецепт и купил лекарство в аптеке. И про маскарад в больнице тоже рассказал. Увы, ее это не позабавило. Ну а про машину я, конечно, не сказал ни слова. Она бы взбесилась.

— А вы говорили ей, что намерены уничтожить препараты, после того как выиграете пари?

— Да. Она вся извелась. Постоянно бубнила, что я должен вернуть лекарства.

— Подобная мысль вам, естественно, в голову не приходила.

— Естественно, нет! Мне тут же была бы крышка. Представляете, какая бы началась катавасия? Нет, мы с ребятами сожгли лекарства, вернее, два сожгли, а третье спустили в сортир. Все было шито-крыто.

— Вы так считаете, мистер Чэпмен? Но может статься, что все получилось не так безобидно.

— Но что могло случиться? Я же говорю, мы уничтожили лекарства!

— А вам не приходило в голову, мистер Чэпмен, что кто-то мог подглядеть, куда вы прятали яды, или мог найти их и подменить морфий чем-то другим?

— О, черт! — Нигель потрясенно поглядел на инспектора. — Я об этом не подумал. Нет-нет, не верю!

— И все же такая возможность не исключена, мистер Чэпмен.

— Но ведь никто не знал...

— Уверяю вас, — сухо сказал инспектор, — что в пансионатах о человеке известно гораздо больше, чем ему кажется.

— Вы хотите сказать, что здесь и стены имеют уши?

— Вот именно.

— Что ж, возможно, вы правы.

— Кто из студентов может запросто, в любое время, зайти к вам в комнату?

— Я живу не один, а с Леном Бейтсоном. Все остальные бывают у нас, заходят в гости. Правда, только парни — девчонкам не положено заглядывать в мужскую половину. Такова воля хозяйки. Она у нас блюстительница нравов.

— Но девушки все же могут нарушить правила и зайти, не так ли?

— Конечно, — ответил Нигель. — Днем. Ведь днем в пансионате никого нет.

— А мисс Лейн заходит к вам в комнату?

— Надеюсь, вы не имеете в виду ничего дурного, инспектор? Пат порою приносит мне заштопанные носки, но этим дело и ограничивается.

Инспектор Шарп сказал, подавшись вперед:

— Вы понимаете, что у меня есть все основания подозревать вас в подмене морфия, мистер Чэпмен?

Нигель вдруг осунулся и посуровел.

— Да, — сказал он. — Как раз сейчас я это понял. Все, правда, выглядит очень подозрительно. Но у меня не было абсолютно никакого повода убивать девушку, инспектор, и я ее не убивал. Хотя я прекрасно понимаю, что никаких доказательств у меня нет.

Глава 11

Лен Бейтсон и Колин Макнаб тоже признались, что участвовали в споре. Подтвердили они и то, что яд был уничтожен. Отпустив остальных ребят, инспектор Шарп попросил Колина на минутку задержаться.

— Простите, если причиняю вам боль, мистер Макнаб, — сказал инспектор. — Я понимаю, какая страшная трагедия потерять невесту в день помолвки!

— Не будем вдаваться в подробности, — бесстрастно ответил Колин Макнаб. — Вы не обязаны считаться с моими переживаниями. Я готов ответить на любые вопросы, которые вы сочтете нужными для ведения следствия.

— Вы высказали мнение о том, что поступки Селии Остин диктовались чисто психологическими причинами.

— Без сомнения, — сказал Колин Макнаб. — Если угодно, я объясню вам теоретически...

— Нет-нет, — поспешно прервал его инспектор. — Я вполне доверяю мнению студента-психолога!

— У нее было очень несчастное детство, явившееся причиной эмоционального блока...

— Да-да, конечно. — Инспектор Шарп отчаянно пытался уйти от рассказа об очередном несчастном детстве. С него вполне хватило детства Нигеля.

— Вам она давно нравилась?

— Я бы не сказал. — Колин отнесся к вопросу вдумчиво и серьезно. — Такие эмоции, как любовь, влечение, могут нахлынуть внезапно. Подсознательно меня, конечно, тянуло к Селии, но я не отдавал себе в этом отчета. Я не собирался рано жениться, а поэтому мое сознание противилось влечению, проявлявшемуся на подсознательном уровне.

— Ага. Понятно. А Селия Остин была рада помолвке? У нее не было колебаний? Раздумий? Может, она что-то утаила от вас и это ее угнетало?

— Она призналась мне абсолютно во всем. Совесть ее была чиста.

— Вы собирались пожениться... а когда?

— Через некоторое время. Я сейчас не в состоянии обеспечивать семью.

— У Селии были здесь враги? Может, ее кто-нибудь ненавидел?

— Вряд ли. Я много думал над этим вопросом, инспектор. К Селии тут хорошо относились. На мой взгляд, дело совсем не личного порядка.

— Что вы имеете в виду?

— Мне не хотелось бы сейчас уточнять. Пока это лишь смутные догадки, мне самому многое неясно.

И как инспектор ни настаивал, ему не удалось вытянуть из Колина ни слова.

В списке инспектора оставались лишь Элизабет Джонстон и Салли Финч. Сначала он пригласил Салли.

К нему явилась хорошенькая девушка с копной рыжих волос и лучистыми, умными глазами. Ответив на обычные формальные вопросы, Салли неожиданно сама перешла к делу:

— Знаете, что мне хочется, инспектор? Мне хочется поделиться своими соображениями. Лично моими. Понимаете, в этом доме творится что-то неладное, что-то действительно неладное. Я просто уверена.

— Потому что Селию Остин отравили?

— Нет, у меня и раньше возникало такое чувство. Причем давно. Мне не нравилось, что тут происходит. Не нравилось, что кто-то разрезал рюкзак, а потом искромсал шарф Валери. Не нравилось, что конспекты Черной Бесс залили чернилами. Я собиралась уехать отсюда, уехать немедленно. И я обязательно уеду, как только вы разрешите.

— Значит, вы боитесь, мисс Финч?

Салли кивнула:

— Да, боюсь. Я чувствую во всем происходящем страшную жестокость. Да и сам пансионат — это как бы коробка с двойным дном. Нет-нет, инспектор, я говорю не о коммунистах. Я чувствую, что слово «коммунисты» так и готово сорваться у вас с языка. Но дело не в них. И может быть, в общежитии даже не творится ничего противозаконного. Я не знаю. Но готова поспорить на что угодно — эта жуткая баба в курсе дела.

— Баба? О ком вы говорите? Уж не о миссис ли Хаббард?

— Нет, мама Хаббард — прелесть. Я имела в виду старую волчицу Николетис.

— Весьма интересно, мисс Финч. А вы не могли бы уточнить вашу мысль? Насчет миссис Николетис.

Салли покачала головой:

— Увы, я не могу сказать ничего определенного. Но стоит мне увидеть ее — и мороз по коже. Здесь происходят странные вещи, инспектор.

— Мне бы хотелось услышать что-то более конкретное.

— Мне тоже. Вы, наверное, решили, что у меня больное воображение. Возможно, однако я не исключение. Взять хотя бы Акибомбо. Он перепуган до смерти. И по-моему, Черная Бесс тоже, хотя и не подает виду. И мне кажется, инспектор, Селия что-то знала.

— О чем?

— В том-то и загвоздка. О чем? Но я помню, тогда, в последний день, она что-то говорила... мол, все должно выясниться... Она призналась в своих проступках, но намекнула, что знает кое-какие секреты и они скоро раскроются. Я думаю, что она знала чьи-то тайны и поэтому ее убили.

— Но если дело было так серьезно...

Салли его перебила:

— Вряд ли она представляла себе, насколько это серьезно. Она не отличалась сообразительностью. А попросту говоря, была дурочкой. Она что-то знала, но ей и в голову не приходило, что ее подстерегает опасность. Хотя, конечно, это лишь мои домыслы.

— Ясно. Спасибо... А когда вы в последний раз видели Селию Остин, в гостиной после ужина?

— Да. Хотя... вообще-то я ее и потом видела.

— Где? Вы заходили к ней в комнату?

— Нет, но, когда я пошла к себе, она как раз уходила.

— Уходила? Из дому?

— Да, она стояла в дверях.

— Довольно неожиданный поворот. Мне никто об этом не говорил.

— Думаю, никто просто не знает. Наверное, она попрощалась и сказала, что идет спать, и я, как и все остальные, была бы в этом уверена, если бы не видела ее своими глазами.

511

— Значит, на самом деле она поднялась к себе, переоделась и куда-то пошла. Так?

Салли кивнула:

— Я думаю, ей нужно было с кем-то встретиться.

— Так-так... С кем-то чужим или из пансионата?

— По-моему, из пансионата. Ведь если бы ей хотелось поговорить с человеком с глазу на глаз, она вполне могла бы пригласить его к себе. А раз она ушла, значит, ей предложили встретиться в другом месте, чтобы сохранить это свидание в тайне.

— Вы не знаете, когда она вернулась?

— Понятия не имею.

— Может, Жеронимо, слуга, знает?

— Если она вернулась после одиннадцати, то да, потому что в одиннадцать он запирает входную дверь на засов. А до этого она закрывается просто на ключ, который есть у каждого студента.

— А вы не помните точно, во сколько она ушла из дому?

— Где-то около десяти, может, чуть позже, но не намного.

— Понятно. Спасибо за информацию, мисс Финч.

Последней, с кем беседовал инспектор, была Элизабет Джонстон. Инспектор поразился ее выдержке. Она отвечала на каждый вопрос четко и уверенно, а потом спокойно ждала следующего.

— Селия Остин, — сказал инспектор, — с негодованием отвергла подозрение в том, что она причастна к порче ваших конспектов, мисс Джонстон. Вы ей поверили?

— Да. Думаю, Селия не виновата.

— Вы не предполагаете, кто виноват?

— Сам собой напрашивается ответ, что Нигель Чэпмен. Но, на мой взгляд, такой вывод слишком поспешен. Нигель умен, он не стал бы брать свои чернила.

— А если не Нигель, то кто?

— Я затрудняюсь ответить. Но думаю, Селия знала или по крайней мере догадывалась.

— Она вам говорила?

— Да, но не прямо. Она зашла ко мне перед ужином, в день своей смерти. Зашла сказать, что хотя она виновата в краже вещей, но до моей работы она не дотрагивалась. Я ответила, что верю, и спросила, не знает ли она, кто это сделал.

— И что она ответила?

— Она... — Элизабет на миг умолкла, стараясь как можно точнее вспомнить слова Селии. — Она ответила: «Я не уверена, потому что не вижу причины... Наверное, это сделали по ошибке или случайно. Но я убеждена, что тот, кто это сделал, глубоко раскаивается и готов сознаться». А еще она сказала: «Я вообще многого не понимаю. Зачем эта возня с лампочками, когда пришла полиция?»

Шарп перебил ее:

— Что-что? Простите, я не понял... Что за история с полицией и лампочками?

— Не знаю. Селия сказала только: «Я их не трогала». И добавила: «Может, это имеет какое-то отношение к паспорту?» — «К какому паспорту?» — переспросила я. А она сказала: «По-моему, у кого-то здесь фальшивый паспорт».

Инспектор посидел молча. Наконец-то картина начала проясняться. Вот оно что... Паспорт...

Он спросил:

— А что она еще говорила?

— Ничего. Она лишь сказала: «Во всяком случае, завтра я буду знать гораздо больше».

— Она именно так и сказала: «Завтра я буду знать гораздо больше?» Вспомните поточнее, это очень важно, мисс Джонстон.

— Да, именно так.

Инспектор опять замолчал, погрузившись в раздумья.

Паспорт... и приход полиции... Перед тем как отправиться на Хикори-роуд, он внимательно изучил досье. Все пансионаты, в которых жили студенты, находились под пристальным наблюдением полиции. У дома номер 26 по Хикори-роуд была хорошая репутация. Происшествий там было мало, и все незначительные. Шеффилдская полиция разыскивала студента из Западной Африки, обвинявшегося в сутенерстве; он пробыл несколько дней на Хикори-роуд, потом исчез в неизвестном направлении; впоследствии его поймали и выдворили из страны. На Хикори-роуд, так же как и в других пансионатах, проводилась проверка, когда разыскивали студента, обвинявшегося в убийстве жены хозяина кафе возле Кембриджа. Однако потом молодой человек сам явился в участок в Гулле и отдал себя в руки правосудия. На Хикори-роуд проводилось дознание по поводу распространения среди студентов подрывной литературы. Все это было довольно давно и явно не имело отношения к убийству Селии Остин.

Он вздохнул и, подняв голову, встретился взглядом с Элизабет Джонстон. Ее темные проницательные глаза пристально смотрели на него.

Внезапно его что-то толкнуло, и он спросил:

— Скажите, пожалуйста, мисс Джонстон, у вас никогда не возникало чувства... впечатления, что здесь происходит что-то неладное?

Она удивилась:

— В каком смысле «неладное»?

— Точно не знаю. Просто слова мисс Салли Финч навели меня на размышления...

— А... Салли Финч!

Что-то промелькнуло в ее голосе, но что именно — трудно сказать. Заинтригованный, он продолжал:

— По-моему, мисс Финч весьма наблюдательна, проницательна и практична. И она очень настойчиво повторяла, что здесь творится что-то странное. Но что именно — затруднялась объяснить.

Элизабет резко возразила:

— Ей так кажется, потому что она американка. Американцы все такие: нервные, боязливые, страшно подозрительные. Посмотрите, какими дураками они выглядят перед лицом всего мира, устраивая свои дурацкие охоты на ведьм. А их истерическая шпиономания, навязчивая боязнь коммунизма! Салли Финч — типичный образчик подобного мышления.

Интерес инспектора все возрастал. Значит, Элизабет недолюбливала Салли Финч. Но почему? Потому что Салли — американка? Или же, наоборот, Элизабет не любила американцев из-за Салли Финч? Но какие у нее были основания недолюбливать рыжеволосую красотку? Может, просто из-за женского соперничества?

Он попытался прибегнуть к тактике, которая уже не раз сослужила ему хорошую службу, и вкрадчиво сказал:

— Как вы сами понимаете, мисс Джонстон, в заведениях, подобных вашему, можно встретить людей, находящихся на весьма различном интеллектуальном уровне развития. Некоторые... их большинство... способны сообщать только голые факты. Но если нам попадается человек умный...

Он умолк. Последняя фраза явно должна была ей польстить. Но попадется ли она на удочку?

Она не заставила себя долго ждать:

— Думаю, я уловила вашу мысль, инспектор. Интеллектуальный уровень здесь действительно невысок. Нигель Чэпмен довольно сообразителен, однако его кругозор ограничен. Леонард Бейтсон туповат, но берет трудолюбием. Валери Хобхауз весьма неглупа, однако ее интересуют лишь деньги, а подумать о чем-нибудь действительно стоящем ей лень. Вам нужна помощь человека, действительно умеющего мыслить.

— Такого, как вы, мисс Джонстон.

Она с удовольствием проглотила даже такую откровенную лесть. Он с интересом отметил, что под маской благовоспитанной скромницы скрывается самоуверенная молодая особа, весьма высоко оценивающая свои умственные способности.

— Пожалуй, вы правы в оценке ваших друзей, мисс Джонстон. Чэпмен умен, но инфантилен. Валери Хобхауз неглупа, однако у нее потребительское отношение к жизни. И только вы — употребляю ваше выра-

515

жение — действительно умеете мыслить. Поэтому я высоко ценю ваше мнение, мнение могучего, независимого ума.

Он даже испугался, что перегнул палку, но страхи оказались напрасными.

— У нас все в порядке, инспектор. Не обращайте внимания на Салли Финч. Это вполне приличный дом с хорошо налаженным бытом. Уверяю вас, что здесь не занимаются подрывной деятельностью.

Инспектор Шарп слегка удивился:

— Но я и не думал ни о какой подрывной деятельности!

— Правда? — Она была ошарашена. — А мне показалось... ведь Селия говорила о фальшивом паспорте. Однако, если судить беспристрастно и хорошо проанализировать все факты, то станет ясно, что убийство Селии вызвано личными мотивами... может быть, сексуальными комплексами. Уверена, что к жизни пансионата в целом убийство не имеет отношения. Тут ничего не происходит. Уверяю вас, ничего. Иначе я бы знала, я очень тонко чувствую подобные вещи.

— Понятно. Ну что ж, спасибо, мисс Джонстон. Вы были весьма любезны и во многом помогли мне.

Элизабет Джонстон ушла. Инспектор Шарп сидел, глядя на закрытую дверь. Он настолько глубоко задумался, что сержанту Коббу пришлось дважды окликнуть его, и только в третий раз Шарп отозвался.

— Да? Что?

— Я говорю, мы всех допросили, сэр.

— Допросить-то допросили, но к каким результатам пришли? Почти ни к каким. Знаете что, Кобб? Я приду сюда завтра с обыском. Мы с вами сейчас спокойно удалимся, пусть считают, что все кончилось. Но здесь явно что-то происходит. И завтра я переверну дом вверх дном. Правда, искать то, не знаю что, довольно трудно... и все же вдруг я натолкнусь на что-нибудь важное? Да... с любопытной девушкой я сейчас побеседовал. Она метит в Наполеоны, и я почти уверен, что она рассказала далеко не все из того, что ей известно.

Глава 12

Диктуя письмо, Эркюль Пуаро вдруг запнулся на полуслове. Мисс Лемон вопросительно взглянула на него:

— Что дальше, мсье Пуаро?

— Не могу собраться с мыслями! — Пуаро махнул рукой. — В конце концов, письмо подождет. Будьте любезны, мисс Лемон, соедините меня с вашей сестрой.

— Сейчас, мсье Пуаро.

Через несколько минут Пуаро поднялся с места, подошел к телефону и взял трубку из рук секретарши.

— Надеюсь, я вас не отрываю от работы, миссис Хаббард?

— Ах, мсье Пуаро, мне сейчас не до работы!

— Пришлось немного поволноваться, да? — деликатно осведомился Пуаро.

— Это очень мягко сказано, мсье Пуаро. Вчера инспектор Шарп допрашивал студентов, а сегодня вдруг нагрянул с обыском, и мне пришлось утихомиривать бившуюся в истерике миссис Николетис.

Пуаро сочувственно поцокал языком.

А потом сказал:

— Я хочу задать вам один маленький вопрос. Вы составляли список пропавших вещей в хронологическом порядке?

— То есть как?

— Ну, вы перечислили все кражи по порядку?

— Нет-нет. Мне очень жаль, но я просто записала по памяти, какие вещи исчезли. Наверное, я ввела вас в заблуждение, простите.

— Ничего, — сказал Пуаро. — Я сам не додумался вас спросить. Но я счел тогда, что это не существенно. Позвольте, я прочитаю вам список. Значит, так: одна вечерняя туфля, браслет, бриллиантовое кольцо, компактная пудра, губная помада, стетоскоп и так далее. Но на самом деле вещи исчезали в другой последовательности?

— Да.

— А вы не смогли бы припомнить, что пропало сначала, а что потом? Или это сложно?

— Боюсь, что не смогу сразу ответить, мсье Пуаро. Прошло уже столько времени! Мне надо подумать. Ведь когда я набрасывала список, готовясь к нашей первой встрече, я просто старалась ничего не забыть, не упустить ни одной вещи. И конечно, прежде всего мне пришла на память туфля — не мудрено, ведь ее кража была такой странной. Потом я поставила браслет, компактную пудру, зажигалку и бриллиантовое кольцо, поскольку это были более или менее ценные вещи, и у меня создалось впечатление, что в доме орудует настоящий вор... А после я припомнила пустяковые пропажи: кражу борной кислоты, лампочек и историю с рюкзаком. И на всякий случай решила записать. По-моему, это сущие пустяки, я вспомнила о них в последний момент.

— Понятно, — сказал Пуаро. — Понятно... Я попрошу вас, мадам, когда у вас выдастся свободная минутка...

— То есть когда я дам миссис Николетис снотворное, уложу ее в постель и успокою Жеронимо с Марией... А что именно я должна сделать?

— Сядьте и попытайтесь вспомнить по порядку, чем точнее — тем лучше, как развивались события.

— Хорошо, мсье Пуаро. По-моему, первым исчез рюкзак, а потом лампочки, хотя они вряд ли имеют отношение к нашему делу... Потом пропал браслет и пудра... хотя нет... кажется, туфля. Впрочем, не буду отнимать у вас время. Лучше я действительно сяду и постараюсь хорошенько припомнить.

— Благодарю вас, мадам. Я буду вам очень признателен. — Пуаро повесил трубку. — Я собой недоволен, — сказал он мисс Лемон. — Я отступил от своих основных заповедей: нарушил принцип методичного, упорядоченного расследования. Я должен был с самого начала выяснить, в какой последовательности совершались кражи.

— Да-да, действительно, — машинально ответила мисс Лемон. — Так мы закончим сейчас с письмами, мсье Пуаро?

Но Пуаро опять нетерпеливо замахал руками.

В субботу утром, явившись с обыском на Хикори-роуд, инспектор Шарп пожелал встретиться с миссис Николетис, которая всегда по субботам приезжала в пансионат получить отчет миссис Хаббард. Он сообщил ей о своих намерениях.

Миссис Николетис возмутилась:

— Но это чудовищно! Мои студенты тут же съедут... все до единого. Вы меня разорите!

— Не беспокойтесь, мадам. Ручаюсь, что они все поймут правильно. В конце концов, мы же расследуем убийство.

— Не убийство, а самоубийство...

— И я уверен, что, услышав мои доводы, никто не станет возражать...

Миссис Хаббард попыталась успокоить хозяйку.

— Поверьте, — сказала она, — все отнесутся нормально... Кроме разве что мистера Ахмеда Али и мистера Чандры Лала, — подумав, прибавила она.

— Ах, бросьте! — воскликнула миссис Николетис. — Очень меня волнует их реакция!

— Ну и прекрасно, мадам! — сказал инспектор. — Значит, начнем отсюда: с вашей гостиной.

Миссис Николетис опять взорвалась.

— Переворачивайте хоть весь дом, — сказала она, — но здесь ни к чему не прикасайтесь. Я протестую.

— Весьма сожалею, миссис Николетис, но мне нужно осмотреть каждую комнату.

— Да, но только не мою. На меня законы не распространяются.

— Законы распространяются на всех. Будьте любезны, отойдите в сторону.

— Это произвол! — яростно завопила миссис Николетис. — Вы суете свой нос в чужие дела! Я буду жаловаться! Я напишу моему депутату! Напишу в газеты!

— Пишите куда хотите, — сказал инспектор Шарп. — Я все равно обыщу вашу комнату.

Он начал с конторки. Но поиски его успехом не увенчались, поскольку он обнаружил там лишь большую коробку конфет, кипу бумаг и массу всякого хлама. Тогда он двинулся к буфету, стоявшему в углу комнаты.

— Здесь заперто. Вы не дадите мне ключ?

— Никогда! — взвизгнула миссис Николетис. — Никогда! Ни за что в жизни! Вам не видать ключа как своих ушей! Я плевала на вас, свинья, грязный полицейский! Правда! Плевала! Плевала!

— И все-таки лучше дайте мне ключ, — сказал инспектор Шарп. — А то я просто взломаю дверцу.

— Не дам! Можете меня обыскать, но учтите, я этого так не оставлю! Я устрою скандал!

— Принесите стамеску, Кобб, — со вздохом сказал инспектор.

Миссис Николетис возмущенно вскрикнула. Инспектор Шарп пропустил это мимо ушей. Кобб принес стамеску. Дверца затрещала и поддалась. И как она только раскрылась, из буфета посыпались пустые бутылки из-под бренди.

— Свинья! Мразь! Негодяй! — кричала миссис Николетис.

— Благодарю вас, мадам, — вежливо сказал инспектор. — Обыск закончен.

Пока миссис Николетис билась в истерике, миссис Хаббард тактично убрала бутылки.

Так раскрылась первая тайна — тайна припадков миссис Николетис.

Пуаро позвонил, когда миссис Хаббард, зайдя к себе в гостиную, доставала из аптеки успокаивающее средство. Повесив трубку, она вернулась в комнату миссис Николетис, которая уже утихомирилась и перестала визжать и колотить ногами по дивану.

— Выпейте, — сказала миссис Хаббард, — и вам сразу полегчает.

— Гестаповцы! — успокаиваясь, но все еще мрачно пробурчала миссис Николетис.

— На вашем месте я бы старалась больше не думать о них, — сказала миссис Хаббард.

— Гестаповцы! — повторила миссис Николетис. — Самые настоящие гестаповцы!

— Но ведь они выполняли свой долг, — возразила миссис Хаббард.

— Значит, совать свой нос в мой буфет тоже их долг? Я же им говорила: «Для вас тут ничего нет». Я его заперла. Спрятала ключ на груди. Если бы не вы, они бы меня раздели, бесстыдные свиньи; они только вас постеснялись, не захотели при свидетелях.

— О, что вы, они бы не стали так дурно обращаться с вами, — сказала миссис Хаббард.

— Так я вам и поверила! Но зато они взяли стамеску и взломали дверь. Тем самым дому нанесен ущерб, расплачиваться за который буду я.

— Но если бы вы дали им ключ...

— С какой стати? Это мой ключ! Мой собственный. И комната моя собственная. Что же получается? Я, в своей собственной комнате, говорю полиции: «Убирайтесь». А они и ухом не ведут!

— Но, миссис Николетис, вы, наверное, забыли, что произошло убийство. А это всегда чревато неприятностями, с которыми нам не приходится обычно сталкиваться.

— Плевать я хотела на россказни про убийство! — заявила миссис Николетис. — Малышка Селия покончила с собой. Влюбилась, влипла в дурацкую историю и приняла яд. Тоже мне событие! Глупые девчонки с ума сходят от любви, будто им делать нечего! А пройдет год, два — и где она, великая страсть? Все мужчины одинаковы. Но дурехи не понимают такой простой истины. Они травятся снотворным, газом или еще какой-нибудь дрянью.

— И все-таки, — сказала миссис Хаббард, возвращаясь к началу разговора, — советую вам успокоиться.

— Хорошо вам говорить! А я не могу. Мне грозит опасность.

— Опасность? — удивленно взглянула на нее миссис Хаббард.

— Это был мой личный буфет, — твердила миссис Николетис. — Никто не знал, что у меня там лежит. Я не хотела, чтобы они об этом знали. А теперь они узнают. Я боюсь. Они могут подумать... Боже, что они подумают?

— О ком вы говорите?

Миссис Николетис передернула полными, красивыми плечами и насупилась.

— Вы не понимаете, — сказала она, — но я боюсь. Очень боюсь.

— Расскажите мне, — попросила миссис Хаббард. — Вдруг я смогу вам помочь?

— Слава Богу, что я ночую в другом месте! — воскликнула миссис Николетис. — Здесь такие замки, что к ним подходит любой ключ. Но я, к счастью, тут не ночую.

Миссис Хаббард сказала:

— Миссис Николетис, если вы чего-то опасаетесь, то вам лучше довериться мне.

Миссис Николетис метнула на нее быстрый взгляд и тут же отвела его в сторону.

— Вы сами говорили, — уклончиво сказала она, — что здесь произошло убийство. Поэтому мои страхи вполне естественны. Кто окажется следующей жертвой? Мы ничего не знаем про убийцу. А все потому, что полицейские круглые дураки или, может, они подкуплены.

— Вы говорите глупости, и сами это понимаете, — сказала миссис Хаббард. — Но скажите, неужели у вас есть реальные причины для беспокойства?

Миссис Николетис опять впала в ярость:

— Вы думаете, я попусту болтаю языком? Вы всегда все знаете! Лучше всех! Просто клад, а не женщина: такая хозяйственная, экономная, деньги у нее текут как вода, она кормит-поит студентов и они от нее без ума!

А теперь вы еще вздумали лезть в мои дела! Это мои дела и я никому не позволю в них соваться, слышите! Не позволю, зарубите себе на вашем длинном носу!

— Успокойтесь, — раздраженно сказала миссис Хаббард.

— Вы — доносчица, я всегда это знала.

— Но на кого же я доношу?

— Конечно, ни на кого, — саркастически сказала миссис Николетис. — Вы ни в чем не замешаны. Но всякие пакости — это ваших рук дело. Я знаю, меня пытаются оболгать, и я выясню, кто этим занимается!

— Если вы хотите меня уволить, — сказала миссис Хаббард, — только скажите, и я сразу уйду.

— Нет, вы не уйдете! Я вам запрещаю! Еще чего вздумали! Дом кишит полицейскими и убийцами, а она вздумала взвалить все на мои плечи! Нет, вы не посмеете покинуть меня!

— Ну хорошо, хорошо, — беспомощно сказала миссис Хаббард. — Но, ей-богу, так трудно понять, чего вы на самом деле хотите. Порой мне кажется, вы и сами не знаете. Идите-ка лучше ко мне и прилягте.

Глава 13

Доехав до пансионата, Эркюль Пуаро вышел из такси.

Открывший ему дверь Жеронимо встретил его как старого друга. Поскольку в холле стоял констебль, Жеронимо провел Пуаро в столовую и закрыл дверь.

— Ужасно, ужасно! — шептал он, помогая Пуаро снять пальто. — Полиция здесь все время! Все задают вопросы, ходят туда, ходят сюда, смотрят шкафы, ящики, ходят даже кухня Марии. Мария очень сердитая. Она говорила, она хочет бить полицейский скалка, но я говорил, лучше не надо. Я говорил, полицейский не любит, когда его бьют скалка, и они будут нам делать еще хуже, если Мария его бьет.

— Вы очень разумный человек, — одобрительно сказал Пуаро. — А миссис Хаббард сейчас свободна?

— Я вас веду к ней.

— Погодите, — остановил его Пуаро. — Помните, однажды в доме исчезли лампочки?

— О да, конечно. Но прошло много время. Один... два... три месяца.

— А где именно исчезли лампочки?

— В холл и, кажется, гостиная. Кто-то решил пошутить. Взял все лампочки.

— А вы не помните, когда точно это произошло?

Жеронимо приложил руку ко лбу и погрузился в задумчивость.

— Не помню, — сказал он. — Но кажется, это было, когда приходил полицейский, в феврале...

— Полицейский? А зачем он приходил?

— Он хотел говорить с миссис Николетис о студент. Очень плохой студент, пришел из Африки. Не работал. Ходил на биржа труда, получал пособие, потом находил женщина, и она ходила с мужчины для него. Очень, очень плохо. Полиция это не любит. Это было, кажется, в Манчестер или Шеффилд. Поэтому он убежал, но полиция приходила и говорила с миссис Хаббард, а она сказала, он тут долго не жил, потому что она его не любила и прогоняла.

— Ясно. Они, значит, пытались его выследить?

— Не понимаю.

— Они его искали?

— Да-да, правильно. Они находили его и садили в тюрьму, потому что он делал женщина проститутка, а делать женщина проститутка нельзя. Здесь хороший дом. Здесь такое не занимаются.

— И полиция пришла как раз в тот день, когда пропали лампочки?

— Да. Потому что я включал и свет не горел. И я пошел в столовая, и там тоже нет лампочки, и я смотрел в ящике, здесь, где запас, и видел, что они попадались. Поэтому я спускался в кухня и спрашивал Марию, если она знает, где запас, но она была сердитая,

524

потому что она не любит полицию, и она говорила, что лампочки не ее работа, и поэтому я приносил свечи.

Идя за Жеронимо по лестнице, Пуаро размышлял над его рассказом.

Миссис Хаббард была усталой и встревоженной, но, увидев Пуаро, радостно оживилась. Она тут же протянула ему листок бумаги:

— Я постаралась вспомнить как можно точнее, что за чем идет, но на сто процентов не ручаюсь. Очень трудно воссоздавать ход событий, когда прошло столько времени.

— Я вам глубоко благодарен, мадам. А как себя чувствует миссис Николетис?

— Я дала ей успокоительное и надеюсь, что она заснула. Она устроила жуткий скандал, услышав об обыске. Отказалась открыть буфет, и инспектор взломал дверцу. Представляете, оттуда выкатилась масса бутылок!

— Ах-ах-ах! — вежливо посочувствовал Пуаро.

— Теперь мне многое стало понятно, — сказала миссис Хаббард. — Просто удивительно, как я раньше не догадалась, ведь я видела столько пьяниц в Сингапуре! Но думаю, вас это мало интересует.

— Меня все интересует, — ответил Пуаро.

Он сел и взял в руки листок, который протянула ему миссис Хаббард.

— Ага! — почти тут же воскликнул он. — Значит, сначала исчез рюкзак.

— Да. Это была пустяковая пропажа, но я совершенно точно помню, что она произошла до кражи украшений и всего прочего. В доме царила тогда суматоха, у нас были неприятности из-за одного африканского студента. Он уехал за день или за два до того, и помнится, я решила, что он испортил рюкзак, желая отомстить. Он причинил нам довольно много хлопот...

— Да, Жеронимо мне рассказывал. К вам, кажется, наведалась полиция?

— Верно. К ним пришел запрос из Шеффилда или Бирмингема, точно не помню. История вообще-то скандальная. Африканец добывал деньги нечестным путем... Потом его привлекли к суду. Он прожил у нас всего три или четыре дня. Мне не понравилось его поведение, и я сказала ему, что комната забронирована и ему придется съехать. Я совсем не удивилась, когда потом к нам пришла полиция. Конечно, я понятия не имела, куда он делся, но в конце концов его нашли.

— Это случилось после того, как вы обнаружили рюкзак?

— Вроде бы да... сейчас трудно вспомнить. Дело было так: Лен Бейтсон собрался путешествовать автостопом, но не мог отыскать рюкзак и поэтому переполошил весь дом. Потом наконец Жеронимо нашел рюкзак: кто-то разрезал его на куски и засунул за котел в котельной. Это было так странно! Странно и бессмысленно, мсье Пуаро.

— Да, — согласился Пуаро, — странно и бессмысленно.

Он поразмыслил и спросил:

— Скажите, а лампочки, электрические лампочки исчезли в тот же самый день, когда к вам нагрянула полиция? Так, по крайней мере, сказал мне Жеронимо.

— Точно не помню, но кажется, да, потому что я спустилась вниз с инспектором полиции; мы пошли в гостиную, а там горели свечи. Мы хотели узнать у Акибомбо, не сообщил ли ему тот африканец, где он собирается поселиться.

— А кто еще был в гостиной?

— Да, по-моему, почти все. Дело было вечером, часов в шесть. Я спросила у Жеронимо, почему не горит свет, а он ответил, что лампочки исчезли. Я поинтересовалась, почему он не вкрутил новые, а он сказал, что у нас не осталось в запасе ни одной. Ох и разозлилась же я тогда! Я ведь решила, что кто-то глупо, бессмысленно пошутил. Я восприняла это именно как шутку, и меня удивило, что в доме нет запасных лампочек; мы обычно покупаем сразу помногу.

— Лампочки и рюкзак, — задумчиво повторил Пуаро.

— Но мне до сих пор кажется, — сказала миссис Хаббард, — что Селия не имела отношения ни к рюкзаку, ни к лампочкам. Помните, она упорно твердила, что не прикасалась к рюкзаку?

— Вы правы. А потом, в скором времени, начались кражи, да?

— Господи, мсье Пуаро, вы не представляете, как трудно сейчас вспомнить... Так, дайте сообразить... дело было в марте... нет, в феврале, в конце февраля. Да, кажется, Женевьев сказала, что у нее пропал браслет, числа двадцатого — двадцать пятого, через неделю после истории с лампочками.

— И потом кражи стали совершаться регулярно?

— Да.

— А рюкзак принадлежал Лену Бейтсону?

— Да.

— И он очень рассердился?

— Не судите его слишком строго, — с легкой улыбкой сказала миссис Хаббард. — У Лена Бейтсона такой характер. Он очень добрый, великодушный, терпимый, но при этом импульсивный и вспыльчивый мальчик.

— А какой у него был рюкзак?

— Самый обыкновенный.

— Вы не могли бы показать мне похожий?

— Конечно. Кажется, у Колина есть такой же. И у Нигеля. Да и у самого Лена тоже, ведь он купил себе новый. Студенты обычно покупают рюкзаки в лавке на нашей улице, в самом конце. Там продаются хорошие вещи для туристов, всякое снаряжение, шорты, спальные мешки... И все очень дешево, гораздо дешевле, чем в больших универмагах.

— Пойдемте посмотрим на рюкзак.

Миссис Хаббард любезно провела его в комнату Колина Макнаба. Колина не было, но миссис Хаббард сама открыла шкаф, нагнулась и вытащила рюкзак.

— Вот, пожалуйста, мсье Пуаро. Пропавший был точь-в-точь такой же.

— А разрезать его нелегко, — пробормотал Пуаро, разглядывая рюкзак. — Тут маникюрными ножницами не обойдешься.

— О, что вы, конечно, дело это не женское. Тут нужна сила, и недюжинная.

— Вы правы.

— Ну а потом, когда нашли шарф Валери, тоже изрезанный на куски, я подумала, что... что у кого-то не все в порядке с психикой.

— Да нет, — сказал Пуаро, — по-моему, вы ошибаетесь, мадам. Сумасшествием тут и не пахнет. Я думаю, что некто действовал вполне осмысленно и целенаправленно. У него, так сказать, был свой метод.

— Я полностью полагаюсь на ваше мнение, мсье Пуаро, — сказала миссис Хаббард. — Могу лишь сказать, что мне это не по душе. Насколько я могу судить, большинство наших студентов — хорошие ребята, и мне очень грустно думать...

Он еще раз выглянул в окно, посмотрел на садик, а потом, попрощавшись с миссис Хаббард, ушел.

Он направился вперед по Хикори-роуд, дошел до угла и двинулся дальше. Он легко узнал магазинчик, о котором говорила миссис Хаббард. В витринах были выставлены корзинки, рюкзаки, термосы, шорты, ковбойки, тропические шлемы, палатки, купальники, велосипедные фары, фонари — короче говоря, все необходимое для молодежи, увлекающейся спортом и туризмом. На вывеске стояло имя Хикса, а вовсе не Мабберли и не Келсо, отметил про себя Пуаро. Хорошенько рассмотрев витрины, Пуаро вошел в магазин и сообщил, что ему нужен рюкзак для племянника.

— Он занимается туризм, вы понимаете, — сказал Пуаро, стараясь как можно больше коверкать английский язык. — Он ходит ногами с другими студентами и все, что ему надо, он носит на спине, а когда видит машины или грузовики, которые ездят мимо, он... как это... голосует.

Хозяин магазинчика, услужливый рыжеватый человечек, быстро сообразил, о чем речь.

— А, понятно, автостоп! — сказал он. — Сейчас вся молодежь ездит автостопом. Автобусы и железные дороги терпят большие убытки. А многие из ребят объездили автостопом всю Европу. Значит, вам нужен рюкзак? Какой? Обычный?

— Я так понимаю. Да. А у вас много рюкзаков?

— Как вам сказать... У нас есть пара суперлегких, для девушек. Но наибольшим спросом пользуются эти. Они хорошие, вместительные, прочные и, простите за нескромность, очень дешевые.

Он положил на прилавок брезентовый рюкзак, точно такой же, какой Пуаро видел в комнате Колина. Пуаро повертел его в руках, задал пару пустых вопросов и в конце концов выложил на прилавок деньги.

— У нас их хорошо берут, — сказал человечек, упаковывая покупку.

— Здесь живет много студентов, да?

— Совершенно верно. У нас прямо студенческий городок.

— Кажется, и на Хикори-роуд есть пансионат?

— О да, кое-кто из молодых людей уже приобрел мои рюкзаки. И девушки, кстати, тоже. Ребята обычно приходят ко мне перед поездкой. А у меня гораздо дешевле, чем в больших магазинах, я так им и говорю. Ну вот, сэр, уверен, что ваш племянник останется доволен.

Пуаро поблагодарил его, взял сверток и ушел.

Но не прошел он и двух шагов, как кто-то хлопнул его по плечу. Это оказался инспектор Шарп.

— Вы-то как раз мне и нужны, — сказал Шарп.

— Ну как, закончили обыск?

— Закончить-то закончил, но ничего особенного не нашел. Знаете, тут есть вполне приличное кафе, где можно перехватить сандвич и выпить кофе. Если вы не очень заняты, то пойдемте со мной. Мне нужно с вами поговорить.

В кафе почти никого не было. Только двое мужчин несли свои тарелки и чашки к маленькому столику в углу.

Шарп рассказал о своих беседах со студентами.

— Улики есть только против юного Нигеля. Но зато какие: целых три пузырька с ядами! Однако он вроде бы ничего не имел против Селии Остин, и, потом, будь он действительно виновен, вряд ли бы он стал так откровенничать.

— Но кто-то другой мог...

— Да. Надо же додуматься: держать яд в комоде! Идиот!

Потом Шарп рассказал о разговоре с Элизабет Джонстон.

— Если она не лжет и Селия действительно ей что-то говорила, то это очень важно.

— Очень, — кивнул Пуаро.

Инспектор повторил слова Селии:

— «Завтра я буду знать гораздо больше».

— Но до завтра бедняжка не дожила... А что вы нашли при обыске?

— Да были кое-какие неожиданности.

— Какие же?

— Элизабет Джонстон — член компартии. Мы нашли ее билет.

— Вот как? Интересно, — задумчиво произнес Пуаро.

— Неожиданно, правда? — сказал инспектор. — Я сам никогда бы не поверил, если бы не побеседовал с ней вчера. Элизабет — девушка не заурядная.

— Да, такие люди для партии неоценимы, — сказал Эркюль Пуаро. — У нее недюжинный ум.

— Ее членство в партии меня заинтриговало потому, — сказал инспектор Шарп, — что она никак не выражала своих политических пристрастий. Она не афишировала своих взглядов на Хикори-роуд. Думаю, к делу Селии Остин это не относится, но все равно любопытно.

— А что вы еще обнаружили?

Инспектор пожал плечами:

— У Патрисии Лейн в ящике комода лежал платок, сильно перепачканный зелеными чернилами.

— Зелеными? Стало быть, Патрисия Лейн залила конспекты Элизабет Джонстон, а потом вытерла руки платком? Но наверняка...

— Наверняка она не думала, что подозрения падут на ее драгоценного Нигеля, — подхватил инспектор.

— Невероятно! Впрочем, платок могли ей подбросить.

— Вполне.

— А что еще?

— Что еще? — Инспектор Шарп на мгновение задумался. — Отец Лена Бейтсона лежит в психиатрической больнице в Лонгвиз-Бейл. Конечно, при чем тут убийство Селии? И все же...

— Все же отец Лена психически болен. Возможно, это ни при чем, как вы изволили выразиться, но взять сей факт на заметку явно стоит. Интересно, какое конкретно у него заболевание?

— Бейтсон — милый юноша, — сказал Шарп, — но, конечно, он чересчур вспыльчив.

Пуаро кивнул. И вдруг живо припомнил слова Селии Остин: «Рюкзак я не трогала. Но наверняка его изрезали в порыве злости». Откуда она знала? Может, она видела, как Лен Бейтсон кромсал рюкзак?.. Он вновь взглянул на инспектора, который продолжал, усмехаясь:

— А у мистера Ахмеда Али ящики были забиты порнографическими журналами и открытками, так что понятно, почему он взбеленился, узнав об обыске.

— Многие студенты выражали недовольство?

— Кое-кто был против. С француженкой случилась истерика, а индус Чандра Лал угрожал международным скандалом. Среди его вещей мы обнаружили несколько политических брошюр антиправительственного содержания. А у одного африканца — весьма зловещие сувениры и фетиши. При обыске вскрываются совершенно неожиданные свойства человеческой души. Вы, наверное, слышали о буфете миссис Николетис?

— Мне рассказывали.

Инспектор Шарп ухмыльнулся:

— В жизни не видел столько бутылок из-под бренди! Она чуть с ума не сошла от ярости. — Он рассмеялся, но вдруг посерьезнел. — Однако того, что нам нужно, мы не нашли, — сказал он. — Никаких фальшивых документов.

— Ну, вряд ли фальшивый паспорт будет храниться на виду. Скажите, а вам не доводилось наведываться на Хикори-роуд по каким-нибудь паспортным делам? Примерно в последние полгода?

— Нет, но я приходил по другим.

Он подробно перечислил свои визиты на Хикори-роуд.

Пуаро слушал его наморщив лоб.

— Однако к нашему делу это не имеет отношения, — закончил инспектор.

Пуаро покачал головой:

— События выстраиваются в стройный ряд только тогда, когда их рассматриваешь с самого начала.

— А что, по-вашему, было тут началом?

— История с рюкзаком, — негромко произнес Пуаро. — Все началось с рюкзака.

Глава 14

Миссис Николетис вернулась из подвала, где она бурно поскандалила с Жеронимо и темпераментной Марией.

— Лжецы и воры! — победоносно заявила она во весь голос. — Все итальяшки — лжецы и воры!

Спускавшаяся по лестнице миссис Хаббард раздраженно вздохнула.

— Вы зря расстраиваете их, когда они готовят ужин, — сказала она.

— А мне что за дело до вашего ужина? — передернула плечами миссис Николетис. — Я поем в другом месте.

Миссис Хаббард чуть было не вспылила, но вовремя сдержалась.

— Ждите меня, как всегда, в понедельник, — сообщила миссис Николетис.

— Хорошо.

— И пожалуйста, в понедельник прежде всего велите починить дверцу моего буфета. А счет пошлите полиции, ясно? Полиции!

Миссис Хаббард с сомнением взглянула на хозяйку.

— И пусть в коридорах ввернут лампочки посильнее. Там слишком темно.

— Но вы сами велели ввернуть маломощные лампочки, в целях экономии.

— Это было на прошлой неделе, — огрызнулась миссис Николетис. — А теперь обстоятельства изменились. Теперь я хожу и озираюсь: не крадется ли кто за мной?

«Неужели она действительно боится?» — подумала миссис Хаббард. У миссис Николетис была привычка раздувать из мухи слона, и миссис Хаббард не знала, насколько можно доверять ее словам.

Она спросила, поколебавшись:

— Может, вам не стоит возвращаться одной? Хотите, я провожу вас?

— Дома мне гораздо спокойнее, уверяю вас!

— Но чего же вы боитесь? Если бы я знала, то я бы могла...

— Это не ваша забота. Я вам ничего не скажу. Просто безобразие, вы все время у меня допытываетесь...

— Простите, но уверяю вас...

— Ну вот, вы обиделись. — Миссис Николетис ослепительно улыбнулась. — О да, я плохая, грубая женщина. Но я сейчас страшно нервничаю. Я так вам доверяю и полагаюсь на вас. Что бы я без вас делала, дорогая миссис Хаббард? Ей-богу, я бы пропала! Ну, моя милая, мне пора. Счастливо отдохнуть. И доброй ночи.

Миссис Хаббард стояла, глядя ей вслед. Когда дверь за миссис Николетис захлопнулась, миссис Хаббард, неожиданно для себя самой, воскликнула: «Ну и дела!» — и отправилась на кухню.

А миссис Николетис спустилась с крыльца, вышла за ворота и повернула налево. Улица была просторной. Дома стояли в глубине садов. В конце улицы, всего в нескольких минутах ходьбы от дома, пролегла одна из центральных магистралей Лондона, по которой мчался поток машин. На углу, возле светофора, находился бар «Ожерелье королевы». Миссис Николетис шла посреди улицы, нервно оглядываясь, но сзади никого не было. В тот вечер на Хикори-роуд было удивительно безлюдно. Подходя к «Ожерелью», миссис Николетис ускорила шаг. Еще раз торопливо оглянувшись по сторонам, она смущенно проскользнула в дверь бара.

Потягивая двойной бренди, она постепенно воспряла духом. Испуг и беспокойство исчезли, однако ненависть к полиции осталась.

— Гестаповцы! Я их проучу! Ей-богу, проучу! — пробурчала она себе под нос и залпом осушила рюмку.

Какая досада, какая страшная досада, что неотесанные болваны полицейские обнаружили ее тайник! Только бы это не дошло до студентов! Миссис Хаббард, правда, вряд ли будет болтать... Хотя кто ее знает? Доверять-то никому нельзя. Но рано или поздно это все равно стало бы известно... Ведь Жеронимо знал. И мог сказать жене, а та — уборщице, и пошел бы слушок, пошел, пока не... Она резко вздрогнула, услышав за спиной голос.

— Кого я вижу! Миссис Ник! А мне и невдомек было, что вы сюда захаживаете.

Она резко повернулась и облегченно вздохнула.

— А, это вы, — сказала она. — А я думала...

— Кто? Серый волк? Что вы пьете? Разрешите, я составлю вам компанию?

— Я просто перенервничала, — с достоинством сказала миссис Николетис. — Полицейские целый день рыскали по дому, всем портили нервы. О мое бедное сердце! Мне надо его беречь. Я вообще-то не пью, но сегодня у меня нервы на пределе. Вот я и подумала, что немного бренди...

— Да, бренди — это вещь. Давайте выпьем.

Вскоре бодрая и счастливая миссис Николетис вышла из бара. Она хотела было сесть в автобус, но потом передумала. Ночь чудесная, лучше пройтись пешком. Свежий воздух ей не повредит. Она не то чтобы шаталась, однако ноги у нее слегка заплетались. Пожалуй, она немного перепила, но на свежем воздухе ей скоро полегчает. В конце концов, почему приличная дама не может изредка выпить у себя в комнате, выпить тихо, никому не мешая? Разве в этом есть что-то плохое? Она же не напивается! Не напивается? Ну конечно нет. Никогда! А если они недовольны и вздумают предъявлять к ней претензии, то она тоже в долгу не останется. Ведь она кое-что знает. Ой знает! И пусть радуются, что держит язык за зубами! А не то... Миссис Николетис воинственно вскинула голову и резко шагнула в сторону, чтобы не столкнуться с почтовым ящиком, который почему-то так и норовил на нее прыгнуть. Нет, конечно, голова у нее слегка кружилась. Может, прислониться к стене? Ненадолго! Закрыть глаза и...

Когда констебль Ботт, величественно покачиваясь, обходил дозором свои владения, к нему приблизился робкий клерк.

— Господин офицер, там женщина! Мне кажется... по-моему... она больна... с ней что-то случилось. Она совсем не шевелится.

Констебль Ботт бодрой поступью направился за клерком и нагнулся над распростертым на земле телом. Так он и знал: от женщины разило бренди.

— Напилась в стельку, — сказал он. — Не беспокойтесь, сэр, мы уж о ней позаботимся.

Утром в субботу, позавтракав, Эркюль Пуаро тщательно вытер усы, перепачканные жидким шоколадом, и направился в гостиную.

На столе аккуратно лежали четыре рюкзака, на каждом висел ярлык с ценой — так было велено Джорджу. Пуаро развернул обертку, достал купленный накануне рюкзак и положил его рядом с остальными. Напрашивался любопытный вывод: рюкзак, который ему продал мистер Хикс, был ничуть не хуже других, которые приобрел по просьбе хозяина Джордж. Но стоил он гораздо дешевле.

— Интересно, — сказал Эркюль Пуаро.

Он немного постоял, глядя на рюкзаки, а потом начал внимательно осматривать каждый. Он смотрел снаружи, смотрел изнутри, выворачивал наизнанку, прощупывал швы, карманы, дергал за лямки. Потом встал, пошел в ванну и принес маленький острый ножичек. Вывернул рюкзак, купленный накануне у мистера Хикса, и вспорол подкладку. Дно оказалось полым; внутри лежал увесистый кусок жатой накрахмаленной материи, напоминающей гофрированную бумагу. Пуаро посмотрел на расчлененный рюкзак с большим интересом.

Потом набросился на остальные.

Наконец он сел и огляделся вокруг, как полководец после битвы. Потом пододвинул к себе телефон и довольно быстро дозвонился до инспектора Шарпа.

— Послушайте, друг мой, — сказал он. — Я хочу узнать две вещи. Вчера вы сказали, что полиция несколько раз наведывалась на Хикори-роуд. Несколько раз за последние три месяца. Вы не могли бы назвать мне точные даты и время суток?

— Да, конечно. Сейчас взгляну в отчетах. Погодите.

Вскоре инспектор опять взял трубку:

— Так-так... Вот! 18 декабря, 15 часов 30 минут. Студент из Индии обвинялся в распространении подрывной литературы...

— Слишком давно, не подходит.

— 24 февраля, 18 часов 30 минут. Монтегю Джонс разыскивался в связи с убийством миссис Алисы Комб из Кембриджа. Дальше... 6 марта, 11 часов. Вильям Робинсон, уроженец Западной Африки, разыскивался шеффилдской полицией.

— Ясно. Спасибо.

— Но если вы думаете, что приход полиции имеет какое-нибудь отношение к...

— Нет, — прервал его Пуаро. — Я не думаю. Меня просто интересовало, в какое время дня приходила полиция.

— Не пойму, чем вы сейчас занимаетесь, Пуаро?

— «Расчленяю» рюкзаки. Очень увлекательное занятие.

И он тихо положил трубку.

Вынул из кармана новый список, составленный накануне миссис Хаббард. Прочитал:

«1. Рюкзак (Лена Бейтсона).

2. Лампочки.

3. Браслет (Женевьев).

4. Бриллиантовое кольцо (Патрисии).

5. Компактная пудра (Женевьев).

6. Вечерняя туфля (Салли).

7. Губная помада (Элизабет Джонстон).

8. Серьги (Валери).

9. Стетоскоп (Лена Бейтсона).

10. Морская соль (?).

11. Шарф, разрезанный на куски (Валери).

12. Брюки (Колина).

13. Поваренная книга (?).

14. Борная кислота (Чандры Лала).

15. Брошь (Салли).

16. Залитые чернилами конспекты Элизабет.

Я постаралась сделать все, что в моих силах, но за абсолютную точность не ручаюсь.

Л. Хаббард».

Пуаро долго глядел на бумажку. Потом вздохнул и пробормотал себе под нос: «Да... список надо почистить, вычеркнуть все несущественное».

Он знал, кто ему поможет. Дело было в воскресенье, и большинство студентов наверняка сидело дома.

Он позвонил на Хикори-роуд и попросил позвать мисс Валери Хобхауз. Густой гортанный голос неуверенно ответил, что она, скорее всего, еще спит, но он посмотрит.

Потом в трубке раздался низкий глуховатый голос:

— Я слушаю.

— Это Эркюль Пуаро. Вы меня помните?

— Да, конечно, мсье Пуаро. Я к вашим услугам.

— Мне хотелось бы с вами побеседовать.

— Ради Бога.

— Я могу прийти на Хикори-роуд?

— Пожалуйста. Я буду вас ждать у себя. Предупрежу Жеронимо, и он вас проведет в мою комнату. В воскресенье в доме полно народу.

— Благодарю вас, мисс Хобхауз. Я вам очень признателен.

Жеронимо рассыпался в любезностях, открыв Пуаро дверь, а потом, подавшись вперед, сказал, как всегда, заговорщически:

— Я проведу вас к мисс Валери очень тихо. Ш-ш-ш.

Приложив палец к губам, он провел Пуаро наверх, в большую комнату, выходившую окнами на улицу. Она была со вкусом обставлена и представляла собой довольно роскошную гостиную, служившую одновременно спальней. Диван-кровать был застелен слегка вытертым, но красивым персидским ковром, а маленькое бюро из орехового дерева эпохи королевы Анны, судя по всему, было приобретением Валери.

Валери Хобхауз встала, приветствуя Пуаро. Вид у нее был усталый, под глазами темные круги.

— А у вас тут хорошо, — сказал Пуаро, поздоровавшись. — Даже шикарно. Очень уютно.

Валери улыбнулась.

— Я давно здесь, — сказала она. — Целых два с половиной года. Успела немного обжиться, обзавестись вещами.

— Но вы не студентка, мадемуазель?

— О нет, я работаю. Занимаюсь коммерцией.

— В косметической фирме?

— Да. Я закупаю косметику для «Сабрины Фер», это салон красоты. Сейчас я даже вошла в пай. Наша фирма занимается не только косметикой. Мы торгуем различными предметами женского туалета. Всякими парижскими новинками. Я как раз ведаю этим.

— Стало быть, вы частенько ездите в Париж и вообще на континент?

— О да, примерно раз в месяц, иногда чаще.

— Простите меня, — сказал Пуаро, — я, наверное, слишком любопытен...

— Да что вы! — прервала она его. — Я вас вполне понимаю — такая создалась ситуация, ничего не поделаешь. Вчера вот мне пришлось очень долго отвечать на вопросы инспектора Шарпа. В кресле вам будет неудобно, оно слишком низкое, мсье Пуаро. Садитесь лучше на стул.

— Как вы угадали, мадемуазель? — Пуаро осторожно уселся на стул с высокой спинкой и подлокотниками.

Валери села на диван. Предложила ему сигарету и закурила сама. Он внимательно изучал ее. Она была исполнена какого-то нервного, почти страдальческого изящества; такие женщины ему нравились больше, чем просто смазливые девчонки. Она умна и привлекательна, подумал он. Интересно, она нервничает из-за недавнего допроса или она всегда такая? Он вспомнил, что мысль о ее нервозности уже приходила ему в голову, когда он ужинал в общежитии.

— Значит, инспектор Шарп с вами беседовал? — спросил он.

— Да, конечно.

— И вы рассказали ему все, что знали?

— Разумеется.

— А мне кажется, — сказал Пуаро, — что не совсем. Она иронически взглянула на него:

— Боюсь, вам трудно судить, вы же не слышали моих ответов инспектору.

— Да-да, конечно. Просто у меня была одна маленькая мысль. У меня порой мелькают такие маленькие мысли. Вот здесь. — Он постучал по лбу.

Пуаро откровенно, как он порою делал, строил из себя шута горохового, но Валери даже не улыбнулась. Она глядела на него в упор, а потом довольно резко сказала:

— Может, мы сразу приступим к делу, мсье Пуаро? Я не понимаю, к чему вы клоните?

— Ну конечно, мисс Хобхауз. — Он вынул из кармана маленький свёрточек. — Угадайте, что тут.

— Я не ясновидящая, мсье Пуаро. Я не могу угадать через обёртку.

— Здесь кольцо, которое было украдено у Патрисии Лейн.

— Её кольцо? То есть кольцо её мамы, обручальное? Но почему оно у вас?

— Я попросил дать его мне на несколько дней.

Валери удивлённо подняла брови:

— Ах вот как!

— Оно меня заинтересовало, — продолжал Пуаро. — Заинтересовала история его пропажи, возвращения и кое-что ещё. Вот я и попросил его у мисс Лейн. Она мне его дала. Я отнёс его к знакомому ювелиру.

— Да? И что же?

— Я попросил его оценить бриллиант. Если вы помните, он довольно крупный, а по краям обрамлён мелкими. Помните, мадемуазель?

— Ну да, припоминаю. Но с трудом.

— Но ведь именно вы отдавали Патрисии кольцо! Оно же оказалось в вашей тарелке!

— Да, оригинальный способ возвращения. Я его чуть не проглотила. Как же не помнить! — Валери хохотнула.

— Так вот, я отнёс кольцо к знакомому ювелиру и попросил оценить бриллиант. И знаете, что он мне сказал?

— Понятия не имею.

— Он сказал, что это не бриллиант, а циркон. Белый циркон.

— Что вы говорите?! — уставилась на него Валери. Потом продолжала, слегка запинаясь: — То есть Патрисия считала, что кольцо бриллиантовое, а на самом деле...

Пуаро покачал головой:

— О нет, вовсе нет. Насколько я понимаю, кольцо было подарено матери Патрисии Лейн при помолвке. Мисс Патрисия Лейн из хорошей семьи, и ее родные — конечно, до повышения налогов — жили безбедно. А такие люди, мадемуазель, не жалеют денег на обручальные кольца. Кольцо должно было быть очень красивым, с бриллиантом или каким-нибудь другим, обязательно драгоценным камнем. Я совершенно уверен, что папа мисс Лейн никогда бы не подарил ее маме дешевой побрякушки.

— Вполне с вами согласна, — сказала Валери. — Отец Патрисии был землевладельцем.

— Поэтому, — сказал Пуаро, — скорее всего, бриллиант подменили.

— Наверное, — медленно произнесла Валери, — Пат потеряла камень, а на новый бриллиант у нее не было денег, вот она и вставила в кольцо белый циркон.

— Возможно, — ответил Пуаро, — но думаю, дело обстояло иначе.

— Ну что же, мсье Пуаро, коли мы играем в ясновидящих, так расскажите мне, как все было на самом деле?

— Я думаю, — ответил Пуаро, — когда украли кольцо, бриллиант подменили и только потом колечко вернули Патрисии.

Валери выпрямилась на диване:

— Вы думаете, Селия украла бриллиант?

Пуаро покачал головой.

— Нет, — сказал он, — я думаю, что его украли вы, мадемуазель.

У Валери Хобхауз прервалось дыхание.

— Да вы что? — воскликнула она. — При чем тут я? У вас нет никаких доказательств!

— Ошибаетесь, — прервал ее Пуаро. — Доказательства есть. Кольцо оказалось в тарелке с супом. Я лично ужинал однажды в пансионате и видел, как подают суп. Его разливают из супницы, стоящей на боковом столике. Поэтому кольцо мог подбросить либо человек, который разливает суп (то есть Жеронимо), либо тот, в чьей тарелке оно оказалось. Стало быть, вы, мадемуазель. Жеронимо я исключаю. На мой взгляд, вы решили таким оригинальным способом возвратить колечко, потому что вам хотелось поломать комедию. Не обижайтесь, но вы слишком любите надо всем смеяться. Вам казалось забавным выудить колечко из супа, вскрикнуть! Но вы чересчур увлеклись, мадемуазель, и не подумали, что таким образом себя выдаете.

— Вы все сказали? — презрительно спросила Валери.

— О нет, далеко не все. Когда Селия признавалась в кражах, кое-что в ее рассказе меня заинтересовало. Например, говоря о кольце, она обмолвилась: «Я не знала, что оно такое дорогое. А как только узнала, сразу же вернула». Откуда она узнала, мисс Валери? Кто ее просветил? Опять же, говоря о шарфе, малышка Селия призналась: «Но это не страшно. Валери не обиделась». А почему вы спокойно отнеслись к тому, что ваш хороший шелковый шарф был разрезан на мелкие кусочки? У меня создалось впечатление, что комедия с клептоманией, разыгрывавшаяся для привлечения Колина Макнаба, была задумана не Селией, а кем-то другим. Кем-то гораздо умнее Селии, тонким психологом. Вы рассказали ей о ценности кольца, забрали его у Селии и вернули Патрисии. И вы же посоветовали Селии изрезать ваш шарф.

— Это лишь гипотезы, — сказала Валери, — беспочвенные догадки. Инспектор уже пытался добиться от меня, не я ли подучила Селию воровать.

— И что вы ему сказали?

— Что он несет чепуху, — ответила Валери.

— А что вы скажете мне?

Несколько мгновений Валери испытующе глядела на него. Потом усмехнулась, вытащила из пачки сигарету, откинулась на подушку и произнесла:

— Вы правы. Это я ее подучила.

— А можно спросить, почему?

Валери досадливо поморщилась:

— Из глупого человеколюбия. Решила осчастливить бедняжку Селию. Ведь малышка извелась, вздыхая по Колину, а он на нее не обращал внимания. Все было так страшно глупо. Колин, зациклившийся на психологии, комплексах, эмоциональных блоках и прочей дребедени, на самом деле просто самодовольный тип, всегда уверенный в своей правоте. Вот я и решила, что не грех позабавиться: поймать его на удочку и оставить в дураках. Ну а поскольку Селию мне было действительно жаль, то я поговорила с ней, объяснила, как надо себя вести, и убедила приступить к решительным действиям. Она, конечно, трусила, но, с другой стороны, идея ее захватила. Однако по-человечески она сделать ничего не могла. Это надо же додуматься зайти в ванную к Патрисии и стащить кольцо, драгоценное кольцо, из-за которого, естественно, разгорится сыр-бор и дело примет серьезный оборот, потому что вызовут полицию! Поэтому я отняла у нее кольцо, сказала, что постараюсь его вернуть, и строго-настрого наказала впредь воровать только бижутерию и косметику... ну и разрешила испортить какую-нибудь мою вещь, но только мою, чтобы не было лишнего шума.

Пуаро глубоко вздохнул.

— Так я и думал, — сказал он.

— Сейчас я раскаиваюсь, — мрачно произнесла Валери. — Но я действительно хотела ее облагодетельствовать. Выражение, конечно, кошмарное, прямо в стиле Джин Томлинсон, однако это истинная правда.

— Ну а теперь, — сказал Пуаро, — давайте поговорим о кольце. Селия отдала его вам. Однако прежде, чем оно опять попало к Патрисии... — Он выдержал паузу. — Что произошло?

Она нервно теребила бахрому шарфика, повязанного вокруг шеи.

Он продолжал еще более вкрадчиво:

— Вы нуждались в деньгах, не так ли?

Она кивнула, не глядя на него.

— Буду с вами до конца откровенна, — сказала она, и в голосе ее почувствовалась горечь. — Моя беда, мсье Пуаро, в том, что я люблю азартные игры. Такой уж я уродилась, ничего не поделаешь. Я — член одного маленького клуба, в Мэйфере... нет-нет, не спрашивайте меня адрес... я не хочу, чтобы по моей вине туда нагрянула полиция. Ограничимся тем, что я частенько хожу туда. Там играют в рулетку, баккара и другие игры. Мне не везло, я проигрывала тогда вечер за вечером. А у меня было кольцо Патрисии. И вот однажды я шла мимо магазина и увидела кольцо с цирконом. Я подумала, что если заменить бриллиант этим камнем, то Патрисия в жизни не догадается. Ведь люди не приглядываются к кольцу, которое они прекрасно знают. Если ей покажется, что бриллиант потускнел, то она подумает, что надо его почистить. В общем, я не устояла перед соблазном. Я оценила бриллиант и продала его. А вставив в оправу циркон, тут же якобы нашла кольцо в супе. Здесь я, конечно, сглупила, вы правы. Ну, вот и все. Теперь вы знаете правду. Но, честно говоря, я вовсе не хотела подставлять Селию под удар.

— Конечно-конечно, я понимаю, — закивал Пуаро. — Просто вам представился счастливый случай. Но вы поступили нехорошо, мадемуазель...

— Я знаю, — сухо ответила Валери. Потом жалобно воскликнула: — Господи, да какое это сейчас имеет значение! Вы, конечно, можете меня выдать. Идите скажите Пат, инспектору! Да хоть всему свету! Но какой от этого прок? Разве это поможет нам найти убийцу Селии?

Пуаро встал:

— Никогда нельзя знать наверняка, что поможет, а что нет. При расследовании преступления приходится выяснять массу мелочей, не имеющих особого значения и затуманивающих общую картину. Мне было важно узнать, кто подговорил Селию, и я узнал. Ну а что касается кольца, то я советую вам пойти к мисс Патрисии Лейн и самой во всем признаться.

Валери скорчила гримасу.

— Благодарю за совет, — сказала она. — Хорошо, я пойду к Пат и выпью горькую чашу до дна. Пат — девица порядочная. Я скажу ей, что, как только у меня будут деньги, я куплю ей бриллиант. Вы довольны, мсье Пуаро?

— При чем тут я? Я просто вам советую.

Внезапно открылась дверь, и вошла миссис Хаббард. Она тяжело дышала, и у нее было такое лицо, что Валери вскрикнула:

— В чем дело, мама Хаббард? Что случилось?

Миссис Хаббард рухнула на стул:

— Миссис Николетис...

— Миссис Ник? Что с ней?

— О Боже, это ужасно!.. Она умерла.

— Умерла? — хрипло переспросила Валери. — Но почему? Когда?

— Говорят, ее подобрали вчера вечером на улице... и отвезли в полицейский участок... Они думали, она... в общем...

— Пьяная? Да?

— Да, она пила вечером. Я не знаю подробностей, но она умерла...

— Бедная миссис Ник, — сказала Валери. Ее глухой голос дрожал.

Пуаро мягко спросил:

— Вы любили ее, мадемуазель?

— По-своему... Порою она бывала просто несносной, но все равно я ее любила... Когда я поселилась здесь... три года назад... она была совсем другой... не такой вспыльчивой. Она была веселой, доброй, с ней можно было поговорить. Она сильно изменилась за последний год... — Валери посмотрела на миссис Хаббард: — Наверное, она так переменилась от того, что стала пить в одиночестве... говорят, у нее нашли кучу бутылок?

— Да. — Миссис Хаббард замялась, а затем воскликнула: — Почему, почему я отпустила ее одну? Я же видела, что она боится!

— Что-о?? — в один голос воскликнули Пуаро и Валери.

Миссис Хаббард беспомощно кивнула. Ее доброе круглое лицо было встревожено.

— Да. Она все время твердила, что ей грозит опасность. Я спросила, чего же она боится, но она не пожелала отвечать. Конечно, она любила драматизировать... Но вдруг...

Валери сказала:

— Неужели она... неужели ее... тоже...

Она резко умолкла, и в глазах ее застыл ужас.

Пуаро спросил:

— А от чего она умерла?

Миссис Хаббард горестно прошептала:

— Не знаю... они не говорят... Дознание назначено на вторник.

Глава 15

За круглым столом, в тихом кабинете Нью-Скотленд-Ярда сидели четверо мужчин.

Совещание вел начальник отдела борьбы с наркотиками Уайлдинг. Рядом с ним сидел сержант Белл, энергичный и жизнерадостный юноша, похожий на резвую борзую. Инспектор Шарп, откинувшийся на спинку стула, внешне казался абсолютно спокойным, но это было спокойствие зверя, в любую минуту готового к прыжку. Четвертым за столом сидел Эркюль Пуаро. Перед ним лежал рюкзак.

Уайлдинг задумчиво почесал подбородок.

— Интересная идея, мсье Пуаро, — осторожно произнес он. — Да, весьма любопытная.

— Но конечно, это лишь идея, — сказал Пуаро.

Уайлдинг кивнул.

— В общих чертах дело обстоит так, — начал он. — Контрабанда, естественно, поступает в страну постоянно, тем или другим способом. Мы ловим контрабандистов, но через некоторое время появляются другие, и

все начинается вновь. Мои парни в последние полтора года завалены работой по горло. В основном ввозится героин; на втором месте стоит кокаин. Тут у нас его целые склады, да и на материке тоже. Французская полиция выявила пару каналов, по которым наркотики ввозятся во Францию, но как они вывозятся — остается пока загадкой.

— Значит, если я не ошибаюсь, — сказал Пуаро, — перед вами стоит троякая задача: вы должны выяснить, как и кому сбываются наркотики, каким образом они поступают в страну и кто заправляет всем делом, получая основные барыши?

— Ну да, приблизительно так. Нам многое известно о мелких торговцах и о каналах, по которым сбываются наркотики. Некоторых молодцов мы берем, а других не трогаем, надеясь, что они выведут нас на более крупную дичь. Есть масса каналов распределения контрабанды: ночные клубы, питейные заведения, аптеки, подпольные медицинские кабинеты, модные женские ателье и парикмахерские. Наркотики продают на скачках, иногда — в больших универмагах; бывает, этим балуются торговцы антиквариатом. Но такие подробности вам не нужны, они к делу не относятся. С этим мы вполне можем справиться. Мы примерно знаем, кто заправляет бизнесом, это несколько респектабельных, богатых джентльменов, которые, казалось бы, вне всяких подозрений. Они ведут себя крайне осторожно, к самим наркотикам не прикасаются, и проходимцы, работающие на них, даже не знают хозяев в лицо. Но иногда босс оступается... тут-то мы его и берем.

— Я примерно так и предполагал. Но меня интересует вторая сторона вопроса: каким образом товар поступает в страну?

— Чаще всего наркотики попадают старым проверенным способом — по морю. На грузовых судах. Судно тихо пришвартовывается где-нибудь на восточном побережье или в маленькой бухточке на юге, и наркотики на моторке тайком провозятся через пролив. Некоторое время все идет гладко, но рано или поздно мы добираемся до владельца моторной лодки. Несколько раз наркотики провозились самолетом. За это хорошо платят, и нередко бывает, что какая-нибудь стюардесса или летчик польстятся на барыши. Да, еще контрабандой занимаются коммерческие фирмы: скажем, весьма уважаемая фирма, импортирующая пианино. Поначалу это сходит им с рук, но, как правило, мы и до них добираемся.

— Стало быть, одна из главных трудностей в торговле контрабандным товаром — это его ввоз из-за границы?

— Безусловно. Но я хотел бы сказать о другом: в последнее время мы сильно обеспокоены. Количество ввозимых в страну наркотиков увеличилось настолько, что нам трудно с этим бороться.

— А драгоценности тоже ввозятся?

Ему ответил сержант Белл:

— Да, и довольно много. Бриллианты и другие драгоценные камни нелегально привозятся из Южной Африки, Австралии, иногда из Азии. Недавно во Франции одну молодую женщину, обычную туристку, какая-то случайная знакомая попросила захватить с собой в Англию туфли. Они были поношенные, пошлина за них не взималась. Туристке сказали, что их забыли впопыхах. Она согласилась, ничего не подозревая. К счастью, мы были предупреждены. Когда таможенники осмотрели туфли, то выяснилось, что каблуки у них нафаршированы алмазами.

Уайлдинг спросил:

— Однако простите, мсье Пуаро, что именно вас интересует: наркотики или драгоценности?

— И то и другое. Любая дорогостоящая малогабаритная вещь. Мне кажется, я напал на след так называемой «службы перевозки» подобных товаров через Ла-Манш. Она вывозит из Англии ворованные драгоценности и камни, вынутые из оправ, а ввозит наркотики и опять же драгоценные камни. Мафия, видимо, небольшая; розничной торговлей она не занимается, а сдает товар оптом закупщику. И загребает большие деньги.

— Вы правы! Маленькая упаковка героина, стоящая десять, а то и двадцать тысяч фунтов, почти не занимает места. Так же, как и необработанные драгоценные камни.

— Конечно, — сказал Пуаро, — наиболее уязвимое звено в контрабандной торговле — сами контрабандисты. Рано или поздно полиция начинает кого-то подозревать: стюардессу или любителя морских прогулок, имеющего свой катерок; даму, то и дело катающуюся из Франции в Англию и обратно; фирму, торгующую импортными товарами и получающую непомерно большие прибыли; людей, не имеющих источника доходов, однако живущих припеваючи. Но если контрабанду провозит человек, не связанный с шайкой, более того, если всякий раз это делают новые люди, то напасть на след практически невозможно.

Уайлдинг показал пальцем на рюкзак:

— Вы думаете, контрабанду провозят в них?

— Да. Кто сейчас меньше всего попадает под подозрение? Студенты. Честные, трудолюбивые студенты. Денег у них нет, багажа тоже; все их добро умещается в рюкзаке за спиной. Они катаются автостопом по Европе. Но если контрабанду начнет провозить какой-нибудь определенный студент, то вы, безусловно, его (или ее) выследите; так что вся соль задумки в том, что люди, перевозящие контрабанду, ничего не подозревают и, кроме того, их очень много.

Уайлдинг почесал подбородок.

— А как вы себе это представляете, мсье Пуаро?

Эркюль Пуаро пожал плечами:

— Это лишь догадки. Наверняка я кое в чем ошибаюсь, но думаю, в принципе я прав. Сначала на рынок поступает партия рюкзаков. Простые, обыкновенные рюкзаки, точь-в-точь такие же, как и все прочие, добротные, крепкие и удобные. Однако они отличаются от остальных: у них немного иная подкладка. Как видите, она легко вынимается и позволяет спрятать в складках материи драгоценности или наркотики. Человек непосвященный никогда не догадается, ведь чистый героин или кокаин почти не занимает места.

— Это действительно так, — сказал Уайлдинг. — Стало быть, — быстро прикинул он в уме, — за одну поездку можно привезти товара тысяч этак на пять-шесть, причем абсолютно безнаказанно.

— Совершенно верно, — сказал Эркюль Пуаро. — Я продолжаю. Готовые рюкзаки поступают в продажу. Возможно, даже не в один, а в несколько магазинов. Хозяин магазина может быть членом мафии, а может и нет. Вполне вероятно, что он продает дешевый товар просто потому, что считает это выгодным, — его рюкзаки пользуются большим спросом, чем у конкурирующих фирм. Разумеется, всем заправляет определенная группа людей, имеющая полный список лондонских студентов. Главарь шайки — либо сам студент, либо выдает себя за студента. Ребята ездят за границу. Где-то на обратном пути рюкзак подменяется. Студент возвращается в Англию: на таможне его багаж почти не досматривается. Он приезжает домой, распаковывает вещи и запихивает рюкзак в шкаф или просто кидает его в угол. И вот тогда происходит вторая подмена; хотя, возможно, меняется лишь подкладка рюкзака.

— Вы думаете, именно это происходило на Хикори-роуд?

Пуаро кивнул.

— Но какие у вас доказательства, мсье Пуаро?

— Рюкзак был разрезан, — сказал Пуаро. — Почему? Явных причин нет, поэтому я попытался домыслить причину. Рюкзаки, которые в ходу на Хикори-роуд, слишком дешевые. Это странно. В пансионате произошел ряд эксцессов, но девушка, оказавшаяся виноватой, клялась и божилась, что рюкзак она не трогала. Поскольку в остальных проступках она созналась, почему бы ей было не сознаться в порче рюкзака? Вывод один: она говорила правду. А значит, у человека, пытавшегося уничтожить рюкзак, были на то свои основания... Кстати сказать, разрезать рюкзак — далеко не пара пустяков. Человек пойдет на это лишь в самой критической ситуации. Я понял, в чем дело, когда выяснилось, что рюкзак был разрезан примерно тогда же, когда в пансионат пришел полицейский. На самом-то деле его визит не имел никакого отношения к контрабанде, однако представьте себе логику преступника: вы замешаны в контрабандной торговле, и вот однажды вечером вы приходите в пансионат, а вам сообщают, что в дом нагрянула полиция и сейчас полицейский беседует наверху с миссис Хаббард. Вам тут же приходит в голову, что полиция напала на ваш след, а в доме как раз лежит недавно привезенный из-за границы рюкзак, из которого еще не успели вынуть, или вынули, но недавно, контрабандный товар. Если полиция напала на след контрабандистов, она, естественно, захочет осмотреть рюкзаки студентов, проживающих на Хикори-роуд. Взять рюкзак и унести его из дома вы боитесь — ведь, вполне возможно, за домом следят, а спрятать или замаскировать рюкзак не очень легко. И тогда вам приходит в голову разрезать его на куски и спрятать их среди хлама, валяющегося в котельной; ничего лучше вы придумать не можете. Но даже если наркотиков в рюкзаке нет, все равно при тщательном анализе на подкладке можно обнаружить их следы. Следовательно, рюкзак надо уничтожить. Наркотики или драгоценности можно временно положить в пачку морской соли. Согласитесь, что мое предположение вполне правдоподобно.

— Да, но, конечно, это лишь гипотеза, — возразил Уайлдинг.

— Возможно также, что с рюкзаком связано еще одно маленькое происшествие, которому раньше не придавалось особого значения. По словам слуги-итальянца Жеронимо, однажды, когда в дом пришла полиция, в холле погас свет. Он захотел заменить лампочку, но не нашел ни одной. А ведь он точно помнил, что всего два дня назад в ящике лежало несколько запасных лампочек. Вполне возможно, — хотя доказательств у меня нет и я не уверен, что прав, — возможно, человек, за которым водятся кое-какие грешки, человек, занимавшийся контрабандой и раньше, испугался, что при ярком свете полицейские могут его узнать. Поэтому он тихонько выкрутил лампочку в холле и спрятал запасные, чтобы нельзя было зажечь свет. В результате в холле горели только свечи. Но это, как я уже говорил, лишь предположение.

— Умная мысль, — сказал Уайлдинг.

— И вполне правдоподобная, сэр, — с воодушевлением подхватил сержант Белл. — Знаете, мне все больше кажется, что это возможно.

— Но если вы правы, — продолжал Уайлдинг, — то контрабандисты орудуют не только на Хикори-роуд.

Пуаро кивнул:

— О да. Организация может охватывать целую сеть студенческих клубов, общежитий и так далее.

— Но между ними должно быть связующее звено, — сказал Уайлдинг.

Инспектор Шарп впервые вставил слово.

— Такое звено есть, сэр, — сказал он, — или, вернее, было. Им была женщина, владевшая несколькими студенческими клубами и организациями. Хозяйка пансионата на Хикори-роуд, миссис Николетис.

Уайлдинг метнул быстрый взгляд на Пуаро.

— Да, — подтвердил Пуаро. — Миссис Николетис подходит по всем статьям. Она, правда, сама не управляла этими заведениями, но она была их владелицей. А на должность управляющего она старалась подыскать человека с безупречной репутацией и чистым прошлым. Миссис Николетис финансировала предприятие, но, на мой взгляд, была лишь номинальной начальницей.

— Гм, — сказал Уайлдинг. — Надо бы побольше узнать о миссис Николетис.

Шарп кивнул.

— Мы наводим о ней справки, — сказал он. — Расспрашиваем знакомых, выясняем прошлое. Делать это надо осторожно, чтобы не вспугнуть наших пташек. Но бабенка эта была, скажу я вам, сущий дьявол.

Он рассказал о поведении миссис Николетис во время обыска.

— Бутылки из-под бренди? — переспросил Уайлдинг. — Значит, она пила? Что ж, это облегчает дело. А что с ней теперь? Вы ее арестовали?

— Нет, сэр. Она умерла.

— Умерла? — Уайлдинг поднял брови. — Думаете, не своей смертью?

— Похоже на то. Вскрытие покажет. Я лично думаю, что события последних дней ее подкосили. Может, она не ожидала, что дело дойдет до убийства.

— Вы об убийстве Селии Остин? Выходит, девушка что-то знала?

— Знала, — сказал Пуаро, — но, если можно так выразиться, сама не знала, что же она знает.

— То есть она не понимала, в чем дело?

— Вот-вот. Она не отличалась большим умом. Вполне возможно, что она не понимала смысла происходящего. Но она могла что-то узнать или услышать и, ничего не подозревая, сказать об этом.

— А как вы думаете, что именно она могла узнать или услышать?

— Я могу лишь догадываться, — ответил Пуаро. — Она упоминала про какой-то паспорт. Может, у кого-нибудь в пансионате был фальшивый паспорт, с которым он ездил за границу, и человек очень боялся разоблачения. Она могла увидеть, как меняли рюкзак или подкладку рюкзака, но не поняла, в чем дело. А может, она увидела, как кто-то выкручивал лампочку в холле? И обмолвилась в разговоре, что знает? О! — с досадой воскликнул Пуаро. — Догадки! Догадки! Догадки! А улик нет. Как всегда, нет!

— Ничего, — сказал Шарп. — Для начала выясним прошлое миссис Николетис. Вдруг что-нибудь всплывет?

— Может, ее убрали, испугавшись, что она их выдаст? Она могла проболтаться?

— В последнее время она начала тайком пить... значит, нервы ее были на пределе, — сказал Шарп. — Она могла не выдержать и во всем сознаться. Прийти с повинной.

— Но она не настоящий главарь?

Пуаро покачал головой:

— Думаю, нет. Она была слишком заметной фигурой. Наверняка она много знала, но главарем не являлась.

— А как вы думаете, кто главарь?

— У меня есть кое-какие соображения, но я могу ошибаться. Да, скорее всего, я ошибаюсь.

Глава 16

Хикори-дикори,
Часики тикали,
Хикори-дикори-док.
Кто же получит свой срок?[1] —

продекламировал Нигель. И добавил: — Сказать иль не сказать? Вот в чем вопрос!

Он налил себе еще одну чашку кофе и вернулся с ней к столу.

— Что сказать? — спросил Лен Бейтсон.

— Да так, кое-что. — Нигель беззаботно махнул рукой.

Джин Томлинсон неодобрительно заметила:

— Ну конечно, если ты можешь помочь следствию, то надо сейчас же сообщить в полицию. Тебя никто не осудит.

— Джин опять взялась за проповеди, — съязвил Нигель.

— Так что сказать? — снова спросил Лен Бейтсон.

— То, что мы знаем, — ответил Нигель. — Друг о друге, — пояснил он свою мысль и обвел стол озорным взглядом. — Ведь согласитесь, — весело добавил он, — что мы знаем друг друга вдоль и поперек. Это вполне естественно, когда живешь под одной крышей.

---

[1] «Х и к о р и - д и к о р и - д о к» — популярное детское стихотворение. Оно обыгрывается в связи с названием улицы, на которой располагался пансионат, — Хикори-роуд.

— Но как определить, что важно, а что нет? Ведь многие вещи полиции не касаются! — страстно, с негодованием воскликнул мистер Ахмед Али, вспомнив язвительные замечания инспектора по поводу коллекции открыток.

— Я слышал, — Нигель повернулся к мистеру Акибомбо, — у вас нашли много интересного.

Если Акибомбо и покраснел, то это было незаметно, но ресницы его смущенно задрожали.

— В моей стране много предрассудок, — сказал он. — Мой дедушка давал мне такие вещи, чтобы я привозил их сюда. Я сохранял их из-за жалость и уважение. Я сам современный и научный, я не верю колдовство, но, поскольку я не в совершенстве владею английский язык, я затруднился объяснить это полицейскому.

— Даже у нашей малышки Джин, наверное, есть секреты, — сказал Нигель, устремив взгляд на мисс Томлинсон.

Джин в сердцах воскликнула, что не позволит себя оскорблять.

— Я уеду отсюда, — сказала она.

— Смилуйся, Джин, — умоляюще произнес Нигель. — Мы больше так не будем.

— Отвяжись от нее, Нигель, — устало сказала Валери. — Поймите, полиции ничего не оставалось делать, как обыскать дом.

Колин Макнаб откашлялся, собираясь высказаться.

— По-моему, — произнес он судейским тоном, — полиции следовало ввести нас в курс дела. Что именно явилось причиной смерти миссис Николетис?

— Наверное, нам скажут во время дознания, — раздраженно откликнулась Валери.

— Не уверен, — сказал Колин. — Я лично считаю, что они отложат дознание.

— У нее стало плохо с сердцем, да? — сказала Патрисия. — Она ведь упала на улице.

— Она была пьяна, когда ее доставили в участок, — пояснил Лен Бейтсон.

— Значит, она все-таки пила, — протянула Джин. — А представьте себе, я всегда подозревала. Говорят, когда полиция обыскивала дом, у нее в буфете нашли кучу пустых бутылок из-под бренди, — добавила она.

— Ну и любишь ты перемывать всем косточки, Джин, — поддел ее Нигель.

— Теперь понятно, почему она бывала такой странной, — сказала Патрисия.

Колин опять прокашлялся.

— Знаете, я случайно видел, как она заходила в субботу вечером в «Ожерелье королевы», я как раз возвращался домой.

— Там-то она и наклюкалась, — сказал Нигель.

— Значит, она умерла от пьянства? — спросила Джин.

Лен Бейтсон помотал головой:

— От кровоизлияния в мозг? Вряд ли.

— Боже мой, неужели вы думаете, что ее тоже убили? — спросила Джин.

— Наверняка, — сказала Салли Финч. — Чему не удивлюсь — тому не удивлюсь.

— Простите, пожалуйста, — сказал Акибомбо. — Я правильно понял? Вы думаете, что ее кто-то убил?

Он вертел головой, заглядывая в лица соседей.

— Пока что у нас нет оснований так думать, — сказал Колин.

— Но кому нужно было ее убивать? — затараторила Женевьев. — У нее что, водились деньги? Если она была богатой, то, конечно, ее могли убить.

— Она была просто несносной, моя радость, — сказал Нигель. — По-моему, у каждого руки чесались ее укокошить. Я лично много раз собирался, — добавил он, весело уплетая мармелад.

— Салли, можно я тебя спрошу одну вещь? Из-за то, что говорили на завтрак. Я очень много думал.

— На твоем месте я не стала бы много думать, Акибомбо, — сказала Салли. — Это вредно для здоровья.

Салли с Акибомбо обедали в летнем ресторане в Риджент-парке. По календарю уже́ наступило лето, и ресторан открыли.

— Все утро, — мрачно начал Акибомбо, — я был очень расстроен. Я не мог правильно отвечать на вопросы преподаватель. Он был мной сердит. Он сказал, я переписываю много книг и не думаю сам. Но я приехал в Англия, чтобы приобретать знания из книги, и мне кажется, книги говорят лучше, чем говорю я, потому что я не говорю хорошо по-английски. И кроме того, сегодня утром я мог думать только о том, что происходит на Хикори-роуд и о трудности, которые там есть.

— Тут ты совершенно прав, — сказала Салли. — Я тоже все утро не могла сосредоточиться.

— Поэтому я прошу тебя, пожалуйста, сказать мне несколько вещи, потому что я очень много думал.

— Ну, валяй, рассказывай, о чем ты думал.

— Я думал об этом... боренóм... боренóм...

— Боренóм? О борной кислоте, что ли?

— Я не хорошо понимаю. Это кислота, да? Кислота, как серная, да?

— Ну, не как серная, — сказала Салли.

— Это не для лабораторные эксперименты?

— Никогда не слышала, чтобы с борной кислотой проводились эксперименты. По-моему, она совсем не едкая и безобидная.

— Ты хочешь сказать, что ее можно класть в глаза?

— Ну да. Для этого она и существует.

— Ага, значит, объяснение такое. Мистер Чандра Лал, он имеет маленькую белую бутылку с белый пудра, и он кладет пудра в горячий вода и моет с ней глаза. Он держит это в ванной, и, когда один день ее там нет, он становится очень сердитый. Это значит бореный кислота, да?

— Но что ты все про борную да про борную?

— Я скажу тебе скоро. Не сейчас. Я должен еще думать.

— Думать — думай, но особенно не выступай, — сказала Салли. — Я не хочу, чтобы и ты отправился на кладбище.

— Валери, ты не могла бы дать мне совет?

— Ну конечно, Джин, хотя, честно говоря, не понимаю, зачем люди приходят советоваться. Они все равно поступают по-своему.

— Но для меня это вопрос совести.

— Ну, тогда ты не по адресу обратилась, ведь у меня нет ни стыда, ни совести!

— Не говори так, Валери!

— Но я говорю правду. — Валери погасила окурок. — Я провожу контрабандой парижские тряпки, беспардонно вру образинам, которые приходят к нам в салон, уверяю их, что они писаные красавицы. Я даже езжу зайцем в автобусе, когда у меня нет денег. Ну да ладно, шутки в сторону. Что у тебя стряслось?

— Валери, ты помнишь, что Нигель сказал за завтраком? Как ты думаешь, можно рассказывать чужие секреты?

— Что за дурацкий вопрос! Ты не могла бы выразиться поточнее? О чем ты говоришь?

— О паспорте.

— О паспорте? — удивленно приподнялась Валери. — О каком?

— О паспорте Нигеля. Он у него фальшивый.

— У Нигеля? — недоверчиво протянула Валери. — Не может быть. Ни за что не поверю.

— Но это так. И знаешь, по-моему, тут что-то нечисто... Я слышала, как полицейский говорил, что Селия знала про какой-то паспорт. А вдруг она знала про его паспорт и он ее убил?

— Звучит очень мелодраматично, — сказала Валери. — Но по-моему, все это чушь собачья. Кто тебе рассказал про паспорт?

— Я сама видела.

— Ты? Когда?

— Совершенно случайно, — сказала Джин. — Мне нужно было взять кое-что, и я по ошибке заглянула в портфель Нигеля. Он стоял рядом с моим на полке в гостиной.

Валери недоверчиво хохотнула:

— Не рассказывай сказки. Признавайся, что ты делала? Копалась в чужих вещах?

— Ну что ты! Конечно нет! — Джин искренне возмутилась. — Я никогда не роюсь в чужих вещах. За кого ты меня принимаешь? Просто я задумалась, по ошибке открыла его портфель и стала перебирать бумажки...

— Послушай, Джин, не морочь мне голову. Портфель Нигеля гораздо больше, чем твой, и, потом, он совершенно другого цвета. Раз уж сознаешься, что рылась в его вещах, надо признать и все остальное. Ну ладно, не будем уточнять. Тебе представился случай порыться в вещах Нигеля, и ты им воспользовалась.

Джин вскочила:

— Знаешь, Валери, если ты будешь говорить мне гадости и смеяться надо мной, я...

— Успокойся, детка, — сказала Валери. — Садись и рассказывай. Ты меня заинтриговала. Я хочу узнать, в чем дело.

— Ну вот, а там лежал паспорт, — сказала Джин. — На самом дне. Паспорт какого-то Стэнфорда или Стэнли, не помню. «Как странно, что Нигель таскает с собой чужой паспорт», — подумала я. А потом раскрыла и увидела его фотографию! Так что Нигель-то наш ведет двойную жизнь! Но я не знаю, должна ли я сообщить в полицию? Как ты считаешь?

Валери рассмеялась.

— Бедняжка! — сказала она. — Боюсь, что все объясняется очень просто. Пат рассказывала мне, что Нигель должен был сменить фамилию, чтобы получить наследство. Или не наследство?.. В общем, какие-то деньги. Уж такое ему поставили условие. Он сделал это вполне официально, «взял одностороннее обязательство», так, по-моему, говорят юристы. Ничего противозаконного тут нет. По-моему, его настоящая фамилия как раз и была то ли Стэнфилд, то ли Стэнли.

— А-а. — Джин была страшно разочарована.

— Если ты мне не веришь, спроси Пат, — сказала Валери.

— Да нет... верю... наверное, я действительно не права.

— Ничего, может, в другой раз повезет, — сказала Валери.

— Не понимаю, о чем ты.

— Но ведь ты спишь и видишь, как бы напакостить Нигелю. Как бы натравить на него полицию.

Джин встала.

— Можешь мне не верить, Валери, — сказала она, — но я лишь хотела исполнить мой долг.

Она вышла из комнаты.

— О, черт! — воскликнула Валери.

В комнату постучали, и вошла Салли.

— Что с тобой, Валери? Ты расстроена?

— Да все из-за Джин! Омерзительная девка! Слушай, а может, это она прихлопнула беднягу Селию? Я бы с ума сошла от радости, увидев ее на скамье подсудимых.

— Вполне разделяю твои чувства, — сказала Салли. — Но думаю, это маловероятно. Вряд ли Джин отважилась бы кого-нибудь убить.

— А что ты думаешь о миссис Ник?

— Прямо не знаю. Но наверное, нам скоро скажут...

— Я почти на сто процентов уверена, что ее тоже убили, — сказала Валери.

— Но почему? Что вообще здесь творится? Объясни мне!

— Если бы я знала! Салли, а ты никогда не приглядывалась к людям?

— Как это, Вал, приглядывалась?

— Ну, очень просто, смотрела и спрашивала про себя: «А может, это ты?» Салли, я чувствую, что среди нас сумасшедший. Не просто человек с придурью, а настоящий безумец.

— Очень может быть, — ответила Салли и вздрогнула. — Ой, Вал, мне страшно, — сказала она.

— Нигель, я должна тебе кое-что рассказать.

— Да-да, Пат? — Нигель лихорадочно рылся в ящиках комода. — Черт побери, куда подевались мои конспекты? Мне кажется, я их засунул сюда.

— Ах, Нигель, что ты устраиваешь?! Ты в но раскидываешь вещи, а я ведь недавно прибрала в твоих ящиках!

— Отстань, ради Бога! Должен же я найти конспекты, как ты считаешь?

— Нигель, я прошу, выслушай меня!

— О'кей, Пат, не переживай. В чем дело?

— Я должна тебе кое в чем признаться.

— Надеюсь, не в убийстве? — спросил Нигель своим обычным легкомысленным тоном.

— Ну конечно нет!

— И то хорошо. Так в каких же грешках ты решила покаяться?

— Как-то раз я пришла к тебе... я заштопала твои носки и хотела положить их в ящик...

— Ну и что?

— Я увидела там пузырек с морфием. Помнишь, ты говорил мне, что взял его в больнице?

— Да, а ты мне задала взбучку.

— Погоди, Нигель... Понимаешь, ведь морфий лежал в ящике, прямо на виду, и его спокойно могли украсть.

— Да ладно тебе! Кому, кроме тебя, нужны мои носки?

— Но я побоялась оставлять его в ящике... Да-да, я помню, ты говорил, что тут же его выкинешь, как только выиграешь пари, но, пока суд да дело, морфий лежал там, в ящике.

— Конечно. Я же еще не достал третий яд.

— Ну а я подумала, что нечего оставлять его на виду. И поэтому я взяла пузырек, вытряхнула из него яд и насыпала туда пищевой соды. Она с виду похожа на морфий.

Нигель прервал поиски потерянных конспектов.

— Ничего себе! — сказал он. — Ты что, серьезно? Значит, когда я клялся и божился Лену с Колином, что в пузырьке сульфат, или как его... тартрат морфия, там на самом деле была обычная сода?

— Да. Понимаешь...

Нигель не дослушал ее. Нахмурив лоб, он принялся рассуждать вслух:

— Да, тогда, пожалуй, мой выигрыш не в счет... Конечно, я и понятия не имел...

— Но, Нигель, держать его в комоде было действительно опасно!

— Замолчи, Пат, что ты вечно кудахчешь, как курица! Лучше скажи, что ты сделала с морфием?

— Я насыпала его в пузырек из-под соды и засунула поглубже в ящик, где у меня хранятся носовые платки.

Нигель оторопело уставился на нее:

— Ей-богу, Пат, твоя логика просто уму непостижима. Чего ради ты это сделала?

— Я думала, так будет надежнее.

— Но, радость моя, в таком случае надо было держать его за семью замками, а иначе какая разница, где ему лежать: среди моих носков или твоих платков?

— И все-таки разница есть. Ведь у меня отдельная комната, а ты живешь не один.

— Да неужели ты думаешь, что старина Лен стибрил бы у меня морфий?

— Я вообще не собиралась тебе ничего рассказывать, но теперь молчать нельзя. Потому что, понимаешь, он исчез!

— Исчез? Его что, полицейские оприходовали?

— Нет. Он исчез раньше.

— Ты хочешь сказать, что... — Нигель просто оцепенел от ужаса. — Нет-нет, погоди, давай разберемся. Значит, по дому гуляет пузырек, на котором написано: «Пищевая сода», а на самом деле внутри — морфий, и, когда у кого-нибудь заболит живот, он выпьет целую чайную ложку этой дряни? Боже мой, Пат! Что ты наделала? Ну какого черта ты не выкинула эту мерзость от греха подальше, раз уж тебе так не нравилась моя затея?!

— Потому что я считала, что нельзя выбрасывать ценный препарат, а надо его вернуть обратно в больницу. Я хотела тут же после того, как ты выиграешь пари, отдать морфий Селии и попросить положить на место.

— А ты точно его не отдавала?

— Ну, нет, конечно. Неужели ты думаешь, что я отдала его Селии, а она наглоталась морфия и покончила с собой? Значит, по-твоему, я виновата в ее смерти?

— Да нет, успокойся. Когда он исчез?

— Точно не знаю. Я хватилась его за день до смерти Селии. В ящике его не было, но я тогда подумала, что, наверное, я положила его в другое место.

— Он исчез до ее смерти?

— Наверное, — сказала Патрисия, бледнея, — наверное, я поступила очень глупо.

— Это еще мягко сказано! — воскликнул Нигель. — Вот что получается, когда мозгов не хватает, а энергии хоть отбавляй!

— Нигель... Как ты думаешь, мне надо заявить в полицию?

— О, черт! В полицию! — схватился за голову Нигель. — Не знаю. Наверное, надо. И во всем обвинят меня!

— Ах нет! Нигель, миленький! Это я виновата... я...

— Я украл эту дрянь, будь она проклята, — сказал Нигель. — Тогда мне это казалось забавной проделкой. Но теперь... я уже слышу язвительный голос обвинителя.

— Прости меня. Ведь я взяла морфий, потому что хотела сделать как...

— Ну да, как лучше. Я знаю. Знаю! Послушай, Пат, и все-таки я не верю, что он исчез. Ты засунула его куда-то и забыла. С тобой это бывает...

— Да, но...

Она колебалась, на ее напряженном лице промелькнула тень сомнения.

Нигель резко встал:

— Пойдем к тебе и перероем все ящики.

— Нигель, но там мое нижнее белье!

— Ну, Пат, ты даешь! Нашла время изображать оскорбленную невинность! Лучше скажи, ты не могла засунуть пузырек в ящик с трусиками?

— Могла, но я точно уверена...

— Мы ни за что не можем ручаться, пока не обыщем весь дом. И я не отступлюсь, пока этого не сделаю.

Раздался легкий стук в дверь, и вошла Салли Финч. Глаза ее округлились от удивления. Пат сидела на кровати, сжимая в руках носки Нигеля, ящики комода были выдвинуты, и Нигель, как почуявший дичь терьер, зарылся с головой в груду свитеров, а вокруг в беспорядке валялись трусики, лифчики, чулки и прочие предметы женского туалета.

— Ради всего святого, что здесь происходит? — спросила Салли.

— Соду ищем, — бросил через плечо Нигель.

— Соду? Зачем?

— У меня боли, — ухмыльнулся Нигель. — Страшные боли. — Он похлопал себя по животу. — И облегчить мои страдания может только сода.

— У меня, по-моему, где-то есть.

— Увы, Салли, твоя сода мне как мертвому припарки. Мои колики может утихомирить только сода нашей драгоценной Пат.

— Ты сумасшедший, — сказала Салли. — Слушай, чего ему надо, Пат?

Патрисия уныло покачала головой.

— Салли, может, ты видела мою соду? — спросила она. — Там оставалось совсем на донышке.

— Нет. — Салли с любопытством поглядела на нее. Потом наморщила лоб. — Хотя постой... Кажется, кто-то... впрочем, нет... Пат, у тебя есть марка? Мне нужно отправить письмо, а у меня марки кончились.

— Вон там, в ящике.

Салли выдвинула неглубокий ящик письменного стола, взяла из альбома марку, приклеила ее к конверту, который держала в руках, сунула альбом обратно и положила на стол пару монет.

— Спасибо. Слушай, там у тебя письмо, хочешь, я и его отправлю?

— Отправь... хотя нет, не надо... я потом сама отправлю.

Салли кивнула и вышла из комнаты.

Пат выронила носки и нервно переплела пальцы.

— Нигель!

— Да? — Нигель уже кончил рыться в ящиках и теперь, стоя перед платяным шкафом, выворачивал карманы пальто.

— Я тебе еще не все рассказала.

— Пат, ты меня решила доконать? Что ты еще натворила?

— Я боюсь, ты будешь сердиться.

— Сердиться я уже не в состоянии. Я себе места не нахожу от страха. Если Селию отравили ядом, который я имел дурость украсть, мне придется просидеть за решеткой долгие годы, если вообще я останусь жив.

— Нет, Нигель, я о другом. Я хотела поговорить с тобой об отце.

— О ком? — Нигель повернулся к Пат и оторопело уставился на нее.

— Ты знаешь, что он серьезно болен?

— Меня это не волнует.

— Вчера по радио передавали: «Сэр Артур Стэнли, выдающийся исследователь-химик, находится в очень тяжелом состоянии».

— Вот что значит быть знаменитым! О твоих болячках трезвонят по всему миру!

— Нигель, если он при смерти, ты должен с ним помириться.

— Еще чего не хватало!

— Но он умирает...

— Подыхающая свинья не лучше здорового борова.

— Ну зачем ты, Нигель... Нельзя так ожесточаться, надо уметь прощать.

— Знаешь что, Пат! Я тебе, кажется, уже говорил: он убил мою мать!

— Ну да, да. И я знаю, что ты ее очень любил. Но я думаю, Нигель, ты иногда преувеличиваешь. Мужья часто ведут себя плохо, нечутко по отношению к женам, а те переживают. Но говорить, что отец убил твою мать, нехорошо. Ведь это неправда!

— Я смотрю, ты все знаешь?

— Я знаю, что когда-нибудь ты пожалеешь о том, что не помирился с отцом перед его смертью. И поэтому... — Пат запнулась, но собралась с духом и продолжила: — Поэтому я написала твоему отцу письмо.

— Ты ему написала? Вот, значит, какое письмо собиралась отправить Салли!

Он ринулся к письменному столу.

— Ясно!

Он схватил конверт, на котором уже стоял адрес и была наклеена марка, и, лихорадочно, нервно разорвав письмо на мелкие клочки, бросил в корзину для бумаг.

— Вот тебе! И чтоб ты не смела больше этого делать!

— Но право же, Нигель, ты ведешь себя как ребенок. Ты, конечно, можешь разорвать письмо, но я напишу еще!

— Ты неисправимо сентиментальна. А тебе никогда не приходило в голову, что я не преувеличиваю, говоря об убийстве матери? Что это истинная правда? Мама умерла от слишком большой дозы мединала. При дознании было установлено, что она приняла его по ошибке. Но это неправда. Отец нарочно отравил ее. Он хотел жениться на другой женщине, а мама не давала ему развода. История самая что ни на есть банальная. Скажи, как бы ты поступила на моем месте? Выдала бы его полиции? Но мама, наверное, была бы против... У меня был один выход: я сказал подлецу все, что о нем думаю, и ушел... Навсегда. Я даже изменил фамилию.

— Нигель!.. Прости меня!.. Я понятия не имела...

— Ну хорошо, теперь ты знаешь. Уважаемый и знаменитый Артур Стэнли, великий исследователь, открывший новые антибиотики... Он жил припеваючи...

Но его красотка все равно не вышла за него замуж. Она дала ему отставку. Наверное, догадалась о том, что он сделал...

— Нигель, дорогой, какой ужас! Прости меня!

— Ладно. Не будем об этом. Лучше поговорим о соде, черт бы ее побрал! Давай подумай, куда ты могла деть пузырек. Сядь, соберись с мыслями и постарайся вспомнить, Пат!

Женевьев вошла в гостиную в крайнем возбуждении. Вошла и дрожащим шепотом заявила, глядя на сидящих в комнате:

— Ну, теперь-то я знаю, знаю наверняка, кто убил малышку Селию!

— Кто? Говори, не тяни! — потребовал Рене. — Что ты такого узнала?

Женевьев осторожно оглянулась, желая удостовериться, что дверь в гостиную закрыта. Потом сказала, понизив голос:

— Ее убил Нигель Чэпмен.

— Нигель? Но почему?

— А вот почему. Я сейчас шла по коридору и вдруг услышала голоса в комнате Патрисии. Там был Нигель.

— Нигель? В комнате Патрисии? — осуждающим тоном переспросила Джин.

Но Женевьев торопливо продолжала:

— И он говорил, что его отец убил его мать и поэтому он изменил фамилию. По-моему, все ясно. Отец его — закоренелый преступник, и, значит, на Нигеле от рождения лежит Каинова печать.

— Вполне возможно, — откликнулся мистер Чандра Лал, с удовольствием смакуя обвинение. — Вполне. Он такой необузданный, этот Нигель, такой неуравновешенный. Он совсем не владеет собой. Ведь правда же? — Он свысока обратился к Акибомбо, который с готовностью закивал курчавой черной головой и расплылся в белозубой улыбке.

— Я всегда чувствовала, — сказала Джин, — что у Нигеля нет никаких моральных устоев. Он просто чудовище.

— Я думаю, это убийство на почве секса, — сказал мистер Ахмед Али. — Он спал с девушкой, а потом убил ее. Ведь она была хорошая, порядочная и хотела, чтобы он на ней женился...

— Вздор! — вдруг взорвался Леонард Бейтсон.

— Что ты сказал?

— Я сказал: вздор!

Глава 17

Сидя в кабинете Шарпа, Нигель нервно елозил на стуле под суровым взглядом инспектора. Слегка запинаясь, он закончил свой рассказ.

— Вы отдаете себе отчет, мистер Чэпмен, насколько все серьезно? Я не преувеличиваю.

— Конечно отдаю. Неужели я пришел бы сюда, если бы не считал, что нужно срочно что-то делать?

— И вы утверждаете, что мисс Лейн не может точно припомнить, когда она в последний раз видела пузырек, в который она пересыпала морфий?

— Она совершенно не может собраться с мыслями. Чем больше она думает, тем больше запутывается. Она сказала, что я ее разволновал, и поэтому я пошел к вам, а она пока постарается сосредоточиться.

— Нам лучше сразу же поехать на Хикори-роуд.

Но не успел инспектор договорить, как на столе зазвонил телефон, и констебль, записывавший рассказ Нигеля, снял трубку.

— Это мисс Лейн, — сказал он. — Просит позвать мистера Чэпмена.

Нигель перегнулся через стол и схватил трубку:

— Пат? Это я, Нигель.

Послышался взволнованный, срывающийся голос девушки, она говорила, глотая слезы:

— Нигель! Кажется, я поняла. Я хочу сказать, мне кажется, я знаю, кто его взял... ну, из ящика... понимаешь, только один человек мог...

Она неожиданно умолкла.

— Пат! Алло! Пат, ты слышишь меня? Кто это, Пат?

— Я сейчас не могу говорить. Потом. Ты скоро придешь?

Телефон стоял близко, и констеблю с инспектором было слышно каждое слово. Инспектор кивнул, поймав вопросительный взгляд Нигеля:

— Скажите, что мы едем.

— Мы выезжаем, — сказал Нигель. — Прямо сейчас.

— Ага. Хорошо. Я буду ждать вас в комнате.

— Пока, Пат.

За недолгий путь до Хикори-роуд никто не произнес ни слова. «Неужели наконец дело сдвинулось с мертвой точки? — гадал Шарп. — Интересно, Патрисия Лейн действительно что-то знает или это лишь ее домыслы? Но наверняка она вспомнила что-то очень важное, с ее точки зрения». Он решил, что она звонила из холла и поэтому не могла говорить свободно — вечером там было полно народу.

Нигель открыл дверь своим ключом, и они вошли. Проходя мимо гостиной, Шарп увидел лохматую рыжую голову Леонарда Бейтсона, склонившегося над книгами.

Нигель провел их наверх в комнату Пат. Он постучался и вошел.

— Привет, Пат! Ну, вот и мы...

Он вскрикнул, протяжно и потрясенно, и умолк. Шарп заглянул через его плечо в комнату, и перед его глазами предстала страшная картина... Патрисия Лейн лежала на полу.

Инспектор мягко отстранил Нигеля, подошел к скорчившемуся телу, встал на колени, поднял голову девушки, несколько минут пристально вглядывался в ее лицо, а потом осторожно положил голову на пол. Когда он поднялся с колен, лицо его было мрачным и застывшим.

— Нет! — воскликнул Нигель неестественным, высоким голосом. — Нет! Нет!! Нет!!!

— Увы, мистер Чэпмен. Она мертва.

— Нет! Нет! Только не Пат! Боже мой, Пат, глупышка... От чего она...

— Вот, посмотрите.

Оружие было простым, придуманным впопыхах: мраморное пресс-папье, засунутое в шерстяной носок.

— Удар пришелся по затылку. Такая штука действует безотказно. Не знаю, утешит ли это вас, мистер Чэпмен, но она даже не успела понять, что произошло.

Нигель сел, опираясь дрожащими пальцами о кровать.

— Это мой носок... Она собиралась его заштопать... О Господи, она собиралась его заштопать!

Внезапно он разрыдался. Он плакал, как ребенок, отчаянно и безутешно.

Шарп продолжал размышлять вслух:

— Она хорошо знала этого человека. Он взял носок и тихонько засунул в него пресс-папье. Вам знакома эта вещь, мистер Чэпмен?

Он отогнул носок и показал пресс-папье Нигелю.

Тот, всхлипывая, ответил:

— Оно всегда стояло на столе у Пат. Это Люцернский лев. — Нигель закрыл лицо руками. — Пат... О, Пат! Что я буду без тебя делать? — Потом вдруг выпрямился и откинул назад взлохмаченные светлые волосы. — Я убью того, кто это сделал! Я убью его! Изверг, мерзавец!

— Успокойтесь, мистер Чэпмен, успокойтесь. Конечно, я понимаю ваши чувства. Какая страшная жестокость!

— Пат никому не причиняла зла...

Инспектор Шарп проводил Нигеля до дверей, выражая ему свои соболезнования. Потом вернулся в комнату и, наклонившись над мертвой девушкой, осторожно вытащил что-то из ее руки.

Жеронимо, по лбу которого катились капли пота, испуганно смотрел черными глазами на полицейских.

— Я ничего не вижу. Ничего не слышу, верьте мне. Я ничего совсем не знаю. Я с Марией в кухня. Я начинаю готовить минестрони. Я теру сыр...

Шарп прервал его словоизлияния:

— Никто вас не обвиняет. Мы просто хотим кое-что уточнить. Кто был в пансионате после шести часов?

— Я не знаю. Как я могу знать?

— Но вам же прекрасно видно из кухонного окна, кто входит в дом, а кто выходит, не так ли?

— Да-да...

— В таком случае расскажите нам.

— Они все время ходят туда и сюда в это время.

— Кто был дома с шести часов вечера до нашего приезда? Мы приехали без двадцати пяти семь.

— Все, кроме мистер Нигель, миссис Хаббард и мисс Хобхауз.

— Когда они ушли?

— Миссис Хаббард уходила перед чай, она еще на улица.

— Так. Дальше.

— Мистер Нигель уходил полчаса назад, приблизительно. Около шесть часов. Он был очень расстроенный. Он пришел с вами сейчас.

— Ага, хорошо.

— Мисс Валери, она выходила ровно в шесть. По радио как раз время: пип-пип-пип. Она одетая для коктейль, очень нарядный. Она еще не пришла.

— А все остальные были здесь?

— Да, сэр. Все.

Шарп заглянул в записную книжку. Он заметил время, когда звонила Патрисия. Это произошло в шесть минут седьмого.

— Значит, все уже были здесь? А может, кто-нибудь пришел в промежутке между шестью и половиной седьмого?

— Только мисс Салли. Она ходила посылать письмо почтовый ящик и возвращалась.

— Вы не знаете, когда точно она вернулась?

Жеронимо наморщил лоб:

— Она возвращалась, когда были новости.

— Стало быть, после шести?

— Да, сэр.

— А что именно передавали?

— Не помню, сэр. Но не спортивные новости. Потому что, когда по радио спорт, мы выключаемся.

Шарп мрачно усмехнулся. Весьма широкий простор для деятельности. Исключить можно было только Нигеля Чэпмена, Валери Хобхауз и миссис Хаббард. Предстоял долгий, утомительный допрос. Кто был в гостиной, кто нет? Кто мог за кого поручиться? Вдобавок ко всему у многих студентов, особенно у азиатов и африканцев, отсутствовало ощущение точного времени. Так что работенка инспектору предстояла незавидная. Но выполнить ее было необходимо.

Обстановка в комнате миссис Хаббард была гнетущей. Сама миссис Хаббард, еще не успевшая переодеться в домашнее платье, сидела на диване; ее милое круглое лицо вытянулось, в глазах застыла тревога. Шарп с сержантом Коббом сели за маленький столик.

— Наверное, она звонила отсюда, — сказал Шарп. — После шести в гостиной было много народу, но все утверждают, что из холла никто не звонил. Конечно, целиком полагаться на них нельзя, они никогда не глядят на часы. Но думаю, скорее всего, она звонила в участок отсюда. Вас не было, миссис Хаббард, но ведь вы, наверное, не запираете дверь?

Миссис Хаббард покачала головой:

— Нет... Миссис Николетис всегда запирала, а я — нет...

— Хорошо. Значит, Патрисия Лейн пришла сюда, она была страшно взволнована тем, что вспомнила. Во время разговора дверь открылась, и кто-то заглянул или вошел. Патрисия замолчала и повесила трубку. Почему? Может, потому, что именно этого человека она и подозревала? Или же просто решила, что осторожность не помешает? Оба предположения вполне вероятны, но я лично склоняюсь к первому.

Миссис Хаббард закивала, соглашаясь с инспектором.

Тот продолжал:

— За Патрисией, очевидно, следили. Может быть, подслушивали под дверью. Потом вошли, с явным намерением помешать ей договорить. А потом... — лицо Шарпа помрачнело, — она пошла с Патрисией, непринужденно болтая о пустяках. Может, Патрисия обвинила ее в пропаже соды, а она попыталась оправдаться.

Миссис Хаббард резко спросила:

— Почему вы говорите «она»?

— М-да, забавная вещь — местоимение! Когда мы обнаружили труп, Нигель Чэпмен сказал: «Я убью того, кто это сделал. Я убью его!» «Его», отметьте! Нигель Чэпмен был абсолютно уверен, что убийца — мужчина. Может, потому, что представление о жестокости и насилии связано у него с образом мужчины. А может, он кого-нибудь подозревает. Мы еще успеем выяснить, что к чему. Но я лично склонен думать, что убийца — женщина.

— Почему? Очень просто. Кто-то пошел с Патрисией к ней в комнату, и она восприняла это вполне естественно. Следовательно, это была девушка. Юноши крайне редко заходят на женскую половину, не так ли, миссис Хаббард?

— Да. Это нельзя назвать непреложным правилом, но оно соблюдается довольно четко.

— Комнаты мальчиков находятся в другом крыле. Если предположить, что разговор Патрисии с Нигелем до его прихода в полицию был подслушан, то подслушать его могла, очевидно, женщина.

— Я вас понимаю. И некоторые девушки действительно проводят полдня, подслушивая под дверьми. — Она покраснела и добавила извиняющимся тоном: — Впрочем, я слишком резко выразилась. Ведь на самом деле, хотя дом наш построен на совесть, часть стен была разрушена и перебрана, а новые перегородки тоненькие, как картонки. Через них все слышно. Правда, Джин действительно любит подслушивать, что есть — то есть. Это у нее в крови. И конечно, когда Женевьев услышала, как Нигель говорит Пат об убийстве матери, она не преминула остановиться, ловя каждое слово.

Инспектор кивнул. Он уже успел побеседовать с Салли Финч, Джин Томлинсон и Женевьев.

Он спросил:

— А кто живет рядом с Патрисией?

— С одной стороны — Женевьев, но там надежная старая стена. С другой стороны, ближе к лестнице, — комната Элизабет Джонстон, у нее временная перегородка.

— Круг слегка сужается, — сказал инспектор. — Француженка слышала конец разговора, а собиравшаяся на почту Салли Финч — начало. Следовательно, подслушать было практически невозможно, разве что немножко в середине. Конечно, я исключаю Элизабет Джонстон, живущую за тонкой перегородкой, но, с другой стороны, совершенно точно установлено, что в момент ухода Салли Финч она сидела в гостиной.

— Она постоянно была в гостиной?

— Нет, она заходила к себе за книгой. Как всегда, никто не помнит, когда именно.

— Это мог сделать любой из студентов, — беспомощно сказала миссис Хаббард.

— Если полагаться только на их слова, то да, однако у нас есть кое-какие дополнительные улики.

Он достал из кармана маленький пакетик.

— Что это? — взволнованно спросила миссис Хаббард.

Шарп улыбнулся:

— Волосы... Патрисия Лейн сжимала их в кулаке.

— Вы хотите сказать, что...

В дверь постучали.

— Войдите! — откликнулся инспектор.

Дверь распахнулась, и на пороге вырос Акибомбо. Его черное лицо расплылось в широкой улыбке.

— Простите, — сказал он.

Инспектор Шарп раздраженно перебил его:

— Да, мистер... м-м... что у вас там?

— Простите, но мне необходимо делать заявление. Чрезвычайно важный заявление, проливающий свет на этот печальный трагедия.

— Хорошо, мистер Акибомбо, — покорно сказал инспектор Шарп, — рассказывайте, я вас слушаю.

Акибомбо предложили стул. Он сел, глядя на обратившихся в слух инспектора и миссис Хаббард.

— Благодарю вас. Я начинаю?

— Да-да, пожалуйста.

— Видите ли, иногда у меня бывает неприятный ощущение в области желудок.

— Ай-ай-ай!

— Меня мутит, как выражается мисс Салли, но в действительности меня не совсем мутит. Я хочу сказать, у меня нет рвота.

Инспектор Шарп с трудом сдерживался, выслушивая эти медицинские подробности.

— Да-да, — сказал он. — Очень вам сочувствую. Но вы собирались рассказать...

— Может, это от непривычная пища. У меня здесь, — Акибомбо точно указал где, — очень наполнено. И еще я думаю, меня мутит потому, что нам дают мало мясо и много... как это говорится... углеродов.

— Углеводов, — машинально поправил инспектор. — Но я не понимаю...

— Иногда я пью маленький таблетка, мятный сода, а иногда порошок для желудок. Что именно — не важно, главное — что из меня сразу выходит много воздуха. — Мистер Акибомбо весьма реалистично изобразил отрыжку. — После этого, — он ангельски улыбнулся, — я чувствую себя гораздо лучше, гораздо лучше.

Лицо инспектора густо побагровело.

Миссис Хаббард повелительно сказала:

— Мы все прекрасно понимаем. Ближе к делу!

— Да. Конечно. Как я говорил, это случалось в начале прошлой недели... я точно не помню. Макароны были очень хорошие, и я очень много кушал и потом чувствовал очень плохо. Я пытался работать для моего преподавателя, но думать, когда здесь, — Акибомбо опять продемонстрировал где, — наполнено, очень трудно. Это было после ужин, и в гостиной была только Элизабет. Я говорю: «У тебя есть сода или порошок для желудок? Мой кончился». А она говорит: «Нет. Но, — говорит она, — я видела у Пат в комод, когда возвращала ей носовой платок. Я тебе принесу, — говорит она. — Пат не будет сердиться». И она ходила наверх и приносила мне пузырек. Почти пустой, сода почти нет. Я говорил «спасибо» и шел в ванную, насыпал в воду почти полный чайный ложка, размешивал и пил.

— Чайную ложку? Чайную ложку! Боже мой!

Инспектор ошалело уставился на Акибомбо. Сержант Кобб изумленно подался вперед. Миссис Хаббард невнятно пробормотала:

— Распутин!

— Вы проглотили чайную ложку морфия?

— Да, потому, что я думал: там сода.

— Ах, конечно... Но почему с вами ничего не случилось?

— Я потом был болен, серьезно болен. У меня не просто была изжога. Мой живот очень, очень болел.

— Не понимаю, как вы вообще остались живы!

— Распутин — да и только, — сказала миссис Хаббард. — Того тоже травили ядом и никак не могли отравить!

Мистер Акибомбо продолжал:

— Потом, когда следующий день мне становилось лучше, я брал пузырек, в котором сохранялась маленькая слой порошка, и ходил к аптекарю. Я хотел знать, что такое я принял, от чего мне становилось так плохо?

— И что он сказал?

— Он сказал, чтобы я приходил позже, а когда я приходил, он говорил: «Ничего удивительного! Это не сода. Это бора... бореный кислота. Вы можете класть

576

его в глаза, но, если пить чайный ложка этот бореный кислота, вы заболеваете».

— Борная кислота? — остолбенел инспектор. — Но как она попала в этот пузырек? Черт побери, куда делся морфий? — застонал он. — У меня голова кругом идет.

— Простите, я продолжаю, — сказал Акибомбо. — Я стал думать.

— Ага, — сказал Шарп. — И что же вы надумали?

— Я думал о мисс Селия и о том, как она умерла; о том, как кто-то после ее смерти входил в ее комната и оставлял пустой пузырек с морфий и маленькая записка, говорившая, что она убила себя.

Акибомбо на мгновение умолк, инспектор ободряюще кивнул.

— И я... я говорил: кто мог это сделать? И я думал, что если это девушка, то это легко, а если парень, то нет, потому что он должен спускаться по наша лестница и подниматься другая и кто-то может просыпаться и видеть или слышать его. И я думал опять и говорил: предположим, это кто-то в наша половина, но в комнате, рядом с мисс Селия... ведь только ее комната соседняя с наша половина, да? У него балкон, и у нее балкон, и она спит с открытый окно, потому что это гигиенично. И следовательно, если он большой, сильный и атлетичный, он может прыгнуть в ее балкон.

— Кто из мальчиков жил рядом с Селией? Кто же, дай Бог памяти? — сказала миссис Хаббард. — Ах да, Нигель и...

— И Лен Бейтсон, — закончил инспектор, притрагиваясь к бумажному пакетику. — Лен Бейтсон.

— Он очень хороший, очень, — грустно сказал мистер Акибомбо. — И он мне очень нравится, но мы не можем проникать в глубины человеческой психологии. Разве нет? Так утверждает современная теория. Мистер Чандра Лал очень сердился, когда его бореный кислота для глаз исчезался, а когда я спросил, он сказал, что ему говорили, что бореный кислота брал Лен Бейтсон...

— Значит, морфий, который лежал в ящике Нигеля, заменили борной кислотой, а потом Патрисия Лейн заменила содой то, что она считала морфием, но на самом деле в пузырьке была борная кислота... Так-так... Понимаю...

— Но я вам помог, правда? — вежливо спросил мистер Акибомбо.

— Да, конечно, мы вам крайне признательны. Но пожалуйста, мистер... м-м... не распространяйтесь больше на эту тему.

— Не беспокойтесь, сэр. Я буду очень осторожным.

Мистер Акибомбо церемонно поклонился и вышел из комнаты.

— Лен Бейтсон! — расстроенно сказала миссис Хаббард. — Ах нет! Нет!

Шарп взглянул на нее:

— Вам грустно думать, что Лен — убийца?

— Да, мне нравится этот паренек. Характер у него, конечно, не сахар, но мне казалось, что он очень хороший мальчик.

— Многие преступники с виду хорошие, — возразил Шарп.

Он осторожно развернул пакетик. Миссис Хаббард наклонилась вперед... На белой бумаге лежали два коротких курчавых рыжих волоска.

— Боже мой! — сказала миссис Хаббард.

— Да, — задумчиво откликнулся Шарп. — Я давно убедился, что убийца, как правило, допускает хотя бы одну ошибку.

Глава 18

— Но это же чудесно, друг мой! — восхищенно воскликнул Эркюль Пуаро. — Все так прозрачно... Просто совершенно прозрачно!

— Можно подумать, что вы говорите о супе, — ворчливо произнес инспектор. — Не знаю, может, это для вас действительно прозрачный бульон, но, на мой взгляд, супчик еще мутноват.

— Какое там мутноват! Все уже предельно ясно!

— Даже это?

Так же невозмутимо, как в комнате миссис Хаббард, инспектор продемонстрировал два рыжих волоска.

— А, это! — сказал Пуаро и почти слово в слово повторил выражение Шарпа. — Как у вас принято говорить: убийца допускает роковую ошибку.

Их взгляды встретились.

— Люди всегда переоценивают свои умственные способности, — сказал Эркюль Пуаро.

Инспектора Шарпа так и подмывало спросить: «Даже вы?»

Но он сдержался.

— Ну а в остальном, друг мой, все идет по плану?

— Да, бомба взорвется завтра, — произнес Шарп.

— Вы сами поедете?

— Нет. Я должен появиться на Хикори-роуд. А там за старшего будет Кобб.

— Пожелаем ему удачи!

Эркюль Пуаро сурово поднял рюмку с мятным ликером. Инспектор Шарп налил себе виски.

— Будем надеяться, что все пройдет гладко, — сказал он.

— Умеют же жить люди! — сказал сержант Кобб.

Он с завистью и восхищением смотрел на витрину «Сабрины Фер». Там были расставлены самые разнообразные косметические товары в изящных упаковках, а посередине стояла застекленная фотография Сабрины, снятой в одних трусиках. Казалось, девушка купается в волнах зеленоватого стекла. Кроме маленьких дорогих трусиков на ней было еще несколько диковинных украшений.

Констебль Маккре неодобрительно хмыкнул:

— Богохульство, вот что это такое! Мильтон бы в гробу перевернулся.

— Тоже мне нашел Священное писание!

— Но ведь «Потерянный рай» как раз об Адаме и Еве, и райских кущах, и всяких дьяволах из преисподней. А это, по-твоему, не религия?

Сержант Кобб не стал спорить на такие скользкие темы. Он храбро двинулся в салон, а за ним по пятам следовал строгой констебль. Сержант и его подчиненный явно не вписывались в изысканный розовый интерьер.

К ним подплыло прелестное создание в оранжево-розовом туалете, оно будто парило в воздухе. Сержант Кобб сказал: «Доброе утро, мадам» — и достал свое удостоверение. Сказочное создание испуганно упорхнуло. Вместо него появилось другое такое же, но чуть постарше. Оно, в свою очередь, уступило место роскошной, блистательной герцогине с голубыми волосами и гладкими щеками, неподвластными времени. Стальные серые глаза стойко выдержали пристальный взгляд сержанта Кобба.

— Я очень удивлена, — сурово сказала герцогиня. — Пожалуйста, следуйте за мной.

Она провела их через квадратный салон, посреди которого стоял круглый стол, заваленный журналами и газетами. Вдоль стен располагались занавешенные кабинки, в которых жрицы в розовых одеяниях колдовали над возлежащими в креслах дамами.

Герцогиня провела полицейских в маленький кабинет.

— Я — миссис Лукас, хозяйка салона, — сказала она. — Моей компаньонки, мисс Хобхауз, сегодня нет.

— Нет, мадам, — подтвердил сержант Кобб, ничуть не удивившись.

— Меня крайне удивляет ваше намерение произвести обыск, — сказала миссис Лукас. — Это личный кабинет мисс Хобхауз. Я очень надеюсь, что вы... м-м... не потревожите наших клиенток.

— Не беспокойтесь, мадам, — сказал Кобб. — Нас вряд ли заинтересует что-нибудь, кроме этого кабинета.

Он вежливо подождал, пока она неохотно удалилась. Потом оглядел кабинет Валери Хобхауз. Стены были оклеены бледно-серыми обоями, на полу лежали два персидских ковра. Он перевел взгляд с маленького настенного сейфа на большой письменный стол.

— В сейфе вряд ли, — сказал Кобб. — Слишком на виду.

Через пятнадцать минут содержимое сейфа и ящиков стола было извлечено на свет Божий.

— Похоже, мы попали пальцем в небо, — проговорил Маккре, бывший по натуре пессимистом и брюзгой.

— Это лишь начало, — сказал Кобб.

Сложив содержимое ящиков в аккуратные кучки, он начал вынимать сами ящики и переворачивать их.

— Вот, полюбуйтесь, дружок! — довольно воскликнул он.

Ко дну нижнего ящика с обратной стороны было приклеено скотчем полдюжины синеньких книжечек с блестящими надписями.

— Паспорта, — сказал сержант Кобб, — выданные секретарем государственного департамента иностранных дел. Боже, спаси его доверчивую душу!

Маккре с интересом наклонился над плечом Кобба, который открыл паспорта и сличал фотографии.

— Никогда не подумаешь, что это одна и та же женщина, да? — сказал Маккре.

Паспорта были выданы на имя миссис да Сильвы, мисс Ирен Френч, миссис Ольги Кох, мисс Нины Де Мезюрье, миссис Глэдис Томас и мисс Мойры О'Нил. На фотографиях была изображена моложавая темноволосая женщина, которой можно было дать и двадцать пять, и все сорок.

— Весь трюк в том, что она каждый раз делала новую прическу, — сказал Кобб, — то локоны, то перманент; здесь, посмотри, прямая стрижка, а здесь — под пажа. Когда она выдавала себя за Ольгу Кох, то она чуть-чуть изменила форму носа, а фотографируясь на паспорт миссис Томас, положила что-то за щеки. А вот еще иностранные паспорта: мадам Махмуди, алжирки, и Шейлы Донован, из Ирландии. Полагаю, у нее открыты счета в банках на все эти фамилии.

— Запутаться можно, да?

— Но, голубчик, у нее не было другого выхода. Ей следовало сбить со следа налоговую инспекцию. Наживаться на контрабанде нетрудно, а вот поди объясни налоговому инспектору, откуда у тебя денежки. Ручаюсь, что именно поэтому она основала маленький игорный дом в Мэйфере. Только так она могла обдурить налоговую инспекцию. Думаю, львиная доля ее капиталов помещена в алжирские и французские банки. Все было хорошо продумано, поставлено на деловую ногу. И надо же было так случиться, что однажды она забыла один из паспортов на Хикори-роуд, а глупышка Селия его увидела!

Глава 19

— Да, ловко придумала девушка! — сказал инспектор Шарп. Сказал снисходительным, почти отеческим тоном.

Он сидел, перекладывая паспорта из одной руки в другую, словно тасуя карты.

— Ох и сложно же копаться в финансовых делах! — продолжал он. — Мы запарились, бегая по банкам. Она здорово умела заметать следы. Нам пришлось попотеть. Пожалуй, через пару лет она могла бы выйти из игры, уехать за границу и жить припеваючи на средства, добытые, как говорится, нечестным путем. Особо крупными махинациями она не занималась: ввозились контрабандные бриллианты, сапфиры и так далее, а вывозились ворованные вещи. Ну и разумеется, не обошлось без наркотиков. Все было четко организовано. Она ездила за границу под своим и вымышленными именами довольно редко, а контрабанду всегда провозил, сам того не подозревая, кто-то другой. У нее были за границей агенты, которые в нужный момент подменяли рюкзаки. Да, ловко придумано. И только благодаря мсье Пуаро мы смогли напасть на след. Она, конечно, поступила очень умно, подбив бедняжку Селию на воровство. Вы ведь сразу догадались, что это ее идея, мсье Пуаро?

Пуаро смущенно улыбнулся, а миссис Хаббард посмотрела на него с восхищением. Разговор был приватный, они сидели в комнате миссис Хаббард.

— Ее сгубила жадность, — сказал Пуаро. — Она польстилась на красивый бриллиант Патрисии Лейн. Тут она допустила промашку, ведь сразу становилось ясно, что она хорошо разбирается в драгоценностях. Не каждый может правильно оценить бриллиант и догадаться заменить его цирконом. Да, конечно, у меня сразу возникли подозрения. Валери Хобхауз, однако, не растерялась, и, когда я сказал, что считаю ее зачинщицей в истории с Селией, она не стала отпираться и очень трогательно объяснила причины своего поведения.

— Но неужели она способна на убийство? — воскликнула миссис Хаббард. — На хладнокровное убийство? Нет, у меня до сих пор не укладывается в голове!

Инспектор Шарп помрачнел.

— Пока мы не можем предъявить ей обвинение в убийстве Селии Остин, — сказал он. — Она попалась на контрабанде. Тут сложностей не будет. Но обвинение в убийстве гораздо серьезнее, и прокурор пока не видит оснований возбуждать дело. У нее, конечно, были причины пытаться убрать Селию, была и возможность. Она, вероятно, знала о пари и о том, что у Нигеля есть морфий, но никаких реальных улик нет, и, потом, не надо сбрасывать со счетов другие убийства. Она, разумеется, могла отравить миссис Николетис, но уж Патрисию Лейн она наверняка не убивала. Она — одна из немногих, у кого есть твердое алиби. Жеронимо вполне определенно утверждает, что она ушла из дому в шесть часов. И он упорно стоит на своем. Не знаю, может, она его подкупила...

— Нет, — покачал головой Пуаро. — Она его не подкупала.

— И потом, у нас есть показания аптекаря. Он ее прекрасно знает и говорит, что она зашла в аптеку в пять минут седьмого, купила пудру и аспирин и позвонила по телефону. Она ушла из аптеки в пятнадцать минут седьмого и села в такси там напротив стоянки.

Пуаро подскочил на стуле.

— Но ведь это, — сказал он, — великолепно! Это как раз то, что нам было нужно!

— О чем вы, скажите на милость?

— О том, что она позвонила из аптеки на углу.

Инспектор Шарп раздраженно поморщился:

— Погодите, мсье Пуаро. Давайте проанализируем известные нам факты. В восемь минут седьмого Патрисия Лейн еще жива, она звонит из этой комнаты в полицейский участок. Вы согласны?

— Я не думаю, что она звонила отсюда.

— Ну, тогда из холла.

— Нет, из холла она тоже не звонила.

Инспектор Шарп вздохнул:

— Но надеюсь, вы не ставите под сомнение сам звонок? Или, может, я, мой сержант, констебль Най и Нигель Чэпмен оказались жертвами массовой галлюцинации?

— Разумеется, нет. Вам позвонили. И у меня есть маленькое подозрение, что звонили из автомата, который находится в аптеке на углу.

У инспектора Шарпа отвисла челюсть.

— Вы хотите сказать, что на самом деле звонила Валери Хобхауз? Что она выдала себя за Патрисию Лейн, которая в то время была уже мертва?

— Совершенно верно.

Инспектор помолчал, потом со всего размаху стукнул кулаком по столу:

— Не верю! Я же слышал... сам слышал голос...

— Слышали, да. Девичий голос... прерывистый, взволнованный. Но вы же не настолько хорошо знали Патрисию Лейн, чтобы узнать ее по голосу?

— Я-то нет, но с ней разговаривал Нигель Чэпмен. А его нельзя провести. Не так-то легко изменить голос по телефону или выдать себя за другого. Нигель Чэпмен понял бы, что с ним говорит не Пат.

— Да, — сказал Пуаро, — разумеется. Более того, он прекрасно знал, что это не Пат. И не мудрено, ведь незадолго до звонка он сам убил ее ударом в затылок.

Инспектор на мгновение потерял дар речи.

— Нигель Чэпмен? Нигель Чэпмен? Но когда мы увидели мертвую Патрисию, он плакал... плакал, как ребенок!

— Вполне возможно, — сказал Пуаро. — Думаю, он был к ней привязан... насколько он вообще способен привязаться. На протяжении всего расследования Нигель Чэпмен оказывался самой подозрительной личностью. Кто имел в своем распоряжении морфий? Нигель Чэпмен. Кто достаточно ловок и сообразителен, чтобы разработать хитрый план убийства? У кого хватит смелости довести его до конца и сбить с толку преследователей? У Нигеля Чэпмена. Кто жесток и тщеславен? Нигель Чэпмен. У него все качества, которыми должен обладать убийца: он безумно заносчив, злобен, любит ходить по острию ножа и поэтому часто совершает безрассудства, лишь бы привлечь к себе внимание. Взять хотя бы историю с конспектами! Вдумайтесь, какой это прекрасный блеф: он заливает их своими чернилами, а потом подсовывает платок в комод Патрисии! Но он хватил через край, когда вложил в руку Пат волосы Лена Бейтсона. Это была его роковая ошибка — ведь он упустил из виду, что раз Патрисию ударили сзади, то она просто физически не могла схватить убийцу за волосы. Все преступники одинаковы: они слишком себя любят и слишком высоко ценят свой ум и обаяние, потому что в чем, в чем, а в обаянии Нигелю отказать нельзя. Это обаяние капризного дитяти, которое никогда не повзрослеет и живет только собой и своими интересами.

— Но почему, мсье Пуаро? Почему он убил их? Остин — еще понятно. Но зачем ему было убивать Патрисию Лейн?

— А вот это, — сказал Пуаро, — нам и предстоит выяснить.

Глава 20

— Давненько я вас не видел, — сказал старый мистер Эндикотт Эркюлю Пуаро и проницательно взглянул на прочих посетителей. — Очень мило, что вы решили навестить старика.

— Да вообще-то, — сказал Эркюль Пуаро, — я пришел по делу.

— Рад служить, вы же знаете, что я ваш вечный должник. Вы тогда меня очень выручили, распутав дело Абернети.

— А я, честно говоря, не ожидал вас тут застать. Я считал, вы уже вышли на пенсию.

Старый юрист невесело усмехнулся. Его фирма была одной из самых уважаемых и процветающих в городе.

— У меня назначена встреча со старым клиентом. По старой дружбе я еще веду кое-какие дела.

— Сэр Артур Стэнли, если не ошибаюсь, тоже был вашим старым другом и клиентом?

— Да. Он пользовался услугами нашей фирмы с молодости. Он был удивительным человеком, Пуаро... редкого ума человеком.

— По-моему, вчера в шестичасовом выпуске новостей говорили о его смерти?

— Да. Похороны состоятся в пятницу. Он довольно долго болел. Насколько мне известно, у него была злокачественная опухоль.

— А леди Стэнли умерла несколько лет назад?

— Примерно два с половиной года тому назад.

Из-под кустистых бровей на Пуаро смотрели проницательные глаза.

— От чего она умерла?

Юрист поспешно ответил:

— Приняла слишком большую дозу снотворного. Кажется, мединала.

— Дознание проводилось?

— Да. Полиция пришла к заключению, что она приняла его по ошибке.

— Это правда?

Мистер Эндикотт помолчал.

— Пожалуйста, не сердитесь, — сказал он. — Я не сомневаюсь, что вы интересуетесь не из праздного любопытства. Мединал довольно опасен, потому что не существует четкой грани между лечебной и смертельной дозой. В полусонном состоянии человек может забыть, что он уже принял снотворное, и принять еще раз, и тогда последствия бывают самые печальные.

Пуаро кивнул:

— Это с ней и произошло?

— Вероятно. На самоубийство или на попытку самоубийства не похоже.

— А... на что-нибудь еще?

Мистер Эндикотт снова метнул на него проницательный взгляд:

— Есть показания ее мужа.

— И что в них говорится?

— Он заверил следствие, что, приняв мединал, она порой впадала в забытье и просила еще.

— Он сказал неправду?

— Ей-богу, Пуаро, вы просто несносны! Откуда же мне знать, скажите на милость?

Пуаро улыбнулся. Его не обманул нарочитый гнев Эндикотта.

— Я полагаю, друг мой, что вы все прекрасно знаете. Однако сейчас я не буду докучать вам расспросами. Мне только хочется узнать ваше мнение. Чисто по-человечески. Как вам кажется, Артур Стэнли мог бы убить свою жену, если бы ему захотелось жениться во второй раз?

Мистер Эндикотт подскочил как ужаленный.

— Чушь! — воскликнул он. — Какая дикая чушь! Да и не было у него другой женщины! Стэнли преданно любил свою жену.

— Я так и думал, — сказал Пуаро. — А теперь я расскажу вам о цели моего визита. Вы были поверенным в делах Артура Стэнли. И очевидно, являетесь его душеприказчиком?

— Вы угадали.

— У Артура Стэнли был сын, который поссорился с отцом после смерти матери. Поссорился и ушел из дома. Он даже изменил фамилию.

— Да? Я этого не знал. И как же теперь его звать?

— Мы к этому еще вернемся. Но сначала мне хотелось бы высказать одно предположение. Я думаю, что Артур Стэнли оставил вам письмо, которое вы должны были вскрыть либо в чрезвычайных обстоятельствах, либо после его смерти. Я угадал?

— Фантастика, Пуаро! В средние века вас как пить дать сожгли бы на костре! Вы просто ясновидящий!

— Стало быть, я прав? Я думаю, что в письме вам был предложен выбор: либо уничтожить его... либо принять определенные меры.

Он умолк. Его собеседник тоже не произносил ни слова.

— Мой Бог, — обеспокоенно воскликнул Пуаро. — Надеюсь, вы его не уничтожили?

Мистер Эндикотт медленно покачал головой, и у Пуаро вырвался вздох облегчения.

— Мы ничего не делаем впопыхах, — неодобрительно откликнулся мистер Эндикотт. — Я должен навести справки... полностью удостовериться...

Он помолчал и сурово добавил:

— Это дело сугубо личное. Я даже вас не могу в него посвятить.

— А если я докажу, что у меня есть веские основания интересоваться?

— Попробуйте, но не представляю, откуда вам могли стать известны подробности этой истории.

— О нет, я выскажу лишь кое-какие догадки. Но если я угадаю правильно...

— Навряд ли, — отмахнулся мистер Эндикотт.

Пуаро глубоко вздохнул:

— Значит, договорились. Итак, я подозреваю, что вам были даны следующие указания. В случае смерти сэра Артура Стэнли вы должны разыскать его сына Нигеля, выяснить, где и как он живет, и удостовериться, что он не замешан ни в каких преступных махинациях.

Невозмутимый мистер Эндикотт был потрясен.

— Ну, раз вы полностью в курсе дела, — сказал он, — я больше не буду от вас таиться. Вы, видно, неспроста интересуетесь юным Нигелем. Что натворил этот мерзавец?

— Полагаю, что события развивались так: уйдя из дома, он переменил фамилию, а знакомым сказал, что, дескать, такое условие было поставлено в завещании матери. Потом он связался с контрабандистами, торговавшими наркотиками и драгоценностями. Очевидно, это с его легкой руки они стали использовать в качестве невольных перевозчиков контрабанды ничего не подозревающих, невинных студентов — идея просто гениальная. Заправляли всем делом двое: Нигель Чэпмен — теперь его так величают — и молодая женщина по имени Валери Хобхауз, которая, видимо, и вовлекла его в эту затею. Предприятие было малочисленным, основанным на комиссионных началах, но доходы оно приносило баснословные. Товар почти не занимал места, но стоил тысячи фунтов стерлингов. И все шло гладко, пока не возник ряд непредвиденных обстоятельств. Однажды в студенческом пансионате появился полицейский, расследовавший убийство под Кембриджем. Вы, наверное, понимаете, почему известие о его приходе повергло Нигеля в панику. Он решил, что полиция охотится за ним. Боясь яркого освещения, он вывернул в холле лампочки и в панике кинулся с рюкзаком на задний двор, разрезал его на куски и спрятал в котельной, опасаясь, что полиция обнаружит на двойном дне рюкзака следы наркотиков.

Страхи его оказались напрасными: полиция лишь хотела навести справки об одном студенте. Но некая девушка из пансионата случайно увидела в окно, как он кромсал рюкзак. Однако смертный приговор был ей подписан не сразу. Чтобы спасти положение, был разработан хитрый план: по наущению заговорщиков девушка натворила глупостей и сама оказалась в незавидном положении. Но дело зашло слишком далеко, и в пансионат пригласили меня. Я посоветовал обратиться в полицию. Девушка пришла в отчаяние и во всем созналась. Вернее, не во всем, а лишь в своих прегрешениях. Но видимо, она пошла к Нигелю и потребовала, чтобы он тоже признался в порче рюкзака и конспектов одной студентки. Ни самому Нигелю, ни его сообщнице не хотелось привлекать внимание к рюкзаку — иначе вся их затея пошла бы прахом. Дело осложнялось и тем, что та девушка, Селия, знала еще один важный секрет. Она проговорилась о нем за ужином, когда меня пригласили в пансионат. Она знала истинное прошлое Нигеля.

— Но наверняка... — нахмурился мистер Эндикотт.

— Нигель полностью порвал со своим прошлым. Его старые приятели могли, конечно, знать, что он носит теперь фамилию Чэпмен, но они понятия не имели, чем он занимается. В пансионате его настоящая фамилия не была известна, но вдруг выяснилось, что Селия знавала его в ранней молодости. Знала она и то, что Валери Хобхауз минимум один раз ездила за границу по фальшивому паспорту. Селия знала слишком много. На следующий вечер Нигель назначил ей свидание и подсыпал в бокал с вином или в чашку кофе морфия. Она умерла во сне, и он постарался, чтобы все смахивало на самоубийство.

Мистер Эндикотт передернулся. Лицо его омрачилось. Он что-то пробормотал вполголоса.

— Но это еще не конец, — сказал Пуаро. — Вскоре при загадочных обстоятельствах умерла владелица ряда студенческих пансионатов и клубов, а потом было совершено третье, самое жестокое и зверское убийство. Патрисия Лейн, которая преданно любила Нигеля и к которой он сам был сильно привязан, невольно вмешалась в его дела и, хуже того, настаивала на его примирении с отцом. Он наплел ей кучу небылиц, но понимал, что она может заупрямиться и написать отцу еще одно письмо — первое он благополучно уничтожил. И вот теперь, друг мой, слово за вами: я думаю, вы раскроете нам секрет, почему он так этого боялся?

Мистер Эндикотт встал, подошел к сейфу, отпер его и вернулся к столу с продолговатым конвертом в руках, сургучная печать на нем была сломана. Он вынул из конверта два листка и протянул их Пуаро.

«Дорогой Эндикотт! — говорилось в письме. — Вы прочтете это после моей смерти. Я убедительно прошу Вас разыскать моего сына Нигеля и выяснить, не замешан ли он в каких-нибудь преступных действиях.

То, что я собираюсь Вам рассказать, не знает больше никто. Поведение Нигеля всегда оставляло желать лучшего. Он дважды подделывал мою подпись на чеках. Оба раза я заплатил его долги, однако предупредил, что больше этого не потерплю. В третий раз он подделал подпись своей матери. Она узнала о его махинациях. Он умолял ее ничего мне не говорить. Она не согласилась. Мы с ней не раз говорили о воспитании Нигеля, и она дала ему понять, что не намерена скрывать от меня его проступок. И тогда он дал ей большую дозу снотворного. Однако она успела прийти ко мне и рассказать о чеке. Когда на следующее утро ее нашли мертвой, я знал, кто это сделал.

Я обвинил Нигеля в убийстве и сказал, что собираюсь заявить в полицию. Он слезно умолял меня этого не делать. Как бы Вы поступили на моем месте, Эндикотт? Я не питаю иллюзий насчет сына, я прекрасно знаю ему цену, знаю, что он — опасный человек, безжалостный, бессовестный мерзавец. Ради него я бы и пальцем не пошевелил. Но меня остановила мысль о моей горячо любимой жене. Согласилась ли бы она отдать его в руки правосудия? Думаю, я не ошибусь, если скажу, что она постаралась бы уберечь его от виселицы. Для нее, как и для меня, было бы страшной трагедией опорочить имя нашей семьи. Но одна мысль не дает мне покоя. Я не верю в перерождение убийцы. Он может совершить новые злодеяния. Не знаю, правильно ли я поступил, но я заключил с сыном договор. Он письменно признался в содеянном, и эта бумага хранится у меня. Я выгнал его из дома и приказал никогда больше не возвращаться. Он должен был начать новую жизнь. Я решил дать ему еще один шанс. Он получил хорошее образование, у него все возможности стать хорошим человеком.

Но он должен был вести честную жизнь, в противном случае его показания стали бы известны полиции. Я обезопасил себя, объяснив ему, что моя смерть его не спасет.

Вы — мой самый старинный друг. Я знаю, что моя просьба для вас — тяжкое бремя, но я прошу вас выполнить ее ради моей покойной жены, которая тоже была вашим другом! Найдите Нигеля. Если он живет честно, то уничтожьте письмо и его признание. Если же нет — то пусть свершится правосудие!

Искренне любящий Вас

Артур Стэнли».

— Ага! — глубоко вздохнул Пуаро.
Он развернул второй листок.

«Я, нижеподписавшийся, признаюсь в том, что 18 ноября 195... года я убил свою мать, дав ей большую дозу мединала.

Нигель Стэнли».

Глава 21

— Надеюсь, вы понимаете свое положение, мисс Хобхауз. Я вас уже предупреждал, что...
Валери Хобхауз не дала ему договорить:
— Да-да, я знаю, что мои показания могут быть использованы против меня. Я к этому готова. Вы предъявили мне обвинение в контрабандной торговле. Я не надеюсь, что суд меня оправдает. Мне грозит долгое тюремное заключение. Я знаю и то, что вы обвиняете меня в соучастии в убийстве.

— Однако чистосердечное признание может облегчить вашу участь. Хотя никаких гарантий я вам дать не могу.

— И не надо. Может, лучше уж сразу покончить все счеты с жизнью, чем томиться столько лет в тюрьме. Я хочу сделать заявление. Можете считать меня сообщницей убийцы, но я не убийца. Я никого не пыталась убить, у меня даже в мыслях такого не было. Я не идиотка. Я хочу, чтобы вы знали: Нигель убивал в одиночку. Я не собираюсь расплачиваться за его преступления.

Селия знала слишком много, но я могла бы все утрясти. Нигель не дал мне времени. Он договорился с ней встретиться, обещал признаться в порче рюкзака и конспектов, а потом подсыпал ей в кофе морфий. Еще раньше он стащил ее письмо и вырезал из него фразу, намекающую на самоубийство. Эту бумажку и пустой флакон из-под морфия, который он на самом деле не выкинул, а припрятал, Нигель положил у ее кровати. Теперь мне понятно, что он давно замышлял убить Селию. Потом он признался мне во всем. И я поняла, что должна быть с ним заодно, иначе я тоже пропала.

Примерно то же случилось и с миссис Ник. Он выяснил, что она пьет, испугался, что она проболтается, а поэтому подкараулил ее где-то и подсыпал ей в рюмку яду. Он всячески отпирался, но я знаю, что убийца — он. Потом была Пат. Он пришел ко мне и рассказал о случившемся. Сказал, что я должна сделать, чтобы у нас обоих было прочное алиби. Я тогда уже совершенно запуталась... выхода не было...

Наверное, если бы вы меня не поймали, я уехала бы за границу и начала новую жизнь. Но мне не удалось ускользнуть. И теперь я хочу лишь одного: убедиться, что жестокий, вечно смеющийся мерзавец отправится на виселицу.

Инспектор Шарп глубоко вздохнул. Все складывалось удачно, на редкость удачно, но он был удивлен.

Констебль лизнул карандаш.

— Я не совсем понимаю... — начал Шарп.

Она оборвала его:

— Вам не нужно ничего понимать. У меня есть свои причины так поступить.

Раздался мягкий голос Эркюля Пуаро:

— Из-за миссис Николетис?

Валери прерывисто задышала.

— Ведь она была вашей матерью, да?

— Да, — сказала Валери Хобхауз, — она была моей матерью...

Глава 22

— Я не понимаю, — умоляюще произнес мистер Акибомбо и тревожно поглядел на своих рыжеволосых собеседников.

Салли Финч увлеклась разговором с Леном Бейтсоном, и Акибомбо с трудом улавливал нить разговора.

— Так кого же, по-твоему, — спросила Салли, — Нигель хотел скомпрометировать: тебя или меня?

— Скорее всего, обоих, — ответил Лен. — Но волосы он, наверное, снял с моей расчески.

— Простите, я не понимаю, — сказал мистер Акибомбо. — Значит, это Нигель прыгал по балконам?

— Нигель прыгуч, как кошка. А я бы в жизни не перепрыгнул — вес не тот.

— Тогда примите мой искренний извинения за то, что я незаслуженно подозревал вам.

— Ладно, не переживай, — сказал Лен.

— Но ты правда здорово помог, — сказала Салли. — Как ты здорово сообразил про борную кислоту!

Мистер Акибомбо расцвел.

— Да вообще давно стоило понять, что Нигель страдал разными комплексами и...

— Ой, ради Бога, не уподобляйся Колину! Нигель мне всегда был глубоко омерзителен, и теперь я наконец понимаю почему. Но ведь правда же, Лен, если бы сэр Артур Стэнли поменьше сентиментальничал и от-

дал бы Нигеля под суд, жизнь трех людей была бы сейчас спасена? Я не могу избавиться от этой мысли.

— Но с другой стороны, его чувства тоже можно понять...

— Простите, мисс Салли...

— Да, Акибомбо?

— Может быть, если вы видите завтра на вечер в университете мой преподаватель, вы скажете ему, что я пришел к очень верный умозаключение? Потому что мой преподаватель часто говорит, что у меня в голове не-раз-бериха.

— Конечно! Обязательно скажу.

Лен Бейтсон был мрачнее тучи.

— Через неделю ты уже будешь в Америке, — сказал он.

На мгновение воцарилось молчание.

— Я приеду, — сказала Салли. — Или ты можешь приехать к нам учиться.

— Зачем?

— Акибомбо! — сказала Салли. — Тебе хотелось бы в один прекрасный день стать шафером на свадьбе?

— А что такое «шафер»?

— Ну, это когда жених... скажем, Лен, дает тебе на сохранение обручальное кольцо, и вы едете в церковь, очень нарядные, а потом он берет у тебя кольцо и надевает его мне на палец, и орган играет свадебный марш, и все плачут.

— Значит, вы с мистером Леном хотите пожениться?

— Ну да.

— Салли!

— Если, конечно, Лен не возражает.

— Салли, но ты не знаешь про моего отца...

— Ну и что? Тем более, что я знаю. Твой отец полоумный. Ничего страшного, у многих отцы полоумные.

— Но это не передается по наследству. Честное слово! Как же я переживал все это время!

— Я немножко догадывалась.

— В Африке, — сказал мистер Акибомбо, — давно, когда еще не приходил атомный век и научная мысль, свадебные обряды были очень интересный и забавный. Хотите, я расскажу?

— Лучше не надо, — замахала руками Салли. — Я подозреваю, что нам с Леном придется краснеть, а рыжие краснеют очень густо.

Эркюль Пуаро поставил свою подпись на последнем письме, протянутом ему мисс Лемон.

— Все хорошо, — серьезно произнес он. — Напечатано без ошибок.

— По-моему, я не так часто ошибаюсь, — возразила секретарь.

— Не часто, но все же бывает. Да, кстати, как дела у вашей сестры?

— Она подумывает отправиться в круиз. По скандинавским столицам.

— А-а, — сказал Эркюль Пуаро.

Он подумал, что вдруг... на корабле...

Но сам он ни за какие блага мира не согласился бы на морское путешествие.

Сзади громко тикал маятник.

> Хикори-дикори,
> Часики тикали,
> Хикори-дикори-док,
> Мышонок в часы — скок-поскок, —

продекламировал Эркюль Пуаро.

— Что вы сказали, мсье Пуаро?

— Да так, ничего, — ответил Пуаро.

КОММЕНТАРИИ

«ДРАМА В ТРЕХ АКТАХ»

Середина тридцатых годов была очень «урожайной» для писательницы. Почти одно за другим из-под ее пера выходит и публикуется несколько произведений. Например, «Драма в трех актах», «Убийства по алфавиту», «Карты на столе». Их объединяет в какой-то степени не только знакомая уже фигура Эркюля Пуаро. Им присуще и определенное единство замысла, прием в литературе известный.

Дерево можно спрятать только в лесу, утверждал английский писатель Гилберт Кийт Честертон (1874—1936). Похоже встречается и у американского писателя Эдгара По (1809—1849) в рассказе «Похищенное письмо». Тут показано, что искомую вещь можно спрятать, не вызывая подозрений, на виду у всех. На нее просто не обратят внимания. Герой Агаты Кристи решает, что и убийство можно подобным образом «спрятать» в ряду других убийств, вроде бы связанных между собой. Но только одно из таких убийств будет преследовать нужную преступнику цель.

Английская критика в лице Роберта Барнарда упрекнула писательницу в том, что характеры многих действующих лиц произведения «не индивидуализированы», за исключением главного героя — актера Чарльза Картрайта. Действительно, он представляется удачей писательницы — коварный, жестокий, вероломный, к тому же хороший лицедей. Другой английский критик — Уильям Уивер считает, что Агата Кристи вообще с долей подозрительности и недоверия относилась к актерской среде. В некоторых ее произведениях, вспомним хотя бы «Смерть лорда Эдвера», представители этой профессии выступают не с лучшей стороны. Все же можно отметить, что индивидуализация действующих лиц в произведениях писательницы, по мнению того же Барнарда, не является главной ее целью. Факты и происшествия важны для нее прежде всего, а «характеры должны быть подогнаны под них... подчинены головоломным загадкам... им никогда нельзя позволять отбиться от рук». Этому Агата Кристи могла научиться и у Конан Дойла, характеры которого, полагает Барнард, живут в книге, только пока они нужны, чтобы раскрыть загадку преступления. И все же следует признать, продолжает Барнард, что в умении создавать словесные образы Агата Кристи превосходит сегодня своих соперников в этом жанре.

Произведение «Драма в трех актах» было издано в Лондоне в издательстве «Коллинз» в 1935 г. В США оно опубликовано в том же году под названием «Убийство в трех актах». В первый же год выпуска в свет было продано 10 тысяч его экземпляров, что тогда считалось весьма высоким показателем.

«ПЕЧАЛЬНЫЙ КИПАРИС»

Агата Кристи в «Автобиографии» вспоминает о том, как перед началом Второй мировой войны к ней обратился английский писатель Грэм Грин, связанный, как известно, с английской разведкой. Он предложил ей заняться пропагандистской работой. Это, очевидно, означало выступать в печати или по радио с обращениями к английскому населению, где в той или иной форме говорилось бы о политике английского правительства, разоблачались бы планы фашистской Германии и т.п. Слово популярной писательницы, без сомнения, уже когда шла война и особенно когда происходили массированные налеты фашистской авиации на Англию, действовало бы успокаивающе на ее слушателей и читателей.

Но подобным планам не суждено было сбыться. «Я не тот писатель, который оказался бы полезен на поприще пропаганды, — отмечает Агата Кристи в «Автобиографии». — Я не обладаю способностью видеть только одну сторону проблемы. Равнодушный пропагандист бесполезен».

Очевидно, поэтому во время войны Агата Кристи продолжала создавать произведения в привычном для нее детективном жанре. За эти годы ей удалось написать весьма значительное число вещей. Писательница вспомнила и свое прежнее занятие провизора: им она была в годы Первой мировой войны. Теперь днем она трудилась в аптеке госпиталя при Лондонском университете. А по вечерам... по вечерам, как пишет Агата Кристи в «Автобиографии», ее ничто не отвлекало. Не надо было ходить в гости, принимать гостей у себя дома, посещать театр и т.п. И она занималась тем, к чему ее влекло всегда.

В произведении «Печальный кипарис» о войне не говорится. Сюжет строится вокруг проблемы отравления. Писательница по роду ее работы в аптеке была хорошо знакома с группой ядов.

Интересно отметить и другой момент. В «Печальном кипарисе» представлена тема любовного треугольника, которая использовалась Агатой Кристи в ее творчестве неоднократно. В пьесе «Двенадцатая ночь» Шекспира выражение «печальный кипарис» означает гроб из кипарисового дерева.

Произведение «Печальный кипарис» было опубликовано в Лондоне в 1940 году издательством «Коллинз». В США оно вышло в том же году в издательстве «Додд, Мид энд Кº».

«ХИКОРИ-ДИКОРИ»

Название этого произведения, как и предыдущего, представляет собой первую строчку детской считалки. Однако, как отмечали критики, Роберт Барнард например, стихи к сюжету романа отношения почти не имеют. В книге «Талант обманывать» (1980) Барнард приводит слова из дневника известного английского сатирика Ивлина Во, который отметил, что «роман начался удачно», а потом свелся к пустословию. Это его суждение, как замечает Барнард, грешит снисходительностью. Отзывы других критиков были не лучше. Так, обозреватель газеты «Санди таймс» Френсис Айлс писал, что роман читается с огромным трудом, присущий автору блеск исчез, сюжет надуман, а юмор банален — все иностранцы в романе смешны, а иностранцы с темным цветом кожи смешнее всех.

Уместность таких замечаний не следует оспаривать. Возможно, недостатки романа объясняются желанием писательницы усилить чисто развлекательную сторону его, как-то обогатить интригу. Ведь сама Агата Кристи всегда считала себя лишь автором популярных, развлекательных произведений, нисколько не претендуя на что-то большее. И все же, отмечает Барнард, репутация Агаты Кристи не пострадает от критики даже после ее смерти, что ожидает многих ее писателей-современников. Популярность Агаты Кристи, полагает Барнард, перешагнет временны́е, интеллектуальные и классовые барьеры. Она еще долго останется любимым автором многих поколений читателей. Почему? Агата Кристи создала в своих произведениях не подверженный влиянию времени статичный мир, населенный «одномерными», лишенными психологической глубины персонажами. С их помощью она поддерживает интерес читателя ко всем хитросплетениям сложной и запутанной интриги, лелея в душе читателя мысль о том, что справедливость в конце концов восторжествует и зло будет наказано.

Как и в романе «Пять поросят», Агата Кристи использует в этом произведении свои знания о лекарственных травах и ядах, которые она приобрела еще во время Первой мировой войны, когда работала в аптеке при госпитале.

Роман был опубликован в 1955 году в Лондоне в издательстве «Коллинз» и тогда же в США в издательстве «Додд, Мид энд К°» под названием «Хикори-дикори смерть».

Т. Шишкина, А. Шишкин

СОДЕРЖАНИЕ

Литературно-художественное издание

Агата Кристи

Весь Эркюль Пуаро

ДРАМА В ТРЕХ АКТАХ

Романы

Ответственный редактор *З.В. Полякова*

Художественный редактор *И.А. Озеров*

Технический редактор *Л.И. Витушкина*

Ответственный корректор *В.А. Андриянова*

Изд. лиц. ЛР № 065372 от 22.08.97 г.
Подписано к печати с готовых диапозитивов 10.03.2000
Формат 84х108 1/32. Бумага газетная. Гарнитура "Таймс"
Печать офсетная. Усл. печ. л. 31,92. Уч.-изд. л. 30,23
Тираж 8000 экз. Заказ № 643

ЗАО "Издательство "Центрполиграф"
111024, Москва, 1-я ул. Энтузиастов, 15
E-MAIL: CNPOL@DOL.RU

Отпечатано в ГУП Издательско-полиграфический
комплекс "Ульяновский Дом печати"
432601, г. Ульяновск, ул. Гончарова, 14

БУАЛО-НАРСЕЖАК

• •

Первое полное собрание детективных произведений в 11 томах

Французские писатели Пьер Буало и Тома Нарсежак — новаторы детективного жанра. Они приблизили детективный вымысел к реальной жизни, которая способна ставить смертельно опасные ловушки перед любым и каждым. В своих романах и рассказах авторы мастерски создают и нагнетают атмосферу напряженного ожидания развития событий, вызывая у читателя чувство постоянной, от первой страницы до последней, тревоги за судьбу героев. Буало-Нарсежак по

праву стоят в одном ряду с такими писателями-детективистами, как Конан Дойл, Агата Кристи, Жорж Сименон.

Твердый целлофанированный переплет, формат 206 х 125 мм, средний объем книги 526 с.